THETA HEALING®

Doenças e Desordens

VIANNA STIBAL

THETA HEALING®
DOENÇAS E DESORDENS

Tradução:
Giti Bond e Gustavo Barros

Publicado originalmente em inglês sob o título *ThetaHealing® Diseases & Disorders*, por Hay House UK Ltd.
© 2008, 2011, Vianna Stibal.
Direitos de edição e tradução para o Brasil.
Tradução autorizada do inglês.
© 2021, Madras Editora Ltda.

Editor:
Wagner Veneziani Costa (*in memoriam*)

Produção e Capa:
Equipe Técnica Madras

Tradução:
Giti Bond e Gustavo Barros

Revisão da Tradução:
Silvia Massimini Felix

Revisão:
Jerônimo Feitosa

Dados Internacionais de Catalogação na Publicação (CIP)
(Câmara Brasileira do Livro, SP, Brasil)

Stibal, Vianna
ThetaHealing® : doenças e desordens / Vianna
Stibal ; [tradução Giti Bond e Gustavo Barros]. --
São Paulo : Madras, 2021.
Título original: ThetaHealing : diseases e
desordens.
ISBN: 978-85-370-1026-6

1. Cura energética 2. Cura espiritual
3. Medicina energética 4. Mente e corpo - Terapias
I. Título.
16-06372   CDD-615.8
5.ed

Índices para catálogo sistemático:
1. Cura energética : Terapia holística 615.8

É proibida a reprodução total ou parcial desta obra, de qualquer forma ou por qualquer meio eletrônico, mecânico, inclusive por meio de processos xerográficos, incluindo ainda o uso da internet, sem a permissão expressa da Madras Editora, na pessoa de seu editor (Lei nº 9.610, de 19/2/1998).

Todos os direitos desta edição, em língua portuguesa, reservados pela

MADRAS EDITORA LTDA.
Rua Paulo Gonçalves, 88 – Santana
CEP: 02403-020 – São Paulo/SP
Tel.: (11) 2281-5555 –   (11) 98128-7754
www.madras.com.br

AGRADECIMENTOS

Devo agradecer a todos os clientes maravilhosos que me deram a oportunidade de aprender a informação que finalmente chegou a repousar neste livro para a posteridade. Que esse conhecimento seja um presente para todas as almas corajosas que ousam acreditar.

ÍNDICE

Prólogo.. **15**

O papel da medicina convencional 15

Thetahealing® 17

    Os mecanismos de uma cura 18

    Fique aberto 19

    Autocura... 20

    A doença fala.. 20

    Limpezas e bom senso.. 20

    Reações à cura 21

    Massagem 21

    Depois da doença.. 22

    Cuidados para curadores intuitivos... 22

Micróbios 25

    Bactérias 27

    Metais pesados 29

    Miasmas 31

    Vermes.. 32

Alimentos 36

    Sobre gorduras e óleos 37

Thetahealing ®: Doenças, Desordens e Crenças Associadas **39**

O Corpo Canta 40

   A

Abuso: *veja Aparelho digestivo e Sistema reprodutor* 41

Abuso de drogas 41

Acidente vascular cerebral 43

Açúcar no sangue: *veja Hipoglicemia*.. 46

Aids-HIV 46

ÍNDICE

Alcoolismo 53
Alergia a picadas de insetos 59
Alergias 61
Anemia 63
Anorexia nervosa/Bulimia 65
Artrite 66
Asma 71
Astigmatismo: *veja Olhos* 78
Autismo 78
Azia/refluxo gastroesofágico 81

B
Bactéria: *veja "Prólogo"* 84
Bronquite 84
Bulimia: *veja Anorexia nervosa* 85

C
Cálculos biliares 86
Câncer 87
    Câncer cervical ou do colo do útero 97
    Câncer de bexiga 99
    Câncer de boca 100
    Câncer de colón 101
    Câncer de esôfago e de laringe 103
    Câncer de estômago 104
    Câncer de laringe: veja Câncer de esôfago e de laringe 106
    Câncer de mama 106
    Câncer de ovário 115
    Câncer de pâncreas 119
    Câncer de pele 120
    Câncer de pulmão 129
    Câncer de testículo 131
    Câncer linfático/linfoma 132
    Leucemia 135
    Tumor cerebral 139
    Tumor ósseo 140
Cândida 141

Cataratas: *veja Olhos* 143

Cérebro 143

    Lesão cerebral 145

Choque séptico 146

Cicatrizes 146

Cirrose 147

Cistite 152

Cistos ovarianos 152

Clamídia 153

Colesterol alto: *veja Doença cardiovascular* 155

Cólicas menstruais 155

Colite ulcerosa 155

Coma 158

Coração e sistema circulatório 161

D

Deficiência auditiva 163

Degeneração macular 169

    Degeneração macular seca 169

    Degeneração macular úmida 170

Dentes 172

Depressão 173

Desequilíbrios da tireoide: *veja Hipertireoidismo e*
Hipotireoidismo 176

Desequilíbrios de estrogênios 176

Diabetes 177

Dislexia 184

Distrofia muscular 184

Transtorno do déficit de atenção com
hiperatividade (DDA/TDAH) 187

Distúrbios das glândulas suprarrenais 190

Distúrbios do cólon 195

Distúrbios do sangue 196

Doença cardíaca: *veja Doença Cardiovascular;*
Coração e Sistema Circulatório 198

Doença cardiovascular 198

ÍNDICE

Ataques cardíacos 208

Colesterol alto 211

Hipertensão 213

Doença celíaca 216

Doença de Addison 218

Doença de Alzheimer 218

Doença de Crohn 221

Doença de Graves 224

Doença de Huntington 225

Doença de Lou Gehrig 226

Doença de Lyme 228

Doença de Paget 232

Doença de Parkinson 234

Doença de Wilson 238

Síndrome de Wilson: veja Hipotireoidismo 242

Doença do Legionário 242

Doença do refluxo gastroesofágico: *veja Azia* 243

Doença fibrocística da mama 243

Doença inflamatória pélvica: *veja Clamídia* 245

Doença renal (insuficiência renal) 245

Doenças sexualmente transmissíveis (DSTs) 252

Dor de garganta 254

Dor nas costas 256

Dores de cabeça 257

E

E. Coli: *veja Intoxicação alimentar* 265

Endometriose 265

Enfisema 266

Envelhecimento 267

Enxaqueca: *veja Dores de cabeça* 270

Epilepsia 270

Escabiose/sarna 271

Esclerose múltipla 273

Escoliose 279

Esporão de calcâneo: *veja Osteófitos* 280

Esquizofrenia 280

F

Faringite estreptocócica... 287

Febre do feno 288

Febre reumática.. 289

Fibromialgia... 292

Fibrose cística 294

Fígado... 295

Fraturas ósseas 298

Fungos 301

G

Gangrena 303

Gengivas: *veja Dentes* 303

Giárdia: *veja Intoxicação alimentar* 303

Glaucoma: *veja Olhos* 303

Gonorreia: *veja Doenças Sexualmente Transmissíveis* 303

Gota 303

H

Hantavírus 306

Hemofilia.. 306

Hemorroidas... 307

Hepatite 309

Hérnia 313

Hérnia de disco 314

Herpes... 314

Herpes-zóster 319

Hipertireoidismo 322

    Hiperparatireoidismo.. 325

Hipoglicemia.. 325

Hipotensão-pressão baixa.. 329

Hipotireoidismo 330

I

Implantes 336

Implantes mamários.. 337

Impotência... 338

Incontinência.. 341
Indigestão.. 344
Infecção do trato urinário 344
Infertilidade... 347
Influenza.. 350
Insônia 353
Insuficiência renal: *veja Doença renal* 353
Intoxicação alimentar 353
Intoxicação por cádmio 355
Intoxicação por chumbo.. 356
Intoxicação por mercúrio.. 361
Intoxicação por metais pesados: *veja "Prólogo" e*
Intoxicação por chumbo... 365
Intoxicação química.. 365

L

Levedura.. 370
Lúpus... 371

M

Manchas senis 377
Meningite 378
Menopausa 381
Miomas/fibromas.. 384
Músculos 384

N

Narcolepsia... 388

O

Obesidade... 389
Olhos 396
Osteofitose.. 406
Osteomalacia/raquitismo... 407
Osteoporose.. 409
Ouvidos 410

P

Pancreatite 411
Paralisia... 413

Paralisia cerebral 414

Paralisia de Bell 416

Parasitas 416

Pele 422

Perda de memória 424

Picadas de insetos 426

Pleurisia 428

Pneumonia 428

Pólio 431

Pólipos 432

Pressão alta/hipertensão: *veja Doença cardiovascular* 434

Pressão arterial alta: *veja Doença cardiovascular* 427

Problemas no joelho 434

Problemas relacionados à gravidez 435

Prostatite 440

Psicose maníaco-depressiva: *veja Transtorno bipolar* 443

Psoríase 443

Q

Queda de cabelo 448

Queimaduras 449

R

Raquitismo: *veja Osteomalacia* 451

S

Salmonela 452

Síndrome de Cushing: *veja Distúrbios das*
glândulas suprarrenais 453

Síndrome da fadiga crônica 453

Síndrome da Guerra do Golfo 455

Síndrome de Down 456

Síndrome de Reye 457

Síndrome de Schmidt: *veja Distúrbios das*
glândulas suprarrenais 458

Síndrome do intestino irritável 459

Síndrome do túnel carpal 464

Sistema Digestivo 464

Sistema Endócrino	467
Sistema Esquelético	468
Sistema Excretor	471
Sistema Linfático	473
Sistema Nervoso	474
Sistema Reprodutor	478
Sistema Respiratório	480
Sistema Sexual	482
Sinusite	482
Surdez	483

T

Tireoide de Hashimoto: *veja Hipotidreoidismo*	484
Transplantes	484
Transtorno bipolar/maníaco-depressivo	485
Trombose	489
Tuberculose	490

U

Úlceras estomacais	495
Úlceras pépticas	496
Urticária	499

V

Vermes: *veja "Prólogo"*	504
Verrugas	504
Vírus	504
Vírus *epstein-barr*	507

Vitaminas e minerais	509
Vitaminas	510
Vitamina A	510
Vitaminas B	511
Vitamina B1	511
Vitamina B2	511
Vitamina B3	511
Vitamina B6	512
Vitamina B12	512

Vitamina D.. 513
Vitamina E.. 513
Vitamina K.. 514
Ácido fólico... 514
Ácido pantotênico... 514
Minerais.. 514
Boro... 515
Cálcio.. 515
Crómio... 516
Coenzima Q10.. 516
Cobre... 517
Iodo... 517
Ferro.. 517
Magnésio.. 518
Potássio... 518
Selênio... 518
Zinco.. 518
Deficiências minerais... 519
Fórmula rica em minerais.. 521
Aminoácidos.. 521

Ervas... 523
Abençoando ervas e alimentos... 525
Lista de Ervas e Suplementos.. 526
Ervas Nervinas... 531
Leitura Recomendada.. 532
Cursos de Thetahealing.. 533
Livros.. 535
Sobre a Autora.. 537
Sobre os Tradutores.. 538

Prólogo

ThetaHealing Doenças e Desordens acompanha os livros *ThetaHealing* e *ThetaHealing Avançado*.* No *ThetaHealing*, eu explico os processos de leitura, de cura, o trabalho de crenças, o trabalho de sentimentos, o trabalho de genes e a escavação (*digging*), e ofereço conhecimentos adicionais aos principiantes. *ThetaHealing Avançado* oferece ao leitor um guia profundo para o trabalho de crenças, de sentimentos e para a escavação, bem como *insights* sobre os planos de existência e as crenças que eu acredito serem essenciais para a evolução espiritual.

Este livro não inclui os processos específicos, passo a passo, que proliferam no *ThetaHealing* e no *ThetaHealing Avançado*; por isso, em primeiro lugar é necessário chegar a um entendimento desses processos. Neste livro, achei que o importante eram os *insights* intuitivos, remédios intuitivos, trabalhos de crenças e suplementos, uma vez que pertencem a certas doenças e desordens. É o resultado de experiências com doenças e desordens de mais de 47 mil sessões.

O PAPEL DA MEDICINA CONVENCIONAL

O leitor notará que bebi do conhecimento da medicina moderna convencional. A razão para isso é que, ao contrário de algumas pessoas no campo alternativo, não vejo doutores ou medicamentos prescritos como inimigos. Acredito que todos nós nos beneficiamos da medicina convencional. Acredito que a essência da medicina convencional tem sua própria e poderosa vibração espiritual e cabe a nós usá-la sabiamente. Gostaria de dizer, no entanto, que ela tem suas desvantagens.

Um dos problemas da medicina convencional é a especialização. Médicos especialistas muitas vezes não conseguem reconhecer os atri-

---

*N.E.: Os livros *ThetaHealing* e *ThetaHealing Avançado* foram publicados em língua portuguesa pela Madras Editora.

butos de sincronicidade do corpo humano. Por exemplo, um medicamento que é prescrito por um especialista do coração pode ajudar o coração, mas pode ter um efeito adverso no resto do corpo.

Outro descuido de muitos médicos é que eles não conseguem ver que cada pessoa é diferente, cada ser humano é especial, e por isso cada indivíduo terá suas próprias reações aos medicamentos.

Na sociedade ocidental, também damos muito poder aos nossos médicos. Esperamos com a respiração suspensa cada palavra que o médico diz e acreditamos naquilo que nos é dito. Ter um discernimento adequado a respeito daquilo que nosso médico nos diz é importante, assim como saber que há sempre outras opiniões e outros médicos. Os médicos são como nós, têm atributos positivos e negativos, e, no final, cabe a nós a decisão se devemos ou não aceitar suas sugestões. Tenha cuidado ao aceitar declarações negativas de um médico como a verdade suprema.

Por outro lado, houve avanços incríveis na medicina convencional dos quais todos nos beneficiamos. Os antibióticos, por exemplo, ajudam-nos a combater infecções. Eles não aniquilam a infecção, mas são projetados para trabalhar com o sistema imunológico. Há uma grande campanha publicitária no campo alternativo dizendo que os antibióticos nos fazem mal, pois eles esgotam o sistema imunológico. A verdade é que os antibióticos podem fazer várias coisas ao sistema. Eles podem causar a mortalidade de bactérias benéficas no trato intestinal. Eles também têm uma tendência a pressionar o sistema imunológico além de seu limite. No entanto, quando você tem um cliente que está usando um antibiótico, você tem de trabalhar com o antibiótico. Você não pode dizer ao seu cliente para interromper o uso da medicação. Os antibióticos devem ser tomados até o fim do tratamento, caso contrário as bactérias vão ter tempo de sofrer mutações e causarão uma infecção ainda pior. Além disso, há momentos em que um antibiótico é benéfico, tal como quando bactérias verdadeiramente desagradáveis entram no sistema. E, ainda assim, tenho visto pessoas que se recusam a tomar antibióticos, embora tenham infecções terríveis.

Eu sou e sempre fui uma defensora daquilo que funciona. Se for um antibiótico que é necessário, tudo bem. Se o caso for uma cura, tudo bem. Todas as coisas são iguais perante os olhos do Criador.

Talvez você se surpreenda quando ouve o Criador dizer-lhe especificamente que uma pessoa deve usar um antibiótico. Mas isso simplesmente significa que em algum nível a pessoa não está pronta para liberar as bactérias de outra maneira. Algumas pessoas acreditam em tudo o que o médico diz, então o pensamento de que o antibiótico funcionará é a essência da cura. Mantenha seus sistemas de crenças e ego fora da equação.

Muitos de nós, de fato, devemos nossas vidas à medicina convencional. Mas no campo da medicina, convencional ou alternativa, os seres humanos não têm sido capazes de copiar a força de vida que permeia todas as coisas. Nosso corpo é composto por mais do que apenas matéria ou células correndo por aí com respostas autônomas, comunicando-se umas com as outras como uma "máquina biológica". Sentimentos, emoções, crenças e programas influenciam a forma como nos comportamos e têm efeitos dramáticos sobre o bem-estar do corpo, até mesmo em nível celular. As células são muito conscientes do meio ambiente, tanto dentro quanto fora do corpo, e têm inteligência individual, enquanto, ainda assim, permanecem conectadas ao todo. O conceito de totalidade interconectada, da menor partícula em nossos corpos até o mais longínquo alcance da criação, me inspira quando testemunho o Criador curando.

THETAHEALING®

O ThetaHealing é projetado para abrir suas habilidades psíquicas para curar. Ser intuitivo e ser curador são duas habilidades diferentes. Colocar as duas juntas é a chave.

Como corpo intuitivo, espera-se que você possa reconhecer os diferentes vírus, bactérias, parasitas e metais pesados no organismo. O cliente espera que você identifique essas influências com precisão.

Como curador, você se coloca nesse lugar de uma maneira diferente: você não tem de saber qual é a doença para o Criador curá-la, mas tem de se colocar em um estado de Theta profundo o suficiente para testemunhar a cura sendo feita. E o cliente, muitas vezes, vem até você esperando ser curado instantaneamente.

Assim, ser intuitivo e curador tem suas pressões. Espera-se que o curador cure e o intuitivo enxergue o interior do corpo e valide o que ele vê. Isso é um ThetaHealer® – um curador que usa suas habilidades intuitivas para testemunhar uma cura através da conexão com o Criador.

OS MECANISMOS DE UMA CURA

Quem pode dizer quais são as mecanismos misteriosos de uma cura? Quem sabe quais segredos se encontram nas profundezas do cérebro?

Cada cura é diferente. Pode ser que, uma vez que a conexão com o Criador seja atingida, a resposta automática do cérebro seja a liberação de um mensageiro químico especial para curar o corpo. No entanto, esse produto químico será aceito pelo organismo ou rejeitado de antemão simplesmente porque os receptores só sabem aceitar respostas negativas? Esses receptores negativos do cérebro podem estar bloqueando as mensagens que dizem ao corpo que se cure sozinho.

O trabalho de crenças e sentimentos é projetado para mudar nossa forma de enviar e receber mensagens no corpo. Quando removemos e substituímos suficientes programas no cérebro de uma pessoa, os mensageiros químicos corretos são liberados e os receptores aceitam a mensagem como válida.

Por muitos anos, observei as pessoas e me perguntei por que algumas se curavam e outras não. Descobri que, na maior parte, apenas a cura básica – somente ir até o Criador de Tudo O Que É e comandar que o corpo se cure – pode fazer coisas incríveis. Quando alguém vem até mim com uma doença, essa é a primeira coisa que eu faço. Em muitos casos, seu corpo se cura milagrosamente.

Quando experimentei a cura instantânea pela primeira vez, eu me perguntei: "O que fez minha perna se curar tão rápido?". Anos mais tarde, quando fui diagnosticada com insuficiência cardíaca congestiva e encontrei outra maneira de me curar incrivelmente rápida, mais uma vez perguntei: "O que fez meu corpo se curar tão rápido?". Talvez a pergunta devesse ter sido: "Por que tenho de ficar doente, em primeiro lugar?". Farei meu melhor para responder a essas questões ao longo deste livro. E, como sempre, o Criador me respondeu pacientemente. Foi-me dito: "Vianna, você tem um corpo resistente. Você deve abençoar seu corpo. Encoraje seu corpo, não o desencoraje".

Sendo um curador que usa energia, você nunca deve subestimar o poder da cura simples. Algumas pessoas vão receber uma cura instantânea, enquanto outras não estarão preparadas para recebê-la. Essas pessoas podem demandar várias curas, trabalhos de crenças, o uso de ervas ou, dependendo de suas crenças, a medicina convencional.

Cada pessoa é diferente no que diz respeito às suas crenças, mas os padrões gerais de emoções que atraem uma doença específica a uma pessoa, e que são criados dentro dessa pessoa pela doença específica, tendem a ser os mesmos de cliente para cliente.

Os suplementos, as crenças e os *downloads* deste livro são os que sinto terem feito a diferença em minhas sessões com os clientes. Este texto é uma compilação do que faço para as diferentes doenças e do que vi realmente funcionar.

Quando peço ao Criador para mudar o que está errado no corpo de uma pessoa, surpreendentemente, de alguma forma, o corpo sempre responde. Nesse ponto, posso sentir se ele está reagindo negativamente ou positivamente à cura. Se a pessoa está apática, ou se ela está usando um produto químico como a morfina, a cura parece ficar engasgada no corpo, alcançando alguns resultados, mas não a cura instantânea que buscamos. Descobri que certas drogas podem inibir curas intuitivas. Vamos discutir esse aspecto da cura mais tarde. Em geral, no entanto, fico espantada com o número de pessoas que se beneficiam de curas intuitivas. Não importa qual seja a doença, ainda é o que nós acreditamos internamente que faz a diferença. E se acreditarmos que a cura é possível, o corpo vai reagir.

FIQUE ABERTO

O problema pode estar no curador. Se ele acredita que uma doença é pior do que outra ou que uma cura vai ser difícil ou mesmo impossível, então a cura será interrompida lá e cá. Ao longo deste livro, conforme observamos as doenças e seus sistemas de crenças associados, pense em como você se sente em relação a certas doenças. Você pode abrigar medos, dúvidas e crenças que irão bloquear o processo de cura. É fundamental que você acredite que é possível que a pessoa se cure.

Saber que a maioria das pessoas que vêm até mim para uma cura melhoram na mesma hora, pode ajudá-lo. Alguns de fato se curam instantaneamente; em muitos casos, curam-se de doenças que você nunca teria imaginado que poderiam ser resolvidas tão facilmente. É por isso que é importante manter-se aberto a todas as possibilidades.

AUTOCURA

O ThetaHealing é projetado para capacitar o indivíduo a trazer o Criador para dentro de si a fim de liberar crenças, instalar sentimentos e testemunhar curas. Para algumas pessoas, a autocura, nesse sentido, funciona melhor do que trabalhar com outra pessoa. Permite-lhe sentir que ela está assumindo o controle de sua doença.

A DOENÇA FALA

No que diz respeito ao relacionamento curador-cliente, é importante entender que você tem de determinar se é a doença que está falando com você ou a pessoa mesmo. As pessoas nem sempre mudam sua personalidade quando estão doentes, mas eu descobri que as doenças têm uma tendência a corresponder à personalidade dos indivíduos que as têm. Então, você precisa descobrir quem está falando em cada momento.

LIMPEZAS E BOM SENSO

Como um intuitivo, você não pode dar bons conselhos a menos que tenha uma ideia razoável de nutrição, suplementos e medicamentos. Um dos maiores erros que vejo profissionais da saúde cometerem é sugerir a limpeza de *Cândida,* sem dar algo para ajudar na cura da Cândida. Outro erro é colocar as pessoas em processos de limpezas quando o corpo está fraco demais para lidar com elas. Algumas pessoas precisam de um reforço de vitaminas e minerais antes de realizarem qualquer tipo de limpeza.

Até já vi pessoas se tornarem compulsivas com limpezas, a ponto de seu sistema imunológico ficar exausto. Seus eletrólitos, vitaminas e minerais ficam enfraquecidos com tantas limpezas!

Recompor o corpo antes e depois de uma limpeza é uma boa sugestão.

REAÇÕES À CURA

Existem muitas reações à cura.

Mesmo que uma pessoa experimente uma cura instantânea perfeita, ela pode ir embora e cinco meses depois negar a existência do Criador. As pessoas são estranhas assim.

Depois, há a pessoa que se torna tão confortável com a relação médico-cliente que não quer que esta acabe.

Já tive experiências em que algumas pessoas criaram doenças para pedir atenção, carinho e amor. Elas se tornam dependentes do curador e têm medo de morrer sem ele. Houve momentos em que considerei recusar leituras e curas em alguém porque esperava que eu vivesse a vida dele por ele. O truque é dar-lhe de volta seu próprio poder, um poder que ele pode nunca ter conhecido.

Endorfinas são liberadas no sistema do cliente cada vez que ele experimenta uma leitura ou cura, e pode ser por isso que ele volta.

Tenho muito cuidado em honrar todos que vêm ser trabalhados, mesmo quando não concordo com a razão de terem vindo a mim.

É também responsabilidade do praticante deixar o cliente informado de que ele pode passar uma crise de cura, isto é, reviver uma doença passada em menor grau, como resultado de memórias que são liberadas em seu corpo durante a cura.

MASSAGEM

Às vezes, a pessoa não precisa de qualquer outra forma de cura que não uma boa massagem. Esta pode estimular o sistema linfático, relaxar os músculos e simplesmente fazer a pessoa se sentir paparicada.

No entanto, se a pessoa tiver câncer, a doença pode se espalhar rapidamente pelo corpo por causa da massagem. Em outras pessoas, uma massagem pode fazer o corpo se desintoxicar. É sempre melhor perguntar ao Criador se a pessoa pode lidar com uma massagem. Se o Criador diz que ela vai ficar bem ou que ela só vai se desintoxicar um pouco, isso significa que ela vai ficar doente durante cerca de um dia. Se o Criador lhe disser, "Absolutamente não!" para uma massagem, ouça o que lhe foi dito.

DEPOIS DA DOENÇA

É muito comum que, quando as pessoas se curam de uma doença, elas olhem para mim e digam: "E agora?". Elas passaram tantos anos trabalhando em sua doença que não têm ideia do que fazer daqui por diante.

Então, descobri que qualquer um que tenha uma lesão de longa duração ou doença precisa escrever o que vai fazer depois. Ter esse objetivo vai lhes permitir olhar para a frente.

Sempre incentive as pessoas a planejar a vida após a doença.

Além disso, quando você tiver feito uma sessão de cura com uma pessoa, precisa fazê-la ir ao seu médico e ser examinada para garantir que está melhorando. Essa é uma parte muito importante do processo de cura.

CUIDADOS PARA CURADORES INTUITIVOS

Curadores deveriam buscar parcerias com pessoas com os mesmos ideais. Muitas vezes, os curadores permanecem nos relacionamentos a fim de dar tempo para seus parceiros realizarem mudanças, e isso pode não ser benéfico para eles. É mais fácil trabalhar com pessoas que partilham dos mesmos ideais desde o início.

Um curador gastará muitos minerais enquanto estiver fazendo um trabalho intuitivo, assim como você gasta em qualquer atividade física. Certifique-se de manter suas vitaminas e minerais em dia, pelo menos no início.

Em algumas pessoas que são intuitivas, as varreduras do cérebro mostram sombras sobre os lobos frontais. Isso se dá por causa das correntes elétricas de alta frequência causadas pela atividade intuitiva.

Curadores podem ser propensos a asma e problemas renais por se sobrecarregarem. Para evitar que isso aconteça, remova regularmente todos os programas de ressentimento.

Toque e amor são partes importantes da cura. O curador abre o chacra do coração das pessoas e, em seguida, trabalha em seus problemas. Então, tome banhos regulares de sal para limpar emoções avassaladoras e faça uma quebra energética com os clientes.

Downloads

Curadores e médiuns se beneficiarão dos seguintes *downloads*:

"Eu sei qual é a sensação de viver sem tomar para mim os problemas de outras pessoas."

"Eu sei qual é a sensação de viver sem tomar para mim as emoções de outras pessoas."

"Eu sei qual é a sensação de viver sem tomar para mim as maldições de outras pessoas."

"Eu sei qual é a sensação de viver sem tomar para mim programas e crenças de outras pessoas."

"Eu sei qual é a sensação de viver sem tomar para mim a doença das pessoas."

"Eu sei como converter doença, emoções, programas e crenças em amor e luz, os quais são enviados para o Criador e devolvidos a mim."

"Eu sei qual é a sensação de estar servindo aos outros e de ser apreciado por isso."

"Eu sei qual é a sensação de estar a serviço sem que se aproveitem de mim por isso."

"Eu sei como permitir que os outros saibam que são importantes para o Criador."

"Eu sei qual é a sensação de estar em paz comigo mesmo."

"Eu sei qual é a sensação de desfrutar do sopro da vida."

"Eu sei qual é a sensação de desfrutar de cada momento."

"Eu sei qual a sensação de me sentir conectado a tudo, sempre."

"Eu sei qual é a sensação de discernir entre os sentimentos dos outros e o meu próprio."

"Eu sei como trabalhar com outras pessoas da melhor e mais elevada maneira."

"Eu sei como aceitar os outros da forma que eles são."

"Eu sei como viver minha vida em aceitação, sem me ressentir dos outros."

"Eu sei qual a sensação de viver sem que os pensamentos negativos de outras pessoas afetem minha vida."

"A coisa mais importante em minha vida é minha conexão com o Criador."

"Eu sei como desfrutar do Criador de Tudo O Que É do Sétimo Plano de Existência com facilidade e sem esforço."

"Eu sei como assumir minha verdade."

"Eu sei como ser responsável por minhas palavras."

"Eu sei como viver minha vida sem medos insensatos."

"Eu sei como criar um reino dos céus dentro de mim."

"Eu sei como criar um paraíso na Terra."

"Eu sei qual é a sensação de apreciar e amar as pessoas que estão perto de mim."

"Eu sei que é possível ter paz, felicidade e alegria sem ficar entediado."

"Eu sei que é possível usar minhas experiências com sabedoria."

"Eu sei que é possível ser grato a cada experiência em minha vida."

MICRÓBIOS

Este é um livro de desordens de A a Z. Para falar dessas desordens, é preciso que haja uma compreensão dos micróbios e de suas influências energéticas. Então, começaremos explorando as influências dos micróbios e dos metais pesados em nossas vidas diárias.

Os micróbios são seres vivos pequenos demais para serem vistos a olho nu. Esse grupo inclui as bactérias, os fungos, os protozoários e as algas microscópicas. Ele também inclui os vírus.

Tendemos a associar pequenos organismos a coisas que nos fazem nos sentir desconfortáveis, como infecções ou doenças, mas a maioria dos microrganismos é crucial para o bem-estar deste mundo. Sem eles, simplesmente não poderíamos viver. Alguns micróbios nos ajudam a decompor a água, incorporar o nitrogênio do ar, digerir os alimentos, absorver as vitaminas e criar químicos úteis ao nosso corpo. A maioria dos micróbios na Terra é, na verdade, boa. Apenas um pequeno número é considerado patogênico, o que significa "causador de doença".

Há muito mais sobre bactérias, vírus, metais pesados, fungos, leveduras e parasitas do que imaginamos. Esta seção vai além dos aspectos físicos dos micróbios para iluminar os componentes emocionais e subconscientes das infecções microbianas e infestações. Mostraremos como prevalecer sobre essas influências mudando crenças e instalando sentimentos.

Existem regras básicas que se aplicam a todas as doenças infecciosas:
- Uma bactéria nociva está vinculada a sentimentos de culpa.
- Fungos nocivos estão vinculados a emoções de ressentimento.
- Vírus prejudiciais estão vinculados a questões de dignidade.
- Microplasmas estão vinculados a questões de dignidade e culpa.

Conhecer esses princípios básicos lhe dará uma ideia de como lidar com essas diferentes toxinas causadoras de doenças.

Hoje entendemos que os microrganismos são encontrados em quase toda parte, mas não muito tempo atrás, antes da invenção do microscópio, milhares de pessoas morreram em epidemias de deterioração de alimentos e outros aspectos relacionados, porque não havia antibióticos. Na verdade, as pessoas morreriam simplesmente por não entender a necessidade de lavar as mãos ao fazer o parto de um bebê. Era difícil de provar a teoria dos germes, pois as pessoas não acreditavam que algo poderia existir se você não pudesse vê-lo.

Todos os dias durante minhas leituras eu vejo micróbios, bactérias e fungos fazendo com que as pessoas fiquem extremamente doentes.

Uma coisa que muitas pessoas interessadas em metafísica parecem acreditar é que, se elas estão doentes, isso significa que fizeram algo de errado. Essa parece ser uma crença genética que remonta à época medieval, antes da descoberta dos microrganismos. Por favor, entenda que nem tudo está baseado em carma. Independentemente de você levar uma vida boa ou ruim, a exposição a micróbios patogênicos ainda pode deixá-lo doente. Seria correto dizer que, se nossas mentes e corpos estivessem em verdadeiro alinhamento uns com os outros, se fôssemos equilibrados emocionalmente e se vivêssemos em um ambiente limpo, poderíamos resistir a muitas doenças. No entanto, a verdade é que algumas doenças são causadas por exposição a radiação, toxinas, mercúrio e micróbios.

Então, quando você olha para dentro do corpo de alguém e vê uma doença, pode ser que não seja porque a pessoa foi grosseira com seus entes queridos, mas porque ela vem bebendo água contaminada com micróbios. A chave é descobrir a crença que os inspirou a beber a água em primeiro lugar. Os *downloads* a seguir podem ser úteis:

"Eu tenho o conceito do Criador de como e quando dizer não."

"Eu sei qual é a sensação de me sentir ouvido."

"Eu sei qual é a sensação de me sentir escutado."

"Eu sei qual é a sensação de viver sem estar constantemente irritado."

"Eu sei qual é a sensação de viver sem permitir que as pessoas me suguem."

"Eu sei qual é a sensação de viver sem permitir que as pessoas que eu amo tirem vantagem de mim."

"Eu entendo qual é a sensação de viver sem ser oprimido."

"Eu sei viver sem me sentir desprezível."

"Eu sei como interagir com os outros."

Sempre siga essa lista, fazendo mais trabalhos de crenças e sentimentos com o trabalho de escavação (*digging*).

Estas são apenas propostas para ser trabalhadas. Lembre-se, cada indivíduo é diferente, por isso pedimos ao Criador de Tudo O Que É o que a pessoa em que você está trabalhando necessita para ser curada.

BACTÉRIAS

As bactérias são organismos unicelulares relativamente simples. Elas são unicelulares (têm uma célula) e podem ter corpos esféricos (cocos), como um bastão (bacilos) ou curvos (vibrião, espirilo ou espiroquetas). Seu material genético não é fechado em uma membrana nuclear, ou seja, são procariotas (*prokaryote*, "pré-núcleo" em grego). Elas têm uma consciência coletiva, por isso trabalham em conjunto.

Entenda que você não pode fazer o comando para que todas as bactérias do corpo desapareçam. Quando você fizer um comando como esse, ouvirá uma risada. Essa é a diversão do universo. Você vê, o corpo precisa de algumas das bactérias que estão presentes.

Você pode, no entanto, ser muito específico quanto a qual bactéria você quer que seja removida do corpo, e pode fazer o comando para que o corpo se equilibre. Quando o corpo está alcalinamente equilibrado, as bactérias que geram desafios ao corpo vão se transformar em bactérias benéficas. As bactérias são prejudiciais apenas quando o corpo está fora de equilíbrio.

Quando eu subo e peço ao Criador para mudar o sistema de crenças de uma pessoa, tenho certeza de que vou testemunhar essa mudança em cada célula do corpo. Eu me certifico de que cada célula saiba o que está acontecendo. Isso cria uma condição na qual as bactérias nocivas não podem mais viver no organismo e, assim, elas se transformam.

Eu sei que você tem de experimentar tanto o negativo quanto o positivo na vida para entender o que é a dualidade. É uma questão de equilíbrio. A maioria de vocês já experimentou a tristeza, a depressão e outras emoções negativas. Isso se dá porque, às vezes, nosso espírito escolhe experimentar primeiro o negativo e depois o positivo. No entanto, quanto mais informação positiva colocamos em nosso corpo, mais rápido ele irá se curar. Se você remover sistemas de crenças como "Eu tenho de ser solitário" ou "Eu tenho de estar triste" e substituí-los com novas crenças, em seguida, as bactérias nocivas não poderão ficar e irão se transformar.

Não devemos esquecer, no entanto, que os sentimentos e programas positivos também podem causar doenças. Um exemplo seria: "Eu tenho de ficar doente para fazer com que minha família fique unida". É por isso que o trabalho de escavação é tão importante.

Bactérias e emoções

Uma das razões pelas quais as bactérias são capazes de entrar no sistema é por causa de emoções desequilibradas. Se você está com raiva ou com medo o tempo todo, seu sistema imunológico trabalha mais. A raiva e o medo podem ser benéficos como instintos de sobrevivência. É para isso que foram projetados. No entanto, eles não foram projetados para uso contínuo, compulsivo. Se usados desse modo em demasia, eles têm uma tendência a esgotar o sistema imunológico. É dessa forma que as emoções esgotam o corpo.

Essas emoções "negativas" se tornam positivas caso se mantenham em equilíbrio. Se você nunca expressar sua raiva e guardá-la dentro de si, ela pode deixá-lo doente. A capacidade de expressar sua raiva de forma positiva é benéfica.

Remédios intuitivos

As bactérias são fáceis de se livrar de forma intuitiva. Faça o comando: *"Criador, mude isso e mostre-me"*. Testemunhe a cura realizada.

Trabalho de crenças

Problemas de culpa mantêm as bactérias dentro do corpo, por isso faça os *downloads*:

"Eu sei qual é a sensação de viver sem culpa."

"Eu sei como viver sem reter culpa."

"Eu sei como viver sem me sentir culpado por quem eu sou."

"Eu sei como viver sem me sentir culpado pela aparência de meu corpo."

"Eu sei como viver sem me sentir culpado por tudo que meus pais me ensinaram."

"Eu sei o que é um amigo."

"Eu sei como ter amigos."

"Eu sei como ser amigo."

"Eu sei como ser amigo sem me sentir culpado."

"Eu sei como ser responsável por minhas ações."

"Eu tomo decisões facilmente."

METAIS PESADOS

O corpo é feito de metais pesados, como cálcio, magnésio e zinco, mas alguns metais não são destinados ao corpo humano, como o alumínio e o mercúrio. Estes são tóxicos e podem ser fonte de muitas doenças. Vírus e bactérias também são atraídos por metais pesados, por causa da fraqueza que causam no corpo.

Se você está no espaço de uma pessoa e vê manchas brilhantes no corpo dela, isso pode significar que ela tem metais pesados tóxicos ali.

Tipos

Alumínio: Há muitos tipos diferentes de alumínio. Ele pode ser a causa da doença de Alzheimer e Parkinson.

Fluoreto: Fluoreto faz com que uma pessoa envelheça mais rápido e deixa depósitos no organismo.

Ferro: Ferro em excesso oxida naturalmente no corpo. Altos níveis são tóxicos.

Chumbo: Provoca depressão, demência, câncer e doenças imunológicas. É tão facilmente absorvido quanto o cálcio; os receptores que absorvem o cálcio absorvem o chumbo facilmente.

Manganês: O manganês é necessário para regular o açúcar no corpo, mas em excesso pode fazer você ficar louco. Assassinos psicopatas têm níveis muito elevados de manganês em seu cérebro. Ele pode ser encontrado na água de poço e também em pesticidas e herbicidas.

Mercúrio: O mercúrio pode causar depressão e muitos cânceres. Pode fundir-se a outros metais pesados no corpo. Qualquer quantia é venenosa. Em muitas pessoas, o excesso de mercúrio pode bloquear as capacidades intuitivas.

Prata: A prata oxida naturalmente no corpo. Altos níveis são tóxicos. O uso excessivo de prata coloidal irá deixar a pele azul.

Insights intuitivos

Muitas pessoas absorvem metais pesados com base em seus sentimentos e programas, por exemplo:

- O chumbo é absorvido pelos inocentes, por pessoas que não desconfiam e mais facilmente por crianças, sobretudo aquelas que não têm estrutura emocional adequada em sua vida familiar. Amor falso: Quando alguém fere e abusa de você, muitas vezes dizendo que é por que te ama. Geralmente, ele também tem falta de vitaminas e minerais adequados.
- O manganês é mais facilmente absorvido por aqueles que têm mais raiva e estresse em torno deles.
- O mercúrio parece ser absorvido por pessoas que não desconfiam, aquelas que são muito ingênuas e inocentes. Essas pessoas podem não estar cientes de que estão sendo aproveitadas por seus amigos e familiares; elas são ingênuas. Pessoas assim querem acreditar em tudo que lhes é dito.

Eu também acredito que muitas deficiências de aprendizagem se dão em virtude da intoxicação por metais pesados.

Remédios intuitivos

O curador não deve comandar que todos os metais pesados do corpo vão embora de uma vez, pois os metais pesados, como o cálcio e o zinco, são uma parte vital de nossa estrutura molecular. É melhor perguntar ao Criador de Tudo O Que É o que fazer, uma vez que todos são diferentes e que uma taxa específca de toxinas devem ser retiradas do corpo de cada indivíduo. Pergunte ao Criador como limpá-lo da melhor e mais elevada maneira.

Quando você remove as toxinas dos metais pesados, trabalha com memórias antigas associadas a eles, por isso fique ciente de que a pessoa pode agir de acordo com essas memórias emocionais. Para esses sentimentos, faça o trabalho de crenças.

Uma boa maneira de liberar os metais pesados do corpo é ensinar à pessoa que ela tem uma boa base emocional e que tem estrutura emocional.

Suplementos

Para remover metais pesados tóxicos do corpo, tome:

- ácido alfalipoico;
- algas verde-azuis;
- cálcio;
- CoQ10;
- muitos verdes;
- magnésio;
- ômega 3;
- zinco.

MIASMAS

Acredita-se que um miasma é causado por um marcador no DNA esquerdo proveniente de uma doença sofrida por um antepassado. A doença corrompe o código genético e a mudança é transmitida. Por exemplo, pensa-se que a sífilis sofre mutações no DNA para produzir uma predisposição à psoríase ou à artrite psoriásica, que são passadas de geração em geração.

Assim, para curar um cliente, volte no tempo para trabalhar com o antepassado e, em seguida, observe a energia sendo trazida através das gerações para o presente.

Uma vez que eu tenha feito uma dessas alterações genéticas em um cliente, trabalho para limpar as energias residuais que sobraram. Acho que o miasma sofre uma mutação para uma energia fúngica que vai para o DNA e invade o fígado.

VERMES

Quando comecei a fazer leituras de corpo, fiz uma leitura em uma mulher que estava muito doente. Na época em que ela veio me ver, seu cabelo tinha uma cor vermelha e era duro feito um arame. Ela tinha tantos vermes saindo de seu corpo que podia puxá-los da pele de seu braço. Eles tinham cerca de seis milímetros. Essa foi uma das coisas mais repugnantes que já vi.

Sua história foi se esclarecendo conforme conversávamos. Parece que ela havia ficado muito doente com a infestação e tinha ido ao médico. Numerosos testes foram realizados, incluindo raios X. Os raios X de suas costas tinham mostrado massas escuras em torno de sua coluna vertebral. O médico tinha recomendado que se realizasse uma cirurgia exploratória para descobrir o que eram essas anomalias. Os cirurgiões haviam encontrado muitos vermes envolvidos em torno de sua coluna, obviamente, uma enorme infecção parasitária de algum tipo. Eles não sabiam o que fazer por ela. Eles deixaram os parasitas quietos, costuraram-na de volta e usaram radiações e antibióticos, na tentativa de matá-los. Infelizmente, isso ainda não tinha parado a infestação. Assim, os médicos mandaram-na de volta para casa e disseram a ela que era improvável que conseguisse viver.

Descubra a última esperança dela: medicina alternativa.

Nesse momento, eu estava apenas fazendo leituras e não tinha começado a fazer curas, então marquei uma consulta para ela com um naturopata para uma limpeza de parasitas. Não queria tocá-la, pois estava com medo do que via.

Quatro a cinco meses depois, eu a vi trabalhando como garçonete em um restaurante. Seu cabelo estava castanho de novo e sua pele estava clara. Ela tinha feito uma limpeza de parasitas e estava melhor. No entanto, eu não comi a comida que ela me serviu.

Embora esse tenha sido um caso extremo, os vermes são mais comuns do que a maioria das pessoas supõe, e podem ser a causa subjacente de muitas doenças. Eles são mais comuns em crianças do que em adultos e são predominantes em pessoas com AIDS, *Cândida*, síndrome da fadiga crônica e muitas outras doenças.

Infestações de vermes podem causar má absorção de nutrientes essenciais e perda de sangue do trato gastrointestinal e conduzir a desordens como anemia ou problemas de crescimento. Eles podem ser contraídos por meio de uma variedade de situações, incluindo o depósito inadequado de resíduos humanos ou animais, andar descalço em solo contaminado e ingestão de ovos ou larvas em carnes cruas ou parcialmente cozidas. Em alguns casos, os ovos podem ser transportados pelo ar e ser inalados.

Tipos

Os tipos mais comuns são ancilóstomos, oxiúros, lombrigas, tênias e trematodas.

Sintomas

Dependendo do verme envolvido e da gravidade da infestação, pode haver uma variedade de sintomas:

• *Ancilóstomos* podem causar coceira nas solas dos pés e, em alguns casos, escarro com sangue, febre, irritação na pele e perda de apetite.
• *Oxiúros* são vermes filiformes brancos com cerca de oito milímetros. Eles causam coceira anal grave, insônia e agitação.
• *Lombrigas* têm a forma de minhocas, só que menores em tamanho. Elas podem ser facilmente vistas a olho nu. Triquinose é uma doença causada por um verme microscópico e, se não for tratada, pode levar a danos no músculo e complicações cardíacas ou neurológicas.
• *Tênias* variam em comprimento de 25 milímetros até nove metros e podem sobreviver por até 25 anos no corpo. Pequenos vermes podem causar dor abdominal, perda de apetite, diarreia, vômitos e perda de

peso. Grandes vermes podem causar sintomas semelhantes, mas geralmente sem perda de peso.

• *Trematodas* podem causar dores abdominais, bronquite, tosse, diarreia e sopro.

Os médicos tratam a maioria dos tipos de vermes com drogas farmacêuticas. Eles, no entanto, normalmente não verificam se há infecções parasitárias. É por isso que é sua responsabilidade tomar a iniciativa e fazer uma limpeza de parasitas uma vez por ano.

Insights intuitivos

As pessoas que estão infestadas com vermes, por vezes, terão o medo ilógico de que caso façam uma limpeza à base de plantas, as plantas irão envenená-las e matá-las. Esta não é a pessoa que está falando, mas, sim, o parasita projetando suas emoções para o anfitrião. Deve ficar claro para a pessoa infestada que o parasita está tentando controlá-la e que as sensações que ela está tendo passarão assim que os vermes se forem.

Trabalho de crenças

Vermes são atraídos para as pessoas com sistemas de crenças vinculados com a sensação de que os outros estão se aproveitando delas. Faça o teste energético para:

"Eu deixo as pessoas se aproveitarem de mim."

"As pessoas se aproveitam de mim."

Substitua por:

"Eu sei como me afirmar."

"Eu sei como dizer não."

Downloads

"Eu sei como viver minha vida sem que as pessoas se aproveitem de mim."

"Eu sei qual é a sensação de viver minha vida sem permitir que os outros tomem minha energia."

"Eu sei qual é a sensação de dizer não da melhor e mais elevada maneira."

"Eu sei qual é a sensação de levantar o ânimo das pessoas quando interajo com elas."

"Eu sei qual é a sensação de viver minha vida em alegria, felicidade e generosidade espiritual."

"Eu sei quando devo dar e quando devo receber."

Suplementos e outras recomendações nutricionais

- Suco de aloe vera tomado duas vezes por dia pode curar uma infestação de vermes.

- Extrato de noz preta destrói muitos tipos de verme. Tome-o com o estômago vazio, três vezes ao dia. Evite se for diabético.

- A bromelina é um bom expectorante de vermes, por isso, uma dieta de abacaxi cru pode expulsar parasitas.

- Para uma infestação grave, uma irrigação do cólon pode ser benéfica. Um profissional geralmente executa esse procedimento. Eu não sou fã desse trabalho.

- As limpezas de absinto da Hanna Kroeger ou Rascal são ótimas! A sugestão de aplicação é de dez dias de uso, cinco dias de pausa, dez dias de uso, cinco dias de pausa novamente. Essa limpeza é particularmente boa para vermes. Não use absinto durante a gravidez ou se tiver problemas de açúcar.

- Se você sabe que tem uma infestação de vermes, boas vitaminas, como a combinação multivitamina-multimineral, são importantes, porque os vermes estão roubando nutrientes essenciais do corpo. (Evite fazer o comando para que minerais vitais e vitaminas sejam criados pelo Criador saindo do ar. Sem prática, o corpo não entende como assimilar minerais e vitaminas dessa forma; ele já os absorve através dos alimentos.)

- As sementes de abóbora irão matar muitos tipos diferentes de vermes.

- Lembre-se de ter seus animais de estimação desparasitados regularmente, pois podem ser uma fonte de infestação. Noni funciona em animais de estimação.

- Foi descoberto que alguns sushis podem estar contaminados com um parasita feito verme chamado anisakis, que pode causar uma doença semelhante à doença de Crohn caso ingerido. Esse parasita é um verme claro bem enrolado com cerca de 25 milímetros de comprimento. É comumente encontrado em arenques e outros peixes. Felizmente, um *sushiman* experiente pode identificá-lo com facilidade. Wasabi mata-o.

- Vitaminas de complexo B são boas para fortalecer o sistema imunológico.

- Absinto e cravo trabalham muito bem para vermes americanos.

- Zinco limpa os resíduos deixados pela morte dos vermes.

ALIMENTOS

Há literalmente milhares de livros no mundo com pensamentos sobre alimentos – livros que dizem para você comer carne crua; livros que dizem para você não comer açúcar; livros que dizem para você não comer glúten; livros que dizem para você comer apenas frutas; e livros que dizem para você comer apenas vegetais. Todos esses livros estão baseados na opinião de uma pessoa individual e no que tem funcionado para ela. Ao se deparar com essas opiniões, você tem de usar o bom senso. Qualquer dieta, suplemento de ervas ou medicação devem dizer respeito a cada pessoa, porque somos todos diferentes em nossas reações a essas substâncias.

A melhor coisa a fazer é subir e perguntar a Deus o que comer. Pergunte o que é bom para seu corpo. Quando for a um restaurante, pergunte quais alimentos no menu seriam mais benéficos para você.

Buffets de saladas em restaurantes podem ser perigosos, porque frutas e produtos hortícolas dispostos ao ar livre podem acumular bactérias. Pergunte ao Criador se a salada é segura.

SOBRE GORDURAS E ÓLEOS

A gordura é a substância mais abundante no corpo depois da água. Mais de 70% de suas células cerebrais e nervosas são feitas de gordura e a membrana de cada célula de seu corpo é 30% de gordura. Há cerca de duas dezenas de gorduras totais (lipídeos) no corpo e duas, chamadas de ácidos graxos essenciais, ou AGEs, devem vir de sua dieta. Essas duas são o ômega 6 e o ômega 3. Suas células usam AGEs para a produção de energia, suas glândulas os usam para fazer secreções saudáveis e seu sistema imunológico é ajudado por elas. Elas também nutrem a pele, o cabelo, as mucosas e a bainha de mielina que envolve os nervos.

Gorduras ruins

As gorduras ruins são aquelas que são azedas, desequilibradas, excessivamente saturadas, cozidas demais ou modificadas por processamentos modernos dos alimentos. Incluem:

- batatas fritas;
- carne vermelha;
- comida frita;
- gorduras.;
- laticínios;
- margarina;
- pastéis;
- salgadinhos.

Gorduras boas

As gorduras boas são aquelas que contêm um equilíbrio saudável de ácidos graxos essenciais e são frescas, sem aquecimento e não processadas. Incluem:

- algas;
- azeite;
- carnes magras;
- feijões;
- grãos integrais;

- óleo de abóbora;
- óleo de canola;
- peixe fresco;
- semente de linho;
- sementes;
- vegetais frescos.

Todas as gorduras são necessárias, até mesmo as más, desde que haja mais das boas. Agora que ganhamos algum conhecimento de base, vamos passar para as doenças e desordens com que trabalhei.

ThetaHealing®

DOENÇAS, DESORDENS E CRENÇAS ASSOCIADAS

O Corpo Canta

A melhor coisa para entender sobre os sistemas do corpo é que eles cantam um para o outro. A partir da menor célula para o maior órgão, os sistemas do corpo são maravilhosos, até mágicos, na maneira que trabalham juntos em uma sincronicidade interligada.

Quando você olha para dentro do corpo e vê uma única célula, deve ouvir como ela canta sua pequena canção de harmonia com o resto do corpo. Quando há algo errado com um órgão, você ouvirá que ele não canta de verdade e envia sinais errados para os outros órgãos. Aprenda a ouvir essas vibrações e seus sinais. Talvez o corpo esteja fora de sintonia ou um órgão possua algum problema. Você deve investigar o que está errado.

Cada um dos sistemas do corpo deve trabalhar em harmonia com os outros para funcionarmos corretamente. É por isso que é tão importante perceber que, se há doenças e desordens presentes, é uma indicação de que há uma probabilidade de serem componentes mentais, emocionais ou espirituais que podem ser fatores no processo de cura para que a harmonia do corpo seja restaurada.

Cada sistema pode ter crenças acopladas a ele. Os sistemas de crenças que são descritos no texto a seguir são aqueles que descobri serem os mais prováveis de uma pessoa ter, mas eles não são necessariamente os mesmos de pessoa para pessoa. Eles são uma visão geral das 47 mil leituras com clientes e alunos.

A lista de doenças e desordens a seguir inclui informações médicas convencionais, *insights* intuitivos, remédios intuitivos, crenças associadas, programas, sentimentos, suplementos e remédios à base de plantas por pertencerem ao ThetaHealing. Não estou de forma alguma diagnosticando, apenas compartilho o que testemunhei. Não prescrevo medicamentos ou ofereço diagnósticos médicos.

ABUSO

Veja <u>Aparelho Digestivo</u> e <u>Sistema Reprodutor/Sexual</u>.

ABUSO DE DROGAS

Energia de entidades em abuso de drogas

Todas as pessoas viciadas em drogas com quem entrei em contato psiquicamente tinham entidades estranhas associadas a elas. Cada droga parece ter uma entidade própria e, vista intuitivamente, é a mesma em qualquer pessoa. Estas são algumas das formas que essas energias viciantes tomam quando vistas de forma intuitiva:

• O espírito da heroína tem a aparência de um velho enrugado com olhos vazios.

• O espírito da maconha tem a aparência de uma mulher de cabelos castanhos, muito magra, com olhos verdes incandescentes.

• O espírito da cocaína tem a aparência de uma mulher de cabelos loiros esbranquiçados, muito magra, com pele cor de neve e olhos azuis elétricos. Sua energia estará fluindo em torno da pessoa viciada.

• O espírito do cristal metanfetamina tem a aparência de uma mulher com cabelo loiro esbranquiçado, muito magra com um buraco vazio no lugar dos olhos.

• Cada tipo de álcool tem uma energia espiritual diferente ligada a ele. Por que você acha que eles são chamados de espíritos?

Espíritos errantes também podem estar presentes, uma vez que o vício em drogas e álcool pode levar a um esgotamento da energia espiritual, expondo a pessoa a energias parasitárias e, então, espíritos errantes são capazes de invadir o "espaço" e a aura enfraquecidos.

Remédios intuitivos

Para ajudar a pessoa, altere o nível de serotonina como o Criador recomendar e entre no espaço da pessoa para ver se alguma coisa precisa ser desatada e enviada para a luz do Criador. Se ela estiver usando drogas, a entidade relacionada estará anexada a ela, sussurrando as palavras que a mantêm viciada na substância. Essa entidade deve ser enviada para a luz do Criador para aliviar o sofrimento da pessoa viciada e para lhe dar uma chance de recuperação.

Aviso! O abuso de metanfetamina cria dopamina pura no cérebro. Isso realmente come as partes sensitivas do órgão. É por isso que os sentimentos em relação aos pais e aos entes queridos parecem inexistentes em um viciado em metanfetamina. Dependendo da gravidade do vício, pode demorar um ano para esses sentimentos voltarem ao normal, se voltarem. Comande que os centros do cérebro relacionados aos sentimentos voltem a ser como eram antes do vício.

Comande também que qualquer espírito errante vá para a luz do Criador.

Trabalho de crenças

Examine questões de dignidade. Faça os *downloads*:

"Eu sei qual é a sensação de viver minha vida diária sem me sentir dependente de uma droga."

"A cada dia, em todos os sentidos, fico mais saudável e mais forte."

"A vida é bela."

"Eu posso aproveitar a vida sem o uso de drogas ou álcool."

"Eu sei qual é a sensação de viver sem ter de me sentir triste."

"Eu sei qual é a sensação de sentir o barato da vida."

"Não me sinto mais feliz com o álcool."

"Não me sinto mais feliz com drogas."

"Não me sinto mais feliz com o tabaco."

"Eu posso sentir o sopro da vida sem álcool e drogas."

"O álcool é um desperdício de tempo."

"As drogas são um desperdício de tempo."
"Me sinto limpo."
"Eu respiro o ar."
"Eu sinto alegria."
"A vida é cheia de possibilidades."
"Há magia em todas as coisas."
"Eu posso sentir a magia sem o uso de drogas e álcool."
"Estou conectado a Deus."
"Estou cheio de energia e mudança."

Suplementos e outras recomendações nutricionais
- equinácea limpa o sangue das drogas;
- niacina remove as drogas do corpo.

Os seguintes também podem ser benéficos:
- ácido fólico;
- complexo B;
- glutationa IV de um profissional certificado;
- limpeza em uma sauna;
- limpezas de fígado (*veja Fígado*);
- molibdênio, 300 mg;
- ômega 3;
- suco de goji;
- uma dieta alcalina.

Veja também <u>Alcoolismo</u>.

ACIDENTE VASCULAR CEREBRAL (AVC)

Um derrame é uma emergência médica. Ele acontece quando o fluxo de sangue para o cérebro para. Quando isso acontece, células do cérebro começam a morrer em poucos minutos.

Uma pessoa que sofreu um acidente vascular cerebral, às vezes, perde a mobilidade de certas partes do corpo. Isso se dá porque alguns dos neurônios não existem mais ou não estão conectados como estavam antes.

Tipos

Existem dois tipos de AVC:

- O tipo mais comum, chamado de *acidente vascular cerebral isquêmico*, é causado por um coágulo de sangue que bloqueia ou obstrui um vaso sanguíneo no cérebro.
- Um vaso sanguíneo que rompe e sangra sobre o cérebro causa o outro tipo, chamado de *acidente vascular cerebral hemorrágico*.

"Mini-AVCs", ou ataques isquêmicos transitórios (AIT), ocorrem quando o suprimento de sangue para o cérebro é interrompido brevemente.

Remédios intuitivos

Se você estiver trabalhando com uma pessoa que está prestes a ter um derrame, limpe a área do aneurisma, fortaleça as paredes das veias e limpe as veias.

Ao trabalhar com um adulto que teve um derrame, testemunhe o Criador entrar e pedir ao corpo que desperte a memória fetal e mude as coisas que são necessárias no cérebro. Entre e diga: *"Criador, mostre-me"*. Esse é o caminho mais rápido para o cérebro reproduzir-se.

Quando testemunho uma cura em um acidente vascular cerebral, eu entro, desperto as células do cérebro e me certifico de que elas conseguem usar todos os neurônios restantes. Testemunho novos neurônios sendo redirecionados para assumir o trabalho daqueles que foram destruídos. Então coloco minhas mãos neles e testemunho os neurônios se lembrando de como funcionar.

Em casos de acidente vascular cerebral, o cérebro fica com muitas células mortas. Ele deve recriá-las e reaprender. É por isso que, para curar um derrame, você se conecta ao Criador e comanda que a memória fetal seja despertada e que as células se lembrem e reaprendam. Não é necessário conhecer a mecânica de como isso é feito; tudo que você precisa fazer é comandar que o Criador cuide disso e testemunhar.

Pessoalmente, gosto de saber o que estou testemunhando, então pergunto ao Criador o que está acontecendo quando a pessoa está sendo curada. No caso de um acidente vascular cerebral, foi-me dito que eu estava assistindo às células despertando e reaprendendo a fazer as coisas.

Crianças pequenas podem corrigir um episódio de acidente vascular cerebral e tornarem-se adultos perfeitamente funcionais, simplesmente por causa das células-tronco. Ao trabalhar com qualquer criança que tenha sofrido um acidente vascular cerebral, entre e comande ao corpo que se reabasteça completamente e trabalhe para ativar as células-tronco.

Geralmente espero resultados dentro de duas a três semanas e todos os resultados no prazo de três meses. Algumas pessoas têm resultados no dia da cura ou no dia seguinte.

No entanto, precisamos lembrar que demora cerca de um ano para uma pessoa aprender a andar quando bebê e que é provável que leve alguns meses para que reaprenda com as curas. Às vezes, reaprender a andar e a mover certos membros leva algum tempo, mas, no geral, o que pensamos como "algum tempo" não é realmente tanto tempo assim. Você pode demorar um mês para recuperar o movimento de seu braço, enquanto levou meses para movê-lo corretamente quando era bebê. Então seja paciente quando você trabalha com pessoas que tiveram um acidente vascular cerebral. Um derrame faz uma pessoa se sentir totalmente rejeitada.

Downloads

"Estou feliz, saudável e me recuperando a cada dia."

"A cada dia eu me recupero mais e fico mais saudável."

"Minhas células se recuperam e reaprendem."

"Meu corpo recebe o sopro da vida."

"Meu corpo se lembra de tudo o que sabia antes."

"Eu sou uma pessoa forte."

"Vou seguir em frente."

"A cada dia, em todos os sentidos, seguir em frente se torna mais fácil."

"Eu sou grato por minha vida."

"Eu sou grato por estar vivo."

"Eu sei como viver sem depressão."

"Eu sei qual é a sensação de ser feliz."

"Eu sei qual é a sensação de viver sem desespero."

"Eu sei como viver sem desespero."

"É fácil para mim me recuperar."

Suplementos

O acidente vascular cerebral é comumente associado à falta de minerais básicos, como o selênio. Se a pessoa que teve o acidente vascular cerebral tem mais de 18 anos de idade, sugerimos:

- combinação de multivitamínico e minerais;
- complexo de aminoácidos;
- selênio;
- vitamina E.

AÇÚCAR NO SANGUE

Veja Hipoglicemia.

AIDS-HIV

O vírus da AIDS e do HIV enfraquecem o sistema imunológico da pessoa de tal forma que ela morre de infecções virais e bacterianas ou de possíveis cânceres.

O que acontece é que o vírus começa como HIV. O HIV entra nas células-T, forçando o corpo a criar novas células-T para manter o sistema imunológico funcionando. Eventualmente, ele estará completamente esgotado e não será mais capaz de se defender.

Há muitos riscos para as pessoas que têm HIV. Elas têm de ter muito cuidado com resfriados e gripes, por exemplo, porque um resfriado ou gripe pode ser prejudicial para seu corpo.

Em geral, o HIV-AIDS é transferido pelo sexo, pelo contato com fluidos corporais, feridas abertas, pelo uso de drogas e, no passado, por transfusões de sangue. O curador precisa entender que existem apenas certas condições em que se pode contrair HIV-AIDS. No entanto, é importante tomar precauções. Você precisa ser extremamente cuidadoso sempre que houver sangue presente.

Sintomas

Alguns dos sintomas que uma pessoa terá quando contrair HIV são:

- diarreia e constipação;
- dores de cabeça;
- fadiga;
- febres que duram até dez dias;
- gânglios linfáticos inchados;
- perda de peso;
- problemas de cândida;
- tosse persistente.

Outras doenças causadas por um estágio avançado de HIV são:

- candidíase esofagiana;
- criptosporidiose;
- herpes simples;
- linfoma;
- pneumonia;
- sarcoma de Kaposi;
- toxoplasmose no cérebro.

Insights intuitivos

O HIV é como uma lagarta na crisálida e a AIDS, como uma borboleta vampírica desabrochada. Quando o HIV se transforma em AIDS, até seu DNA fica diferente. Quando ele se transforma em AIDS, você está lidando com um vírus maldoso, desagradável. Ele é muito rude, por sinal. Portanto, não espere conversar com a AIDS. O HIV, por outro lado, falará com você. A AIDS transmitirá formas-pensamento como "É aqui que estou".

O HIV é um vírus novo. Se fosse um vírus antigo, ele saberia que não deveria matar as pessoas que infectou. Vírus velhos têm esse tipo de sabedoria. Eles podem deixar a pessoa doente, mas no geral não tentam matá-las. Os jovens são traidores. Hantavírus é um vírus novo também. Ele evoluiu o suficiente para não matar ratos, mas não o suficiente para não matar seus portadores humanos. Quanto mais velho o HIV-AIDS fica, melhor nossos corpos aprenderão a combatê-lo. Eles vão aprender a fazer com que o HIV pare de se transformar em AIDS.

O que está acontecendo agora é que as crianças estão desenvolvendo uma imunidade ao HIV e seus sistemas estão matando o vírus. Então, em minha opinião, não vai demorar muito para a AIDS não ser mais um problema. Penso que a razão pra ela ter saído de controle é que foi um vírus criado pelo homem. Então, ele evoluiu e se espalhou mais rápido do que se tivesse surgido naturalmente.

É interessante notar como muitas pessoas têm HIV-AIDS. Quando você vai para o corpo de um cliente com HIV em uma leitura, você notará que ele é muito tranquilo. Uma das indicações de que o HIV está presente é que o sangue parece ser leitoso. A maioria dos clientes já sabe que tem HIV. Eles vão chegar e lhe dizer isso.

Remédios intuitivos

Eu descobri que a AIDS responde a curas muito rapidamente. O HIV responde a curas rapidamente também, mas se você não obtiver resultados com ele, tem de descobrir quais sistemas de crenças estão sendo mantidos lá. Você pode comandar que o vírus vá embora do corpo da pessoa, mas ela ainda tem de sentir que é digna de aceitar a cura. Ela pode ter muitas questões relacionadas a castigo. Mas muito disso é o desespero de querer viver. A pessoa está tão desesperada que se agarra à vida com todas as forças.

Na verdade, o HIV-AIDS vem com tanto medo acoplado a ele que o curador pode ficar com medo. Se você perceber que tem medo do HIV-AIDS, precisa liberá-lo e substituí-lo.

Não afirmo ter curado pessoas com HIV ou AIDS. Mas, se elas estiveram livres do vírus por cinco anos e tiveram um atestado médico saudável por cinco anos, então o Criador as curou. Evite tomar crédito pelo que Deus faz.

Nos primeiros anos, criei uma técnica intuitiva a partir da observação de que todos os seres vivos tinham sua própria vibração e emitiam um certo tom. Depois de ouvir os órgãos cantarem uns para os outros, comecei a ouvir as células para ver se elas faziam a mesma coisa. O que descobri foi que elas *cantavam* umas para as outras. Isso me levou a acreditar que talvez os vírus, as bactérias e os fungos podiam fazer a mesma coisa. Comecei a ouvir os tons que eles cantavam para o corpo. Então tive a ideia de que se eu saísse de meu espaço para levar um tom correspondente para dentro daquele corpo e, em seguida, emitisse o exato tom oposto, seria capaz de matar o vírus. Para aquele momento, aquela foi uma ótima ideia e comecei a usar essa técnica em pessoas com HIV-AIDS. As taxas de célula-T aumentavam em quase todas as pessoas, mas o vírus da AIDS não desaparecia completamente.

Um dia, em um momento de frustração, quando descobri que um de meus clientes com AIDS ainda tinha o vírus, ouvi o Criador dizer: "Por que você não me perguntou o que precisava ser feito?".

Demorei um tempo para me ajustar a isso porque achava que havia chegado à melhor solução. Engoli meu orgulho e perguntei: "O.k., Deus, o que precisa ser feito?".

Foi-me dito que doenças como herpes e AIDS eram mantidas por uma relação simbiótica por causa da correspondência dos sistemas de crenças do hospedeiro e do vírus. Se a pessoa estivesse pronta para deixar o vírus ir, ela se curaria imediatamente.

Comecei a pedir ao Criador para curar as pessoas com HIV e AIDS e testemunhei que elas se curavam imediatamente. Então trabalhei nos sistemas de crenças que estavam associados à doença. Tivemos pessoas que estavam morrendo de AIDS, incapazes de se levantar da cama, que plantaram flores em seu jardim no dia seguinte.

Comecei a ouvir os sistemas de crenças que surgiam em sessões relacionadas a HIV-AIDS e isto foi o que eu descobri: as pessoas se prendem ao seu HIV. Você pode achar que seria por causa do parceiro que lhes passou, e em uma pequena percentagem esse é o caso, mas o que eu descobri foi que a maioria pensava que o HIV os servia de alguma forma. Especificamente, estava ensinando-lhes *espiritualidade*. Ele estava ensinando-os a apreciar tudo na vida. Eles realmente tinham se tornado tão dependentes do vírus que estavam com medo de que, se ele fosse embora, voltariam aos seus velhos hábitos.

O ressentimento também pode ser um fator. Por exemplo, trabalhei no HIV em um homem que havia contraído a doença de seu namorado. Ele definitivamente tinha uma grande dose de rancor em relação a essa pessoa. Mesmo que sua carga viral fosse baixa e sua taxa de células-T fosse boa, o vírus não tinha ido embora completamente. Então, trabalhamos em questões de rancor.

Aqui está a outra chave: a doença estava transmitindo formas--pensamento para ele. Ela estava lhe dizendo: "Sem mim, você não seria tão espiritualizado. Sem mim, você não seria uma boa pessoa. Olhe para tudo o que eu tenho feito por você!". Ela estava fazendo-o sentir que era verdadeiramente sua amiga.

Então lhe perguntei: "O que você vai fazer quando estiver livre disso?".

Ele disse: "Tenho medo de voltar a ser do jeito que eu era".

Naquele momento, eu sabia que tinha de remover o programa "eu tenho que ter essa doença para me aproximar de Deus".

O que ele disse em seguida foi incrível: "Estou muito confortável com essa doença. Não me incomoda. Eu a tenho sob controle e, enquanto eu souber que devo mantê-la sob controle, está bom para mim".

Com HIV-AIDS, esteja ciente de que é possível que o cliente lute com você para manter a doença.

Trabalho de crenças

Você precisa fazer a cada pessoa com HIV com quem você trabalha a importante pergunta: "O que o HIV tem feito por você?". Incrivelmente, muitas vezes você vai ouvi-los dizer:

"Eu sou uma pessoa melhor."

"Eu cuido melhor de mim mesmo."

"Eu estou mais consciente."

"Sem o HIV, vou voltar ao jeito que eu era."

É a própria doença que está dizendo que eles precisam dela. Algumas das coisas que o HIV diz ao hospedeiro são:

"Por minha causa, sua vida mudou."

"Por minha causa, você é uma pessoa melhor."

"Por minha causa, você cuida melhor de si mesmo."

"Estou aqui para ajudá-lo."

"Eu estou aqui para estar com você."

"Eu estou aqui para seu próprio bem."

Então, pergunte à pessoa para que a doença está lhe servindo. Eles virão com alguns motivos realmente bons!

Se você não remover a crença de que eles têm de ter HIV-AIDS e os programas associados, que este irá torná-los pessoas melhores ou lhes permitirá ter uma vida melhor, aí você estará perdendo o sistema de crenças que mantém a doença neles.

Libere os seguintes programas:

"Tenho medo de que, sem o HIV, vou me tornar imprudente."

"Sem o HIV, vou me destruir."

"Estou sendo punido com AIDS."

Muitas vezes, isso fará baixar a carga viral no corpo. Mas o HIV-AIDS é um vírus extremamente inteligente. Ele percebe que, se a pessoa acredita que precisa dele, seu corpo-mente e espírito não vão combatê-lo muito. Então faça os *downloads*:

"Eu posso viver sem o HIV."

"Eu ainda posso ser uma boa pessoa sem HIV."

"Eu posso ser bom para meu corpo sem HIV."

"Eu posso apreciar meu corpo sem HIV."

"Eu posso fazer a diferença sem HIV."

"Eu sei qual é a sensação de apreciar o que o HIV tem feito para me servir."

"Agora estou pronto para aprender as lições espirituais da vida sem o vírus HIV."

"Com bons pensamentos, agradeço ao HIV e o mando embora."

"Eu sei que posso cuidar bem de meu corpo sem o HIV."

"Eu sei qual é a sensação de me sentir forte, saudável e cheio de energia."

"Eu sei qual é a sensação de colocar coisas boas para dentro de meu corpo."

"Eu sei como viver sem usar drogas ilícitas."

"Eu sei qual é a sensação de viver sem ter vergonha de ter HIV."

"Eu sei que é possível estar completamente curado do HIV."

"Eu sei qual é a sensação de viver e sei que meu corpo está ficando mais forte a cada dia."

"Eu sei qual é a sensação de saber que eu sou uma boa pessoa."

"Eu sou responsável por meu corpo sem HIV."

"Eu sei qual é a sensação de ter um relacionamento baseado no amor."

"Eu sei qual é a sensação de saber que não tenho nenhuma carga viral."

"Eu sei qual é a sensação de viver sem essa doença."

"Eu sei como chegar perto do Criador sem o HIV."

"Eu sei que sou digno de uma cura completa."

"Eu sei que minha família acredita que sou digno de uma cura completa."

"Eu sei viver sem ter de sofrer para agradar à minha família."

"Eu sei como viver sem culpa nos relacionamentos."

"Eu sei como me perdoar e me permitir seguir em frente."

"Eu sei como me perdoar por não amar meu corpo."

"Eu sei que é possível amar meu corpo."

"Eu sei que é possível ser feliz."

Certifique-se de que a pessoa sabe que ela pode viver sem a doença e ainda estar perto de Deus:

"Eu compreendo como estar perto de Deus sem HIV-AIDS."

"Eu sei qual é a sensação de viver perto de Deus sem HIV-AIDS."

Remova a consciência coletiva de que HIV-AIDS é incurável. Remova a crença "Eu preciso de você para o crescimento espiritual", tanto da pessoa como do vírus.

HIV em crianças pequenas é fácil de curar, mas se elas compreenderem que têm HIV-AIDS, podem pensar que contraíram a doença porque têm de pagar pelos "pecados do pai ou da mãe". Você pode ter de trabalhar nesse sistema de crenças.

Em nenhum momento nós desencorajamos qualquer pessoa com HIV-AIDS a ir ao médico para ser verificado. Queremos que se consultem com um médico para ver os resultados.

Além disso, nunca desencorajamos qualquer pessoa com HIV-AIDS a usar um medicamento que possa ajudar seu sistema imunológico.

Suplementos

Uma pessoa que tem AIDS deve manter em alta todas as suas vitaminas e minerais. Outros suplementos importantes são:
- ácido alfalipoico 600-1.200 mg;
- complexo B;
- DHEA;
- equinácea (foi comprovado que doses elevadas diminuem a taxa viral);
- misturas de ácidos aminados;
- proflavanol;
- selênio, 250 mg;
- unha-de-gato;
- vitamina C.

ALCOOLISMO

Uma vez que o álcool atravessa a barreira entre sangue e cérebro, ele faz com que o cérebro libere endorfinas e dopamina. Em situações normais, é muito importante que os centros de prazer do cérebro nos recompensem. Por exemplo, quando estamos com fome, temos o prazer de comer alimentos. No entanto, o abuso do álcool pode ter efeitos tóxicos.

Até recentemente, pensava-se que o abuso do álcool criava esses efeitos através da dissolução do tecido cerebral. Ele produz esse efeito, mas não da maneira que um dia pensamos que ele produzia. Ele dissolve tanto a água quanto a gordura, os dois componentes das células cerebrais, forçando essas células a produzirem emoções que variam da euforia à depressão ou da calma à agressão.

Sabemos que não há um gene do alcoolismo, mas há alguns distúrbios, que acontecem nos genes que sofreram mutações, que tornam as pessoas mais propensas ao alcoolismo. A tendência é inquestionavelmente presente quando há um baixo nível de serotonina no corpo.

Há algumas coisas boas que o álcool faz. Se você bebe ocasionalmente, ele pode diminuir seu colesterol. Pequenas doses podem impedir o entupimento de suas artérias, prevenir coágulos sanguíneos e realmente aliviar a menopausa, além de reduzir o risco de doença cardíaca. Se você beber apenas uma pequena quantidade a cada dia, ele pode estimular o cérebro a funcionar melhor.

No entanto, beber em excesso pode causar enormes danos cerebrais. Isso pode fazer com que o cérebro perca milhões e milhões de neurônios, e isso pode ter um efeito devastador. Os homens russos, por exemplo, bebem o equivalente a 3,5 garrafas de vodca por semana e por isso sua expectativa de vida é de cerca de 55 anos.

Os alcoólatras também têm uma tendência à desnutrição e não absorvem seu ácido fólico corretamente. Abuso de álcool em longo prazo pode criar dificuldades pancreáticas, disfunção hepática e diabetes. Alcoólicos não dormem suficientemente no estágio REM.

Insights intuitivos

O uso excessivo de qualquer tipo de droga irá causar várias alterações no cérebro. Quando você entrar no cérebro para reparar essas alterações, começará a mudar os neurônios próximos e comandar que os níveis de serotonina mudem. Isso irá gerar uma diferença na necessidade da substância específica na qual a pessoa é viciada.

Uma coisa importante de entender sobre os alcoólatras é que muitos receptores estão sendo desligados e ligados com o uso do álcool, e quando eles não estiverem mais sendo utilizados os níveis de serotonina oscilarão muito. Pessoas que já são alcoólatras há muito tempo voltarão a ser como eram antes. Então, se elas começaram a beber aos 18 anos e pararam aos 40, em certos aspectos seu cérebro coincidirá com o de um jovem de 18 anos de idade, tornando-os um pouco imaturos, até que seu cérebro os alcance. É por isso que, às vezes, as pessoas que tiveram grandes vícios e conseguiram se recuperar dele acham a vida um pouco mais difícil.

O fato de que o álcool pode fazer as pessoas ficarem deprimidas também é algo a se considerar.

Remédios intuitivos

Ao trabalhar com um alcoólatra, é importante que ele queira ficar melhor. Você não pode trabalhar com um alcoólatra que não deseje realmente se recuperar. Para equilibrar as substâncias químicas do cérebro, vá para o cérebro e testemunhe a serotonina e os níveis de dopamina se equilibrarem com o seguinte processo:

O processo para normalizar produtos químicos do cérebro

1. Centre-se em seu coração e visualize-se descendo para a Mãe Terra, que é uma parte de Tudo O Que É.
2. Visualize-se trazendo a energia através de seus pés, abrindo cada chacra até o chacra coronário. Em uma linda bola de luz, vá para o universo.
3. Vá além do universo, além da luzes brancas, além da luz escura, além da luz branca, além da substância gelatinosa que são as Leis, em uma luz branca perolada iridescente, no Sétimo Plano da Existência.
4. Faça o comando: "Criador de Tudo O Que É, é comandado *que a noradrenalina, a serotonina e os níveis hormonais de [nome da pessoa]*

sejam equilibrados da mais elevada e melhor forma, conforme seja apropriado neste momento. Grato! Está feito. Está feito. Está feito".

5. Mova sua consciência para o espaço da pessoa. Vá para o cérebro e testemunhe os níveis de noradrenalina/serotonina como um gráfico. Testemunhe os níveis se equilibrando de maneira apropriada para a pessoa.

6. Assim que o processo esteja concluído, enxágue-se e coloque-se de volta no seu espaço. Vá para a Terra, puxe a energia da Terra através de todos os seus chacras até seu chacra coronário e faça a quebra energética.

Libere o programa "Eu sou viciado em álcool" e substitua-o com o que o Criador lhe disser. Pergunte ao Criador o que fazer.

Quando a pessoa para de beber, existe a necessidade de que ela se prepare para algum tipo de mudança de hábito, porque os receptores cerebrais que estavam adormecidos pelo uso excessivo de álcool são de repente despertados. Demora um tempo para o cérebro se ajustar. Para uma recuperação completa, é importante que o alcoólatra tenha uma equipe de suporte para ajudá-lo nos primeiros estágios.

Alcoólatras têm uma tendência a perder fragmentos de alma durante momentos de intenso abuso. Pode ser benéfico chamar de volta quaisquer fragmentos de alma perdidos, lavados e limpos.

O processo de recuperação de fragmentos de alma

1. Centre-se em seu coração e visualize-se descendo para a Mãe Terra, que é uma parte de Tudo O Que É.

2. Visualize-se trazendo a energia através de seus pés, abrindo cada chacra até o chacra coronário. Em uma linda bola de luz, vá para o universo.

3. Vá além do universo, além da luzes brancas, além da luz escura, além da luz branca, além da substância gelatinosa que são as Leis, em uma luz branca perolada iridescente, no Sétimo Plano da Existência.

4. Faça o comando: *"Criador de Tudo O Que É, é comandado que o programa histórico "Eu me amo, não" seja removido de [nome da pes-*

soa], cancelado e enviado para a luz de Deus, e que todos os fragmentos de alma sejam lavados e limpos e substituídos por "Eu me amo". Grato! Está feito. Está feito. Está feito".

5. Para testemunhar isso, você deve comandar que seja levado ao nível histórico, dizendo: "Criador de Tudo O Que É, é comandado que eu seja levado para o nível histórico de [nome da pessoa]". Você será levado para um lugar que está um pouco acima dos ombros e da cabeça da pessoa e realmente verá memórias de vidas passadas, ou fatos históricos da humanidade, como um *flash* diante de você. Esse é o campo áurico em torno do corpo, onde a energia se concentra. É muito importante, quando se trabalha nesse nível, se lembrar do que está sendo trabalhado. Esse nível é sedutor por sua beleza. Quando entrar em memórias de vidas passadas, haverá visões e uma quantidade incrível de informações. É fácil se sentir sobrecarregado e esquecer por que você está lá. Mantenha-se focado no assunto em questão.

6. Testemunhe a energia do programa "Eu me amo, não" sendo removida, cancelada e enviada para a luz de Deus e todos os fragmentos de alma sendo lavados, limpos e substituídos com o novo programa "Eu me amo".

7. Assim que você perceber que o processo terminou, enxágue-se. Coloque-se de volta ao seu espaço, vá para a Terra, puxe a energia da Terra até seu chacra coronário e faça a quebra energética.

Alcoólatras também são propensos a memórias flutuantes.

O processo para remover todas as memórias flutuantes

1. Centre-se em seu coração e visualize-se descendo para a Mãe Terra, que é uma parte de Tudo O Que É.

2. Visualize-se trazendo a energia através de seus pés, abrindo cada chacra até o chacra coronário. Em uma linda bola de luz, vá para o universo.

3. Vá além do universo, além da luzes brancas, além da luz escura, além da luz branca, além da substância gelatinosa que são as Leis, em uma luz branca perolada iridescente, no Sétimo Plano da Existência.

4. Reúna amor incondicional e faça o comando: *"Criador de Tudo O Que É, é comandado que qualquer memória flutuante que não sirva mais a essa pessoa seja removida, cancelada e enviada para sua luz da mais elevada e melhor forma e substituída pelo seu amor. Grato. Está feito. Está feito. Está feito".*

5. Mova sua consciência para a cabeça do cliente e testemunhe a cura acontecendo. Veja como as memórias antigas são enviadas para a luz do Criador e como a nova energia do Criador substitui a antiga.

6. Assim que você perceber que o processo terminou, enxágue-se. Coloque-se de volta ao seu espaço, vá para a Terra, puxe a energia da Terra até seu chacra coronário e faça a quebra energética.

7. Além disso, use os seguintes exercícios com um alcoólico:

- "Curando a Alma Partida" (*Veja Câncer*)
- "Enviando Amor ao Bebê no Ventre" (*Veja Câncer*)
- "A Canção do Coração" (*Veja Doenças Cardiovasculares*)

Você pode ver os espíritos voando para a luz de Deus quando faz o exercício "Curando a Alma Partida".

Trabalho de crenças

Verifique se há:

"Eu quero me sentir entorpecido."

"A dor da vida é demais para que eu suporte."

"O mundo é muito difícil."

"Eu evito responsabilidades."

"Eu não sou bom o suficiente."

Faça os *downloads*:

"Eu entendo como viver sem o uso do álcool."

"Eu sei que é possível viver sem o uso do álcool."

"Todos os dias, em todos os sentidos, eu cresço de maneira positiva e me fortaleço."

"Todos os dias, em todos os sentidos, eu cuido de meu corpo, mente e espírito."

"Eu posso chegar perto de Deus sem ter de sofrer."

"Eu sei qual é a sensação de ser livre de álcool."

"Eu sei que é possível me divertir sem o uso do álcool."

"Eu sei qual é a sensação de expressar meus sentimentos sem o uso do álcool."

"Eu sei qual a sensação de viver sem o uso do álcool como uma muleta."

"Eu sei qual é a sensação de ter amigos sem o uso do álcool."

"Eu sei como viver meu dia a dia sem o uso do álcool."

"Eu sei como aproveitar a vida."

"Eu tenho o meu espírito de volta."

Suplementos
- acido alfalipoico;
- aminoácidos;
- ácido fólico;
- glutationa;
- oxigenoterapia;
- complexo B;
- vitamina C.

Veja também Abuso de Drogas.

ALERGIA A PICADAS DE INSETOS

As picadas de formigas, abelhas, abelhões, vespões, vespas, aranhas e vespa jaqueta amarela podem causar reações alérgicas.

Sintomas
Os sintomas incluem:

- diarreia;
- urticária;
- coceira;
- náuseas;
- dor e inchaço nas articulações;
- dificuldade respiratória;
- aperto na garganta;
- inchaço vascular;
- chiado no peito.

Esses sintomas variam de pessoa para pessoa e dependem de quão gravemente a pessoa é alérgica. Nos casos mais graves, a pessoa pode entrar em choque anafilático.

Se você já teve uma reação a uma picada, uma boa precaução é ter em mãos um kit de emergência de epinefrina, prescrita por um médico.

Para evitar picadas de inseto, vista roupas de cor clara e evite usar qualquer coisa que seja florida ou escura. Não use joias brilhantes ou use spray de cabelo, perfume, sabonetes perfumados ou protetor solar.

Remédios intuitivos

Se você vê que uma pessoa está tendo uma reação à picada de um inseto, testemunhe uma cura feita nela que traga o corpo de volta ao equilíbrio e em seguida, por precaução, leve-a imediatamente ao hospital.

Enquanto você testemunha a cura, verá ver mais adrenalina e cortisona sendo enviadas para o corpo para ser utilizadas não apenas contra o veneno de inseto, mas para normalizar a reação alérgica. Isso ajudará a equilibrar a inundação de histamina percorrendo o corpo.

Suplementos e outras recomendações nutricionais

- Para aqueles que são alérgicos a abelhas, considere o uso de um pouco de pólen de abelha (apenas uma pequena quantidade no início) para construir uma resistência ao veneno da abelha. Isso só deve ser feito por um profissional de saúde certificado.

- O uso regular de vitamina C (5.000 mg/dia) ajudará aqueles com reações alérgicas.

ALERGIAS

A alergia refere-se a uma reação exagerada do sistema imunológico em resposta ao contato com certas substâncias estranhas ao corpo. Substâncias produtoras de alergia são chamadas alérgenos. Alguns exemplos são os ácaros, alimentos, mofo, pelos de animais e pólen. As pessoas que são propensas a alergias são chamadas de alérgicas ou atópicas.

O sistema imunológico é o mecanismo de defesa do corpo organizado para se opor a invasores estranhos ao corpo, em infecções específicas, chamadas de antígenos. O objetivo do sistema imunológico é mobilizar suas forças no local da invasão e destruir o inimigo. Uma das maneiras como ele faz isso é criar proteínas protetoras chamadas anticorpos que são especificamente direcionadas contra antígenos específicos. Esses anticorpos acoplam-se à superfície da substância estranha ao corpo, fazendo com que seja mais fácil para as outras células do sistema imunológico a destruírem. A pessoa alérgica, contudo, desenvolve um tipo específico de anticorpo, por causa de uma substância estranha que normalmente seria inofensiva, e cria uma superabundância desse anticorpo, causando um excesso na produção de histamina e de outros produtos químicos. Esses produtos químicos, por sua vez, causam a inflamação e os sintomas alérgicos típicos. Essa é a forma como o sistema imunológico pode causar uma reação alérgica quando estimulado por um alérgeno.

A pessoa que sofre de alergias deveria atentar àquilo que come, pois pode ter uma alergia alimentar. Algumas pessoas são alérgicas até a carne. Corantes vermelhos e amarelos são dois dos alérgenos mais predominantes em nossa comida. Conservantes de alimentos também podem causar alergias.

Algumas pessoas são alérgicas a aspirina, mas, por outro lado, pequenas quantidades de aspirina podem curar alergias.

A melhor maneira de prevenir alergias é permitir que suas crianças brinquem na lama. Deixe-os se acostumarem ao seu meio ambiente.

Uma das razões pelas quais as pessoas desenvolvem alergias é se mudar para um meio ambiente completamente diferente, ao qual o corpo não está acostumado.

Alergias parecem ser mais predominantes em pessoas com um nível elevado de *Candida* no corpo.

As reações alérgicas podem ser muito perigosas. Algumas pessoas podem entrar no que é chamado de choque anafilático, em que, além de outros sintomas, a pessoa desenvolve um inchaço na garganta que pode bloquear suas vias respiratórias. Elas devem ser levadas imediatamente para o hospital. Faça curas nelas no caminho até lá.

Trabalho de crenças

Em pessoas com alergias, eu trabalho em questões de ressentimento e raiva. Elas são relacionadas à levedura.

Uma boa orientação intuitiva é subir e perguntar se algo está ofendendo a pessoa. Em seguida, você deve testar aspectos da vida cotidiana dela, como por exemplo "Eu sou ofendido por gatos" (para ser substituído por "É seguro estar perto de gatos").

Coloque o alérgeno na mão da pessoa e faça o teste energético para ver se a ofende. Então vá para o Criador de Tudo O Que É e ensine a ela qual é a sensação de ser capaz de viver com isso.

Alergias parecem estar intimamente ligadas à vida passada ou ao nível histórico. Rastreie o passado da pessoa para saber quando os sintomas começaram. Pergunte o que ela estava sentindo e o que estava acontecendo quando ela começou a ter os sintomas alérgicos e explore as crenças relacionadas a esses incidentes.

Ensine à pessoa qual é a sensação de viver no meio ambiente dela.

Suplementos

- Acidofilus e acido alfalipoico (para decompor e digerir os alimentos) são suplementos úteis para alguém que tem alergias.
- Efedra (Ma Huang chinesa) pode ajudar com alergias em algumas situações, mas você deve ter muito cuidado ao usá-la, especialmente com aqueles que têm problemas cardíacos.

- Se a pessoa está tomando uma medicação convencional, esta deve ser apoiada por certas vitaminas, pois a maioria dos medicamentos de alergia tem efeitos colaterais que reduzem a quantidade de minerais vitais e vitaminas. Vitamina A e vitamina C são muito importantes para ajudar com alergias. O excesso de vitamina C é ruim para os rins, mas 5.000-7.000 mg por dia é bom para alguém com alergias e pode parar um corrimento nasal. Tome em intervalos ao longo do dia, pois o corpo não irá decompor mais de 2.000 mg de vitamina C por vez.
- A quercetina ajuda em algumas situações, mas somente se a pessoa não estiver tomando medicação para alergia.
- Urtiga é uma das melhores coisas que encontrei para alergias.
- O zinco é benéfico nas doses recomendadas na embalagem.

ANEMIA

Em si, a anemia, insuficiência de hemácias, não é uma doença, mas um sintoma de outras doenças como de medula óssea, de Crohn, deficiências nutricionais, hemorroidas, doenças hereditárias, desordens hormonais, artrite reumatoide e úlceras.

A anemia também pode ser resultado do esgotamento dos níveis de B12 no corpo. Normalmente, a anemia é causada por deficiência de ferro, que é mais predominante nas mulheres. De modo geral, os homens precisam ter cuidado se usarem ferro como suplemento, porque seu fígado não o processa da mesma forma como o de uma mulher. Não costumo sugerir que alguém use ferro antes que tenha verificado essa possibilidade com seu médico. Em geral, trabalho com as doenças que causam a anemia.

Remédios intuitivos

Algumas das crenças associadas ao sangue têm a ver com a comunicação. A pessoa não conseguirá se comunicar muito bem com você ou com qualquer pessoa sobre essa questão. Ela irá negar e dizer que está tudo bem com sua vida.

Faça os *downloads*:

"Eu sei que a vida é alegre e divertida."

"Eu sei como me comunicar bem."

"Eu sei qual é a sensação de me comunicar bem."

Suplementos

- Complexo B é importante;

- Muitos livros de plantas sugerem o uso de hidraste para anemia, mas você precisa ter muito cuidado com ela e não pode usá-la por muito tempo. Só é recomendada uma semana de uso, e as pessoas que são diabéticas nunca devem usá-la;

- Urtiga é muito boa para aqueles com anemia, uma vez que tem muitas vitaminas e minerais de que necessitam.

Anemia falciforme

A anemia falciforme é um distúrbio sanguíneo hereditário que afeta principalmente pessoas de descendência africana, mas também ocorre em outros grupos étnicos, incluindo pessoas de descendência mediterrânea e do Oriente Médio.

A doença afeta a hemoglobina, a proteína encontrada nas hemácias que ajuda a transportar oxigênio pelo corpo, e ocorre quando a pessoa herda dois genes anormais (um de cada progenitor) que fazem com que suas hemácias mudem de forma. Em vez de serem flexíveis e em forma de disco, essas células são mais rígidas e curvadas, do formato de uma ferramenta comum na roça conhecida como foice. É daí que a doença recebe seu nome. É a incapacidade de criar uma cadeia específica de aminoácido.

Se ambos os pais nascem com essa tendência genética, passarão a anemia falciforme para um em cada quatro filhos, mas as outras três serão imunes à malária.

Remédios intuitivos

Pergunte ao Criador se precisa ser feito um trabalho genético. Se assim for, faça o comando e testemunhe o Criador fazendo as alterações. A anemia falciforme é fácil de curar. Como o sangue muda muito rápido em uma cura, você pode ver efeitos imediatos do trabalho. As mudanças nas células cerebrais e sanguíneas acontecem quase instantaneamente. Quanto mais fundo você estiver em Theta, melhor a cura. Certifique-se de se conectar ao Sétimo Plano.

Trabalho de crenças

Com a anemia falciforme, geralmente pouco trabalho de crenças precisa ser realizado. Quando há trabalho de crenças a ser feito, ele será relacionado a questões hereditárias, tal como a forma com que a pessoa se sente sobre seus pais e seus antepassados.

ANOREXIA NERVOSA/BULIMIA

A anorexia nervosa é caracterizada como um distúrbio psicológico. São pessoas que têm um medo intenso de ficar obesas. Em muitos casos, elas comerão comida apenas para ir ao banheiro e depois induzir o vômito. Essa é a bulimia.

Em casos extremos, a pessoa se recusa a comer qualquer coisa. Elas têm sensações negativas quanto à sua aparência, ficam obcecadas com exercício e começam a perder cabelo por causa da perda de vitaminas e minerais.

Uma pessoa que tem anorexia nervosa e bulimia é muito boa em esconder sua doença do mundo. Na verdade, esconder a doença é parte da doença.

Remédios intuitivos

Descobri que a maioria das pessoas com anorexia tem falta de magnésio. Parece que elas precisam de magnésio antes que uma cura possa ser feita.

Convencê-las de que precisam de vitaminas e minerais é um dos maiores desafios que enfrentamos. Uma das melhores maneiras que encontrei para que nutrissem seus corpos foi convencê-las a utilizar bebidas de proteína, pois possuem vitaminas, minerais e aminoácidos. Uma vez que é uma bebida, é mais provável que façam uso dela, e menos provável que a vomitem depois.

Trabalho de crenças

É importante que a pessoa realmente queira ser ajudada. É muito difícil ajudar alguém com anorexia que é arrastado por outra pessoa para vê-la. Se eles não quiserem ajuda, você pode ficar trabalhando em seus sistemas de crenças por horas e não realizar nada.

A maioria das crenças deles é associada à "beleza" e como o mundo os vê, mas também à maneira que eles absorvem a vida e à maneira que se sentem com relação à sua vida.

As pessoas com essa doença têm uma tendência a culpar seus pais, seu curador, seus médicos ou qualquer outra pessoa que seja possível de se culpar pela maneira que são.

Se os pais são muito controladores, o indivíduo com anorexia nervosa irá desenvolver o transtorno como uma última cartada para manter seu próprio poder. Faça o teste energético para isso e substitua pelo que o Criador lhe disser.

ARTRITE

Uma mulher veio ao meu escritório uma vez por causa de grandes depósitos de cálcio em seus joelhos que faziam com que ela tivesse sintomas parecidos com os de artrite. Ela era uma mulher incrível. Ela me disse que nunca tinha comido açúcar processado ou farinha branca e tinha sido saudável durante toda a vida. Ela tinha recentemente ido a um quiroprata e ele tinha dado a ela cálcio de concha de ostra. Depois de tomar isso por um tempo, ela tinha começado a desenvolver grandes depósitos de cálcio.

Quando fui para seu espaço, senti que isso estava acontecendo porque seu corpo não estava decompondo devidamente o suplemento. Sugeri que ela interrompesse o uso do cálcio de concha de ostra e passasse a tomar o suco de cenoura que ela vinha tomando por toda a sua vida.

Dentro de duas semanas, os nódulos que ela tinha desenvolvido tinham ido embora. O cálcio do suco de cenoura havia decomposto o cálcio inutilizável gerado pelo cálcio de concha de ostra.

Como você pode ver, a mulher nunca tinha tido artrite, e sim seus sintomas. Outras condições podem criar sintomas como os da artrite também, por isso é melhor não assumir nada tendo como base somente as aparências.

Tipos

Os três principais tipos de artrite que eu tenho trabalhado são a osteoartrite, a artrite reumatoide e a artrite psoriática.

A osteoartrite é majoritariamente resultado do desgaste das articulações do corpo. Ela reage bem às curas.

Artrite psoriática e artrite reumatoide são distúrbios autoimunes.

Insights intuitivos

Quando você estiver fazendo uma varredura no corpo de uma pessoa com artrite reumatoide, verá que existem células minúsculas que se deslocam em velocidades elevadas no interior das articulações. Você perceberá que há algo no interior das articulações e que o sistema imunológico está buscando-o. Minha opinião é que há um microrganismo no interior das articulações e o sistema imunológico está doido para pará-lo. Os médicos sabem que na artrite reumatoide o sistema imunológico está atacando a cartilagem das articulações, mas eles não sabem exatamente o porquê.

A artrite reumatoide é uma doença hereditária e acredito que o DNA defeituoso seja em virtude de microplasmas ou bactérias. Isso dá à pessoa uma predisposição para a artrite reumatoide. Essa predisposição foi transferida geneticamente e o microplasma ou bactéria foi contraído em algum momento da vida da pessoa. Isso significa que ela pode ter tendência à doença, mas, sem um microplasma, não haveria nenhum sintoma. O microplasma é o responsável. Por isso, é possível curar a aflição parando o microplasma com uma cura.

Remédios intuitivos

Os melhores resultados que tive com artrite reumatoide foram fazer uma cura e testemunhar os fragmentos de microplasma dentro da articulação sendo liberados e transformados em uma substância que seja inofensiva para o corpo. Se você tiver dificuldade em visualizar essas pequenas células na articulação, peça ao Criador para lhe mostrar até que você tenha uma noção de como eles se parecem no corpo.

Você provavelmente só tem uma ou duas sessões de trabalho com alguém que tem artrite reumatoide para convencê-lo de que sua cura está ajudando-o, pois o microplasma e os microrganismos transmitirão culpa, tristeza e ressentimento. A doença fará com que eles sintam que têm de discordar de você em tudo o que você está tentando lhes dizer.

Trabalho de crenças

As pessoas que têm artrite têm medo de seguir em frente, são muito teimosas e não querem mudar. Elas sentem que têm de estar certas o tempo todo. Elas sentem que são responsáveis por todos.

Quanto mais elas estão sob estresse, mais a artrite afeta o corpo; por isso, trabalhe nas coisas que estão causando o estresse. Como fazemos isso depende de onde a artrite fica no corpo. Por exemplo, se fosse na perna, trabalharíamos em questões relacionadas a seguir em frente.

Como a artrite reumatoide é uma doença hereditária, você tem de se lembrar de que está trabalhando com programas ancestrais. Faça o teste energético para as seguintes crenças:

"Eu sempre tenho de estar certo."

"Eu tenho medo de depender de outras pessoas."

Verifique também se há programas sobre criticar os outros.

Faça os *downloads*:

"Eu sei qual é a sensação de viver sem ter de estar certo sempre."

"Eu sei qual é a sensação de viver sem temer mudanças."

"Eu sei qual é a sensação de viver sem ter de me ressentir de tudo."

"Eu sei qual é a sensação de ouvir as palavras do outro sem rejeitá-las."

"Eu sei qual é a sensação de ouvir os outros."

"Eu sei como viver sem criticar os outros."

"Eu sei como viver sem pensar de forma rígida."

"Eu sei qual é a sensação de ser capaz de liberar o choro contido."

"Eu sei qual é a sensação de liberar a dor facilmente e sem esforço."

"Eu sei qual é a sensação de viver sem os outros me deixarem louco."

"Eu sei qual é a sensação de me mover facilmente e sem esforço."

"Eu sei qual é a sensação de viver sem lutar contra tudo e todos."

"Eu sei qual é a sensação de me mover sem dor."

"Eu sei como viver sem permitir que pensamentos, emoções e crenças dos outros interfiram em meus pensamentos, emoções e crenças."

"Eu me permito ter meus próprios pensamentos, sentimentos e emoções."

"Eu sei como viver sem que meus pensamentos, sentimentos e emoções me deixem doente."

"Eu sei que é possível ficar mais forte a cada dia."

"Eu sei qual é a sensação de viver sem que o medo da doença me destrua."

"Eu sei qual é a sensação de saber que meu corpo pode e vai se curar."

"Eu sei qual é a sensação de viver cada dia e desfrutar de cada respiração."

Trabalho de sentimentos

Verifique se há sentimentos de:

- chorar por dentro;
- culpa;
- hostilidade;
- medo;
- raiva;
- ressentimento;

- rigidez no pensamento;
- tristeza.

Suplementos e outras recomendações nutricionais

- acido alfalipoico;
- alho;
- cálcio;
- complexo B;
- extrato de semente de uva;
- fósforo;
- leite pasteurizado;
- magnésio;
- MSM;
- ômegas 3, 6 e 9;
- sílica;
- suco de cenoura;
- vitamina C;
- vitamina E.

Uma das primeiras coisas que faço com pessoas que têm osteoartrite e artrite reumatoide é lhes dizer: "Se eu fosse você, aumentaria minha ingestão de farelos, reduziria a quantidade de sal e tabaco, pararia de comer carne e deixaria de tomar leite".

É estranho, mas quando você sugere que as pessoas parem de tomar leite, elas querem ir embora. Isso se dá porque os corpos delas anseiam por cálcio, mas mesmo que o leite tenha uma grande quantidade de cálcio, não é possível que este seja obtido por pessoas com artrite. É importante notar que, para que seja absorvido do intestino para o resto do corpo, o cálcio deve ser decomposto no estômago em oito minutos. Caso contrário, ele é ejetado através do sistema digestivo.

Em seguida, sugiro que as pessoas com artrite usem um bom suplemento de cálcio de boa absorção, como o suco de cenoura. Isso ajuda as articulações a interromperem o inchaço.

É liberado o uso de manteiga, queijo cottage e iogurte para pessoas com artrite. Mas se elas quiserem mesmo melhorar, vão parar de tomar leite e começar a tomar os suplementos.

ASMA

A asma é uma doença pulmonar que provoca a obstrução das vias respiratórias. Durante um ataque de asma, existe uma restrição que interrompe o fluxo de saída de ar dos pulmões. A pessoa com asma se sente como se estivesse com fome de ar. Ela não está expelindo o ar velho para fora do peito para trazer o novo. Esses ataques podem durar de alguns minutos a várias horas.

A asma é muito perigosa e pessoas podem morrer por causa dela. Na verdade, isso acontece o tempo todo. Se o ataque for realmente forte, a pessoa não está recebendo nenhum ar nos pulmões e, em certo sentido, está se sufocando.

Muitas crianças desenvolvem asma e se curam dela quando crescem, mas vontam a tê-la na vida mais tarde.

Se a pessoa usa um inalador mais de duas vezes por dia, é provável que ela tenha um grave problema de asma. É importante que ela consulte um médico.

Tipos

Existem duas formas de asma, alérgica e não alérgica, embora estas possam estar relacionadas.

Asma alérgica

Alergias comuns são a pelos de animais, produtos químicos, a ácaros da poeira, poluentes ambientais, penas, aditivos alimentares e assim por diante.

A asma também pode ser desencadeada por quantidades elevadas de fungos no corpo. Se a pessoa vive em um ambiente com fungos, será constantemente inundada deles. Você pode curá-la, mas se ela viver em um ambiente contaminado, é provável que se infectará novamente.

Muitas pessoas com asma são sensíveis a aditivos alimentares, como sulfitos. Estes são colocados em alimentos como frutas e mariscos para impedir que mudem de cor.

Se a asma é causada por alérgenos naturais, como ervas e polens, é provável que a pessoa era proibida de brincar na sujeira quando criança e não tinha contato com aquilo que teria estimulado seu sistema imunológico e permitido que ela desenvolvesse anticorpos para combater os alérgenos. Quando somos crianças, a falta de contato com o mundo natural pode realmente criar uma condição asmática.

Asma não alérgica

A asma é uma crise contemporânea por causa da poluição no ar. É especialmente predominante em crianças e idosos.

Infecções respiratórias, como bronquite e pneumonia, têm uma tendência a provocar asma. A asma intrínseca está associada a outras doenças do aparelho respiratório, como sinusite e bronquite.

Outro tipo de asma não alérgica é a asma cardíaca, que é uma doença que gera os mesmos sintomas, porém é causada por uma insuficiência cardíaca. Por isso, é importante verificar se o coração da pessoa com asma está batendo corretamente. Caso isso não esteja acontecendo, ela pode não estar bombeando os fluidos de seus pulmões e isso pode causar ataques de asma. Nesse caso, o medicamento para asma só vai piorar as coisas. É importante que a pessoa faça uma visita tanto a um médico de asma quanto a um médico de coração.

O enfisema também está associado à asma. Este geralmente é causado por toxinas de minas de carvão, usinas siderúrgicas e outros ambientes empoeirados. O enfisema responde muito bem a curas e em alguns casos é erradicado com apenas uma cura.

O estresse é um grande causador da asma. Uma pessoa que tem ataques de pânico crônicos pode ter um ataque de pânico e ao mesmo tempo um ataque de asma, o que fará com que a asma fique muito pior.

Causas

Além das causas mencionadas acima:

- A asma é frequentemente causada por fungos.
- Clamídia durante a gravidez pode gerar asma no bebê.
- Muito estresse na gravidez pode fazer com que o bebê desenvolva asma.
- A asma pode ser causada por parasitas nos pulmões ou pela doença de Lymes.
- A falta de água e o uso de aspirinas podem desencadear ataques de asma.
- Os ataques podem até mesmo ser desencadeados por uma corrente de ar frio.

Crianças com asma

Estudos têm demonstrado que as crianças podem desenvolver asma por causa de tensão. Os pulmões são muito sensíveis às emoções.

Crianças pequenas com asma têm uma tendência a ter medo; elas têm medo de se colocar e muitas vezes de brincar com outras crianças. Isso ocorre porque as pessoas que têm asma são sempre incrivelmente sensíveis. Em culturas antigas, era consenso que esses indivíduos possuíam naturalmente habilidades de cura. Eles podem ter tido problemas respiratórios, mas podiam ajudar os outros a se curar. Muitos curadores indígenas da América do Norte tinham asma.

Alguns pais levam seus filhos a alergistas para darem vacinas que ajudem com a asma. Esse pode ser um método eficaz de tratamento; no entanto, a remoção de farinha processada, açúcar branco e adoçantes artificiais da dieta deles também é extremamente benéfica. O aumento da dose diária de vitamina B e os diferentes suplementos minerais ajudam, assim como algas azuis-verdes e clorofila. Ambos estimulam as glândulas suprarrenais.

Remédios intuitivos

Com asma, a primeira prioridade é curar as suprarrenais, os corações e os pulmões.

A asma está ligada aos sistemas de crenças associados à mágoa. Se é o coração que está causando a asma, utilize o exercício "A Canção do Coração" (*Veja <u>Doenças Cardiovasculares</u>*).

A tristeza influencia os pulmões. Quando alguém que você ama profundamente morre, cada célula de seu corpo sofre. Se uma pessoa com uma conexão de DNA compartilhado morre, de repente seu DNA não consegue se conectar à pessoa em nível físico. Por causa disso, seu corpo passará por um processo de luto. Em alguns casos, esse processo de luto afetará os pulmões. Isso pode ser mais predominante nos homens do que nas mulheres. Homens carregam programas que não lhes permitem chorar e liberar a dor guardada no corpo. Muitas vezes eles têm a crença de que devem ser os mais fortes.

Quando a dor é guardada nos pulmões dessa maneira, é conhecida como choro em silêncio. Na maioria dos casos, ela é liberada através de lágrimas. Se a pessoa não se permitir sentir essa dor, a tristeza armazenada pode causar problemas físicos e enfraquecer o sistema imunológico.

Se a pessoa tem problemas de sinusite, isso pode significar que ela precisa chorar para liberar as emoções que acumulou.

Os pulmões estão tão conectados com o Criador que, quando você libera a tristeza, sua conexão com o Criador fica mais forte.

A solidão também pode ser uma emoção que fica nos pulmões.

Quando estiver curando uma pessoa com asma, é importante entender o problema em que está trabalhando: é a asma em si ou os efeitos colaterais, incluindo emoções, das medicações que a pessoa está tomando? As medicações para asma podem deixá-la sem cálcio e potássio e fazer com que a pessoa fique confusa, deprimida e nervosa, para não mencionar que as deixa desagradavelmente francas, se estiverem tomando prednisona. É importante perceber que você pode não estar falando com a pessoa ou com a doença, mas com as emoções e os programas gerados pela medicação. Nunca sugira que qualquer pessoa pare de tomar sua medicação; prefira trabalhar com a medicação e libere as crenças. Deixe o médico tirar a medicação lentamente.

Alguns dos melhores resultados que temos testemunhado com asma têm surgido a partir da mudança da dieta e da quantidade de exercício. O exercício moderado é uma das melhores coisas para a asma. No entanto, o excesso de estímulo dos pulmões pode causar um ataque de asma. O melhor é começar os exercícios com cuidado e gradualmente.

Em nossa sociedade, temos muitos poluentes que atacam a membrana dos pulmões. Mudar-se para um local onde o ar é limpo e puro seria o ideal, mas, em todo caso, a remoção da farinha e do açúcar da alimentação parece ter um efeito positivo.

Trabalho de crenças

Sempre comece a sessão explorando, com o trabalho de escavação (*digging*), as questões que dizem respeito à época em que os ataques de asma começaram. Procure questões relativas a seguir em frente, exaustão, medo e mágoas antigas.

Em muitos asmáticos há uma conexão direta com as glândulas suprarrenais. A maioria dos sistemas de crença que estão associados às glândulas suprarrenais está também ligada aos programas e crenças da asma.

Muitas crenças são guardadas nos pulmões. Os pulmões não só carregam mágoas, mas também quantidades profundas de arrependimento. Trabalhe nas questões da pessoa relativas à mágoa e às crenças de que ela deve cuidar de todos.

Se a pessoa com asma passou por muito estresse e tristeza quando criança, mudar crenças como "A vida é triste", "A vida é cheia de pesar" e "A vida é dura" pode ajudar muito.

As pessoas com asma e enfisema têm uma tendência a deixar que os outros se aproveitem delas, porque é um esforço muito grande lutar por si mesmas. A maioria delas não tem energia para tomar uma posição.

Faça os *downloads*:

"Eu sei qual é a sensação de respirar com facilidade e sem esforço."

"Eu sei qual é a sensação de viver minha vida sem ter ataques de ansiedade."

"Eu sei qual é a sensação de viver minha vida sem estresse."

"Eu sei qual é a sensação de viver minha vida sem controlar tudo."

"Eu sei qual é a sensação de viver minha vida sem ser tomado por meus próprios delírios paranoicos."

"Eu sei qual é a sensação de viver minha vida sem o pânico de não conseguir respirar."

"Eu posso respirar facilmente e sem esforço."

"Eu sei qual é a sensação de me sentir seguro e forte em cada situação."

"Eu sei qual é a sensação de ter autorização de utilizar minha medicação."

"Eu sei qual é a sensação de permitir que meu corpo cresça mais forte."

"Eu sei qual é a sensação de querer me exercitar."

"Eu sei me exercitar sem exagerar."

"Eu construo meu corpo gradualmente para ficar forte."

"Eu sei qual é a sensação de não assumir a tristeza de outras pessoas."

"Eu sei qual é a sensação de não assumir o drama de outras pessoas."

"Eu sei como viver sem que outras pessoas se aproveitem de mim."

"Eu sei qual é a sensação de viver sem que minha família fique me sugando."

"Eu sei qual é a sensação de viver sem ressentimento."

"Eu sei qual a sensação de viver sem ser desencorajado."

"Eu sei qual é a sensação de viver sem ser mal-humorado."

"Eu sei como ser consistente e mostrar meu amor facilmente para aqueles que eu amo."

"Eu sei qual é a sensação de viver sem ter minha mãe me controlando."

"Eu sei qual é a sensação de viver sem ter meu pai me controlando."

"Eu sei que é possível curar meus pulmões."

"Eu sei que é possível viver sem me ressentir de meu corpo."

O Corpo Canta

"Eu sei qual é a sensação de ter meu corpo trabalhando em harmonia."

"Eu sei como ter paciência com minha respiração e exercícios."

"Estou determinado."

"É permitido que eu tenha uma saúde ótima."

Downloads para os pulmões

"Eu sei qual a sensação de viver sem ser uma vítima."

"Eu tenho o conceito do Criador do que é chorar."

"Eu sei qual a sensação de viver sem arrependimento."

"Eu tenho o conceito do Criador de qual é a sensação do perdão."

"Eu sei como viver em alegria."

A pessoa pode ter uma memória fetal de ansiedade transferida da mãe. Essa pode ser a verdadeira causa de sua doença. Instale:

"Eu me perdoo."
"Eu sei como viver sem asma."
"Eu sei como respirar."
"Eu entendo como respirar o sopro da vida."

Suplementos e outras recomendações nutricionais

- Noni.
- Extrato de folhas de oliva.
- Pau d'arco.
- Desenvolva a força da pessoa para que o médico vá aos poucos retirando-a de sua medicação.
- DHEA é útil em alguns casos de asma aguda.
- Em adultos, use murta, orégano e um produto chamado *Fungi Cleanse*. Isso ajudará a matar qualquer fungo que possa estar causando a asma e, assim, cura o corpo.
- Em alguns casos, uma dieta alcalina irá curar a asma.
- Saunas de infravermelho são benéficas para os asmáticos.

- Uma das coisas bastante úteis é fazer com que a pessoa exclua toda farinha processada e açúcar branco. Isso faz uma enorme diferença quase imediatamente.
- Pessoas com asma provavelmente precisarão de vitamina A, vitaminas de complexo B, especialmente B6, e um pouco de cobre, magnésio, cálcio, potássio e ferro (para as mulheres).
- Hidratação adequada também é muito importante. Beber muita água faz uma diferença significativa.
- Uma pesquisa mostrou que pessoas que bebem café ou outras bebidas que contêm cafeína geralmente reduzem seus casos de ataques de asma.
- Suco da baga de sibu é um suplemento surpreendente que pode ajudar com a asma.
- Espirulina e um produto chamado *Green Magic* são benéficos para a asma.
- Existe uma discussão recente entre alguns cientistas de que o aminoácido triptofano ajude pessoas com asma. Eu confirmo essas descobertas em minha prática com os clientes.
- As vitaminas de complexo B são boas, assim como urtiga, magnésio e cálcio.
- Com as crianças, começar com bons suplementos vitamínicos e minerais vai ajudar. Você precisa ter cuidado com as vitaminas e administrá-las de acordo com a idade das crianças, mas um bom suplemento mineral parece fazer grande diferença.
- O zinco é um mineral fenomenal que pode ser utilizado como ajuda para a asma.

Veja também <u>Sistema Respiratório</u>.

ASTIGMATISMO

Veja <u>Olhos</u>.

AUTISMO

O autismo não é uma doença, mas um distúrbio do desenvolvimento cerebral que afeta uma pequena porcentagem da população.

Apesar de haver mais de 50 anos de pesquisa sobre ele, ainda é pouco compreendido. Muitos de meus clientes da Costa Leste dos Estados Unidos (particularmente de Nova York e Boston) e do oeste do estado de Utah apresentam alta incidência de autismo em seus filhos.

O autismo geralmente se manifesta antes de a criança ter 3 anos. Os sinais incluem introspecção, ausência de reação às outras pessoas, um constante balançar ou sentarem-se sozinhas em silêncio. A criança tem dificuldade para ter conversas e fazer amigos, e pode se recolher para dentro de si e ficar preocupada com os detalhes de um objeto.

As evidências indicam que o autismo é um distúrbio no sistema nervoso. Pode ser uma doença genética e pode ser causada por uma lesão no cérebro antes ou após o nascimento. Especula-se que esta possa ser causada por doenças venéreas ou infecções virais.

Meninos sofrem quatro vezes mais de autismo do que meninas. É provável que isso se deva ao fato de que os meninos são mais vulneráveis às influências no útero.

É minha opinião que haja uma conexão direta entre o autismo e vacinas.

Existem vários graus de autismo. Crianças com autismo leve podem ser muito bem-sucedidas quando crescem. Aquelas com autismo mais severo evitam contato físico e não mostram sinais de entendimento. Muitas delas não tentam se comunicar, mas algumas farão gestos e sons.

A ciência médica acredita atualmente que não há cura para o autismo. Os médicos consideram que as crianças com autismo devem ser avaliadas por um psicólogo experiente e colocadas em programas que possam ajudá-las.

Remédios intuitivos

Existem dois tipos de autismo que eu observo em crianças. O primeiro é causado por um trauma durante o parto. É como se o espírito tivesse sido puxado um pouco para longe do corpo. Entrar e pedir ao Criador para colocar o espírito de volta no espaço da pessoa ajuda. Parece que parte de seu espírito está tentando se afastar, ou chegou muito perto de sair e não foi realmente colocado de volta em seu espaço.

Também descobrimos que a incapacidade de se comunicar pode ser alterada fazendo o comando para que o corpo volte à memória fetal e se desenvolva como uma criança normal.

A outra forma de autismo que tenho observado parece ser causada pelo excesso de mercúrio no sistema. Acredito que este seja proveniente das vacinas, bem como do leite da mãe. Com essa forma de autismo, não importa quantas vezes você coloque a energia de volta no corpo, ele não sustentará essa energia porque o mercúrio está constantemente sendo reintroduzido no sistema. Dar mais suco de maçã para a criança ajudará a remover o mercúrio, e fazer o comando para que o Criador transforme o mercúrio em uma substância inofensiva pode curá-la.

Nunca faça o comando para que todos os metais pesados sejam completamente removidos para fora do corpo, pois nosso corpo é composto por metais. Se você comandar que muito mercúrio seja removido de uma vez, isso fará com que o corpo fique muito doente, mesmo se você alterá-lo para outra energia que não seja mercúrio.

A resposta das curas tem sido extremamente bem-sucedida com autismo. Um de meus antigos alunos fez curas em seus dois sobrinhos autistas que nunca tinham falado, e em três dias os dois estavam falando de forma coerente. Um dos garotos foi até sua mãe e disse: "Mamãe, eu te amo".

A criança com autismo pode estar presa em uma bolha da qual não consegue sair. Certificar-se de que se sentem constantemente amados romperá essa barreira. Muitas vezes eles são crianças brilhantes.

Faça os *downloads*:

"Eu sou especial."

"Eu sou importante."

"Gosto de estar perto de outras pessoas."

"Sinto-me seguro em torno de outras pessoas."

"Eu sei como viver sem que outras pessoas e crianças me deixem irritado."

"Eu sei como viver sem que os ruídos me deixem estressado e irritado."

"Eu sei que é possível me sentir mais inteligente a cada dia."

"Eu amo interagir com as outras crianças."

"Eu amo interagir com minha mãe."

"Eu amo aprender."

"Eu sei qual é a sensação de ser forte."

"É fácil para mim ser aceito."

"Eu sei qual é a sensação de receber amor de outra pessoa."

Com autismo, é importante trabalhar sobre os sistemas de crenças dos pais também. Certifique-se de que eles sabem que é possível que a criança fique melhor.

Suplementos e outras recomendações nutricionais

- Suco de maçã removerá o mercúrio para fora do corpo. Use-o por vários meses.
- Limite o consumo de produtos derivados do trigo.
- Certificar-se de que a criança tem boas vitaminas e minerais é muito importante, especialmente complexo B, vitamina C e vitamina E.
- Não consumir açúcar processado.
- Não consumir corantes vermelho e amarelo (em alimentos).
- Não consumir refrigerantes de nenhum tipo.

AZIA/REFLUXO GASTROESOFÁGICO

Azia é uma sensação de queimação e dor no estômago e/ou no peito atrás do esterno. Pode ser acompanhada por um gosto amargo na boca, inchaço, sopro e falta de ar. Muitas vezes ocorre quando o ácido clorídrico (que é usado pelo estômago para digerir a comida) volta para o esôfago, fazendo tecidos sensíveis ficarem irritados. Em condições normais, o músculo esfíncter do esôfago se aperta e impede que o ácido do estômago aflua acima. No entanto, se o esfíncter não está funcionando corretamente, o ácido pode passar por ele e para dentro do esôfago. A doença de refluxo ácido pode queimar um buraco diretamente através do esôfago, se não for controlada.

Antiácidos lhe darão alívio, mas irão mascarar um problema subjacente. Alguns antiácidos contêm alumínio, que não é benéfico, porque o alumínio está associado com a doença de Alzheimer. Alguns dos agentes nocivos nos antiácidos são:

- bicarbonato de sódio;
- carbonato de cálcio;
- misturas de alumínio-magnésio;
- misturas de cálcio-magnésio;
- sais de alumínio e géis;
- sais de magnésio ou géis.

Sistemas de crenças

Faça o teste energético para o seguinte:

"Estou oprimido".

"Sempre estou estressado".

"Eu nunca posso desacelerar."

"Eu nunca faço o bastante."

"Eu entendo qual é a sensação de viver no agora." (Não viver no agora vai contra permitir que seu sistema digestivo faça seu trabalho).

"Estou muito ocupado."

"Tenho coisas demais a fazer."

Suplementos e outras recomendações nutricionais

- bromelina;
- cálcio-magnésio;
- MSM;
- probióticos;
- vitamina B;
- suco de aloe vera ajuda a acalmar o trato intestinal;
- ao primeiro sinal de azia, beba um copo grande de água;
- evite cafeína, bebidas gaseificadas, alimentos fritos, hortelã, comidas picantes e tabaco;

- unha de gato, erva-doce, gengibre e *malva* misturados ajudam a curar o problema;
- chá de camomila pode ajudar com refluxo ácido;
- beba um copo de suco de cenoura e aipo por dia;
- uma colher de sopa de vinagre de maçã misturada com água por dia é benéfica;
- pessoas com esse transtorno não devem comer sua comida muito rapidamente;
- suco de batata crua ajuda;
- refeições menores quatro ou cinco vezes por dia serão benéficas, assim como mudar a dieta para ter menos alimentos fritos e mais legumes frescos.

BACTÉRIA

Veja <u>Prólogo</u>.

BRONQUITE

É um fato bem conhecido que a bronquite e doenças semelhantes são causadas por infecções pulmonares. Ao trabalhar com esses tipos de doenças, às vezes espero e vejo se o sistema imunológico cuida delas. Isso porque é importante permitir que o sistema imunológico se fortaleça por meio da destruição da doença. As pessoas sempre vêm até mim e questionam por que não trabalhei a gripe ou bronquite de alguém. Em muitos casos, o sistema imunológico deles já destruiu as bactérias ou vírus, e seus sintomas se devem à morte rápida dos mesmos e os danos que causaram, e tudo isso é um processo pelo qual o corpo tem de passar.

Trabalho de crenças

Em geral, primeiro sugiro que a pessoa use suplementos à base de plantas e, em seguida, uso o trabalho de crenças. Se alguém desenvolve um resfriado ou bronquite, isso normalmente significa que ele está cansado ou estressado. Muitas pessoas vão inconscientemente permitir que uma doença entre em seu sistema apenas para que possam ficar em casa e descansar um pouco.

Os sistemas de crenças associados à bronquite estão relacionados à tristeza.

Suplementos
- CoQ10;
- equinácea;
- ginseng siberiano;
- mullin;

- noni (não use com antibióticos, porque os dois se anulam mutuamente);
- prata coloidal (utilizar periodicamente e não o tempo todo);
- pycnogenol;
- suco de sibu é maravilhoso!;
- vitamina A;
- vitamina B.

BULIMIA

Veja <u>Anorexia Nervosa</u>.

CÁLCULOS BILIARES

Os cálculos biliares são uma formação sólida de colesterol e sais biliares. No entanto, as pesquisas mostram que cerca de 80% a 90% de todos os cálculos biliares são cálculos biliares de colesterol, que se formam quando o fígado começa a secretar bile que está anormalmente saturada com colesterol. O excesso de colesterol se cristaliza e forma pedras, que são armazenadas na vesícula biliar ou no duto cístico. Os cálculos biliares também podem ser formados por causa dos baixos níveis de ácidos biliares e lecitina biliar.

Os fatores de risco que podem levar ao aumento da incidência de cálculos biliares incluem: gordura, ser mulher, estar fértil e flatulência. Assim como a doença das células falciformes (bilirrubina), cirrose, doença de Crohn, diabetes, hiperparatireoidismo e as doenças do pâncreas.

Remédios intuitivos

Para os pequenos cálculos biliares, considere fazer uma limpeza de cálculo biliar e uma limpeza de fígado (*veja Fígado*). Você também pode entrar e comandar que as pedras se quebrem em pedaços pequenos. Como em qualquer outra cura, o melhor é pedir ao Criador aquilo que for melhor para a pessoa.

Suplementos e outras recomendações nutricionais

• Beba um copo de leite com um toque de gengibre e duas colheres de sopa de óleo de rícino.
• Melancia, suco de maçã, suco de limão e magnésio quebram as pedras.

Assim como em qualquer outro distúrbio, sempre consulte seu médico.

CÂNCER

Existem literalmente centenas de tipos diferentes de câncer. A ciência colocou essas doenças em um pacote pequeno e bonitinho e chamou tudo de câncer. Esta seção é dedicada a todos os diferentes tipos de câncer com que trabalhei ao longo dos anos.

Todos os cânceres começam nas células que compõem o sangue e outros tecidos. Normalmente, as células crescem e se dividem para formar novas células à medida que o corpo precisa delas. Quando elas envelhecem e morrem, novas células tomam seu lugar. Às vezes, esse processo sistemático pode dar errado. Novas células são formadas em um momento no qual o organismo não precisa delas e células velhas não morrem no momento em que deveriam.

Tipos

Os cânceres são divididos em quatro grandes categorias, definidas pela medicina convencional como:

Carcinomas: Carcinomas são cânceres que afetam a pele, as membranas mucosas e as glândulas dos órgãos internos.

Leucemia: Leucemia é o câncer do sangue.

Linfomas: Linfomas são cânceres que afetam o sistema linfático.

Sarcomas: Sarcomas são cânceres que afetam os músculos, os tecidos conjuntivos e ossos.

Causas

Pesquisadores modernos têm descoberto muitas causas para o câncer. Uma dieta pobre é a causa de cerca de 30% de todos os cânceres; o tabagismo gera 30%; a genética causa 10%; agentes cancerígenos no local de trabalho causam 5%; histórico familiar, 5%; falta de exercício, 5%; vírus, 5%; álcool, 3%; fatores reprodutivos, 3%; e poluição ambiental, 2%.

- O flúor pode ser um fator de risco para câncer.
- Mostrou-se que cabos elétricos de alta tensão podem contribuir para o câncer.
- A obesidade pode ser uma causa de determinados tipos de câncer.

- A substituição hormonal com estrogênio é útil no tratamento da osteoporose e doença de Alzheimer, mas aumenta o risco de câncer de mama e de útero.
- Uma das substâncias cancerígenas mais predominantes conhecida pelo homem é o tabaco. É também o risco de câncer mais evitável. A fumaça do cigarro é composta de mais de 4 mil produtos químicos, dos quais 43 são conhecidos por causar câncer. O efeito cancerígeno de fumar é multiplicado pelo do consumo de álcool, uma vez que os dois são frequentemente utilizados em combinação. Tem sido demonstrado que as mulheres que fumam têm maior risco de desenvolver câncer de pulmão do que os homens.
- Resíduos de pesticidas estão entre os três principais causadores de câncer vinculados a questões ambientais.
- Descobriu-se que a incidência de leucemia em crianças que foram devidamente amamentadas é significativamente menor.
- O risco de câncer de próstata em homens que tenham sido submetidos a uma vasectomia é três vezes maior do que aqueles que não passaram pela operação.

Terapias convencionais e alternativas

Atualmente, existem muitas terapias convencionais e alternativas para câncer:

- terapias à base de plantas;
- terapias imunológicas;
- terapias metabólicas;
- terapias mente-corpo;
- recomendações nutricionais.

O ThetaHealing utiliza principalmente terapias mente-corpo. Embora eu possa lhe dizer que vitaminas, minerais e ervas ajudem com o câncer, estas são apenas sugestões para fortalecer um corpo que está esgotado pela falta de nutrição causada pelo câncer. Para os tumores desaparecerem, usamos uma cura.

Terapias nutricionais e outras

• Acredita-se que o DHEA previne alguns tipos de câncer, bloqueando uma enzima que promove o desenvolvimento de células cancerígenas. No entanto, não pode ser utilizado por aqueles com cânceres hormonais, como o câncer de mama.

• É evidência crescente que produtos apícolas podem conter propriedades anticancerígenas. O própolis, uma substância produzida pelas abelhas para selar suas colmeias, é rico em antioxidantes.

• A hipertermia, um procedimento no qual o tecido do corpo está exposto a temperaturas extremamente altas, pode ser eficaz contra células tumorais e pode ser usado sozinho ou acompanhado por radioterapia e outras terapias. Pesquisadores acreditam que isso possa danificar as células tumorais ou privá-las dos nutrientes de que precisam para viver.

• A terapia nutricional de Max Gerson funciona bem para muitas pessoas. Trata-se de um poderoso tratamento natural que impulsiona o sistema imunológico do corpo a curar cânceres, alergias, artrite, doenças cardíacas e muitas outras doenças degenerativas. Um aspecto da terapia de Gerson que a distingue da maioria dos outros métodos de tratamento é sua natureza abrangente. Uma abundância de nutrientes a partir de 13 sucos orgânicos é consumida fresca a cada dia, fornecendo uma superdose de enzimas, minerais e nutrientes. Essas substâncias, então, quebram o tecido doente no corpo, enquanto enemas ajudam a eliminar o excesso de toxinas do fígado acumuladas ao longo da vida.

• Pesquisas estão sendo feitas sobre os efeitos anticancerígenos do hormônio melatonina, que está envolvido na regulação da produção de estrogênio e de testosterona. No entanto, ele não deve ser utilizado por qualquer pessoa com leucemia.

• Demonstrou-se que a cartilagem de tubarão é útil para certos tipos de câncer, incluindo o câncer de colo de útero, de próstata e de pâncreas.

Novos tratamentos estão aparecendo o tempo todo, tanto nos campos convencionais como nos alternativos.

Quimioterapia

Se uma pessoa estiver em tratamento de quimioterapia, não lhe diga se deve ou não fazê-lo. Se ela acredita que deveria, não a contradiga. Minha formação é em medicina naturopata, então, eu definitivamente poderia ser uma pessoa antiquimioterapia, mas não sou. A quimioterapia percorreu um longo caminho desde os anos 1990.

Na quimioterapia, os médicos injetam um produto químico no paciente que impede o aumento das células de crescimento rápido, o que, infelizmente, impacta também as células benéficas no esôfago e estômago. É por isso que as pessoas ficam nauseadas com quimioterapia. Ela vai fazê-lo se sentir doente por um tempo, mas tem o benefício de impedir o crescimento das células cancerígenas. A profissão médica chegou a tal ciência de que alguns tipos de câncer, como câncer de tireoide, muitas vezes respondem rapidamente a ela.

Em alguns casos, é possível sugerir o uso de CoQ10 junto à quimioterapia, somente no caso de o médico aprovar esse pedido. O CoQ10 ajudará a pessoa a manter seus cabelos.

Existem certas ervas, no entanto, que sem dúvida não são permitidas com a quimioterapia, como a equinácea.

Insights intuitivos

Os médicos costumavam acreditar que as células não falavam umas com as outras e foi por isso que o câncer se desenvolveu. Em seguida, eles pensaram que, uma vez que cada célula do corpo envia sinais para as outras células do corpo, o que estava acontecendo era que as células cancerígenas estavam se tornando invisíveis às outras células; por isso o sistema imunológico não as destruía. No entanto, eu acredito que isso não é rigorosamente verdade. Acredito que o corpo ignora o câncer porque está recebendo diferentes toxinas e está servindo a um propósito que o corpo conhece. Em algum nível, o cérebro sabe que ele está lá. Se você conversar com o câncer, ele é muito simpático e educado, gentil e doce. Se você lhe disser que ele não deveria estar lá, ele vai quase chorar e dizer: "Eu vim ajudar!". Ele está dizendo a verdade, porque o corpo realmente parece estar enviando todas as toxinas direto para ele. O plano do corpo é que o câncer reúna todas as toxinas e que, em seguida, ele se livre do câncer mais tarde. O plano não funciona, é claro, se você continuar colocando toxinas para dentro do corpo.

Uma das maiores toxinas é o ódio e o estresse. Somos essencialmente animalescos, por isso temos de viver com algum estresse em nossa vida – é assim que nos é introjetado. Ele estimula o sistema imunológico, então por isso, às vezes, o criamos. Também é uma resposta natural aos estímulos, mas às vezes temos demais e ele pode gerar toxinas pesadas no corpo.

A célula de câncer reúne todas essas toxinas pensando que é uma pequenina célula muito ocupada. As células cancerígenas possuem receptores especiais que atraem sentimentos de raiva ou ódio. Isso foi provado por um bioquímico. Os receptores são como pequenas portas que ficam na superfície da célula e deixam os hormônios e outras mensagens químicas entrarem e saírem. Raiva, ódio e tristeza são conhecidos por alimentar o câncer. As células cancerígenas também atraem grandes quantidades de proteína para dentro de seu espaço e usam-nas para crescer. E as pessoas com câncer têm baixa temperatura corporal. O câncer não pode crescer quando o corpo está quente.

Então, que tipo de emoções não se deve mandar para a célula cancerígena quando se está trabalhando nela? Você não enviará medo ou ódio, porque isso a alimenta. Ela continuará a crescer, porque este é o seu trabalho: coletar sentimentos tóxicos. Mas se você enviar amor, o que acontecerá? Ela pode ficar confusa, mas também começará a se transformar e voltar a ser uma forma inofensiva.

Porque eu tive linfoma, não tenho medo de câncer e não tenho problema com ele. O câncer é simplesmente o que é. Algumas pessoas dizem que ele evoluiu da bactéria para o vírus, e então para um fungo, e em seguida, para o câncer. Acho que em alguns casos. Este é o caso do câncer de mama. No entanto, penso que a leucemia sofre acusações indevidas e o mesmo acontece com o linfoma. Acho que o linfoma é um câncer, mas realmente não acho que a leucemia seja um câncer.

No corpo, os tumores cancerígenos ou pólipos geralmente aparecem pretos ou marrons. Linfoma de Hodgkin e não Hodgkin fazem crescer grandes nódulos nas pessoas. Não se entregue ao medo quando ver um desses, apenas suba e peça ao Criador para transformá-los.

Remédios intuitivos

Das muitas doenças diferentes conhecidas pelo homem, o câncer parece ser uma das mais receptivas à cura energética.

Faça o comando para que todos os cânceres vão embora da pessoa. Diga: *"Criador, cuide disso e crie um corpo saudável"*. Testemunhe as alterações sendo feitas no corpo.

Para o câncer que foi causado por radiação, faça o comando para que a radiação acumulada seja liberada do corpo. Faça o comando para o tumor encolher e ir para a luz do Criador e testemunhe isso feito.

Pergunte se houve intoxicação por metais pesados. Se isso houver acontecido, a pessoa deve fazer a limpeza adequada.

Se uma toxina está envenenando o corpo e você a remove das células, ela transformará o câncer em células normais. Existem suplementos que podem ajudar a remover as toxinas também.

Sugere-se que a pessoa com câncer tenha uma dieta alcalina, faça uma limpeza de parasitas, tome um bom suplemento de cálcio e acompanhe seu progresso. Você pode testemunhar o Criador curar a pessoa, mas, se todos os outros fatores que estão criando o câncer não forem colocados em equilíbrio, o câncer pode retornar.

Dos diferentes tipos de câncer que temos trabalhado, percebemos que o tumor cerebral e o melanoma são os mais receptivos à cura. Eles parecem ser bastante fáceis de encolher, desintegrar e ser removidos do corpo.

O aspecto mais importante na cura do câncer é o de assegurar que a pessoa tenha um corpo alcalino equilibrado em 7.2. Caso ela tenha gerado um câncer por causa de programas negativos, tais como "Eu odeio essa pessoa" ou "Eu vou morrer" ou "O médico acha que eu vou morrer", você também precisará fazer o trabalho de crenças.

Trabalho de crenças

Quando você começar a trabalhar em pessoas com câncer, encontrará muitas crenças e emoções diferentes. Crenças que são típicas da maioria dos cânceres são "Eu devo sofrer", "Eu devo morrer" e "Eu odeio essa pessoa". Veja se a pessoa aceita amor incondicional e verifique se ela aceita curas. Instale "Eu sou digno do amor de Deus" e "Eu sou digno de uma cura".

Pessoas com câncer de bexiga têm uma enorme quantidade de raiva e, de repente, tentam culpá-lo por qualquer coisa. Por favor, entenda que isso não é a pessoa, esse é o câncer. Entre e remova os programas de raiva e certifique-se de que a crença "Eu sou saudável e forte" esteja instalada.

Além disso, pergunte à pessoa o que o câncer está fazendo para servi-la. Muitas pessoas vão lhe dar realmente uma razão, ou alguma outra coisa que o câncer fez para mudar sua vida. Ouça-a cuidadosamente.

Se o câncer for causado por um componente emocional e esse componente for removido, o câncer poderá ser curado em um instante.

Faça o teste energético e veja se você encontra raiva reprimida, desespero, solidão ou rejeição.

Para descobrir programas negativos, comece a partir da infância dela e trabalhe até o presente. Remova quaisquer crenças subconscientes que estejam bloqueando sua cura. Algumas pessoas morrerão porque o médico espera que elas morram. Certifique-se de remover "Eu tenho de morrer porque o médico disse".

Outro programa que clientes com câncer têm é "Eu acredito em tudo o que o médico diz". Apenas dizer à pessoa que ela tem câncer lhe dá a capacidade de criar uma morte lenta e metódica para si mesma.

A aceitação e o conhecimento de que o câncer está curado e de que eles são saudáveis e fortes dirá ao subconsciente que corrija o problema.

Curando a Alma Partida

Quando você está trabalhando com alguém que tem câncer, pergunte ao Criador de Tudo O Que É se sua alma foi partida. (Não use o teste energético para descobrir se isso aconteceu com ela, uma vez que este não será preciso sobre essa questão em particular.)

Lembre-se de que, quando alguém morre, o Criador repara toda a dor e tristeza de sua vida. O exercício "Curando a Alma Partida" é uma maneira de curar a alma, enquanto estamos vivos. O Criador sempre nos dá alternativas.

O processo de cura da alma partida

Olhe nos olhos da pessoa, porque os olhos são as janelas da alma. Você teve esses olhos em todas as suas vidas. Mesmo no mundo espiritual, seus olhos sempre foram os mesmos.

1. Centre-se.
2. Comece enviando sua consciência para baixo em direção ao centro da Mãe Terra, que é uma parte de Tudo Que É.
3. Traga a energia para cima através de seus pés, para dentro de seu corpo, passando por todos os seus chacras.
4. Suba através de seu chacra coronário em uma bela bola de luz, passando as estrelas para o universo.
5. Vá além do universo, além da luzes brancas, além da luz escura, além da luz branca, além da substância gelatinosa que são as Leis, em uma luz branca perolada iridescente, no Sétimo Plano da Existência.
6. Reúna amor incondicional e faça o comando: *"Criador de Tudo O Que É, é comandado que a alma partida de [nome da pessoa] seja curada e integrada mais uma vez neste momento. Grato! Está feito. Está feito. Está feito"*.
7. Mova sua consciência para o chacra coronário da pessoa e suba e testemunhe a cura. Você pode ver uma bola de luz, ou uma esfera, com rachaduras ou rasgos. Veja como o Criador faz com que a bola gire no sentido anti-horário, e em seguida desacelere até parar. E então veja como a esfera começa a girar no sentido horário e as rachaduras e lágrimas começam a se reintegrar em um todo. Ocasionalmente, você pode estar apenas fora no universo, mas espere até que a bola apareça. Nunca questione o que você testemunha; esse não é seu trabalho. Seu trabalho é apenas testemunhar. Algumas pessoas podem demorar mais do que outras. Se a pessoa que você está trabalhando parece desanimada, volte e pergunte ao Criador se o processo já terminou. Evite parar a técnica no meio. Como acontece com toda cura, espere até que pareça que ela tenha terminado e pergunte: "Criador, está pronto?". Em seguida, aguarde a resposta.
8. Quando tiver concluído, conecte-se novamente com a energia de Tudo O Que É, respire fundo e faça a quebra energética, se assim desejar.

Esteja ciente de que, quando as pessoas se tornam mental, física ou espiritualmente doentes por estarem partidas em sua alma, elas ficam apáticas. Quando sua alma estiver curada, sua energia voltará. A alegria irá estimular as glândulas suprarrenais e o espírito.

Uma vez que a alma tiver sido curada, as doenças do corpo começarão a ser curadas também.

Enviando Amor ao Bebê no Ventre

Este exercício é benéfico no tratamento de muitas doenças e pode ter um efeito positivo sobre o câncer. É um processo de cura incrível.

Você pode fazer este exercício em si mesmo, em seus filhos e pais. Enquanto um homem ou uma mulher, você tem o direito de dar amor ao seu filho quando ele está no ventre. No caso de seus próprios pais, é claro, você deve perceber que eles têm livre-arbítrio para decidir se aceitam ou não. No caso dos clientes, você deve ter o consentimento verbal deles para fazer este exercício.

O processo de enviar amor ao bebê no ventre

1. Centre-se em seu coração e visualize-se descendo em direção à Mãe Terra, que é uma parte de Tudo O Que É.
2. Visualize-se trazendo a energia através de seus pés, abrindo cada chacra até o chacra coronário. Em uma linda bola de luz, vá para o universo.
3. Vá além do universo, além da luzes brancas, além da luz escura, além da luz branca, além da substância gelatinosa que são as Leis, em uma luz branca perolada iridescente, no Sétimo Plano da Existência.
4. Faça o comando: *"Criador de Tudo O Que É, é comandado que amor seja enviado a esta pessoa enquanto um bebê no ventre. Grato! Está feito. Está feito. Está feito"*.
5. Agora suba e testemunhe o amor incondicional do Criador envolvendo o bebê, seja esse bebê você, seu próprio filho ou seus pais. Teste-

munhe o amor preenchendo o útero e envolvendo o feto, simplesmente eliminando todos os venenos, toxinas e emoções negativas.

6. Assim que o processo tiver terminado, enxágue-se e ponha-se de volta em seu espaço. Vá para a Terra, traga a energia da Terra através de todos os seus chacras até seu chacra coronário e faça a quebra energética.

Suplementos e outras recomendações nutricionais

É importante que a pessoa que estiver usando suplementos para câncer compreenda que algumas ervas e minerais funcionam bem quando utilizadas juntas e outras não. É o mesmo com a medicina convencional. Algumas ervas não funcionarão bem com alguns medicamentos convencionais; na verdade, pode haver um efeito negativo, em vez de positivo.

Em segundo lugar, se a pessoa estiver fazendo quimioterapia, ela não pode tomar muitas vitaminas, porque as vitaminas irão inibir a quimioterapia. Em muitos casos, você terá clientes que querem tomar vitaminas pois pensam que sabem o que é melhor para eles. Até que tenham terminado a quimioterapia, trabalhe somente com curas com eles. E, depois, sugira que tomem as vitaminas e ervas correspondentes à situação.

Todos os seguintes suplementos são bons para câncer, mas você tem se de dar uma pausa de todas as ervas de vez em quando. Então, tome-as por um tempo e, depois, interrompa o uso por um período.

* limpeza do corpo e suplemento de zinco;
* antioxidantes;
* ácido alfalipoico;
* CoQ10;
* equinácea (mas não se a pessoa estiver fazendo quimioterapia ou tiver leucemia);
* chá *essiac*;
* mistura de suco de vegetais que consiste em cenoura, meia beterraba, uma vara de aipo, uma pitada de gengibre e uma pitada de alho;
* uma xícara de queijo *cottage* e 2t óleo de linhaça;

- molibdênio;
- multivitaminas;
- noni (mas não com a quimioterapia);
- pau d'arco;
- chá *tahhebo* (ipê roxo);
- vitamina C.
- Outros remédios úteis:
- Mude para uma dieta alcalina.
- Faça uma limpeza de fungos.
- Não use trigo, açúcar processado ou aspartame e outros açúcares artificiais.
- Limpezas do fígado (*Veja Fígado*).
- Certifique-se de que a pessoa tem cobre, selênio e zinco suficientes.
- Nutricionalmente, uma pessoa com câncer deveria considerar comer amêndoas, abacate e pepinos.
- Utilize a limpeza de limão.

CÂNCER CERVICAL OU DO COLO DO ÚTERO

O câncer do colo do útero é responsável por 11% dos cânceres. O colo do útero é a parte inferior do útero, o lugar onde o bebê cresce durante a gravidez. O câncer do colo do útero é causado por vários tipos de vírus chamados papiloma vírus humano (HPV), que são transmitidos através do contato sexual.

A maioria dos corpos das mulheres é capaz de lutar contra a infecção do HPV, mas às vezes o vírus pode levar ao câncer. Isso tem mais chance de acontecer com você se você fumar, tiver muitos filhos, usar pílulas anticoncepcionais por muito tempo ou se tiver uma infecção por conta do HIV. Suspeita-se que a química utilizada nos OBs contenha o vírus do papiloma e isso pode ser uma das causas. Existe uma vacina para meninas e mulheres jovens que protege contra os quatro tipos de HPV que causam a maioria dos cânceres cervicais.

O câncer cervical pode não causar quaisquer sintomas no início, mas, após um certo tempo, você pode sentir uma dor pélvica ou sangramento na vagina. Geralmente, leva vários anos para as células normais do colo do útero se transformarem em células cancerígenas. Seu médico pode encontrar células anormais fazendo um teste do colo do útero – o que significa examinar as células do colo do útero em um microscópio. Ao fazer esses testes regularmente, você pode encontrar e tratar essas células antes de se transformarem em câncer.

Uma mulher uma vez veio até mim porque tinha sido diagnosticada com câncer cervical, estava grávida e os médicos queriam que ela abortasse o bebê. Aparentemente, eles sentiram que, para controlar a propagação do câncer, a criança teria de ir embora. Você vê, quando uma mulher está grávida, uma incrível quantidade de hormônios de crescimento é liberada no sistema. Isso poderia fazer com que o câncer se espalhasse em uma taxa exponencial – pelo menos era isso que os médicos temiam. Mas a mulher queria tanto manter seu bebê! Acredito que foi esse desejo, essa esperança inextinguível, que a abriu para a cura. Ela certamente tinha motivação suficiente para dissipar o medo, a dúvida e a descrença. Não havia trabalho de crenças a ser feito; eu simplesmente testemunhei o Criador entrar e curá-la. Após o trabalho, eu lhe disse para ir ao médico e ser verificada. De repente, ela ficou livre do câncer. Ela teve o bebê, saudável e forte.

Remédios intuitivos

Faça o comando para uma cura. Assista ao Criador remover o câncer e ouça o tom que será enviado para apagá-lo. O câncer do colo do útero responde quase imediatamente às curas intuitivas.

Trabalho de crenças

Verifique se há problemas relacionados a culpa, autoestima e dignidade. Pessoas com o vírus HPV têm os mesmos problemas daqueles associados a herpes:

"É errado ter relações sexuais."

"Eu prejudico as pessoas."

"Eu sou mau."

"Eu tenho que ser punido."

Pergunte ao cliente: "Qual foi a melhor coisa que você aprendeu com o câncer cervical?".

Suplementos
- ácido fólico;
- alimentos ricos em proteínas;
- complexo B;
- selênio;
- vitamina C;
- vitamina E;
- zinco.

Não use damiana preta, maca, estrogênio, soja, cipó-suma ou hormônios, pois esses suplementos podem acelerar a doença.

CÂNCER DE BEXIGA

O câncer de bexiga normalmente começa no tecido epitelial de revestimento da bexiga, que é um órgão em forma de balão na área pélvica que armazena a urina. Alguns tipos de câncer de bexiga ficam circunscritos ao tecido epitelial, enquanto outros invadem outras áreas.

O câncer de bexiga é o quarto tipo de câncer mais comum em homens e o oitavo mais comum em mulheres. Está em quinto lugar dentre os tipos de câncer que causam morte. A maioria das pessoas que desenvolve câncer de bexiga é de adultos mais velhos – mais de 90% dos casos ocorre em pessoas com mais de 55 anos, e 50% dos casos ocorre em pessoas com mais de 73.

O tabagismo é o maior fator de risco para câncer de bexiga. A exposição a certos produtos químicos tóxicos e a medicamentos também torna mais provável a possibilidade de desenvolver câncer na bexiga. A síndrome da Guerra do Golfo pode levar ao câncer de bexiga.

Um dos primeiros sinais de câncer de bexiga é sangue na urina e dificuldade para urinar. É geralmente detectado e diagnosticado por uma endoscopia (exame por imagem) e teste de urina.

Cura

Muitos cânceres na bexiga são curados instantaneamente. Isso ocorre porque as toxinas e metais pesados é que são as causas, não as crenças.

Trabalho de crenças

Quando existem crenças envolvidas com o câncer de bexiga, elas giram em torno de resistência à mudança, ressentimento, raiva, culpa e rancores.

Suplementos

- noni;
- pau d'arco;
- terapia nutricional;
- todos os alimentos verdes;
- um bom complexo vitamínico e mineral.

CÂNCER DE BOCA

O câncer de boca inclui o câncer das bochechas, do assoalho da boca, gengiva, palato duro, lábios, glândulas salivares menores e língua. Ele geralmente ocorre em pessoas com mais de 45 anos, mas pode ocorrer em qualquer idade.

Sintomas

Os seguintes são os sintomas mais comuns:

- nódulo no lábio ou na boca;
- nódulo no pescoço;
- ferida no lábio ou na boca que não cicatriza;
- mancha branca ou vermelha na gengiva, língua ou revestimento da boca;
- mau hálito;
- dificuldade em abrir a mandíbula;
- dificuldade ou dor ao mastigar ou engolir;

- dentes soltos;
- dor na boca que não vai embora ou uma sensação de que algo está preso na garganta;
- perda das sensações no rosto;
- inchaço na mandíbula que faz com que a dentadura não encaixe perfeitamente ou fique desconfortável;
- sangramento anormal, dor ou dormência na boca.

Remédios intuitivos

Eu só trabalhei nesse tipo específico de câncer cinco ou seis vezes, mas em todos os casos ele foi curado instantaneamente.

Trabalho de crenças

Eu recomendo dar sequência com o trabalho de crenças e instalar os programas de ser capaz de se expressar e de não se preocupar com o que as outras pessoas pensam de você. Quando você está compulsivamente preocupado com o que todo mundo pensa a seu respeito, não consegue se expressar.

Faça os *downloads*:

"Eu sei como me expressar."

"Eu sei como me sentir bem comigo mesmo, apesar do que os outros possam pensar."

Suplementos e outras recomendações nutricionais
- ácidos graxos;
- frutas e vegetais frescos;
- lavagem com óleo de melaleuca (tenha cuidado, isso é coisa forte!);
- ômega 3.

CÂNCER DE CÓLON

O cólon humano é um órgão muscular em forma de tubo que mede cerca de 1,2 metro. Ele vai desde o final do intestino delgado até o ânus, torcendo e girando através de seu abdômen. As três funções do cólon são digerir e absorver os nutrientes dos alimentos, solidificar o material fecal através da absorção dos fluidos e armazenar e controlar a evacuação das substâncias fecais. O lado direito do cólon desempenha papel importante na absorção de água e eletrólitos, enquanto o lado esquerdo é responsável pelo armazenamento e evacuação das fezes.

O câncer de cólon é detectado através do uso de um microscópio. Depois do câncer de pulmão, é o segundo maior causador de mortes.

Causas

O câncer de cólon tende a ser genético. Outras causas podem ser uma dieta rica em gordura animal, o acúmulo de toxinas no cólon, problemas contínuos com diarreia e constipação, doença inflamatória do intestino, tabagismo e, às vezes, diabetes.

As pessoas que tiveram uma doença inflamatória intestinal possuem maior risco. Uma dieta rica em fibras de vegetais é muito boa para esse tipo de pessoa.

Sintomas

Os sintomas incluem:

- colite;
- inchaço;
- perda de peso;
- prisão de ventre;
- sangramento nas fezes.

Trabalho de crenças

As crenças terão a ver com problemas de relacionamento, incapacidade de absorver amor, incapacidade de se expressar, verbalizar, abuso físico e sexual (abuso tanto na infância como já adulto), arrependimentos e a incapacidade de deixar que o passado se vá.

É imperativo que a crença-raiz seja encontrada no caso do câncer de cólon, porque isso produzirá o efeito mais rápido.

CÂNCER DE ESÔFAGO E DE LARINGE

O câncer de esôfago se forma nos tecidos que revestem o esôfago, o tubo muscular por meio do qual os alimentos passam da garganta para o estômago.

Esse tipo de câncer é mais predominante em mulheres do que em homens.

Tipos

Os dois tipos de câncer de esôfago são o carcinoma de células escamosas (câncer que começa nas células achatadas que revestem o esôfago) e o adenocarcinoma (câncer que começa nas células que produzem e liberam muco e outros líquidos).

Causas

As causas do câncer de esôfago não são claramente compreendidas pela ciência médica, mas os fatores de risco incluem doença celíaca, hereditariedade, obesidade, radioterapia, doença do refluxo gastroesofágico e tabagismo.

Sintomas

Os sintomas incluem:
- dificuldade em engolir;
- excesso de muco;
- perda de peso;
- rouquidão;
- vomitar sangue.

Sistemas de crenças

As emoções ligadas ao câncer de laringe e de esôfago incluem a incapacidade de expressar sentimentos e, consequentemente, a culpa pelo excesso de expressão destes. As crenças estão associadas à culpa, a assumir os sentimentos e problemas dos outros e ao apego ao passado.

Suplementos

- dieta rica em vegetais de folhas verdes;
- vitamina A, não excedendo 25 mil unidades;
- vitamina C.

CÂNCER DE ESTÔMAGO

A forma mais comum do câncer que afeta o estômago é o adeno-carcinoma, que surge nas glândulas da camada mais interna do estômago. Esse tumor tende a se espalhar através da parede do estômago e posteriormente para os órgãos adjacentes (pâncreas e baço) e linfonodos. Ele pode então se espalhar através da corrente sanguínea e do sistema linfático para órgãos distantes. Essa doença é mais comum em homens do que em mulheres. A faixa etária é geralmente acima dos 40. Os fatores de risco são:

- Infecção crônica do *Helicobacter pylori* é uma causa comum de gastrite crônica e úlcera péptica.
- Algum histórico familiar de câncer de estômago.
- Diagnóstico de anemia perniciosa (uma doença crônica progressiva causada pela falha do corpo em absorver vitamina B12).
- Dieta deficiente em frutas e vegetais frescos e rica em peixes ou carnes salgadas ou defumados e alimentos mal conservados.
- Tipo sanguíneo A.
- Uso excessivo de tabaco e álcool.

O tratamento de uma doença benigna no estômago ou úlcera duodenal é realizado através da remoção parcial do estômago, e isso aumenta o risco de desenvolvimento de câncer no estômago remanescente, especialmente 15 anos ou mais após a cirurgia.

Sintomas

Os sintomas incluem:

- anemia;
- dor no estômago depois de comer;
- fadiga;
- fezes pretas e viscosas;

- indigestão ácida;
- perda de peso;
- sangue nas fezes;
- vômitos depois de comer.

Insights intuitivos

Quando você entrar no estômago, o câncer terá feito o tecido de revestimento parecer como se estivesse se tornando cinza em vez do cor-de-rosa bonito como supostamente ele é.

As curas são eficazes em câncer de estômago.

Trabalho de crenças

Quando você encontra pessoas com câncer de estômago, elas podem ser um pouco rabugentas. É provável que seus sistemas de crenças estejam associados a como elas absorvem amor.

Tenho visto estes programas estarem ligados ao câncer de estômago:

"Tudo está contra mim."

"Qual é a utilidade? Eu poderia muito bem estar morto."

"Eu desisti."

Suplementos

- acido alfalipoico;
- antioxidantes;
- legumes verdes e menos carne;
- noni;
- ômega 3;
- selênio;
- suco de aloe vera;
- Vitamina C;
- Vitamina E.

CÂNCER DE LARINGE

Veja Câncer de Esôfago e de Laringe.

CÂNCER DE MAMA

Uma vez tive uma cliente chamada Lucy que tinha câncer de mama. Ela estivera lutando contra ele por cerca de 15 anos antes de vir me ver. Agora, o câncer estava espalhado por seus ossos, pulmões e até mesmo em seu cérebro. Ela era casada com um homem que cuidava dela fielmente.

Para mim, Lucy era a pessoa mais gentil, mais doce que você poderia encontrar. Nós trabalhamos em questões surpreendentes em nossas sessões juntas. No entanto, sempre senti que ela estava evitando alguma coisa e eu não podia colocar tocar no que era.

Um dia, perguntei a ela: "Qual é a melhor coisa que aconteceu com você depois que esse tipo de câncer entrou em sua vida?".

Ela ficou muito séria e me disse: "Meu marido me traiu por 17 anos, e por Deus, se essa for a última coisa que eu fizer, vou fazer da vida dele uma miséria. Agora que estou doente, ele tem de cuidar de mim. Ele nunca vai se livrar disso. Vou garantir que ele cuide de mim de manhã, de tarde e de noite, de modo que a cada segundo ele saiba o que seu relacionamento com aquela outra mulher fez comigo. Quero que ele seja torturado para o resto de sua vida".

Atordoada por essa resposta, eu disse: "Meu Deus, Lucy, você gostaria de remover isso?!".

Sem qualquer hesitação, ela respondeu: "Não. Eu estou perfeitamente feliz fazendo da vida dele uma miséria".

O câncer de mama é interessante. Dizem que uma em cada oito mulheres desenvolve-o. Em uma mulher, ele pode disparar e destruir toda a mama e em outra mulher ele pode levar anos para fazer a mesma coisa.

O câncer de Lucy parecia estável, então de repente piorou. Perguntando a ela o que ela poderia estar fazendo de diferente, descobri que ela estava viajando para o Havaí para ter tratamentos de estrogênio. Aparentemente, havia uma pessoa no Havaí que acreditava que, caso seus clientes com câncer de mama tomassem estrogênio o suficiente, isso iria curar todo o seu câncer. Isso não poderia estar mais errado, uma vez que o estrogênio faz com que a maioria dos cânceres de mama cresça – que é exatamente o que aconteceu com Lucy. Quando ela parou de fazer a terapia com estrogênio, sua condição começou a melhorar de novo. Ela estava vindo para as sessões e demonstrava grande melhora. Ao longo dos três anos em que trabalhei com ela, ela nunca ficou melhor, mas também não ficou pior. Todos os seus médicos pensavam que era um milagre. Ela era a pessoa mais resistente que já tinham visto. No entanto, a verdade é que, no fundo de seu coração, ela abrigava a raiva e ódio mais inacreditáveis por aquele marido. Isso a mantinha viva.

Isso não vale para todos com câncer de mama, pois muitos são divorciados e deixaram relacionamentos precários. No entanto, muitos ainda abrigam ódio e raiva contra seus ex-parceiros, não deixando que ninguém nunca abuse e machuque-os como fizeram.

Em algumas mulheres, massagear o peito pode funcionar como uma medida preventiva; no entanto, o autoexame periódico é um dos melhores preventivos contra o câncer de mama.

Tipos

Existem vários tipos de câncer de mama:

- *Carcinoma ductal in situ:* é considerado o câncer da mama em fase precoce.
- *Carcinoma ductal infiltrante*: Esse é um câncer que surge no tecido do revestimento dos dutos de leite e invade o tecido da mama circundante.
- *Carcinoma inflamatório*: Nesse tipo de câncer, o tumor surge no tecido do revestimento dos dutos. À medida que cresce, ele se conecta aos vasos linfáticos e sanguíneos do peito.
- *Carcinoma in situ introdutório*: Esse é um tipo de câncer localizado, em que as células cancerígenas crescem dentro dos dutos.
- *Carcinoma lobular*: Esse é um câncer de mama que se desenvolve nos lóbulos do corpo.

• *Doença de Paget do Mamilo*: Esse câncer ocorre quando as células de um tumor cancerígeno subjacente migram para o mamilo.

Insights intuitivos

O tratamento convencional para o câncer de mama é, em geral, a remoção do tumor, quimioterapia e radiação, juntamente ao apoio de drogas farmacêuticas.

Nos dias atuais, os médicos evitam fazer muitas cirurgias em pacientes com câncer de mama, pois descobriram que isso pode espalhar o câncer. No entanto, quando uma pessoa vem até você para uma cura e lhe diz que o oncologista quer operar o peito, você deve perguntar a ela o que quer fazer. Não vá contra a vontade do médico, ou é possível que o paciente se volte contra você. A visão de que um médico é todo-poderoso, onipotente e onisciente ainda é muito forte na sociedade ocidental.

Se o cliente está sendo atendido por um médico quando vem até você, não o desencoraje. Na verdade, incentive-o a continuar, pois isso oferecerá validações para as curas que estiverem funcionando.

Muitas pessoas com câncer de mama que têm problemas com relacionamentos passados têm uma tendência a tentar lhe passar a responsabilidade e as decisões relativas à doença. Por isso, é importante devolver a responsabilidade ao cliente e ensiná-lo a curar-se. Também pode ser o câncer falando com você, não a pessoa.

Trabalhei com um grande número de clientes com câncer de mama ao longo de minha carreira. Logo no início, o melhor que eu podia fazer era parar o crescimento do câncer. Esses clientes iniciais não se curaram realmente até que comecei a trabalhar no câncer como se fosse um fungo no corpo. Fungos crescem em lugares profundos e escuros, por isso as mulheres não devem usar sutiãs apertados. Parece haver uma correlação (pelo menos em algumas mulheres) entre a quantidade de tempo que uma mulher usou sutiã e o câncer de mama.

Quando os homens têm câncer de mama, este também está ligado a fungos. O câncer de mama frequentemente retorna dentro de cinco anos, então talvez ele espalhe esporos. É importante que o praticante entenda que os vírus, os fungos e as bactérias são intercambiáveis e que podem se transformar e retornar a uma forma ou outra no corpo.

A mama direita é onde as toxinas são armazenadas e funcionam bem com a cura intuitiva. Se for a mama direita que é afetada, a causa é geralmente ambiental. Um bom exemplo disso foi quando três mulheres que trabalhavam juntas desenvolveram câncer de mama ao mesmo tempo.

A mama esquerda retém questões emocionais geralmente causadas pela mãe, pai, marido ou irmão. Essa questão lutará contra a cura.

Alguns médiuns pensam que o câncer de mama é uma entidade feminina, mas há muitas formas dele, além de não seguirem os mesmos princípios, portanto não concordo com essa teoria.

No momento que o câncer atinge um determinado tamanho, é quase como se ele tivesse se tornado um amigo da pessoa. No momento que ele dobrou de seu tamanho original, ele se tornou todo um modo de vida. Tenho observado as pessoas ficarem trancadas em seu diagnóstico e doença. Elas podem até mesmo afirmar que têm a doença bem depois de já terem sido curadas – mesmo que o médico lhes diga que a doença se foi. Tudo nelas exclama que estão curadas, mas ainda entram em meu consultório e dizem: "Eu tenho câncer de mama". Faço uma cura e, em seguida, digo a elas para irem ao médico. Realmente espero que elas estejam completamente curadas, sem quaisquer dúvidas.

Remédios intuitivos

Quando um cliente vem até mim pela primeira vez com câncer de mama, pergunto ao Criador se é uma célula irregular ou se é câncer. Nesse ponto, vou ouvir um "sim" ou "não". No entanto, você nunca deve dizer a uma pessoa que ela tem câncer, mas, sim, sugerir que ela se examine.

Quando o câncer de mama é pequeno, tudo que você tem a fazer é subir até Theta e fazer o comando para a cura e, na maioria dos casos, ele simplesmente desaparece. No entanto, se a pessoa continua com uma grande protuberância saliente de qualquer tipo, eu lhes digo para irem ao médico a fim de removê-la. Já aconteceu de o câncer ter desaparecido antes de eles irem ao médico. Se o câncer é do tamanho de uma ervilha ou de uma bola de gude, ele responde muito bem à cura. Infelizmente, muitas pessoas não vêm até mim até que o câncer esteja completamente desenvolvido e em seus últimos estágios.

Se o câncer romper a pele da pessoa fazendo com que ela constantemente veja o caroço, pode ser mais difícil de curar, porque vê-lo todos os dias pode ser um alimento para o medo e ansiedade. Assim, cubram o câncer antes, durante e depois da cura. Instrua o cliente a manter o peito coberto por dois dias e não olhar para ele. Dessa forma, quando eles tirarem a cobertura, verão que houve melhora no peito. A razão para fazermos isso é que os olhos são a primeira testemunha da realidade. Se a pessoa for se ver em um espelho depois de ter feito a cura e não observar resultados imediatos, isso pode incentivar o crescimento do tumor e desencorajar a cura.

O câncer de mama acentuado parece tomar o mesmo caminho. Ele é iniciado no peito, e em seguida, move-se para o sistema linfático, para os ossos, para a parte da frente dos pulmões e, em seguida, para a outra mama. Uma vez que ele chegue aos ossos, pode se deslocar para o cérebro. Não deixe que isso o ponha nervoso. Quando você fizer curas em cânceres de mama acentuados, pode literalmente assistir às pessoas se curarem nos ossos, cérebro e pulmões. No entanto, ainda pode haver o mesmo tumor original na mama. A menos que você trate-o como se fosse um fungo, ele vai se instalar e estabelecer um lar.

No câncer de mama, é imperativo mudar o modo de vida em todos os aspectos – onde a pessoa vive, sua dieta, seus relacionamentos e assim por diante.

Alguns desodorantes não devem ser utilizados em gânglios linfáticos, pois essa pode ser uma causa ambiental da doença.

Trabalho de crenças

Assim que comecei a liberar programas de ressentimento e raiva de clientes, verifiquei melhores resultados com câncer de mama. Agora sei que você pode realizar curas de câncer de mama com resultados imediatos se a pessoa souber qual é a sensação de ser amada, souber receber e aceitar uma cura, se ela achar que a merece e acreditar que isso pode acontecer. Pergunte ao cliente: "Qual foi a melhor coisa que você aprendeu com o câncer de mama?".

O câncer de mama está quase sempre ligado a relacionamentos ruins. Esses relacionamentos podem ser com irmãos, amigos ou pais. Procure:

- Sentimentos e programas de ser tirado proveito e/ou abusado.
- Medos irracionais, não resolvidos, ressentimentos, arrependimentos, raiva e ódio.
- Sentimentos de desesperança, desamparo, ódio, sensação de estar sobrecarregado, de ser incapaz de mudar o que você está sentindo e de desejar se vingar.

"Se eu tiver câncer da mama, minha família vai se unir."

"Se eu tiver câncer de mama, posso viver sem qualquer relacionamento."

"Nenhum homem vai me querer novamente se eu tiver câncer de mama."

Seja gentil e deixe a pessoa falar para que você possa entender seus problemas. Curadores homens têm de ser mais suaves quando estiverem à procura de programas em uma sessão de trabalho de crenças. Algumas mulheres começam imediatamente a pensar que o curador homem irá tomar partido de qualquer homem que esteja fazendo parte de sua vida presente ou que tenha feito no passado.

Mesmo que a pessoa tenha se divorciado há vários anos, o melhor é ir até o momento em que começaram os ressentimentos e liberá-los. Leva de três a quatro anos para os problemas de um relacionamento na família se acumularem como emoções negativas no corpo. O câncer de mama aparecerá depois disso.

Crenças relativas ao câncer de mama não são geralmente coisas como "Eu me odeio" ou "Eu odeio essa pessoa", o que existe é uma grande dose de autoaversão, geralmente por não fazer mudanças na vida.

Curadores e mulheres sensíveis com câncer de mama têm a tendência a ter a doença para que sua família se una. Essa parece ser a motivação inconsciente por trás dele. Esse tipo de autossacrifício pode parecer nobre, mas é ridículo desperdiçar sua vida dessa maneira.

Pergunte ao cliente: "Qual é a pior coisa que poderia acontecer se você estivesse completamente bem?". Você pode descobrir que ele tem um medo absoluto de deixar qualquer um amá-lo.

Use esses *downloads* de crenças para o trabalho de escavação (*digging*):

"Eu sei como viver sem ressentimento."

"Eu sei como perdoar."

"Eu sei como ter compaixão por mim mesmo."

Faça os *downloads*:

"É seguro ser amado."

"É possível criar uma vida para mim."

"É possível que o câncer de mama desapareça completamente."

"O Criador de Tudo O Que É pode curar qualquer coisa."

"Eu entendo como avançar na vida."

"Eu entendo qual é a sensação de planejar o futuro."

"Eu sei qual o conceito e perspectiva do Criador de intimidade."

"Eu sei qual o conceito e perspectiva do Criador de me sentir nutrido."

"Eu sei qual o conceito e perspectiva do Criador de me sentir completamente ouvido."

"Eu sei qual o conceito e perspectiva do Criador de qual é a sensação de ouvir completamente meu parceiro."

"Eu sei qual o conceito de intimidade do Criador."

"Eu sei qual é a sensação de viver minha vida diária, sem me vitimizar."

Verifique se a pessoa divorciada se sente livre de qualquer compromisso com o companheiro anterior. Faça o teste energético para:

"Eu ainda estou em meu casamento anterior."

Substitua por:

"Eu tenho o conceito do Criador de qual é a sensação de receber e aceitar o amor de um companheiro."

"Tudo bem me sentir feminina, sensual e sexy e ainda ter bom discernimento."

"Eu tenho o conceito do Criador de qual é a sensação de desfrutar do sexo com meu companheiro."

Verifique a existência de crenças envolvendo abuso sexual e receber e aceitar amor sexual:

"Estou casada com Deus." (Peça a Deus para que isso seja substituído pelo programa correto.)

"É meu dever ter relações sexuais."

"Eu tenho de fazer um sacrifício."

"Sexo é sujo."

"Eu tenho medo de sexo no escuro ou em qualquer outro ambiente."

"Sexo me envergonha."

"Eu tenho de fazer sexo o tempo todo."

"Eu sou um sacrifício sexual."

Substitua por:

"Tudo bem ser sexy."

"Tudo bem ter relações sexuais e ser espiritualizado."

"Eu conheço e compreendo meu parceiro completamente."

"Tudo bem desfrutar de sexo."

"Tudo bem demonstrar emoções sexuais."

"Tudo bem ser sensual."

"Eu respeito meu corpo."

"Tudo bem estar em meu corpo."

"Tudo bem ser um menino ou uma menina."

"Tudo bem mostrar emoções durante o sexo."

Verifique estar presente em um relacionamento e questões relacionadas à culpa. Também faça os *downloads* dos programas com a substituição apropriada:

"Eu sei qual é a sensação de viver sem as pessoas tirarem vantagem de mim."

"Eu sei como viver sem tirar vantagem dos outros."

"Eu sei como viver sem que os outros sintam pena de mim."

"Eu sei qual é a sensação de aceitar o amor de minha família, sem pena."

"Eu sei qual é a sensação viver sem ser um fardo."

"Eu sei qual é a sensação de me sentir digno de ser cuidado."

"Eu sei que é seguro ser nutrido."

"Eu sei que é seguro ser inocente."

"Eu sei qual é a sensação de viver sem raiva e arrependimento."

"Eu sei qual é a sensação de viver sem a rejeição daqueles que amo."

"Eu sei qual é a sensação de ser um importante ser de luz."

"Eu mereço ser amado."

"Eu sei qual é a sensação de viver sem fazer com que outras pessoas fiquem loucas."

"Eu sei qual é a sensação de ouvir os problemas das outras pessoas."

"Eu sei qual é a sensação de aceitar tudo o que o câncer de mama tem para me ensinar e deixá-lo ir."

"Eu sei qual é a sensação de ter um plano para o futuro."

"Eu sei qual é a sensação de olhar para minha vida sem pesar."

"Eu sei qual é a sensação de levar um dia de cada vez e de saber que estou indo bem."

"Eu sei qual é a sensação de ter uma cura milagrosa."

"Eu sei como atrair bons amigos."

Assim que faço um trabalho de crenças em um cliente com câncer de mama, eu o treino para trabalhar consigo mesmo usando curas energéticas e outras vias alternativas. Quando deixa meu consultório, ele tem o poder de se curar usando ThetaHealing.

Suplementos e outras recomendações nutricionais

Quando uma pessoa contrai câncer de mama, ela precisa colocar algo para fora no universo, pois, uma vez que ela sabe que tem, as outras pessoas também sabem que ela tem. E todo mundo, até o cão dela, enviará curas milagrosas para câncer de mama. É aí que as pessoas cometem um erro: elas fazem todas essas curas de uma vez só. Há algumas coisas que são boas para o câncer, inclusive para o câncer de mama, mas elas devem ser usadas sozinhas, sem outros suplementos.

A Terapia de Reposição Hormonal, por exemplo, é boa para alguns tipos de câncer, mas o câncer de mama e o de ovário têm uma tendência a viver sem estrogênio. Na verdade, qualquer tipo de câncer relacionado a hormônios será desencadeado por uma abundância de estrogênio. Por isso, nunca sugira qualquer erva que possua estrogênio. Isso significa nada de *cohosh* preto, nada de damiana, nada de raiz de alcaçuz, nada de maca e nada de cipó-suma!

Chá erva-de-gato é bom para o fígado e pode ajudar no câncer de mama.

CÂNCER DE OVÁRIO

O câncer de ovário é uma doença produzida pelo rápido crescimento e divisão das células dentro de um ou de ambos os ovários, glândulas reprodutoras em que os óvulos e os hormônios sexuais femininos são feitos. Os ovários contêm células que, em circunstâncias normais, se reproduzem para manter a saúde dos tecidos. Quando o controle de crescimento é perdido, as células dividem-se descontroladamente e uma massa celular ou tumor se forma.

Se o tumor está confinado em algumas poucas camadas de células, como as células de superfície, ele não invade os tecidos circundantes ou órgãos, então ele é considerado benigno. Caso se espalhe para os tecidos ou órgãos circundantes, o tumor é considerado maligno ou cancerígeno.

Se o câncer de ovário é tratado cedo, a taxa de sobrevivência é bastante elevada. Infelizmente, essa é uma doença silenciosa, pois existem muito poucos sintomas aparentes antes que o câncer esteja muito avançado. O câncer de ovário se move muito rapidamente no corpo. Se desenvolver metástase no osso, aí é um problema. Mas a quimioterapia pode funcionar bem.

Causas

As causas do câncer de ovário são desconhecidas; no entanto, suspeita-se da exposição à radiação e outras toxinas.

Os fatores de risco são: dieta rica em gordura animal, histórico de outros tipos de câncer, vírus HPV e obesidade. No entanto, o uso de pílulas anticoncepcionais parece diminuir o risco do câncer de ovário em 50% a 60%.

Sintomas

Os sintomas incluem:
- aparência desnutrida ou doente;
- desconforto ou pressão pélvica/abdominal;
- dor nas costas ou perna;
- inchaço;
- alterações no funcionamento intestinal ou urina frequente;
- fadiga;
- sintomas gastrointestinais (por exemplo, gases, dor de estômago constante, indigestão);
- náuseas ou perda de apetite;
- hemorragia vaginal incomum.

Insights intuitivos

Como o câncer de ovário é um câncer que se movimenta rapidamente, uma cura profunda e completa deve ser feita, e o cliente deve ser avaliado e testado por um médico. O câncer de ovário pode voltar e se espalhar por todo o corpo em algumas semanas. Então, se alguém chega até você com câncer de ovário, certifique-se de que vá a um médico imediatamente antes de começar a fazer curas.

As pessoas não vêm com muita frequência até mim com câncer de ovário. Normalmente, no momento em que as encontro, o câncer já se espalhou por seus órgãos e elas estão convencidos de que vão morrer. Tenho apenas uma sessão para trabalhar com elas.

Quando você começa a lidar com pessoas que estão com um câncer que se movimenta rápido, certifique-se de que elas entendem que têm um propósito na vida para que possam sair dessa vivas. Se elas não tiverem um propósito, às vezes não querem fazer nada além de morrer.

Remédios intuitivos

Essa doença é sensível à cura.

Vá para o espaço da pessoa para descobrir se toxinas foram a causa do câncer. Se assim for, uma cura simples resolve. Essas toxinas podem ser amianto, mercúrio ou chumbo. Elas inibirão a capacidade de que a pessoa se expresse nos relacionamentos.

Use os exercícios "Enviando Amor para o Bebê no Ventre" e "A Canção do Coração" para remover as toxinas da pessoa.

Sempre diga para elas irem ao médico para validação após uma cura.

Trabalho de crenças

Pessoas com câncer de ovário têm uma tendência a ser muito defensivas, por isso é importante deixar claro que esse tipo de câncer é suscetível a ter sido causado por crenças genéticas ou toxinas.

O câncer de ovário sempre vem com programas relacionados a problemas de relacionamento. Essa parece ser a crença que justifica a morte como uma forma de redenção.

Também existem questões relacionadas à confiança e culpa. Pessoas com câncer de ovário podem tentar colocar a culpa pela doença em seu marido ou no curador: "Você me traiu no passado e é por isso que estou doente". Ou: "Você fez uma cura em mim que não funcionou, então, é tudo culpa sua".

Comece com problemas de relacionamento: problemas com marido, mãe e pai. Em seguida, busque questões de inadequação nos relacionamentos.

Faça os *downloads*:

"Eu sei como viver minha vida diária me sentindo importante."

"Eu sei qual é a sensação de saber que sou importante em minha relação."

"Eu sei qual é a sensação de tomar decisões em meu relacionamento que sejam importantes para mim."

"Eu sei qual é a sensação de viver minha vida sem ser abusada."

"Eu sei que tenho a força para seguir em frente e sigo."

"Eu sei qual é a sensação de tomar boas decisões com base em meu coração."

"Eu sei que é errado ficar onde estou, infeliz."

"Eu sei qual é a sensação de ser feliz, alegre e forte."

"Eu sei que é possível estar em um bom relacionamento e estar cheia de alegria."

"Eu sei que é possível viver minha vida sabendo que estou completamente curada."

"Eu sei que é possível viver minha vida sem sentir raiva das pessoas que me ajudam."

"Eu sei qual é a sensação de viver minha vida sem desespero, raiva e decepção."

"Eu sei qual é a sensação de ter um propósito."

Suplementos

Só use estes suplementos se a pessoa optou por não fazer quimioterapia ou se já tiver terminado:

- ácido alfalipoico;
- CoQ10;

- glutationa;
- noni;
- ômega 3.

CÂNCER DE PÂNCREAS

O câncer de pâncreas é um dos cânceres mais graves. Ele se desenvolve quando células cancerígenas se formam no tecido do pâncreas, um grande órgão que se encontra horizontalmente na parte posterior e inferior do estômago. O pâncreas secreta enzimas que ajudam na digestão e hormônios que ajudam a regular o metabolismo dos hidratos de carbono.

O câncer de pâncreas se espalha rapidamente e raras vezes é detectado em seus estágios iniciais, sendo esta uma das principais razões das mortes por este câncer. Os sinais e sintomas podem não aparecer até que a doença esteja bastante avançada. Nesse momento, é provável que o câncer tenha se espalhado para outras partes do corpo e a remoção cirúrgica não seja mais possível.

Durante anos, pouco se sabia sobre o câncer de pâncreas. Mas os pesquisadores estão começando a compreender a base genética da doença. Esse conhecimento pode levar a novos e melhores tratamentos. Tão importante quanto isso é o fato de você poder ser capaz de reduzir o risco de câncer de pâncreas com algumas mudanças de estilo de vida.

Insights intuitivos

O câncer de pâncreas aparenta ter cor preta e marrom no corpo e cresce rapidamente.

Remédios intuitivos

O câncer de pâncreas é o segundo câncer que responde mais rápido a curas intuitivas, sendo o tumor cerebral o primeiro. Faça o comando e testemunhe o Criador dissolver o tumor.

CÂNCER DE PELE

O câncer de pele é o crescimento anormal das células da pele. Ele frequentemente se desenvolve em peles expostas ao sol. No entanto, essa forma comum de câncer também pode ocorrer em áreas da pele que normalmente não estão expostas à luz solar, como as palmas das mãos, os espaços entre os dedos dos pés e a área genital. O câncer de pele afeta pessoas de todos os tons de pele, incluindo aquelas com pele mais escura.

A maioria dos cânceres de pele pode ser prevenida limitando ou evitando a exposição à radiação ultravioleta (UV). Se o câncer de pele é detectado cedo, pode ser tratado com sucesso com os métodos convencionais.

Nem todas as alterações cutâneas são cancerígenas. A única maneira de saber com certeza é ter sua pele examinada por um médico ou dermatologista.

O câncer de pele começa na camada superior da pele, a epiderme. Essa camada é tão fina quanto uma linha traçada de lápis e proporciona uma camada protetora das células da pele que o corpo renova continuamente.

A epiderme contém três tipos de células:
- As *células escamosas*, que se encontram logo abaixo da superfície exterior.
- As *células basais*, que produzem novas células da pele, ficam logo abaixo das células escamosas.
- Os *melanócitos*, que produzem a melanina, o pigmento que dá a cor à pele normal, estão localizados na parte inferior da epiderme. Os melanócitos produzem mais melanina quando você está no sol para proteger as camadas mais profundas da pele. A melanina extra que produz a cor mais escura da pele bronzeada.

Normalmente, as células da pele dentro da epiderme se desenvolvem de forma controlada. De modo geral, as novas células saudáveis empurram as células mais velhas para a superfície da pele, onde morrem e, eventualmente, são descartadas. Esse processo é controlado pelo DNA; o câncer de pele ocorre quando o processo é alterado. Quando o

DNA é danificado ocorrem alterações nas instruções, o que pode fazer com que novas células cresçam desordenadamente e formem uma massa de células cancerígenas.

Tipos

Existem três tipos principais de câncer de pele:

- carcinoma basocelular;
- carcinoma de células escamosas;
- melanoma.

Os carcinomas basocelulares e a maioria dos carcinomas de células escamosas crescem de modo lento e são altamente tratáveis, sobretudo se descobertos em seus estágios iniciais. No entanto, o carcinoma de células escamosas pode se espalhar internamente. O melanoma afeta as camadas mais profundas da pele e tem um potencial maior de se espalhar para outros tecidos do corpo.

Todos os três tipos de câncer de pele estão em ascensão.

Carcinoma basocelular

Esse é o câncer de pele mais comum e mais facilmente tratado. Ele é o menos provável de se espalhar. Ele em geral aparece como:

- uma protuberância perolada ou cerosa na face, orelhas e pescoço;
- uma lesão da cor da pele que parece uma cicatriz achatada no peito ou nas costas.

Carcinoma de células escamosas

O carcinoma de células escamosas é facilmente tratado quando detectado cedo, mas tem uma tendência maior a se espalhar do que o carcinoma basocelular. Ele geralmente aparece como:

- um nódulo vermelho firme no rosto, lábios, orelhas, pescoço, mãos ou braços;
- uma lesão achatada com superfície escamosa, no rosto, orelhas, pescoço, mãos ou braços.

Melanoma

O melanoma é a forma mais grave do câncer de pele e é responsável pela maioria das mortes por esse câncer. Ele pode se desenvolver na pele de maneira normal ou a partir de uma verruga que se transforma em algo maligno. Embora possa ocorrer em qualquer parte do corpo, ele aparece na maioria das vezes na parte superior das costas ou rosto tanto em homens como em mulheres.

Os sinais de aviso de melanoma incluem:

- grande área amarronzada com manchas escuras localizadas em qualquer parte do corpo;
- uma verruga simples localizada em qualquer parte do corpo que muda de cor ou tamanho ou sangra;
- uma pequena lesão com borda irregular e uma região vermelha, branca, azul ou preto-azulado no tronco ou nos membros;
- lesões escuras nas palmas das mãos, plantas dos pés, dedos das mãos e dos pés, ou nas membranas mucosas que revestem a boca, o nariz, a vagina e o ânus;
- inchaços brilhantes, firmes e em forma de cúpula localizados em qualquer parte do corpo.

Se o melanoma não for tratado e liberado, ele pode ser fatal. No entanto, se a doença for tratada cedo, as chances de recuperação são boas.

Há quatro tipos de melanoma, cada um com características ligeiramente diferentes:

Melanoma acrolentiginoso é o tipo mais comum entre pessoas de descendência africana e asiática. As lesões se manifestam como regiões achatadas de cor marrom-escuro e com inchaços que vão do marrom para o preto ou do azul para o preto. Eles normalmente aparecem nas palmas das mãos, plantas dos pés e nas unhas dos dedos das mãos e dos pés.

Melanoma lentigo maligno é mais comum em mulheres do que em homens. As lesões ocorrem geralmente no rosto, pescoço, orelhas ou outras áreas que tenham sido fortemente expostas ao sol. Esse tipo de melanoma raramente ocorre antes dos 50 e é geralmente precedido por uma fase pré-cancerígena chamada lentigo maligno.

Melanoma nodular é um tipo de doença que não ataca o tecido subjacente sem primeiro espalhar-se por toda a superfície da pele. É mais comum em homens do que em mulheres; as lesões podem se assemelhar a bolhas de sangue e a coloração pode ser branco-perolado ou preto-azulado. O melanoma nodular tende a metastizar mais cedo do que os outros tipos de melanoma.

Melanoma de espalhamento superficial é o tipo mais comum. Ele ocorre sobretudo nos brancos e com mais frequência em mulheres do que em homens. Ele começa como uma verruga achatada, e na maioria das vezes essa superfície irregular se desenvolve na parte inferior das pernas ou na parte superior das costas.

Cânceres de pele menos comuns

Tipos menos comuns de câncer de pele incluem:

Sarcoma de Kaposi

Essa forma rara de câncer de pele se desenvolve nos vasos sanguíneos da pele e provoca manchas vermelhas ou roxas na pele ou membranas mucosas. Como o melanoma, é uma forma grave de câncer de pele. Ele é visto principalmente em pessoas com sistema imunológico debilitado.

Carcinoma celular de Merkel

Nesse tipo raro de câncer, nódulos rígidos e brilhantes se formam na pele, logo abaixo dela ou nos folículos pilosos. Eles podem ser vermelhos, cor-de-rosa ou azul e podem variar em tamanho entre cinco e 25 centímetros. O carcinoma celular de Merkel é normalmente encontrado em áreas da cabeça, pescoço, braços e pernas que sofrem exposição ao sol. Ele cresce rapidamente e muitas vezes se espalha para outras partes do corpo.

Carcinoma sebáceo

Esse tipo de câncer raro e agressivo se origina nas glândulas sebáceas da pele. Ele geralmente aparece como nódulos duros, indolores. Eles podem se desenvolver em qualquer lugar, mas a maioria acontece na pálpebra, onde são muitas vezes confundidos por condições benignas.

Lesões pré-cancerígenas na pele, como ceratose actínica, também podem evoluir para o câncer de células escamosas da pele.

A ceratose actínica aparece como uma mancha áspera, escamosa, marrom ou rosa escura. Ela é mais comumente encontrada no rosto, orelhas, braços inferiores e nas mãos de pessoas de pele clara cuja pele fora danificada pelo sol.

Causas

Luz UV

Grande parte dos danos que acontecem no DNA das células da pele são resultado da radiação ultravioleta (UV) encontrada na luz solar e em lâmpadas de bronzeamento artificial. A luz UV é dividida em três bandas de comprimentos de onda:

- ultravioleta A (UVA);
- ultravioleta B (UVB);
- ultravioleta C (UVC).

Apenas os raios UVA e UVB atingem a Terra. A radiação UVC é absorvida pelo ozônio atmosférico.

Tempos atrás, os cientistas acreditavam que apenas os raios UVB eram responsáveis pela formação do câncer de pele. A luz UVB causa mudanças prejudiciais no DNA das células da pele, incluindo o desenvolvimento de oncogenes, que são um tipo de gene que pode transformar uma célula normal em maligna. Os raios UVB são responsáveis por queimaduras solares e por muitos cânceres basocelulares e de células escamosas.

Os raios UVA também contribuem para o câncer de pele. Eles penetram mais profundamente na pele do que os UVB e enfraquecem o sistema imunológico da pele aumentando o risco de câncer, sobretudo do melanoma. Camas de bronzeamento artificial trabalham com altas doses de UVA, o que as torna especialmente perigosas.

Outros fatores

A exposição ao sol não explica melanomas ou outros tipos de câncer de pele que se desenvolvem em regiões que normalmente não estão expostas ao sol. A genética pode ser um fator. O câncer de pele também pode se desenvolver a partir do contato com produtos químicos tóxicos ou por causa de tratamentos com radiação. Tenha em mente os seguintes fatores de risco:

• *Histórico familiar de câncer de pele*: Se um de seus pais ou um irmão teve câncer de pele, você tem maior risco de contrair a doença. Algumas famílias são afetadas por uma doença chamada síndrome do nevo atípico – melanoma FAMMM.

• *Histórico de queimaduras solares*: Depois da queimadura, seu corpo trabalha para reparar o dano. Ter muitas queimadura com bolhas quando criança ou adolescente aumenta seu risco de desenvolver câncer de pele na idade adulta. Queimaduras por sol na idade adulta também são um fator de risco.

• *Histórico de câncer de pele*: Se você já teve câncer de pele uma vez, pode desenvolvê-lo novamente. Mesmo que carcinomas de células escamosas ou basocelulares tenham sido removidos com sucesso, eles podem se repetir no mesmo lugar dentro de dois a três anos.

• *Sistema imunológico enfraquecido*: Pessoas com sistema imunológico enfraquecido têm um risco maior de desenvolver câncer de pele. Isso inclui as pessoas que vivem com o HIV-AIDS ou leucemia e aqueles que tomam medicamentos imunossupressores após um transplante de órgão.

• *Idade*: O risco de desenvolver câncer de pele aumenta com a idade, principalmente porque muitos cânceres de pele se desenvolvem lentamente. O dano que ocorre durante a infância ou adolescência pode não ser aparente até a meia-idade.

• *Exposição excessiva ao sol*: Qualquer pessoa que passe um tempo considerável sob o sol pode desenvolver câncer de pele, especialmente se a pele não estiver protegida por um protetor solar ou por roupas. O bronzeamento é um risco. O bronzeado é a resposta para uma lesão da pele por conta da radiação UV excessiva.

• *A exposição a perigos ambientais*: A exposição a substâncias químicas ambientais, incluindo alguns herbicidas, aumenta o risco de câncer de pele.

• *Pele clara*: Se você tiver cabelos loiros ou ruivos, olhos claros e fica com sardas ou se bronzeia facilmente, é muito mais propenso a desenvolver câncer de pele do que se você tivesse a pele mais escura.

• *Pele frágil*: A pele que foi queimada, ferida ou enfraquecida por tratamentos relativos a outras doenças de pele é mais suscetível aos danos causados pelo sol e ao câncer de pele. Certos tratamentos de psoríase e cremes de eczema podem aumentar o risco de câncer de pele.

• *Medicação*: Certos tipos de medicação podem fazer a pele ficar mais suscetível ao sol. Estas incluem as medicações contra a acne, antibióticos, antidepressivos, anti-histamínicos, pílulas anticoncepcionais, diuréticos e estrogênio.

• *Verrugas*: As pessoas que têm muitas pintas ou verrugas anormais, chamadas nevos displásicos, têm um risco maior de ter câncer de pele. Se você tem um histórico de verrugas anormais, acompanhe regularmente as mudanças.

• *Lesões cutâneas pré-malignas*: Ter lesões de pele conhecidas como ceratoses actínicas pode aumentar o risco de desenvolver câncer de pele. Esses crescimentos de pele pré-cancerígeno geralmente aparece como manchas escamosas, ásperas, que variam do castanho ao rosa-escuro.

• *Dias ensolarados ou climas de alta altitude*: As pessoas que vivem em climas quentes estão expostas a mais luz solar do que as pessoas que vivem em climas frios. Viver em altitudes mais elevadas, onde a luz solar é mais forte, também expõe a pessoa a mais radiação.

Se você notar qualquer alteração suspeita em sua pele, consulte seu médico imediatamente. Como acontece com todos os cânceres, o diagnóstico precoce aumenta as possibilidades de sucesso do tratamento. Não espere que a área suspeita comece a doer, porque o câncer de pele raramente provoca dor. Lembre-se, esta é sua pele, o maior órgão do corpo. Ela está ligada a todas as terminações nervosas, células sanguíneas e sistema linfático.

Insights intuitivos

Muito medo rodeia o melanoma e é verdade que ele é muito perigoso. Se ele crescer até certo ponto, irá se espalhar por toda a pele e para o resto do corpo muito rapidamente. Uma de minhas clientes, chamada Sally, que contou sua história no livro *ThetaHealing*, foi curada de oito lesões de melanoma em seu cérebro. Se você tivesse sido o médico de Sally, teria lhe dito que ela teria apenas alguns meses de vida. Isso foi exatamente o que seus médicos lhe disseram. Quando ela veio para uma cura, não tinha nada a perder, então estava aberta para qualquer coisa.

Em minha opinião, a razão de o melanoma ser tão sensível à cura é porque ele é geralmente causado por algum tipo de toxina ou de radiação.

Vistos na pele, nem todos os melanomas têm aparência áspera. Às vezes, eles são apenas uma pequena mancha estranha no corpo. Às vezes, os melanomas podem parecer pequenas crostas. Também já vi melanomas com cores diferentes da pigmentação da pele. Portanto, se você tem um ponto em seu corpo que não tem certeza do que é, deve checar isso.

Se um cliente chega até você com um ponto e você pergunta ao Criador se isso é um câncer, você pode obter um "sim" ou "não" como resposta, mas quando se trata de melanoma, certifique-se de que este seja verificado pelo médico dele para ter certeza de que não esteja na corrente sanguínea. A razão pela qual digo isso não é porque não confio em sua habilidade de ouvir o Criador. Estou dizendo isso para que você não seja culpado por alguém pelo fato de um melanoma ter se desenvolvido nessa pessoa duas semanas depois de ela ter saído de seu consultório.

Se você vir pintas estranhas no fígado com um formato engraçado, isso poderia ser um melanoma ou um carcinoma basocelular. O carcinoma basocelular é conhecido por suas arestas. Convencionalmente ele é tratado sendo queimado.

Remédios intuitivos

Acho que o melanoma é um dos cânceres mais sensíveis à cura. Isso, no entanto, não é uma razão para ser arrogante e incentivar a pessoa a não receber a validação extra de seu médico. Acho que as pessoas devem ir a um médico e, em seguida, a um curador e, em seguida, voltar ao médico para a validação.

Uma coisa que funciona com o melanoma é comandar que toda radiação desnecessária deixe o corpo. Você também tem de ensinar às pessoas como escolher o seu médico. Você não precisa ir a um médico do qual não goste.

Trabalho de crenças

Uma vez que a pele é a linha de frente de defesa, a maioria dos programas de crença estará associado àquilo que ela faz por nós. Substitua por:

"Eu estou protegido."
"Eu estou seguro."
"Eu acredito que o melanoma pode ser curado."

O melanoma responde muito bem ao trabalho de crenças.

Se você não gosta de algumas de suas verrugas, verifique se você tem a crença de que é errado ter verrugas. Muitas mulheres foram mortas no tempo da caça às bruxas porque tinham uma verruga em um determinado lugar, especialmente se esse lugar fosse do pescoço para cima, onde as pessoas podiam vê-la. Algumas mulheres também eram consideradas bruxas se tivessem alguma marca de nascença.

Suplementos

Para o câncer de células basais:

- coloque ácido alfalipoico e selênio diretamente sobre o câncer e ele se dissolverá;

O Corpo Canta

- você também pode usar uma pomada à base de plantas chamada pomada preta.

Para o melanoma, use:

- ácidos graxos essenciais;
- combinação de multivitaminas e minerais;
- complexo B;
- CoQ10;
- glutationa e ácido alfalipoico, 600 mg;
- noni;
- pomada preta;
- raiz de bardana;
- selênio;
- vitamina A;
- vitamina C.

CÂNCER DE PULMÃO

O câncer de pulmão se forma nos tecidos dos pulmões, geralmente nas células que revestem as passagens de ar. É a principal causa de morte por câncer entre homens e mulheres. A idade do diagnóstico é geralmente aos 60 anos. Os médicos detectam-no por meio de testes por imagens, biópsia e exames de sangue.

O tabagismo é responsável por quase 80% dos casos de câncer de pulmão. Outros cânceres são causados pelo abuso de álcool e exposição a amianto, herbicidas, níquel, pesticidas, poluição e radônio.

As opções de tratamento incluem quimioterapia, imunoterapia, radioterapia, cirurgia e vacinas.

Tipos

Os dois tipos principais são o câncer de pulmão de pequenas células e o câncer de pulmão de não pequenas células. Esses tipos são diagnosticados com base em como as células aparecem no microscópio.

Sintomas

Sinais e sintomas de câncer de pulmão incluem:

- fadiga;
- falta de ar;
- perda de apetite;
- perda de peso;
- pneumonia recorrente.

Remédios intuitivos

Testemunhe o câncer sendo suavemente raspado dos pulmões e enviado para a luz do Criador. Esse é um câncer obediente a curas. Permita que o Criador lhe mostre o que fazer.

Trabalho de crenças

Caso não haja uma cura instantânea, o trabalho de crenças será necessário.

Essa doença pode ser causada por tristeza e ressentimento. O praticante deve considerar o uso do exercício "A Canção do Coração" (*Veja Doença Cardiovascular*).

Pergunte ao cliente o que estava acontecendo em sua vida quando ele começou a ficar doente. Pergunte ao cliente o que aconteceria se ele se curasse completamente.

Faça os *downloads*:

"Eu sei qual é a sensação de respirar ar puro."

"Eu sei qual é a sensação de tomar decisões rápidas e decisivas."

"Eu sei qual é a sensação de aceitar o sopro da vida."

"Eu sei qual é a sensação de me perdoar."

"Eu sei qual é a sensação de limpar meu corpo."

"Eu sei qual é a sensação de comer bons alimentos."

"Eu sei qual é a sensação de viver sem tabaco."

"Eu sei qual é a sensação de viver minha rotina diária me sentindo importante."

"Eu sei qual é a sensação de me sentir completamente curado."

"Eu sei que é possível estar completamente curado."

"Eu sei qual é a sensação de ser capaz de expressar minhas emoções."

"Eu sei qual é a sensação de viver sem estar com raiva o tempo todo."

Suplementos

- noni;
- suco de baga de sibu;
- olmo;
- vitamina C;
- vitamina E.

CÂNCER DE TESTÍCULO

O câncer de testículo ocorre nos testículos, que estão localizados dentro do escroto, uma bolsa de pele solta abaixo do pênis. Os testículos produzem hormônios sexuais masculinos e esperma para a reprodução. Em comparação com os outros tipos de câncer, o câncer de testículo é raro. No entanto, é o câncer mais comum em homens americanos com idades entre 15 e 34 anos.

O câncer de testículo é altamente tratável, mesmo quando o câncer se espalhou para além do testículo. Dependendo do tipo e do estágio, você pode receber um dos vários tratamentos ou uma combinação deles. O câncer de testículo responde à quimioterapia e à radiação.

Um autoexame regular do testículo pode ajudar a identificar crescimentos precoces, estágio no qual as chances de sucesso do tratamento são mais elevadas. No entanto, cistos podem ser mal diagnosticados como câncer.

Remédios intuitivos

O câncer de testículo parece ser causado por metais pesados no corpo. Ele pode desenvolver metástase no osso, mas mesmo assim continua respondendo muito bem a curas.

Trabalho de crenças

Um trabalho de crenças é geralmente necessário. Esse tipo de câncer está ligado a problemas de relacionamento ou questões relativas a sexo – como se sente sobre sexo, como se sente sobre as mulheres e assim por diante.

Suplementos

Além de comer tomate, melancia e cereais integrais, tomar:

- ácido alfalipoico;
- ômega 3;
- vitamina E.

CÂNCER LINFÁTICO/LINFOMA

Linfoma é um tipo de câncer que envolve as células do sistema imunológico, os linfócitos, que combatem infecções. Assim como "câncer" representa muitas doenças diferentes, "linfoma" representa muitos tipos de câncer de linfócitos – cerca de 35 subtipos diferentes.

Os gânglios linfáticos são encontrados no abdômen, no tórax e embaixo dos braços. Outras partes do sistema linfático incluem a adenoide, a medula óssea, o timo e as amígdalas.

Tipos

O câncer que se desenvolve no sistema linfático é classificado como linfoma de Hodgkin ou linfoma não Hodgkin.

Nos não Hodgkin, a capacidade do corpo de combater infecções fica significativamente reduzida, porque ele fica com menos glóbulos brancos normais. Os adultos mais velhos estão em maior risco.

Causas

As causas do linfoma estão ligadas aos vírus. Os fatores de risco incluem AIDS, tintura preta de cabelo, mercúrio, exposição a herbicidas e pesticidas, hereditariedade, disfunções do sistema imunológico, terapias imunossupressoras e recebimento de transplante de órgãos.

A intoxicação por mercúrio ou chumbo também pode causar câncer linfático. Esta irá remover a medula óssea do osso se acoplando a ele. O baço irá inchar. Será necessário limpar os metais pesados do corpo para que ele se cure.

Sintomas

Os sintomas de linfoma incluem:

- sensação de que algo está preso na garganta;
- desordens crônicas na boca, língua ou garganta que não curam;
- dificuldade em engolir;
- manchas brancas na área da boca ou garganta;
- perda de sensibilidade na boca.

Uma biópsia deve ser feita se houver suspeita de linfoma.

Insights intuitivos

As pessoas com linfoma têm necessidade de agradar aos outros e têm problemas com falta de amor. Elas normalmente estão tendo problemas com um de seus pais e não conseguem expressar seus sentimentos sobre o relacionamento.

Fugir é um sintoma de não Hodgkin em todos os níveis – física, mental e espiritualmente.

Em geral, o progenitor que traz uma criança com linfoma até você vai lhe dizer que ela está tendo problemas com o outro progenitor. Há, sem dúvida, abuso nessas famílias, mas às vezes essas crianças são tão sensíveis que o abuso pode ser algo tão simples quanto um pai gritando com o outro. No geral, os pais não mudam sua postura para melhorar a situação e vão esperar que a criança lide com isso.

Remédios intuitivos

Testemunhe o linfoma sendo removido e enviado para a luz do Criador.

Como as toxinas causam linfoma de Hodgkin e não Hodgkin, as curas geram grandes resultados, mas você sempre tem de dar continuidade à não Hodgkin com o trabalho de crenças.

O álcool deve ser completamente evitado por aqueles que têm linfoma.

Trabalho de crenças

Trabalhe para a pessoa ser capaz de se expressar, defender-se e seguir em frente.

Faça os *downloads*:

"Eu tenho permissão para me manter erguido."

"Eu sei como me expressar."

"Eu tenho permissão para me defender."

"Eu tenho permissão para seguir em frente."

Estes são apenas de orientação; você ainda tem de fazer o trabalho de escavação (*digging*) para descobrir com quem a pessoa está tendo problemas. Dar-lhe de volta sua identidade é muito importante.

Faça os *downloads*:

"Eu sei qual o conceito de amor do Criador."

"Eu sei qual o conceito do Criador de como brilhar."

"Eu sei qual é a sensação de casa segundo o conceito do Criador."

"Eu sei como fazer da Terra minha casa."

"Eu sei qual é a sensação do sopro da vida segundo o conceito do Criador."

"Eu sou digno de me comunicar com o Criador."

"Eu sou digno de viver sem medo de estar sozinho."

"Eu sei qual é a sensação de entender o que a pessoa ao meu lado está sentindo."

"Eu sei qual é a sensação de me importar com outra pessoa."

"Eu sei como viver sem permitir que pensamentos negativos entrem."

"Eu posso viver sem que outra pessoa se aproveite de mim."

"Eu sei qual é a sensação de viver minha vida em verdadeira harmonia com Deus."

"Eu sei qual é a sensação de ouvir a verdade."

"Eu sei qual é a sensação de ser capaz de manter minha dignidade."

"Eu sei como viver sem permitir que outros me deixem triste."

"Eu sei qual é a sensação de viver sem ter de ser carente."

"Eu sei como retribuir ao mundo."

"Eu sei qual é a sensação de viver minha vida sem me ressentir de todos que me ajudam."

"Eu sei qual é a sensação de viver sem me ressentir de ninguém."

"Eu sei qual é a sensação de apreciar aqueles que estão ali para me ajudar."

"Eu sei como não culpar as pessoas por me deixarem irritado."

"Eu sei qual é a sensação de viver sem estar zangado com o mundo."

"Eu sei qual é a sensação de viver sem medo de seguir em frente."

"Eu sei qual é a sensação de seguir em frente."

"Eu sei que é possível seguir em frente."

LEUCEMIA

A leucemia é considerada um tipo de câncer. Em minha opinião, no entanto, ela não é realmente um câncer. Mesmo que seja classificada como tal, descobri que, se você lidar com ela da mesma forma que com a maioria dos cânceres, não obtém os mesmos resultados que se lidar com ela como se fosse uma infecção.

A medicina convencional não tem cura para a leucemia. O tratamento envolve quimioterapia, transfusões de sangue e transplantes de medula óssea. Esses tratamentos podem prolongar a vida do paciente. Nos últimos anos, a pesquisa com células-tronco parece ser promissora.

Tipos

Os tipos de leucemia são agrupados pela rapidez com que a doença se desenvolve – ou é crônica (piora lentamente) ou aguda (piora rapidamente) – e pelo tipo de glóbulos brancos afetado. A leucemia pode surgir em células linfoides ou em células mieloides. A leucemia que afeta as células linfoides é chamada de leucemia linfocítica. A leucemia que afeta as células mieloides é chamada de leucemia mieloide ou leucemia mielogênica.

Dependendo do tipo de leucemia, os glóbulos brancos atacam algumas das hemácias.

Em um tipo de leucemia, o sistema linfático produz tantos glóbulos brancos que ele não sabe o que fazer com eles. Estes atacam as hemácias irregulares, mas em alguns casos de leucemia o que acontece é que o corpo está liberando muitas hemácias antes de elas se tornarem adultas e por isso glóbulos brancos tentam se livrar delas, e o que acontece é que o corpo fica com uma taxa alta de glóbulos brancos e uma taxa baixa de hemácias. As células do sangue param de funcionar corretamente.

Sintomas

Os sintomas da leucemia incluem:

- cortes que demoram a cicatrizar;
- aumento dos gânglios linfáticos;
- perda de peso extrema;
- medos;
- hemorragias nasais;
- palidez;
- falta de ar.

A leucemia é detectada por um teste sanguíneo.

Insights intuitivos

Para ver a leucemia no corpo, você precisa ir para a medula óssea e para a corrente sanguínea.

Suspeito que viver perto de grandes fios elétricos é um fator de risco para a leucemia e crianças pequenas são especialmente vulneráveis. A família precisa se afastar desses fios.

Remédios intuitivos

Descobri que os vírus causam leucemia, mas uma coisa que geralmente encontro em doenças do sangue é a intoxicação por mercúrio, por isso tenha certeza de que todo o mercúrio foi removido do corpo. A leucemia pode ser curada, mas, se você não remover o mercúrio do corpo, ela pode voltar.

O amor é a chave quando se trabalha com leucemia. Entre e diga para o organismo produzir as hemácias corretas. Então vá para o sangue e certifique-se de que as hemácias estão em um nível saudável e que os glóbulos brancos as aceitam. Testemunhe como feito. Comande que as células danificadas sejam removidas do sangue e enviadas para a luz do Criador. Comande que a quantidade de glóbulos brancos diminua e a quantidade de hemácias suba. É claro, peça orientação ao Criador.

Trabalho de crenças

Toda vez que trabalho com alguém que tem leucemia ou linfoma não Hodgkin, eu me certifico de que ele saiba que é amado e trabalhamos em questões de ressentimento. Essas pessoas têm muitos ressentimentos antigos! Ensine-as a se sentir protegidas e amadas.

Os bebês estão propensos à leucemia se não tiverem carinho e amor suficientes, mas alguns deles são pequenos guerreiros que vieram a este mundo para ensinar os pais a amar uns aos outros. Esses bebês são fáceis de curar. Basta subir e pedir ao Criador.

É importante trabalhar com os pais também, pois você pode fazer com que os bebês entrem em remissão, mas eles só se manterão em remissão caso saibam que são amados.

Com adultos também, se você não trabalhar em seus ressentimentos e ensiná-los a se sentir amados, não será capaz de manter os resultados. Porém, uma vez que eles se sintam amados, é mais provável que os resultados sejam bons.

Faça os *downloads*:

"Eu sei qual é a sensação de ser amado."

"Eu sei como absorver amor."

"Eu sei qual é a sensação de me sentir valorizado."

"Eu sei qual é a sensação de ser cuidado."

"Eu sei qual é a sensação de ser importante."

"Eu sei qual é a sensação de me sentir apreciado."

"Eu sei como ser apreciado."

"Eu sei que é possível ser apreciado."

"Eu sei qual é a sensação de comunicar meus pensamentos facilmente e sem esforço."

"Eu sei qual é a sensação de ter esperança."

"Eu sei qual é a sensação de todos os órgãos de meu corpo se comunicarem em uníssono."

"Eu sei qual é a sensação de apreciar e amar meu corpo."

"Eu sei qual é a sensação de ser cercado por amor."

"Eu sei qual é a sensação de saber que esta Terra não é um lugar ruim."

"Eu sei qual é a sensação de saber que a Terra está segura."

"Eu sei qual é a sensação de saber que eu estou seguro."

"Eu sei qual é a sensação de saber que é seguro me sentir bem."

"Eu sei qual é a sensação de viver sem estar muito cansado."

"Eu sei qual é a sensação de meu corpo ficar mais forte a cada dia."

"Eu sei que é possível que as pessoas ao meu redor cooperem."

"Eu sei qual é a sensação de saber que eu sou importante."

"Eu sei qual é a sensação de viver com esperança por mim e pelos outros."

"Eu sei como contagiar com essa esperança."

"Eu sei qual é a sensação de viver com minha autoestima melhorando o tempo todo."

"Eu sei qual é a sensação de as pessoas me amarem."

"Eu sei qual é a sensação de utilizar cada momento da melhor e mais elevada maneira."

Suplementos

- Sugere-se que todas as obturações dentárias sejam removidas quando se lida com leucemia.
- Limpezas de fígado e selênio são excelentes ajudas para a leucemia.
- Remova o mercúrio do corpo sugerindo ácido alfalipoico.
- Use urtiga como um complemento.

- Não sugira equinácea, hidraste ou melatonina – elas pioram a leucemia.

TUMOR CEREBRAL

Tipos

Existem dois tipos de tumor cerebral: os tumores cerebrais primários se originam no cérebro e os tumores cerebrais metastáticos (secundários) se originam de células cancerígenas que migraram de outras partes do corpo.

O tumor cerebral primário raramente se espalha para além do sistema nervoso central. O tumor cerebral metastático indica uma doença avançada e um prognóstico ruim.

Tumores cerebrais primários podem ser cancerígenos ou não cancerígenos. Ambos os tipos ocupam espaço no cérebro e podem causar sintomas graves (por exemplo, perda de visão ou audição) e complicações (por exemplo, acidente vascular cerebral). Todos os tumores cerebrais malignos (cancerígenos) oferecem risco de vida, porque têm uma natureza agressiva e invasiva. Um tumor cerebral primário não cancerígeno oferece risco de vida quando compromete estruturas vitais, como artérias.

Causas

Cloreto de vinila e mutações genéticas são causas predominantes para tumor cerebral.

Limpando radiações

Essa técnica surgiu de testemunhar o que o Criador fazia quando tumores cerebrais causados por excesso de radiação eram liberados. É um bom exemplo de uma técnica de ThetaHealing que pode ser usada em si mesmo ou nos outros. Eu a uso para liberar a radiação do dia a dia de telefones celulares, computadores, lâmpadas fluorescentes e outros equipamentos elétricos.

O processo de limpeza de radiações

1. Centre-se em seu coração e visualize-se descendo para a Mãe Terra, que é uma parte de Tudo O Que É.

2. Visualize-se trazendo a energia através de seus pés, abrindo cada chacra até o chacra coronário. Em uma linda bola de luz, vá para o universo.

3. Vá além do universo, além da luzes brancas, além da luz escura, além da luz branca, além da substância gelatinosa que são as Leis, em uma luz branca perolada iridescente, no Sétimo Plano da Existência.

4. Faça o comando: *"Criador de Tudo O Que É, é comandado que toda a radiação que não serve a [nome da pessoa] seja removida, transformada e enviada para a luz de Deus. Grato! Está feito. Está feito. Está feito".*

5. Testemunhe a radiação ser removida e enviada para a luz de Deus.

6. Assim que o processo tiver terminado, enxágue-se e coloque-se de volta ao seu espaço. Vá para a Terra, puxe a energia da Terra através de todos os seus chacras até seu chacra coronário e faça a quebra energética.

Uma vez que a radiação não é uma substância que deva estar no corpo, não é necessário substituí-la por outra coisa.

TUMOR ÓSSEO

O câncer ósseo pode ser causado por um tumor que armazena metais pesados dentro dos ossos. Certifique-se de que isso não está interferindo no osso. Se o osso aparenta estar preto e cinza, isso significa que há uma falta de cálcio. Isso geralmente é causado pelo chumbo. Se, depois de uma cura, o tumor encolher e crescer novamente, a intoxicação por metais pesados ainda está acontecendo.

Remédios intuitivos

Comande uma cura e diga: *"Criador, mostre-me"*. Peça pelo alívio de toda a dor.

Trabalho de crenças

Verifique se há questões relacionadas a Deus – trabalhe em questões quanto a ser apoiado por Deus.

Suplementos

- selênio;
- zinco (para remover o chumbo; 50-100 mg por dia).

CÂNDIDA

Muitas pessoas sofrem de um crescimento exagerado do microrganismo *Candida albicans*, a chamada candidíase.

Sintomas

Existe uma grande variedade de sintomas, que podem variar enormemente e incluem:

- *Alergias a alimentos e/ou produtos químicos no ar*: O número de substâncias ofensivas continua aumentando até que muitas pessoas se tornem "reatores universais" a cândida.
- *Fadiga*: A cândida pode causar uma fadiga contínua que é mais perceptível depois de comer.
- *Problemas gastrointestinais*: A cândida pode causar inchaço, constipação, diarreia, azia, má digestão, dores de estômago e sopro.
- *Problemas genito-urinários:* A cândida pode causar impotência, infertilidade, problemas menstruais, prostatite, coceira retal, infecções urinárias e infecções vaginais.
- *Problemas neurológicos*: A cândida pode causar ansiedade, depressão, tonturas, uma sensação de confusão, dores de cabeça, irritabilidade, enxaqueca, alterações de humor, falta de concentração e anseio por açúcar.
- *Problemas respiratórios*: A cândida pode causar asma, bronquite, congestão, dores de ouvido, gotejamento pós-nasal, dores de garganta e um sistema imunológico debilitado.

Remédios intuitivos

A cândida está sempre presente no corpo, então você não pode fazer o comando para que toda ela vá embora. É apenas quando há um desequilíbrio que se torna um problema. Isso pode ser causado por tomar muitos antibióticos e pode ser transmitido entre os parceiros.

Uma limpeza de *Candida* pode funcionar bem.

É importante elevar lentamente a dosagem porque, durante e depois da limpeza, a pessoa se sentirá um pouco doente. Isso acontece porque, como a *Candida* morre no corpo, ela deixa para trás uma substância tóxica chamada acetaldeído. Isso pode causar alergias, dores nas articulações e debilidades de memória e pode ser difícil tirá-la do corpo. Para limpá-la, tente um suplemento de molibdênio, porque o molibdênio se acopla ao acetaldeído e cria ácido úrico, que é mais facilmente liberado do corpo do que o acetaldeído. Um regime sugerido seria começar com cem microgramas de molibdênio por dia, subir para 300 microgramas por dia na segunda semana e, em seguida, continuar subindo gradualmente até 500 microgramas por dia.

Um dos sentimentos primários associados à cândida é o ressentimento. As crenças de ressentimento são as mesmas daquelas dos fungos.

Suplementos e outras recomendações nutricionais

Para curar alguém com cândida você precisa ter certeza de que eles abram mão de todo pão branco e glúten.

Utilize um dos seguintes:

- suco de aloe vera;
- chá de confrei;
- limpeza de fungos;
- extrato de semente de uva;
- noni;
- extrato de folhas de oliva (uma erva excelente para cândida);
- óleo de orégano;
- pau d'arco;
- platina mineral traço;
- chá *tahhebo*;

- dieta alcalina.

Adicione estes suplementos à dieta:

- ácido alfalipoico: 300 mg;
- acidofilus;
- CoQ10;
- MSM (por quatro meses).

CATARATAS

Veja <u>Olhos</u>.

CÉREBRO

O cérebro está conectado e governa todos os outros sistemas. Os neurônios, os mensageiros químicos do cérebro, se comunicam com o resto do corpo e, em seguida, mensagens são enviadas de volta do corpo para o cérebro. Todas as informações são classificadas, registradas e enviadas de volta para percepção. Você registra muito mais informações do que conscientemente percebe.

Cada lobo do cérebro tem sua função:

- O *tronco cerebral* consiste no mesencéfalo, ponte e bulbo. É o sistema de mensagens entre diferentes partes do sistema nervoso e tem três funções:
1. Produz comportamento autônomo no corpo.
2. Fornece caminhos para as fibras nervosas irem até os centros neurais.
3. É a origem da maior parte dos nervos cranianos.
- O *cerebelo* mantém o tônus muscular, o movimento muscular e o equilíbrio do corpo.
- O *cérebro* tem o centro nervoso que controla atividades sensoriais, motoras e a inteligência.
- O *diencéfalo* consiste no tálamo e no hipotálamo. O tálamo é uma estação de retransmissão de todos os estímulos sensoriais e o hipotálamo controla funções autônomas.

- O *lobo frontal* influencia o raciocínio abstrato, o julgamento, o uso da linguagem, o movimento (em sua dimensão motora), a personalidade e o comportamento social.
- O *sistema límbico* atua com o acionamento das movimentações básicas de agressão, das emoções, de fome e de excitação sexual.
- O *mesencéfalo* é o centro de reflexo do cérebro para nervos cranianos. Intermedia o movimento dos olhos.
- O *lobo occipital* interpreta principalmente os estímulos visuais.
- O *lobo parietal* interpreta e integra as sensações, incluindo a dor, a temperatura e o tato. Também interpreta tamanho, forma, textura e distância. O lobo parietal do hemisfério não dominante é especialmente importante para a consciência da forma do corpo.
- A *ponte* liga o cérebro ao cerebelo e liga o mesencéfalo ao bulbo. Ela intermedia a mastigação, o equilíbrio, a audição, o paladar e as secreções salivares.
- A *formação reticular* é o sistema de ativação que canaliza sua triagem para a área correta do cérebro.
- O *lobo temporal* controla a audição, a compreensão da linguagem, o armazenamento e a produção de memórias (embora as memórias sejam armazenadas por todo o cérebro).

Insights intuitivos

Toda vez que você se conecta com o Criador e está em Theta, ativa o lobo frontal, bem como outras partes do cérebro. A visualização acontece no lobo frontal. O conhecimento interior da intuição está no centro do chacra cardíaco. Desperte o conhecimento interior com "É seguro ver intuitivamente" e "É seguro saber com a intuição". Quanto mais você mantiver uma onda Theta no cérebro, mais desenvolvidas suas capacidades intuitivas se tornarão.

Aceitar o que é sentido, compreendido, visto ou ouvido intuitivamente gera a capacidade de visualizar de modo adequado dentro do lobo frontal do cérebro. Teste em si mesmo ou em seus clientes bloqueios de intuição, substituindo habilidades e obrigações antigas que impedem a visualização.

Trabalho de crenças

Se o cérebro estiver distraído ou analisar excessivamente as situações, você não vai agir adequadamente. Faça o teste energético para medo de ação. Faça os *downloads*:

"Eu sei como aceitar a cura de Deus."

"Eu sei como agir."

"Eu sei como permitir amor."

"Eu sei como viver sem analisar excessivamente."

"Eu sei como receber uma cura sem resistência."

"Eu sei qual é a sensação de viver sem dor."

"Eu sei qual é a sensação de aceitar ajuda de outras pessoas sem me sentir fraco."

LESÃO CEREBRAL

Remédios intuitivos

Para trabalhar com adultos ou crianças que tenham qualquer tipo de lesão cerebral, simplesmente entre no cérebro e faça o comando para que as células cerebrais se tornem o que precisam se tornar. Peça ao Criador que lhe mostre o problema e faça o comando para que mude.

Se você não estiver familiarizado com as diferentes partes do cérebro, tudo que tem a fazer é pedir ao Criador para lhe mostrar o que precisa ser feito e testemunhar.

Trabalhar com crianças e ensinar ao cérebro delas o que fazer é simples. Tudo que você precisa fazer é comandar que assim seja e deixar que as células-tronco e o brilho da mente e do espírito da criança comecem a trabalhar.

Trabalho de crenças

É melhor trabalhar nas crenças dos pais para permitir que a criança se cure. Nunca subestime o poder e a influência da ligação genética entre pai e filho. Se o pai estiver transmitindo crenças negativas, a criança vai absorvê-las como uma esponja.

CHOQUE SÉPTICO

O choque séptico é uma condição séria que ocorre quando uma esmagadora infecção leva à baixa pressão arterial e à queda do fluxo sanguíneo. O cérebro, o coração, os rins e o fígado podem não funcionar corretamente ou podem falhar. As pessoas podem morrer em poucos dias. Geralmente, as pessoas com sistemas imunológicos comprometidos contraem choque séptico.

Minha cliente foi a mais longa sobrevivente de sepse que o médico dela já vira. Aparentemente, ela pegou de um de seus tubos de alimentação intravenosa. Fiz uma cura nela e lhe disse que fosse ao hospital. Eles fizeram testes, mas não conseguiram descobrir o que havia de errado com ela e mandaram-na para casa. Ela consultou seu médico pessoal, que também fez alguns testes. Ele fez um teste sanguíneo e descobriu que ela estava com sepse. Aparentemente, ela estava com sepse há quase nove dias antes de ter sido diagnosticada. Os médicos não entendiam como ela poderia ter septicemia e ainda estar funcionando, muito menos ainda estar viva! Eles finalmente lhe deram antibióticos que cuidaram da doença. Minha cliente atribui sua sobrevivência às curas que foram feitas nela.

As bactérias que ela tinha eram diferentes de tudo o que eu já tinha visto antes. O Criador me disse para mandá-la ao médico. Não fiquei ofendida por isso e ouvi o que me foi dito.

Para curar o choque séptico, peça ao Criador que se livre dele e lhe mostre. Curas instantâneas são necessárias aqui e a pessoa deve sempre consultar também um médico.

CICATRIZES

As pessoas às vezes me dizem que não gostam de uma certa cicatriz em seu corpo. Eu sei que, se colocar vitamina E nela e usar um pouco de selênio extra, é provável que ela suma.

É interessante como as pessoas ficam compulsivas com uma cicatriz e fazem de tudo para fazê-la desaparecer. Isso se deve ao fato de que elas realmente estão tentando se livrar do incidente que a criou.

Eu entro no tecido e testemunho a cicatriz sendo curada através do Criador de Tudo O Que É e uso o trabalho de crenças nas emoções e crenças do momento em que a cicatriz foi criada.

Quando curas são feitas em uma cicatriz, o cliente deve entender que pode levar três meses ou mais para que todas as camadas da pele se curem completamente e para a cicatriz desaparecer.

CIRROSE

Existem poucos órgãos no corpo que podem ser comparados ao fígado em termos do que ele faz por nós. Como acontece com o coração, todas os caminhos do corpo levam ao fígado.

Uma das mais importantes funções do fígado é a secreção da bílis para a digestão. A bílis é integral na absorção de vitaminas e nutrientes. Uma vez que esses nutrientes vitais são processados no sistema digestivo, eles são enviados para o fígado para a extração de ferro, vitamina A e vitamina B12 para uso futuro.

O fígado também sintetiza ácidos graxos, aminoácidos e açúcares e cria uma substância chamada fator de tolerância à glicose, que equilibra o açúcar no sangue.

O fígado filtra pesticidas, drogas e inúmeras outras toxinas do resto do corpo.

Ele é responsável por regular o funcionamento da tireoide, convertendo a tiroxina (que é um hormônio da tireoide) em sua forma mais ativa, tri-iodotironina. A conversão inadequada desses hormônios da tireoide pode levar ao hipertireoidismo.

O fígado também decompõe hormônios como a adrenalina, aldosterona, insulina e estrogênio uma vez que tenha terminado suas funções necessárias.

A cirrose faz com que o tecido saudável do fígado seja substituído por tecido cicatricial. Isso eventualmente bloqueia o fluxo sanguíneo através do fígado e atrasa o processamento de medicamentos, hormônios, nutrientes e toxinas e a produção de proteínas e outras substâncias produzidas pelo fígado.

De acordo com especialistas, a cirrose é a sétima principal causa de morte por doença.

Causas

Hepatite A, gordura no fígado e o abuso de álcool são as causas mais comuns de cirrose nos Estados Unidos, mas qualquer coisa que danifique o fígado pode ser responsável, incluindo:

- deficiência de alfa-1-antitripsina, a ausência de uma enzima específica no fígado;
- obstrução do canal biliar, do fígado para os intestinos;
- fibrose cística;
- diabetes;
- doenças de armazenamento de glicogênio;
- hemocromatose, uma condição na qual o excesso de ferro é absorvido e depositado no fígado e outros órgãos;
- hepatite B, C e D;
- obesidade;
- repetidas crises de insuficiência cardíaca com fluidos voltando para o fígado;
- a doença de Wilson, causada pela armazenagem anormal de cobre no fígado.

Sintomas

Os sintomas de cirrose variam de acordo com o estágio da doença e incluem:

- urina com tonalidade acastanhada ou laranja;
- sangue nas fezes;
- contusões;
- confusão, desorientação, alterações de personalidade;
- febre;
- retenção de líquidos (edema) e inchaço nos tornozelos, pernas e abdômen;
- coceira na pele;
- falta de energia;
- fezes de cor clara;
- perda de apetite;
- perda de peso ou ganho de peso repentino;

- amarelamento da pele (icterícia).

O tratamento convencional

- Dietas e medicamentos podem ajudar a melhorar o funcionamento mental alterado que a cirrose pode causar.
- Os diuréticos são utilizados para remover o excesso de fluidos e evitar que um edema ocorra novamente.
- Em cirrose causada pelo abuso de álcool, a pessoa tem de parar de beber álcool para impedir a progressão da doença.
- Se a pessoa tiver hepatite, o médico pode prescrever esteroides ou drogas antivirais para reduzir a lesão das células do fígado.
- Laxantes como lactulose podem ser dados para ajudar a absorver as toxinas e acelerar sua remoção do intestino.
- Edema e ascite (fluido no abdômen) são tratados com a redução de sal na dieta.

Remédios intuitivos

Vista intuitivamente no corpo, a cirrose no fígado não deve ser confundida com o câncer de fígado, o qual tem uma aparência muito diferente. O câncer de fígado é mais denso na estrutura, mais escuro e tem uma estrutura diferente do tecido cicatricial da cirrose. A cirrose tem cor cinza.

Se a cirrose foi causada por alcoolismo, a pessoa pode não querer mudar. Simplesmente dizer a alguém que ele deveria parar de beber não significa que ele vá. É melhor que ele tenha parado de beber há um tempo antes que chegue até você, para que você possa colocá-lo em um regime decente e ele possa aceitar a cura de uma forma muito mais favorável.

A raiva precisa ser retirada do fígado para habilitá-lo a funcionar corretamente. Vá até o Criador de Tudo O Que É e peça que o fígado seja purificado.

Testemunhe o Criador limpando o fígado, pelo menos duas vezes. Você nunca deve testemunhar as toxinas sendo removidas para fora do corpo, mas, sim, se transformado em algo diferente.

Alguns processos do ThetaHealing que podem ser utilizados são os exercícios "Enviando Amor para o Bebê no Ventre" (Veja *Câncer*), "A Canção do Coração" (Veja *Doenças Cardiovasculares*) e "A Alma Partida" (Veja *Câncer*).

Trabalho de crenças

A cirrose de fígado leva as pessoas a ficarem amargas e raivosas. Elas são geralmente amargas quanto ao passado e têm raiva do futuro.

Elas também têm uma tendência a ultrapassar seus limites diante das pessoas. Elas podem roubar dinheiro e pressionar as pessoas. Elas devem aprender qual é a sensação de saber seus limites.

Faça os *downloads*:

"Eu sei qual é a sensação de viver sem ultrapassar os limites dos outros."

"Eu sei qual é a sensação de respeitar os limites dos outros."

"Eu sei qual é a sensação de ter meus limites respeitados."

"Eu sei qual é a sensação de viver sem que os outros se aproveitem de mim."

"Eu sei qual é a sensação de viver sem tirar vantagem dos outros."

"Eu sei qual é a sensação de viver sem dor."

"Eu sei qual é a sensação de viver em um corpo perfeitamente saudável."

"Eu sei qual é a sensação de ser feliz."

"Eu sei qual é a sensação de me sentir forte."

"Eu sei qual é a sensação de tomar conta de minha própria vida."

"Eu sei qual é a sensação de ver o lado bom das coisas."

"Eu sei qual é a sensação de permitir que os outros me amem."

"Eu sei qual é a sensação de viver sem ressentimento."

"Eu sei qual é a sensação de viver sem raiva."

"Eu sei como viver sem medo."

"Eu sei como viver sem me sentir culpado."

"Eu sei como viver sem pesar."

"Eu sei como viver sem sentir arrependimento do passado."

"Eu sei qual é a sensação de me perdoar."

"Eu sei qual é a sensação de seguir em frente."

"Eu sei como perdoar abusos antigos da maneira melhor e mais elevada."

"Eu sei qual é a sensação de aceitar e receber amor."

"Eu sei que é possível ficar mais forte e saudável a cada dia."

"Eu sei qual é a sensação de saber que meu corpo pode se recuperar."

"Eu sei que é possível que meu corpo possa se recuperar."

"Eu sei qual é a sensação de tratar meu corpo com respeito."

Suplementos e outras recomendações nutricionais

- ALA ajudará o fígado, 300 mg a 600 mg.
- Não use limpezas de fígado para cirrose, pois pode ser muito intenso. A única limpeza de fígado que eu recomendo nesse caso seria cardo de leite, porque desintoxica o fígado com leveza, e apenas duas semanas de cada vez.
- Beba sucos de vegetais frescos, como uma mistura de beterraba, cenoura, alho, um pouco de gengibre e uma vara de aipo.
- Coma muitos alimentos ricos em vitamina K. Pessoas com cirrose do fígado frequentemente têm carência em vitamina K. Boas fontes de vitamina K incluem brotos de folhas verdes e legumes.
- Equinácea ajudará a estimular o fígado.
- Recomenda-se ter uma dieta de 75% de alimentos crus, consistindo de vegetais frescos.
- A marca Lidtke Technologies tem um produto chamado "Cleanse and Build" (Limpar e Construir) que é maravilhoso para o fígado.
- Extrato de folha de oliveira é útil para a cirrose do fígado.
- Ômegas 3, 6 e 9 são úteis.
- O trevo-vermelho estimulará e purificará o sangue.

CISTITE

A cistite é uma das doenças mais fáceis de se limpar intuitivamente:

O processo de limpar cistites

1. Primeiro descubra com quem você está irritado e remova a energia de "Eu estou irritado com [nome da pessoa]", substitua por "Eu libero essa raiva" e instale o sentimento de perdão. (Outras energias externas também podem causar cistites.)

2. A cistite pode ser facilmente curada indo até o Criador de Tudo O Que É e fazendo o comando: *"É comandado que esta cistite vá embora agora. Grato. Está feito, está feito, está feito".*

3. Desça até a bexiga e testemunhe a infecção ser removida e enviada para a luz do Criador.

Quando você se tornar capaz de curar cistites, terá uma clientela que o amará.

Veja também Infecções do Trato Urinário.

CISTOS OVARIANOS

Um cisto é um saco cheio de fluido. Na maioria dos casos, um cisto no ovário não faz nenhum mal e desaparece por si só. A maioria das mulheres tem esses cistos em algum momento de suas vidas. Eles raramente são cancerígenos em mulheres com menos de 50. Eles às vezes machucam, mas nem sempre. Muitas vezes, uma mulher descobre um cisto quando faz um exame pélvico.

Insights intuitivos

Pergunte ao Criador se os cistos são causados por excesso ou falta de estrogênio. Altere qualquer tendência genética. Testemunhe o Criador encolhendo os cistos.

Suplementos e outras recomendações nutricionais

- Cálcio-magnésio ajudará com as cólicas associadas aos cistos.
- Maca também ajuda a liberar cistos.

Veja também Desequilíbrios de Estrogênio.

CLAMÍDIA

Essa doença sexualmente transmissível é causada pela bactéria *Chlamydia trachomatis*. Homens e mulheres podem contraí-la através do sexo vaginal, anal ou oral. Quanto mais parceiros sexuais a pessoa tiver, maior o risco de infecção. Muitas vezes nenhum sintoma é identificável, e por isso as pessoas podem transmitir a doença sem saber.

Uma mãe infectada também pode passar clamídia para o bebê durante o parto. Esses bebês podem ter um sistema imunológico mais fraco. Eles podem ter conjuntivite ou desenvolver pneumonia.

A clamídia tem muito pouco efeito sobre o homem que a contrai, mas se, em uma mulher, ela não for identificada em um período relativamente curto, isso pode gerar uma doença inflamatória na pélvis, o que pode resultar em tanto volume de tecido cicatricial nas trompas de Falópio que a mulher pode não conseguir ter filhos. Além da cicatrização dos órgãos femininos, ela interferirá no trato intestinal, gerando cicatrizes e inflamações. É terrivelmente dolorosa. Vi mulheres com uma dor tão intensa nas trompas de Falópio que não conseguiam trabalhar.

Os antibióticos são utilizados para tratar e curar clamídia. Existem antibióticos que são seguros para uso durante a gravidez. No entanto, as mulheres muitas vezes estão sujeitas à possibilidade de uma reinfecção, se seus parceiros sexuais não se tratarem, e a reinfecção as deixa em maior risco de complicações graves de sua saúde na gestação.

Sintomas

A clamídia é conhecida como uma doença "tranquila", porque 75% das mulheres infectadas e pelo menos metade dos homens infectados não apresentam sintomas. A maioria das pessoas não sabe que tem, pelo menos em seus estágios iniciais. Se os sintomas aparecerem, eles geralmente aparecem dentro de uma a três semanas após o contato.

Os sintomas em mulheres, caso haja, incluem uma sensação de queimação ao urinar, coceira, relações sexuais dolorosas e um corrimento vaginal anormal que se assemelha a um queijo *cottage*. No entanto, mesmo se a infecção se espalhar do colo do útero para o útero e as trompas de Falópio, algumas mulheres podem ainda assim não apresentar sintomas.

Os sintomas nos homens incluem uma sensação de queimação ao urinar e uma secreção clara aquosa do pênis. Os homens podem também sentir uma queimação ou coceira em torno da abertura do pênis ou dor e inchaço nos testículos, ou ambos.

A bactéria pode também infectar a garganta pelo contato sexual oral com um parceiro infectado.

Remédios intuitivos

A doença inflamatória na pélvis responde bem à cura básica. Vá até o Criador de Tudo O Que É e comande que os órgãos reprodutivos sejam restaurados à perfeita condição de saúde. Testemunhe o tecido cicatricial se transformar em um tecido saudável.

Trabalho de crenças

Os programas que estão associados à clamídia e doenças inflamatórias na pélvis giram em torno de questões de abuso mental e sexual, de dignidade, de incapacidade de fazer as coisas por si mesmo e da incapacidade de receber amor.

Faça os *downloads*:

"Eu sei qual é a sensação de ser assertivo e autoconfiante."

"Eu sei como ser assertivo e autoconfiante, sem ser rígido."

"Eu sei quando ser assertivo e autoconfiante."

"Eu sei qual é a sensação de saber que sou digno do amor de Deus."

"Eu sei que é possível estar com alguém que me ama."

"Eu sei qual é a sensação de viver sem dor."

"Eu sei qual é a sensação de viver sem abuso."

"Eu sei qual é a sensação de viver sem os outros se aproveitarem de mim."

"Eu sei como viver uma vida livre de estresse."

COLESTEROL ALTO

Veja Doença Cardiovascular.

CÓLICAS MENSTRUAIS

Para cólicas menstruais e a maioria das outras dores, sugiro quelatos de cálcio e magnésio, além de potássio e vitamina E.

Damiana pode ser usada para cólicas menstruais e tem muito cálcio saudável nela, além de equilibrar os hormônios; no entanto, ela esgotará o ferro em seu sistema, então, se você tomá-la, deve fazê-lo com melaço cinta preta.

COLITE ULCEROSA

A colite ulcerosa é uma doença inflamatória do intestino que provoca uma inflamação crônica do trato digestivo. Ela é distinguida por dores abdominais e diarreias. Como a doença de Crohn, ela é debilitante e, às vezes, pode causar risco de vida. Ela geralmente afeta apenas a camada mais interna do intestino grosso (cólon) e o reto. Ela acontece somente em trechos específicos do cólon, ao contrário da doença de Crohn, que ocorre em qualquer lugar no trato digestivo e muitas vezes se espalha profundamente nas camadas de tecidos do intestino.

Não há nenhuma cura conhecida para a colite ulcerosa, porém existem terapias disponíveis que podem reduzir drasticamente seus sintomas e até mesmo gerar uma remissão longa.

Sintomas e classificações

Os sintomas da colite ulcerosa podem variar, dependendo da gravidade da inflamação e de onde ela ocorre. Por essas razões, os médicos muitas vezes a classificam de acordo com sua localização:
• *Colite fulminante*: Essa forma de colite rara, que oferece risco de vida, afeta todo o cólon. Ela provoca diarreia profusa, dor intensa e, às vezes, desidratação e choques.

Colite esquerda: Como o nome sugere, a inflamação se estende desde o reto até o lado esquerdo, passando pela sigmoide e pelo cólon descendente. Os sintomas incluem cólicas abdominais, diarreia com sangue, dor e perda de peso.

• *Pancolite*: A pancolite afeta todo o cólon. Os sintomas incluem cólicas abdominais, ataques de diarreia com sangue que podem ser graves, fadiga, suores noturnos, dor e perda de peso.

• *Proctite ulcerosa*: Nessa forma de colite, a inflamação está confinada ao reto, e em algumas pessoas, o sangramento retal é um sintoma.

Há momentos em que os sintomas da colite ulcerosa geram dores contínuas e incômodos nas articulações que se assemelham à artrite. A colite ulcerosa pode também causar outros distúrbios, como diverticulose. As pessoas com esse transtorno têm tendência a ser compulsivamente perfeccionistas.

Causas

Ninguém sabe ao certo o que desencadeia a colite ulcerosa. Alguns cientistas acreditam que um vírus ou bactéria pode ser a causa e que o trato digestivo pode inflamar quando o sistema imunológico tenta combater esse microrganismo invasor (agente patogênico). Também é possível que a inflamação possa decorrer de uma reação autoimune na qual o corpo cria uma resposta imune, embora nenhum patógeno esteja presente.

Você é mais propenso a desenvolver colite ulcerativa se tiver um pai ou irmão com a doença. Os cientistas suspeitam que exista uma contribuição genética a essa condição.

A colite ulcerosa afeta aproximadamente o mesmo número de mulheres e de homens. Os fatores de risco podem incluir:

• *Idade*: A colite ulcerosa pode atacar em qualquer idade, mas a maioria das pessoas desenvolve a doença quando jovem. Ela muitas vezes atinge pessoas na casa dos 30, embora um pequeno número de pessoas possa não desenvolver a doença até seus 50 ou 60 anos.

• *Histórico familiar*: Você está em maior risco se tiver um parente próximo, como um pai, irmão ou filho com a doença.

- *Canais biliares inflamados*: Essa condição, chamada colangite esclerosante primária, provoca inflamação das vias biliares do fígado e está associada à colite ulcerosa.
- *Uso de isotretinoína (Accutane)*: A isotretinoína (Accutane) é uma potente droga farmacêutica que às vezes é utilizada para tratar cicatrizes de acne cística ou acnes que não respondem a nenhum outro tratamento.
- *O local onde você mora*: Se você mora em uma área urbana ou em um país industrializado, terá mais chances de desenvolver colite ulcerativa. As pessoas que vivem nos climas nórdicos parecem estar em maior risco.

Downloads

"Eu sei como viver sem ser compulsivamente perfeccionista."

"Eu sei qual é a sensação de desfrutar a vida."

"Eu sei qual é a sensação de saber que sou bom o suficiente."

"Eu sei qual é a sensação de viver minha vida sem encontrar falhas em tudo o que faço."

"Eu sei qual é a sensação de viver minha vida sem encontrar falhas em tudo o que os outros fazem."

"Eu sei como viver minha vida em harmonia."

"Eu sei qual é a sensação de viver sem me preocupar compulsivamente."

"Eu sei qual é a sensação de desfrutar das muitas coisas que a vida tem a oferecer."

"Eu sei qual é a sensação de viver sem ter de controlar os outros."

"Eu sei como permitir que os outros sejam quem eles são."

"Eu sei qual é a sensação de viver sem assumir os problemas do mundo."

Suplementos e outras recomendações nutricionais

- *acidofilus* (para estimular as boas bactérias do trato digestivo);

- ALA;
- suco de aloe vera (para acalmar o trato intestinal);
- limpezas do cólon;
- ácidos graxos essenciais;
- alcachofra-de-jerusalém (para a digestão);
- magnésio;
- noni;
- ômegas 3, 6 e 9;
- urtiga;
- complexo B;
- vitamina C;
- evite refrigerantes, alimentos picantes e cafeína;
- evite laranja e toranja;
- evite alimentos processados;
- não coma frutas com o estômago vazio;
- beba muito líquido;
- coma alimentos que sejam grelhados ou assados e não fritos;
- tenha uma dieta rica em fibras. Cereais integrais bem cozidos podem ser benéficos;
- tenha uma dieta com alta taxa de proteína e baixa taxa de carboidrato. Peixe assado ou grelhado, frango e peru (sem a pele) são fontes aceitáveis de proteína;
- mantenha óleos e gorduras fora de sua dieta, pois podem causar a diarreia que vem com a colite;
- deficiência de vitamina K pode levar à colite ulcerosa, por isso coma alimentos ricos em vitamina K, como vegetais de folhas verde-escuros, que sejam bem cozidos no vapor.

COMA

Um dia um homem entrou em meu consultório com um dilema. Seu sobrinho estava em coma no hospital e ele queria saber se eu poderia intuitivamente falar com o rapaz para ver se conseguia acordá-lo. Perguntei-lhe onde o menino estava, perguntei seu nome e disse ao homem que iria falar com ele assim que fosse possível.

O Corpo Canta 159

Naquela noite, saí de meu espaço e procurei o menino. Quando o encontrei, seu espírito estava fora do corpo. Comecei a falar com ele e lhe disse que ele precisava voltar ao seu corpo. Ele me disse que estava com medo de entrar em seu corpo, porque iria doer. Eu lhe disse que ele precisava fazer uma escolha de ir embora para ir ao Criador ou de voltar a se reconectar com seu corpo. Eu o encorajei a voltar para seu corpo e disse que ficaria tudo bem. Eu lhe disse para acordar lentamente, e só quando ele estivesse pronto, e então o deixei.

No dia seguinte, recebi um telefonema eufórico do tio, agradecendo-me por acordar o menino.

Parece que, depois que o menino acordou, começou a falar sobre a "mulher anjo" que tinha aparecido para ele no coma, encorajando-o a voltar ao seu corpo. Ele disse a seus pais que ela tinha cabelos longos e olhos verdes-castanhos, e deu uma boa descrição de mim.

Eu também me tirei de um coma para voltar aos meus entes queridos.

Insights intuitivos

Quando uma pessoa está em coma, o espírito pode ter saído do corpo e ter ficado desorientado ou se perdido. Muitas vezes ele realmente saiu do corpo por uma experiência traumática, como um acidente. Ele sabe a dor que pode encontrar se retornar ao corpo, por isso evita o retorno.

Mesmo que o espírito tenha saído do corpo, ou não consiga encontrar o corpo para voltar, existe um cordão umbilical que liga o espírito e o corpo. Você pode usar este para localizar o espírito e trazê-lo de volta ao corpo.

Remédios intuitivos

Você pode acordar a pessoa com auxílio do seguinte processo:

O processo para acordar uma pessoa do coma

1. Centre-se em seu coração e visualize-se descendo para a Mãe Terra, que é uma parte de Tudo O Que É.

2. Visualize-se trazendo a energia através de seus pés, abrindo cada chacra até o chacra coronário. Em uma linda bola de luz, vá para o universo.

3. Vá além do universo, além da luzes brancas, além da luz escura, além da luz branca, além da substância gelatinosa que são as Leis, em uma luz branca perolada iridescente, no Sétimo Plano da Existência.

4. Faça o comando *"Criador de Tudo O Que É, é comandado que eu encontre o espírito de [nome da pessoa] e que ele seja devolvido para seu corpo da melhor e mais elevada maneira. Grato! Está feito. Está feito. Está feito".*

5. Mova sua consciência para o espaço da pessoa. Entre em seu corpo através de seu chacra coronário e testemunhe o espírito retornando ao corpo.

Ao lidar com crianças cujos espíritos saíram do corpo, é vital que você se lembre de que a alma de uma criança tem medo da dor e pode não ser fácil trazê-la de volta. Você deve ser persistente com crianças e persuadi-las a voltar à vida.

Trabalho de crenças

Para aqueles que saíram de um coma, faça os *downloads*:

"Eu sei como seguir sem o medo de recaída."

"Eu sei como superar o medo de nunca ser normal."

"Eu sei qual é a sensação de voltar a ser normal."

"Eu sei como receber amor."

"Eu sei como viver sem me pressionar demais."

"Eu sei qual é a sensação de permitir que meu corpo se cure."

"Eu sei qual é a sensação de viver sem temer os outros."

"Eu sei qual é a sensação de viver sem medo de morrer."

"Eu sei qual é a sensação de viver sem medo de que um coma aconteça novamente."

"Eu sei qual é a sensação de ser grato por estar vivo."

"Eu sei como apreciar cada momento."

"Eu sei qual é a sensação de apreciar cada momento."

"É seguro apreciar cada momento."

"É seguro viver novamente."

"É seguro sonhar de novo."

CORAÇÃO E SISTEMA CIRCULATÓRIO

Um experimento foi feito uma vez para verificar o efeito do estresse nos organismos vivos. Um cachorro foi o cobaia. Ele recebeu amor de seus mestres e bons nutrientes. Depois foi tirado do amor de seu mestre, ignorado e deixado sozinho. Ele desenvolveu leucemia. O interessante foi que, quando ele recebeu de novo o amor de seu mestre, ele ficou melhor.

O coração, o sangue e o sistema circulatório reagem ao amor de uma forma positiva, mas também podem reagir a influências negativas com doença ou disfunção.

Então, se você não consegue receber amor, terá problemas no sistema circulatório.

Quando uma pessoa chega até você com um problema no sistema circulatório, trabalhe com a forma como ela recebe as sensações e as formas-pensamento. Quanto mais desequilibrada uma pessoa é, tanto mais ela julga mal o que está acontecendo em sua vida. Se alguém em sua vida está com raiva de alguma coisa, ele pode julgar mal a sensação e tomá-la como pessoal.

Todo o sistema circulatório diz respeito à capacidade de absorver alimentos, pensamentos e sensações que são úteis ao corpo. Felicidade, raiva e tristeza, todas servem a você se estão em equilíbrio. Não é bom carregar muita raiva, pois se estiver com muita raiva, não é possível absorver amor.

Trabalho de crenças

As veias se contraem quando há inverdade, e um escasso fluxo de sangue causa:

- escassa capacidade de se nutrição;
- a incapacidade de receber, aceitar e dar amor;

- dificuldades de seguir o fluxo da vida e, portanto, medo da vida;
- Verifique se há crenças nessas áreas.

Questões transportas no sangue e nas artérias incluem:

- raiva, por pensar que o mundo deve a você ou que as pessoas em sua vida devem a você;
- comunicação com outros;
- autopercepção.

A maneira como nos vemos é refletida nas pessoas. Então, as pessoas estão lhe vendo da maneira como você percebe a si mesmo. Como as pessoas veem você? Você se sente escutado? As pessoas com quem você entra em contato se sentem importantes para você? Quando elas estão na sua frente, devem se sentir a pessoa mais importante do mundo. O amor, a atenção e a compaixão que você dá aos outros são os aspectos mais importantes de ser um curador.

Você sabe como se amar e receber amor de volta? Faça o *download*:

"Eu entendo o conceito do Criador de qual a sensação de ser nutrido."

"Eu conheço o conceito do Criador de como me nutrir."

Curadores muitas vezes têm problemas com o sangue, porque eles dão aos outros o tempo todo e não se nutrem. Por causa disso, o baço pode, às vezes, ficar cansado e o sangue lento.

Veja também <u>Doença Cardiovascular</u>.

DEFICIÊNCIA AUDITIVA

O ouvido humano é composto de três seções: o ouvido externo, o ouvido médio e o ouvido interno. O ouvido externo inclui a orelha (pavilhão auricular), a parte visível do ouvido que é ligado ao lado da cabeça e o ceroso canal auditivo, interceptador de sujeira. A membrana timpânica (tímpano) separa o ouvido externo do martelo, a bigorna e o estribo. A cóclea e canais semicirculares formam o ouvido interno.

Os ouvidos são responsáveis pelo recolhimento de sons, processando-os, enviando sinais de som para o cérebro e também ajudando a manter o equilíbrio.

A *deficiência auditiva* é definida como "uma degradação parcial na audição, permanente ou flutuante, que afeta o desempenho de audição".

A *surdez* é definida como "uma deficiência auditiva tão grave que a pessoa é debilitada em sua capacidade de audição, com ou sem amplificação". É a perda completa da capacidade de audição de um ou ambos os ouvidos. Pode ser herdada ou causada por doenças infecciosas como a meningite, complicações no parto, a exposição a ruído excessivo e o uso de ototóxicos.

Cerca da metade de todos os casos de surdez e deficiência auditiva podem ser prevenidos.

Tipos

Existem vários tipos de deficiência auditiva:
- Perdas de audição condutiva são causadas por doenças ou obstruções no ouvido exterior ou médio (as vias de condução para o som alcançar o ouvido interno). Elas, geralmente, afetam todas as frequências de audição uniformemente e não resultam em perda auditiva severa.

Uma pessoa com perda auditiva condutiva em geral é capaz de usar um aparelho auditivo ou pode ser ajudada clínica ou cirurgicamente.

• Perdas de audição neurossensorial resultam de danos às delicadas células sensoriais ciliadas do ouvido interno ou dos nervos que as fornecem. Essas perdas auditivas podem variar de leves a profundas. Elas muitas vezes afetam a capacidade da pessoa de ouvir certas frequências mais do que outras. Assim, mesmo com a amplificação para aumentar o nível de som, uma pessoa com perda auditiva neurossensorial pode perceber sons distorcidos, algumas vezes impossibilitando o sucesso do uso de um aparelho auditivo.

• A perda de audição mista refere-se a uma combinação da perda condutiva e da neurossensorial e significa que um problema ocorre em ambos os ouvidos exterior ou médio e interno.

• A perda auditiva central resulta do dano ou debilidade dos nervos ou núcleos do sistema nervoso central, nas vias para o cérebro ou no próprio cérebro.

Causas

Com a surdez e a deficiência auditiva, a primeira coisa a fazer é encontrar a causa. Essa pode ser uma quantidade qualquer de problemas ou uma combinação de coisas diferentes.

Perda auditiva em crianças

Em crianças, as causas podem ser:
• Desenvolveu perda de audição causada por uma quantidade qualquer de infecções e pela exposição à altos ruídos.
• Fatores genéticos transmitidos dos pais.
• *Otite média*, uma inflamação no ouvido médio que danifica as partes delicadas do ouvido médio.

Perda de audição em adultos

A idade parece ser um fator importante na perda da capacidade de ouvir toda a gama de frequências na comunicação cotidiana. Um terço das pessoas acima de 65 anos têm problemas com sua audição.

O Corpo Canta

Além do processo de envelhecimento, a perda de audição em adultos pode ser causada por doença ou infecção, drogas ototóxicas, trauma, tumores e pela exposição ao ruído, e pode ou não pode ser acompanhada de tinido (zumbido nos ouvidos).

Pode também ser causada por certos medicamentos, incluindo antibióticos, aspirinas tomadas durante um longo período de tempo, drogas não esteroide-anti-inflamatórias, quinino e infecção viral do ouvido interno, sem contar o acúmulo de cera.

Se a perda auditiva se desenvolve gradualmente, o indivíduo que está vivendo-a pode não ter consciência dela até que atinja um estágio avançado. Em geral, a família e os amigos notam primeiro.

Com o advento da era industrial, um problema crescente de "poluição sonora" tem feito muitos indivíduos terem perda de audição. Se você já se afastou de um show ou local de trabalho com um alto zumbido nos ouvidos, experimentou o que é chamado de mudança temporária do limiar auditivo. Quando essa condição se dá, o repouso noturno geralmente restaura a audição normal, mas esse é um sinal de que houve dano às células ciliadas em seu ouvido interno. Se esse tipo de dano é repetido, o resultado é a permanente mudança do limiar auditivo.

Investigadores têm verificado que ruídos altos constantes podem debilitar sua visão, torná-lo impotente e lhe gerar doença cardíaca, bem como causar outros problemas de saúde.

Insights intuitivos

Você está mantendo a sacralidade do que ouve? Você entende o que é a sacralidade? Você entende qual a sensação de ser sagrado? Quando alguém vem até você e lhe diz algo confidencial, é sua responsabilidade manter a sacralidade do que ele diz e guardá-lo para você. Isso lhe dará credibilidade com todos os seus clientes.

Você ouve o que deveria? Os ouvidos são um processador importante para informações intuitivas. Você tem algum bloqueio para ouvir as outras pessoas? Você percebe com precisão o que é melhor para a outra pessoa? Como um curador, você deve desenvolver a capacidade de ouvir a verdade da pessoa e a mais elevada verdade do Criador de Tudo O Que É. Deixe de lado sua própria verdade. Seja claro em seus pensamentos e certifique-se de que a pessoa com quem está trabalhando compreende o que você está dizendo.

Pessoas maduras têm uma tendência a convenientemente se "dessintonizar" do mundo ao seu redor, porque não querem ouvir coisas que vão magoá-las. Às vezes elas não dão às outras pessoas em sua vida uma oportunidade de serem ouvidas. Isso ocorre em pessoas muito teimosas, cabeças-duras, e elas vão, na verdade, criar sua própria perda auditiva.

Remédios intuitivos

O ouvido é um incrível transdutor biológico de ondas sonoras. Quando você cura intuitivamente o ouvido, é útil entender as peças de funcionamento do ouvido médio – o tímpano, o martelo, a bigorna e o estribo – e as partes do ouvido interno – a cóclea, o nervo auditivo e a trompa de Eustáquio. Conhecer as diferentes partes vai ajudá-lo quando você testemunhar o Criador curar qualquer uma das partes que estão danificadas.

Quando você curar o ouvido, diga à parte danificada que se regenere. Diga ao ouvido que ele é jovem de novo e, então, testemunhe a recomposição dos folículos ou da parte danificada. Faça o comando para que a audição seja como a audição de um jovem de 25 anos.

Muitas pessoas têm infecções em curso no ouvido sem mesmo sabê-lo. Quando uma pessoa tem problemas com complicações de uma infecção passada, entre e assista o Criador tirar a memória da infecção e testemunhe-a sendo enviada para a luz de Deus para permitir que elas se curem.

A perda de audição e a surdez ocorrem quando o cérebro ou os ouvidos perderam as células que são necessárias para possibilitar que o ouvido funcione. Ensine o cérebro como ouvir novamente e devolva a pessoa ao mundo do som gentilmente.

Se crianças não aprendem a ouvir antes de terem 10 anos de idade, as células que ensinam o cérebro a ouvir se vão. Se esse for o caso, a criança terá dificuldade para aprender a falar. Se uma criança nunca ouviu e tem mais de 12 anos de idade, é muito provável que ela não será capaz de falar. Isso ocorre porque os receptores que ensinam padrões de discurso morrem aos 12 anos de idade. Teorias convencionais dizem que, se uma criança é surda desde o nascimento e não aprende a falar até seus 10 anos de idade, nunca aprenderá. Eu digo: "Nunca diga nunca para o Criador".

No caso de uma criança surda, é muito importante comandar que os receptores que estavam lá no nascimento sejam reunidos novamente e recondicionados. Comande que a memória fetal repare o dano.

Ao trabalhar com crianças com deficiência auditiva, sempre suba e peça ao Criador para corrigir a audição e despertar as células que ensinam o cérebro a ouvir.

Ao trabalhar com um adulto, observe o Criador levar as células de volta à memória fetal e criar novas células que aprendem a ouvir. No feto, as células-tronco se tornarão quaisquer células que o cérebro precise. Elas são tão inteligentes que criarão apenas o que o corpo precisa. Médicos podem tirar uma célula fetal do coração de um feto e uma célula fetal de outro órgão e trocá-las de lugar. Essas células realmente se tornarão as células do novo órgão. Células fetais sabem como fazer o que o corpo precisa. É por isso que algumas crianças são capazes de crescer de volta membros que foram perdidos; elas não sabem que não podem. Existem muitos casos documentados em que crianças realmente cresceram de volta mãos e braços.

É importante testemunhar a completa reconstrução das partes danificadas do ouvido. Por exemplo, se for o tímpano que está danificado, você verá algo, parecido com pequenos cabelos, começar a aparecer para receber som. Continue a testemunhar esse processo até que o tímpano esteja totalmente reconstruído.

Às vezes, a surdez é causada pelo tecido de cicatrização e, quando ele se retira, você consegue testemunhar o ouvido se reconstruir.

Os ouvidos estão relacionados aos rins. Quando você trabalha nos ouvidos, provavelmente acabará trabalhando sobre os rins também.

Trabalho de crenças

Algumas pessoas têm a crença de que ficarão surdas porque há casos de surdez em sua família, mas o sistema de crenças mais predominante que vejo associado à deficiência auditiva é "Eu tenho medo de ouvir o que está acontecendo". Siga o medo até a crença-raiz e faça o *download* das sensações e do conhecimento associado à audição. Isso sozinho pode melhorar a audição.

Faça os *downloads*:

"Eu sei qual é a sensação de ouvir a alegria à minha volta."

"Minha audição fica mais forte e melhor a cada dia."

"Eu consigo ouvir o vento através das árvores."

"Eu consigo ouvir a voz de Deus, a voz da criação."

"Eu sei qual é a sensação de me aproximar de Deus sem abrir mão de minha audição."

"Eu sei qual é a sensação de viver sem sentir que vou perder minha audição com a idade."

"Eu sei qual é a sensação de saber que minha audição fica mais forte a cada dia."

"Meu corpo é forte."

"Eu sei como ouvir e perceber a verdade."

"Eu consigo ouvir pássaros cantando."

"Eu sei qual é a sensação de ouvir sem me sentir oprimido."

"Eu sei qual é a sensação de ouvir minha esposa sem que isso me deixe louco."

"Eu sei qual é a sensação de ouvir meu marido sem que isso me deixe louca."

"Eu sei qual é a sensação de ouvir os outros sem que isso me deixe louco."

"Eu sei como viver sem me 'desconectar' do mundo."

"Eu sou livre para ouvir."

"Eu sou livre para tomar boas decisões."

"Eu sei como viver sem ter perda de audição."

"Eu sei como respeitar o espaço de outra pessoa e o que eles sentem como verdade."

"Eu sei como reconhecer a verdade de outra pessoa."

"Eu sei como respeitar a verdade de outra pessoa e ainda ter minha própria verdade."

"Eu entendo como ouvir a verdade."

"Eu sei como viver minha própria verdade."

"Eu entendo o que é sacralidade."

"Eu sei como ouvir a verdade de Deus."

"Eu sei como aceitar a verdade de Deus."

"Eu entendo qual a sensação de ser sagrado."

"Eu sou ouvido."

"Eu sei como viver em minha própria verdade."

"Eu tenho o conceito do Criador de ser capaz de ouvir."

Veja também Doença Renal.

DEGENERAÇÃO MACULAR

A degeneração macular que está relacionada com o envelhecimento é uma doença ocular crônica que ocorre quando os tecidos na mácula se deterioram. A mácula é a parte da retina responsável pela visão central. A retina é a camada de tecido na parede interna do globo ocular. A degeneração da mácula causa visão central turva ou um ponto cego no centro do campo de visão. A condição geralmente se desenvolve gradualmente, mas às vezes progride rápido, levando à perda severa da visão em um ou ambos os olhos.

Como a degeneração macular afeta a visão central mas não a visão periférica, ela não causa cegueira total. No entanto, é a principal causa de perda severa de visão em pessoas com 60 anos e mais velhas.

DEGENERAÇÃO MACULAR SECA

A maioria das pessoas com degeneração macular tem a forma seca. Isso ocorre quando as células da camada pigmentada da retina, ou o epitélio pigmentar da retina (RPE), começam a atrofiar e perder seu pigmento. A cor avermelhada normalmente uniforme do mácula assume um aspecto mosqueado em virtude da perda desigual de pigmento. Drusas, depósitos tipo gordurosos, que parecem pontos amarelos, aparecem sob as células fotossensitivas na retina.

Sintomas

• A necessidade de iluminação cada vez mais forte quando está lendo ou fazendo trabalho próximo.

• Crescente dificuldade em adaptar-se a baixos níveis de iluminação, como quando se entra em um restaurante mal iluminado.

• Crescente indefinição de palavras impressas.

• Diminuição na intensidade ou brilho das cores.

• Dificuldade em reconhecer rostos.

• Aumento gradual da nebulosidade da visão global.

• Turbidez ou ponto cego no centro do campo de visão, combinado com profunda diminuição da acuidade da visão central.

DEGENERAÇÃO MACULAR ÚMIDA

A degeneração macular úmida se desenvolve quando novos vasos sanguíneos crescem da coroide debaixo da parte macular da retina. Esses novos vasos são chamados de neovascularizações da coroide (NVC). Eles vazam fluidos ou sangue, o que explica por que essa é chamada de degeneração macular úmida. Isso causa o desfoque da visão central.

Olhos com a forma úmida de degeneração macular quase sempre apresentam sinais da forma seca também, as drusas e a pigmentação mosqueada da retina. Além disso, o que deveriam ser linhas retas se tornam onduladas ou tortas e manchas brancas aparecem no campo de visão.

Sintomas

Os seguintes sintomas podem progredir rapidamente:

• Uma mancha central desfocada.

• Redução ou perda da visão central.

- Distorções visuais, como linhas retas aparecendo onduladas ou tortas, uma porta ou placa de rua que parecem destoantes, ou objetos parecendo menores ou mais distantes do que deveriam.

Remédios intuitivos

Suba ao Sétimo Plano e testemunhe uma cura instantânea.

Se não houver uma cura instantânea, use o trabalho de crenças.

Trabalho de crenças

Para trabalhar com essa desordem, descubra o que a pessoa está com medo de ver em sua vida. Pergunte a ela: "Qual é a pior coisa que poderia acontecer com você se você pudesse ver perfeitamente?".

Trabalhe em suas questões de autoestima sobre como se sentem sobre si mesmos. Faça os *downloads*:

"Eu sei qual é a sensação de ver."

"Eu sei qual é a sensação de ver claramente".

"Eu sei que estou seguro".

"Eu tenho bom senso sobre o que eu vejo".

"Todos os órgãos de meu corpo estão funcionando em perfeita harmonia."

"Sempre estou rejuvenescendo."

"É seguro que meus olhos se curem."

"Estou pronto para meus olhos ficarem melhores e mais fortes."

"É possível para mim voltar à perfeição com minha visão."

"Eu aprecio a perfeição."

"Eu aprecio tudo o que o Criador faz".

"Eu sei como viver sem o medo de perder minha visão para sempre."

"Estou conectado ao Criador."

"A cada dia meu corpo está mais forte, mais feliz e cheio de vida, em todos os sentidos."

DENTES

Os dentes são uma parte muito básica do sistema esquelético e estão ligados energeticamente a todas as outras partes do corpo. Questões dentárias criam problemas nos órgãos do corpo. Essas questões escondidas são geralmente causadas por cavidades debaixo dos dentes nas mandíbulas.

Insights intuitivos

Os dentes, os ossos, estão cheios de luz luminescente, impregnados com energia, enquanto riem de alegria.

Os sentimentos e os programas que foram criados enquanto criança durante as visitas ao dentista podem impedir curas sobre os dentes, mas você pode comandar que os dentes voltem a crescer e pode corrigir os dentes intuitivamente. Os dentes das crianças em particular movem-se facilmente porque eles ainda não estão incorporados nos ossos da mandíbula.

Amálgamas de mercúrio nos dentes atuam como receptores, captando formas-pensamento negativas de outras pessoas.

Flúor pode causar doença de Alzheimer.

Canais radiculares bloqueiam os meridianos do corpo e podem encapsular infecções.

Carne vermelha e açúcar em excesso criam cavidades.

Lembre-se, quando se trata de curas dos dentes, a prática leva à perfeição. Procure crenças limitantes conectadas aos dentes.

Suplementos

- Sugere-se que a pessoa use clorofila e verdes para os dentes. Clorofila é ótima para o sistema esquelético em geral.
- Óleo de *tea tree* (com um pouco de água em uma escova de dentes) ajudará as gengivas a se recuperarem e crescerem.
- Use bons minerais, cálcio, magnésio, vitamina C e zinco para manter suas gengivas saudáveis e fortes.

Veja também <u>Sistema Esquelético</u>.

DEPRESSÃO

Há uma grande diferença entre se sentir um pouco deprimido e sofrer de depressão clínica. A desesperança da depressão clínica é inexorável e esmagadora. Algumas pessoas descrevem-na como "viver em um buraco negro" ou ter uma sensação de perdição iminente. Elas não conseguem escapar de sua infelicidade e desolação. No entanto, algumas pessoas com depressão não se sentem nem um pouco tristes. Em vez disso, elas se sentem sem vida e vazias. Nesse estado apático, elas são incapazes de sentir prazer. Mesmo quando participam de atividades que costumavam gostar, elas sentem como se só estivessem passando pelos gestos. Os sinais e sintomas variam de pessoa para pessoa, e podem crescer e minguar em severidade ao longo do tempo.

Mulheres com depressão podem não ter estrogênios suficientes ou estar com baixa em serotonina. Durante a menopausa, algumas mulheres ficam deprimidas porque seus hormônios estão fora de equilíbrio. É necessário limpar o fígado. Se a mãe de uma pessoa ou outro parente também estiver deprimido, é provável que haja programas para liberar.

Remédios intuitivos

Se uma pessoa está deprimida, pode ser necessário um bom suplemento de vitaminas e minerais. Um bom suplemento mineral também pode ser necessário para tirar metais pesados do organismo. Mercúrio é uma das substâncias mais tóxicas e pode fazer com que uma pessoa se sinta muito deprimida.

Em seguida, você pode comandar que os níveis de noradrenalina e serotonina se equilibrem. Quando equilibradas, a noradrenalina e a serotonina permitem que as pessoas reajam aos eventos de uma forma razoável, enquanto um desequilíbrio dessas substâncias químicas cerebrais pode tanto aumentar a agressividade quanto baixá-la.

O processo para normalizar a química do cérebro

1. Centre-se em seu coração e visualize-se descendo para a Mãe Terra, que é uma parte de Tudo O Que É.

2. Visualize-se trazendo a energia através de seus pés, abrindo cada chacra até o chacra coronário. Em uma linda bola de luz, vá para o universo.

3. Vá além do universo, além da luzes brancas, além da luz escura, além da luz branca, além da substância gelatinosa que são as Leis, em uma luz branca perolada iridescente, no Sétimo Plano da Existência.

4. Faça o comando: *"Criador de Tudo O Que É, é comandado que os níveis de noradrenalina, serotonina e hormônio de [nome da pessoa] sejam equilibrados da mais elevada e melhor forma neste momento. Grato! Está feito. Está feito. Está feito"*.

5. Agora suba e testemunhe o amor incondicional do Criador passando por todas as etapas de sua vida.

6. Assim que o processo esteja concluído, enxágue-se e coloque-se de volta ao seu espaço. Vá para a Terra, puxe a energia da Terra através de todos os seus chacras até seu chacra coronário e faça a quebra energética.

Trabalho de crenças

Verifique o medo do fracasso e do sucesso. Faça os *downloads*:

"Eu sei como viver minha vida cotidiana sem estar deprimido."

"Eu sei qual o conceito do Criador de alegria."

"Eu sei qual é a sensação de viver sem depressão."

"Eu sei qual é a sensação de viver sem ficar preso dentro de mim."

"Eu sei qual é a sensação de ajudar os outros."

"Eu sei qual é a sensação de ver a vida a partir de uma perspectiva mais elevada."

"Eu sei qual é a sensação de viver sem me sentir desesperançado."

"Eu sei qual é a sensação de criar coisas maravilhosas em minha vida."

"Eu sei como criar pensamentos maravilhosos."

"Eu sei como viver sem perder minha energia com a depressão."

"Eu sei qual é a sensação de saber que posso encontrar alegria."

"Eu sei qual é a sensação de ser capaz de lidar com qualquer situação."

"Eu sei qual é a sensação de inspirar o sopro da vida."

"Eu sei qual é a sensação de viver sem sentir pena de mim."

"Eu sei qual é a sensação de ser querido por Deus."

"Eu sei qual é a sensação de ter esperança e compreensão."

"Eu sei qual é a sensação de me tratar com carinho."

"Eu sei que é possível me tratar com carinho."

"Eu sei qual o conceito do Criador de me tratar com carinho."

"Eu sei a diferença entre meus sentimentos e os dos outros."

"Eu sei como viver sem assumir a dor e tristeza das outras pessoas."

"A tristeza dos outros é automaticamente trocada por amor."

"Eu sei qual a sensação de viver sem ter que carregar o mundo nas costas"

"Eu sei quais alimentos são melhores para mim."

"Eu sei que é seguro estar acordado e vivo."

"Eu sei que é seguro ser intuitivo."

"Eu sei que é seguro ser eu mesmo."

"A cada dia eu me sinto mais forte em todos os sentidos."

"A cada dia eu me sinto mais feliz em todos os sentidos."

"A cada dia eu encontro soluções para todas as coisas."

"A cada dia eu vejo as possibilidades da vida em todos os sentidos."

Suplementos e outras recomendações nutricionais

Em muitos aspectos, a depressão e o nervosismo são causados por falta de vitaminas e minerais. Tente os seguintes:

- ácido alfalipoico para remover metais pesados (que podem ser a causa);
- cálcio-magnésio;
- 5 HTP;
- ômega 3;

- Camu Royal;
- dieta alcalina;
- complexo B;
- D fenilalanina-EndorphiGens da marca Lidtke são boas, mas você não pode usar D fenilalanina e medicamentos de depressão ao mesmo tempo;
- erva-de-são-joão pode ser usada para depressão e nervosismo, a não ser que você tenha hipoglicemia;
- pode haver a necessidade de mais triptofano, que é encontrado no chocolate, nos ovos, no macarrão, na pipoca e no peru.

DESEQUILÍBRIOS DA TIREOIDE

Veja _Hipertireoidismo_ e _Hipotireoidismo_.

DESEQUILÍBRIOS DE ESTROGÊNIOS

Precisamos de estrogênio para absorver cálcio. Em excesso, no entanto, causa câncer, cistos, doenças cardíacas e ganho de peso. Em escassez causa cistos, depressão e ganho de peso.

Remédios intuitivos
Comande que os hormônios se equilibrem.

Verifique se a pessoa com problemas de tireoide tem problemas de relacionamento.

Suplementos
- cipó-suma;
- damiana;
- maca;
- raiz de alcaçuz.

Evite essas ervas se tiver tido um câncer relacionado a estrogênio.

DIABETES

A diabetes é uma doença em que o corpo não cria ou usa adequadamente a insulina. A insulina é um hormônio que "desbloqueia" as células do corpo, permitindo que a glicose entre e abasteça-as com a energia necessária para a vida diária.

Tipos

Pré-diabetes

Essa é uma condição que ocorre quando os níveis de glicose do sangue de uma pessoa são mais elevados do que o normal, mas não altos o suficiente para um diagnóstico de diabetes Tipo 2. Há 54 milhões de americanos que têm pré-diabetes, além dos 20,8 milhões com diabetes.

Diabetes gestacional

Esta afeta cerca de 4% das mulheres grávidas.

Diabetes tipo 1

Muitas vezes chamada de "diabetes infantil", a tipo 1 resulta da falha do corpo em produzir insulina.

Diabetes tipo 2

Esta resulta da resistência à insulina (uma condição em que o corpo não consegue usar a insulina adequadamente), combinada à deficiência relativa de insulina. A maioria das pessoas que são diagnosticadas com diabetes tem a diabetes tipo 2.

"Resistência à insulina" é um termo usado para a incapacidade do corpo de usar sua própria insulina. Quando comemos, nosso corpo transforma todos os nossos carboidratos em glicose, a qual entra na corrente sanguínea. A taxa de açúcar no sangue se eleva e o corpo libera insulina, que se liga às células como uma guardiã, permitindo que a glicose entre e que a energia seja armazenada. No caso de a insulina ser incapaz de chegar às células, ela fica na corrente sanguínea. A taxa de açúcar no sangue fica alta e o pâncreas continua a liberar insulina. O pâncreas fica, portanto, sobrecarregado e começa a se desgastar e, em seguida, a taxa de açúcar no sangue começa a se elevar.

Basicamente, existem três coisas necessárias para superar a resistência à insulina:

1. Regime de exercícios.
2. Liberação de peso.
3. Medicação adequada.

Causas

A causa da diabetes continua a ser desconhecida, embora tanto fatores genéticos quanto ambientais como dieta, falta de exercícios e obesidade pareçam desempenhar papéis.

Estudos em curso de pessoas com diabetes têm descoberto novas informações que estão trazendo luzes sobre o desenvolvimento e as causas da doença:

- Uma indicação de diabetes é quando as sobrancelhas ficam escuras, enquanto o resto do cabelo fica branco.
- De acordo com um estudo, se uma mulher usa sutiãs tamanho 44 ou maiores com a idade de 20, ela pode ser até cinco vezes mais propensa a desenvolver diabetes.
- Novas pesquisas sugerem que o mês em que você nasce pode desempenhar um papel no desenvolvimento do diabetes tipo 1. Bebês que nascem na primavera parecem ter mais risco.
- Anteriormente negligenciada, a perda de audição agora foi relacionada com a diabetes como um agravante.
- Se você tem doença periodontal ou perda de dentes, tem mais risco de diabetes.
- Pessoas que estão expostas a níveis elevados de pesticidas e herbicidas foram consideradas com um risco maior de diabetes.
- Em algumas pessoas, a diabetes foi rastreada durante o desenvolvimento fetal.

Tratamento convencional

A insulina é necessária quando está se tratando a diabetes tipo 1. Conforme a diabetes tipo 1 ocorre, quando o pâncreas para de fazer insulina, pessoas com esse tipo precisam injetar insulina para evitar que seu nível de glicose no sangue dispare descontroladamente.

A tipo 2 é administrada com drogas farmacêuticas, apesar de a insulina também ser usada se a medicação oral não for suficiente para manter os níveis de glicose dentro de uma faixa normal.

A nutrição adequada é muito importante na gestão de qualquer forma de diabetes, e informações sobre isso estão facilmente disponíveis.

Testes e monitoramento

Como um meio de testar se há diabetes, as pessoas usam um dispositivo eletrônico com uma tira para dar uma leitura numérica do nível de glicose. Você simplesmente fura o dedo com uma agulha com mola e aplica uma gota de seu sangue em uma tira de teste. Isso lhe dá um resultado imediato da taxa de açúcar no sangue.

Qual é a taxa normal de açúcar glicose no sangue? Se você está jejuando, quando você acorda de manhã, deveria estar entre 4,0 e 5,6 mmol/L. De 6,0 a 7,0 mmol/L pode evidenciar uma debilidade da tolerância à glicose e é considerado limítrofe; 7,0 mmol/L e acima por um período de dois ou três dias é provável que indique diabetes.

Se você não está jejuando, sua taxa de açúcar no sangue deveria estar a 7,8 mmol/L ou menos, duas horas depois de você ter comido. Se suas taxas estão mais altas do que isso em qualquer um desses cenários, pode haver motivo para preocupação.

Um teste de hemoglobina C A1 (HbA1c) pode ser feito para descobrir suas taxas de açúcar média nos últimos três meses.

Um exame de visão regular também é importante.

Os desafios da diabetes

Hipoglicemia/baixa taxa de glicose no sangue

Um dos desafios da diabetes é o da baixa taxa de glicose no sangue ou hipoglicemia.

A baixa taxa de glicose no sangue é causada por insuficiência do tipo correto de alimento, muito exercício sem abastecimento para o corpo e muito remédio a qualquer momento. Os sinais de alerta são visão turva, suor frio, confusão, dor de cabeça, fome, irritabilidade, vertigens, aumento da frequência cardíaca e tremores. Um copo de leite frio ou suco de laranja elevarão os níveis de glicose no sangue.

Alimentos de emergência são três a quatro comprimidos comerciais de glicose, um copo de suco de laranja, um copo de leite desnatado, uma colher de chá de mel ou de quatro a seis balas. Descansar por 15 minutos e, em seguida, testar os níveis de glicose. Se a taxa de glicose no sangue ainda estiver baixa, ingira mais 15 gramas de carboidratos. Continue essas etapas conforme necessário até que a taxa de açúcar no sangue retorne ao normal.

Hiperglicemia/alta taxa de glicose no sangue

Se os níveis de glicose no sangue estão elevados, chama-se hiperglicemia.

A alta taxa de glicose no sangue é causada por insuficiência ou excesso do tipo errado de alimento (carboidratos), insuficiência de exercício, muito estresse e qualquer doença não relacionada. Os sinais de alerta são visão borrada, pele seca e com coceira, fadiga, micção frequente, fome e sede aumentada.

Um diabético deve sempre fazer testes da alta glicêmica no sangue com um monitor de glicose. Eles não devem confiar em como estão se sentindo, porque pode não haver nenhum sintoma.

Cetoacidose diabética

A cetoacidose é a glicose que permanece no sangue em vez de entrar nas células. Quando a taxa de açúcar no sangue está alta, significa que as células do sangue são incapazes de usar a glicose como deveriam, então ficam no sangue. Quando as células estão com fome de glicose, o corpo decompõe gordura para ter energia. No entanto, as células não conseguem usar a gordura completamente, e cetonas são deixadas. Estas entram na corrente sanguínea e fazem o sangue ácido. A cetoacidose é mais provável de ocorrer naqueles que são dependentes de insulina.

Diabéticos devem fazer testes de cetonas quando se sentem mal. Os sinais de alerta são hálito com cheiro de álcool, taxa de açúcar no sangue mais alta que 13,0 mmol/l, dificuldade para respirar, náusea, dor de estômago, vômito e fraqueza.

Diabetes e doença

Quando há uma doença que não está relacionada com a diabetes, é possível que haja elevação de hormônios no corpo que podem fazer aumentar os níveis de glicose de sangue. Então, se você tem diabetes, é especialmente importante que se cuide durante a doença. A taxa de açúcar no sangue deve ser verificada a cada duas a quatro horas e registrada. As cetonas também devem ser verificadas a cada quatro horas. Você deve continuar a tomar sua medicação conforme indicado e a tomar a quantidade de insulina prescrita por seu médico. Siga seu plano de dieta tão precisamente quanto possível. Beba muita água e fique em contato com seu médico até que você esteja melhor.

Medicamentos isentos de prescrição

Uma pessoa com diabetes deve estar ciente de que medicamentos sem prescrição podem conter ingredientes que podem afetar a taxa de açúcar no sangue. Algumas recomendações:

- Evite aspirina em grandes doses.
- Evite produtos que contenham açúcar (use xaropes ou remédios contra tosse sem açúcar).
- Cuidado com descongestionantes.
- Escolha produtos que contêm pouco ou nenhum álcool, porque álcool contém glicose e é rico em calorias.
- Use comprimidos ou cápsulas, em vez de medicamento líquido, porque eles não contêm álcool nem açúcar.

Estresse

Quando estamos sob estresse, nosso corpo libera substâncias chamadas de hormônios do estresse, que causam a liberação da glicose armazenada para entrar na corrente sanguínea e também interferem com a forma com que a insulina trabalha, criando resistência à insulina.

Pessoas com diabetes devem considerar fazer técnicas de relaxamento como ioga, ThetaHealing e aprender a rir, assim como ter a quantidade adequada de sono, ter uma dieta saudável e identificar o que está estressando-as.

Depressão

Depressão clínica é muito mais comum entre as pessoas com diabetes do que na população em geral. Porque isso acontece ainda não é totalmente compreendido. Pode ser que sejam as exigências extras da gerência da diabetes em si – testes de sangue, restrições de dieta – que são difíceis e podem resultar em depressão. A diabetes causa sentimentos de raiva, culpa, tristeza e de não estar no controle. Aqueles com depressão clínica tendem a ter pouco controle da taxa de açúcar no sangue e menos complacência com seu tratamento.

Sintomas comuns de depressão são:

- apatia e recolhimento social;
- baixa autoestima;
- excessiva sensibilidade emocional;
- ideias de suicídio;
- incapacidade de sentir alegria ou felicidade;
- irritabilidade;
- mau humor e desespero;
- pensamento pessimista.

Rins

A diabetes é a principal causa de insuficiência renal nos Estados Unidos. Isso porque as altas taxas de glicose no sangue têm a tendência a danificar os rins ao longo do tempo, causando uma condição chamada de neuropatia diabética. Conforme o dano aumenta, os rins perdem sua capacidade de remover os resíduos do corpo.

Existem cinco estágios de neuropatia:

1. O fluxo de sangue aumenta, causando hiperfiltração e aumento da diurese. Os rins se expandem.
2. A taxa de filtração permanece elevada e as unidades de filtragem começam a mostrar os danos.
3. Maiores quantidades de proteína são perdidas na urina e podem ser detectadas em exames de rotina de urina. Pode se desenvolver pressão arterial elevada.
4. Neuropatia clínica avançada: a taxa de filtração diminui e grandes quantidades de proteína são passadas para a urina. A pressão arterial elevada é um resultado.
5. Estágio final da doença renal: a taxa de desgaste cai gravemente e ocorrem sintomas de insuficiência renal.

A fim de prevenir a doença renal, uma pessoa com diabetes deve:

- controlar a pressão arterial;
- beber muita água;
- fazer um *check-up* anual no médico;
- manter as taxas de glicose no sangue normais;
- prevenir a infecção do rim;
- restringir a ingestão de proteínas.
- ficar atento aos sintomas:

  - ✓ dor nas costas logo abaixo da caixa torácica;
  - ✓ sangue na urina;
  - ✓ calafrios e febre;
  - ✓ urina turva;
  - ✓ sentir-se fraco e cansado;
  - ✓ pressão arterial elevada;
  - ✓ quantidade aumentada de urina;
  - ✓ cetonas na urina;
  - ✓ dor ou queimação durante a micção.

A doença renal é tratada com:

- antibióticos;
- controlar a pressão arterial através de inibidores da ECA;
- dieta de baixa proteína;
- dieta de baixo teor de sódio;
- manter a taxa de glicose no sangue sob controle.

DISLEXIA

Não altere-a, nunca! Se uma pessoa tem dislexia, então também tem um gene de gênio presente! Algumas das pessoas mais inteligentes do mundo têm dislexia. Você pode, no entanto, pedir que a dislexia seja atenuada. Peça ao Criador para lhe mostrar o que precisa ser feito.

DISTROFIA MUSCULAR

A distrofia muscular (DM) é uma desordem genética que enfraquece os músculos que ajudam o corpo a se mover. Pessoas com DM têm informações incorretas ou ausentes em seus genes, o que as impede de produzir as proteínas de que precisam para ter músculos saudáveis. As pessoas nascem com o problema. Não é contagioso.

A DM vai enfraquecendo os músculos ao longo do tempo; assim, crianças, adolescentes e adultos que têm a doença podem gradualmente perder a capacidade de fazer as coisas que a maioria das pessoas têm como dadas, como andar ou sentar-se. Alguém com DM pode começar a ter problemas musculares enquanto bebê, ou os sintomas podem começar mais tarde. Algumas pessoas até mesmo desenvolvem DM quando adultas.

Pessoas com DM têm um jeito inacreditável de tentar cuidar do mundo inteiro antes de si. A primeira cura que vi disso foi alguns anos atrás na Austrália. Uma jovem veio à aula com o problema. Mesmo que ela estivesse se apoiando em um funcionário para andar, quando lhe perguntei como eu poderia ajudá-la, ela disse: "Por favor, ajude minha irmã". Convenci-a a aceitar uma cura para ela, que teve uma incrível cura instantânea naquela aula.

Tipos

Existem dois tipos de DM:

- *Primeiro tipo*: atinge meninos, não meninas. A maioria não chega à idade adulta. É transmitida através de um cromossomo.
- *Segundo tipo*: causada por microplasma ou vírus.

A DM é vista como um defeito genético por causa de toxinas. Pode ser causada por radiação e correntes elétricas.

Insights intuitivos

Nunca para de me surpreender a incrível compaixão que pessoas com distrofia muscular têm. Os menininhos que conheci com essa doença têm uma maravilhosa capacidade para amar.

Quando você trabalha na distrofia muscular, descobrirá que, quando pede ao Criador para lhe mostrar o que é e como curá-lo, você entrará no DNA mitocondrial do cliente. Você pode ver diferentes vírus morrerem lá.

Conforme você continua a testemunhar, será levado para o sistema esquelético. Isso ocorre porque o sistema esquelético alimenta todos os músculos. Mesmo que as pessoas pensem que a distrofia muscular é uma doença muscular, ela começa no sistema esquelético. Então não fique chateado e pensando que você está no lugar errado. Testemunhe o Criador fazendo as mudanças que guiarão o cérebro e o DNA a se curarem.

Finalmente, testemunhe a reconstrução dos músculos e do tecido conjuntivo. Diga "Criador, mostre-me" e testemunhe o trabalho.

Lembre-se de que, mesmo que você possa trabalhar em alguém e que eles digam que se sentem melhor, seus músculos ainda terão se deteriorado por causa da DM. Você tem de entrar e reconstruir alguns dos músculos. Certifique-se de que o corpo deles têm combustível suficiente para sustentar isso.

Trabalho de crenças

Do ponto de vista do curador, a distrofia muscular pode ser uma das doenças mais assustadoras de testemunhar. É uma boa ideia que o curador libere o medo dele da doença, para que não esteja bloqueando a cura. O próprio pensamento de essas pessoas serem tão indefesas e ao mesmo tempo tão puras de espírito pode ter um efeito profundo sobre o curador. Eu o aconselho a remover seu medo e seguir com o programa.

Para o cliente, remova a crença de que a distrofia muscular é incurável em razão de um problema de DNA. Substitua por:

"O Criador pode me curar."

"Eu sei qual é a sensação de estar saudável."

"Eu mereço ser curado."

Ensine-os como viver sem a doença.

Outros *downloads*:

"Eu desfruto da vida em todos os sentidos."

"Eu sei como amar as pessoas ao meu redor, sem estar doente."

"Eu sou importante."

"Meu corpo é importante."

"É seguro para mim ser forte, saudável e ter suporte."

"Eu sei qual é a sensação de apoiar os outros."

"Eu sei qual é a sensação de estar totalmente conectado ao Criador."

"Eu sou digno de cura."

"Eu me aprecio."

"Eu sou completamente apreciado pelos outros."

"Não preciso morrer para me conectar ao Criador."

"Estou em boa posição com o Criador de Tudo O Que É."

"Eu tenho a força para estar aqui neste planeta."

"Eu tenho a vontade de estar aqui neste planeta."

"Eu não sou ofendido por este mundo."

"Eu sei como viver minha vida sem tomar para mim a tristeza deste planeta."

"Eu não sou afetado pelo sofrimento, pela tristeza e malícia daqueles ao meu redor."

"Minhas habilidades psíquicas são aceitas."

"Posso ensinar aos outros ao meu redor a ter paciência e amor condicional sem que estejam doentes."

"Todos os dias, em todos os sentidos, eu atraio o apoio do universo."

"Eu acredito em mim mesmo."

"Eu acredito que meu corpo se tornará mais e mais forte."

Downloads para os pais:

"Eu tenho esperança de que meu filho pode se curar."

"Com o Criador, tudo é possível."

Remova o receio de essa doença ser totalmente incapacitante.

Suplementos

• Uma pessoa com DM precisará de um pouco de ácido alfalipoico para limpar seu sistema.

• Ela também precisará tomar aminoácidos para reconstruir seus músculos. Enzimas e zinco irão reconstruir as estruturas de seus músculos. Se ela não tiver zinco suficiente, não irá decompor as vitaminas A, B, C e muitas outras vitaminas.

TRANSTORNO DO DÉFICIT DE ATENÇÃO COM HIPERATIVIDADE (DDA/TDAH)

O transtorno de déficit de atenção com hiperatividade (TDAH) é uma condição biológica com base no cérebro, que se caracteriza pela falta de atenção e distração e/ou comportamento hiperativo e impulsivo. É uma das doenças mentais mais comuns que se desenvolvem em crianças. Os sintomas podem continuar na adolescência e idade adulta. Se não for tratado, o TDAH pode levar a um desempenho escolar/trabalho precário, a relações sociais precárias e uma sensação profunda de baixa autoestima.

DDA ou Distúrbio do Déficit de Atenção é um termo geral utilizado frequentemente para descrever os indivíduos que têm transtorno de déficit de atenção com hiperatividade sem o comportamento hiperativo e impulsivo. Os termos são frequentemente usados alternadamente tanto para aqueles que têm como para aqueles que não têm sintomas de hiperatividade e impulsividade.

Causas

DDA e TDAH são mais comuns do que as pessoas percebem. Em muitos casos, eles são causados pelos corantes vermelho e amarelo em nossos alimentos. O uso e abuso de açúcar em excesso pode também ser uma causa, assim como podem sê-lo as alergias alimentares. As alergias podem desencadear o DDA e TDAH. Estudos têm demonstrado que as crianças com DDA e TDAH têm altos níveis de bactérias e leveduras em sua urina.

Sintomas

Os sintomas incluem comportamento autodestrutivo, acessos de raiva, frustrações instantâneas e a incapacidade de ficar quieto. Os pais precisam ter muito cuidado para que a criança não seja mal diagnosticada, pois muitos desses sintomas são normais em crianças. Crianças têm tendência a querer se mexer e andar pra lá e pra cá.

É uma grande fonte de diversão para mim quando um pai vem completamente perturbado com a maneira como seu filho está agindo. Em muitos casos, a criança não tem DDA ou TDHA; ela está simplesmente agindo de acordo com sua idade. Alguns pais têm expectativas irracionais sobre as crianças e querem que elas ajam como adultas. Elas são crianças! Elas não agirão como um adulto agiria. Como pais, temos de ser capazes de dizer se nossas crianças têm distúrbios ou apenas dores de crescimento.

Também é possível que uma criança com DDA ou TDHA tenha uma mediunidade incrível que precise de mais estímulo.

Remédios intuitivos

A ativação do DNA parece ajudar com crianças que têm DDA e TDHA. Minha recomendação é colocar as mãos sobre a criança e fazer o comando que seu corpo e sua mente funcionem como os de uma criança perfeitamente normal.

Trabalho de crenças

Muito pouco trabalho de crenças precisa ser feito em crianças. Se você precisar fazer trabalho de crenças, é provável que seja nos pais. Isso, no entanto, pode fazer uma grande diferença para a criança.

A maioria das crenças em torno de uma criança tem a ver com a sensação de se sentir especial.

"Eu sou especial."

"Eu me sinto bem comigo mesmo."

"Eu sou inteligente."

"Eu sou bom o suficiente."

"Eu aprendo rápido."

"Eu sou bom."

"Eu sou amável."

Faça os *downloads*:

"Eu sei qual é a sensação de me sentir especial."

"Eu sei qual é a sensação de me sentir bem sobre mim mesmo."

"Eu sei como ser inteligente."

"Eu sei como aprender."

"Eu sei como ficar mais calmo para que eu possa aprender."

Suplementos e outras recomendações nutricionais

- acidofilus é recomendado para ajudar o sistema digestivo;
- o produto *Calm Child* da marca Planetary Formulas pode ser bom;
- interrompa o uso e o abuso de açúcar;
- não deixe a criança comer *fast food*;
- ômegas 3, 6 e 9 são úteis;
- lembre-se de que as alergias alimentares são uma possível causa;
- o aminoácido GABA tem ajudado crianças com tendência à violência;
- nada de corantes vermelho ou amarelo, que são encontrados em certos alimentos.

DISTÚRBIOS DAS GLÂNDULAS SUPRARRENAIS

As glândulas suprarrenais são um par de órgãos triangulares que se apoiam na parte superior dos rins. O córtex, ou seção exterior, é responsável pela produção de hormônios chamados aldosterona, androstenediona, cortisol, cortisona e desidroepiandrosterona (DHEA). A medula, ou seção central, secreta outro hormônio chamado adrenalina, também chamada de epinefrina ou norepinefrina, que funciona como um hormônio e neurotransmissor. A adrenalina, o cortisol, o DHEA e a norepinefrina são os principais hormônios de estresse do corpo. O cortisol também está envolvido no metabolismo dos hidratos de carbono e na regulação do açúcar no sangue. A aldosterona regula o equilíbrio de sal no corpo. DHEA e androstenediona são andrógenos, hormônios que são semelhantes e que podem ser convertidos em testosterona.

As suprarrenais aceleram o metabolismo para produzir outras alterações fisiológicas projetadas para ajudar o corpo a lidar com perigo. Em situações de grande tensão, quantidades excessivas de cortisona são liberadas, o que pode conduzir a vários problemas de saúde.

Uma delas é chamada de doença de Addison. Essa doença se desenvolve quando as glândulas suprarrenais estão fracas e exaustas. Os sintomas incluem tonturas ou desmaios, fadiga e perda de apetite. Os tecidos das glândulas suprarrenais são atacados e destruídos lentamente.

O problema mais comum associado a Addison é uma disfunção da tireoide. A doença de Addison que está associada ao hipotireoidismo é chamada de síndrome de Schmidt. A doença de Addison também pode ocorrer juntamente à diabetes *mellitus* insulinodependente ou a insuficiências nas glândulas paratireoides ou à anemia perniciosa.

Outra disfunção suprarrenal é chamada de síndrome de Cushing. Essa é uma doença rara causada pela produção excessiva de cortisol ou pela utilização excessiva de cortisol (hormônios esteroides glicocorticoides). Uma pessoa com síndrome de Cushing é geralmente gorda no abdômen e nádegas, mas tem pernas muito finas e um rosto arredondado, de "lua". Elas geralmente têm círculos profundos sob seus olhos com marcas vermelhas que parecem acne. Outros sintomas incluem depressão, fadiga, aumento da sede, alterações de humor e, nas mulheres, ausência de menstruação. Não é incomum que as pessoas alternem entre a doença de Addison e a síndrome de Cushing. O uso excessivo de cortisona (prednisona) pode causar a doença de Cushing.

Insights intuitivos

As pessoas que geralmente têm problemas com suas glândulas suprarrenais não saberão como parar e descansar. Elas exigem muito de si mesmas, acreditando que têm de salvar o mundo.

Problemas com as glândulas suprarrenais são geralmente relacionados com ressentimentos e arrependimentos. Esses programas circulam pelas glândulas suprarrenais e possivelmente causam o início da doença.

Problemas com as glândulas suprarrenais iniciam uma reação em cadeia no corpo. Se as glândulas suprarrenais não estão funcionando bem, então os pulmões não estão funcionando direito. Se os pulmões não estão funcionando direito, então o coração não está funcionando bem. Assim, você pode ter de trabalhar nos pulmões, ao mesmo tempo que com as glândulas suprarrenais, dependendo da gravidade do caso.

Quando você está trabalhando com a doença de Addison e com a síndrome de Cushing, precisa verificar intuitivamente se a pessoa possui doenças associadas, como diabetes.

Trabalho de crenças

Remova qualquer ressentimento de pessoas, de situações e consigo mesmo – "Eu me ressinto do meu corpo", "Eu me ressinto de minha mãe", etc. Substitua por perdão, amor incondicional ou qualquer coisa que o Criador disser. Escave até a crença-raiz e, em seguida, veja como isso está afetando a pessoa; pegue referência na fita de escavação avançada (*digging*), se necessário.

Trabalhe em questões de estresse fetal.

Faça o teste energético para estes programas:

"Eu me ressinto por não fazer melhor."

"Eu lamento que não tenha realizado todos os meus objetivos."

"Eu tenho de trabalhar o tempo todo."

"Eu não tenho tempo para descansar."

"Eu não sou digno de descanso."

"Temo descansar."

Faça os *downloads*:

"Eu sou digno de descanso."

"Eu posso tomar decisões rápidas sem esforço."

"Eu mantenho minha palavra."

"Eu vivo sem medo de tomar decisões."

"Eu estou autorizado a tomar decisões e mudar de ideia, se necessário."

"Eu sei quando estou dando muito de mim mesmo."

"Eu sei quando estabelecer limites para que eu possa descansar."

"Eu sei qual é a sensação de ser completamente saudável e forte."

"Eu sei quando confiar em alguém."

"Eu sei quando estou muito cansado para tomar uma boa decisão."

"Eu sei que sou responsável por minha própria vida e destino."

"Eu sei como controlar meu estado de espírito."

"Eu sei qual é a sensação de me sentir capaz de controlar meu estado de espírito."

"Eu posso viver sem criar medos excessivos em minha vida."

"Eu sei como viver sem criar arrependimentos."

"Eu sei como manter minha verdade."

"Eu sei qual é a sensação de me divertir."

"Eu sei que o que eu digo é importante."

"Eu sei qual é a sensação de viver sem estar exausto."

"Eu sei qual é a sensação de me sentir seguro."

Para curadores

As suprarrenais de muitos curadores ficam cansadas pois retêm a energia de:

"Preciso salvar o mundo."

"Eu tento fazer todos felizes."

"Eu tenho de querer ajudar outras pessoas."

"Eu tenho de me trabalhar em um frenesi."

"Para as pessoa me amarem, eu tenho de cuidar delas."

"O mundo é um lugar frio e severo porque eu tenho a necessidade de servir."

Mude essas crenças para "eu *escolho* mudar o mundo", "eu escolho ajudar outras pessoas", etc. Cuide das suprarrenais com amor incondicional e energia do Criador. Faça os *downloads*:

"Eu sei qual é a sensação de me sentir feliz."

"Eu qual é a sensação de descansar."

"Eu sei qual é a sensação de saber que estou ficando mais forte."

"Tudo bem ser feliz."

"Eu posso viver sem arrependimentos."

"Eu posso criar e assumir minha verdade."

"Eu posso fazer melhor, mas entendo que fiz meu melhor."

"Eu sei qual é a sensação de viver sem sentir que o mundo é cruel."

"Eu sei qual é a sensação de viver sem sentir que não posso seguir em frente."

"Eu sei qual é a sensação de me sentir feliz por estar vivo."

"Cada respiração é cheia de energia."

"Cada respiração está cheia de amor por mim e pelos outros."

"Eu sei como viver neste momento e neste dia com felicidade."

"Eu sei como manter essa felicidade."

"Eu sei como manter minha conexão com o Criador."

"Eu sei qual é a sensação de viver sem que os outros tomem toda a minha energia."

"É fácil para mim enviar amor e energia para as pessoas sem me sentir esgotado."

"Eu sei qual é a sensação de tomar decisões rapidamente e sem esforço."

"Eu posso seguir adiante."

"Eu sei qual é a sensação de mudar de ideia caso seja necessário."

"Eu sei como sustentar minhas decisões."

"Eu sei qual é a sensação de manter minha palavra."

Suplementos e outras recomendações nutricionais

Para suprarrenais cansadas, DHEA e pregnenolona são sugeridos, a menos que você tenha ou já tenha tido câncer de mama ou qualquer outro tipo de câncer no sistema reprodutivo. Muitos médicos prescrevem DHEA para ajudar a recuperar as suprarrenais. A dose sugerida é de 50 miligramas (mg) para mulheres e cem miligramas para homens. É melhor diminuir lentamente o estímulo da DHEA, para que o corpo comece a produzi-lo novamente. Na maioria dos casos, ele começará a ter um efeito em cerca de duas semanas, a menos que você esteja usando cortisona.

É também importante alcalinizar o corpo.

Também úteis:

- ALA, 300-600 mg;
- frutas e legumes frescos, especialmente cebolas;
- ômega 3;
- salmão e peixe – qualquer coisa que possua naturalmente ômega 3;
- espirulina;
- raiz de alcaçuz.

Uma coisa importante de se lembrar com pessoas que usam esteroides glicocorticoides é que você nunca deve sugerir que elas usem raiz de alcaçuz para estimular as glândulas suprarrenais. Isso pode causar uma reação, como insuficiência suprarrenal, ataque cardíaco, pressão arterial alta ou acidente vascular cerebral. Você deve dizer à pessoa os perigos de misturar essas substâncias.

DISTÚRBIOS DO CÓLON

A maioria dos distúrbios do cólon está associada ao fato de o sistema de eliminação do corpo estar prendendo matérias fecais digeridas por muito tempo.

Remédios intuitivos

Certifique-se de que a válvula ileocecal está abrindo como deveria.

Outro método de cura para o cólon é a cromoterapia. Esta parece ser extremamente produtiva.

Trabalho de crenças

Use o trabalho de crenças para liberar ódio e ressentimento.

As emoções mantidas no cólon são:

- abusos antigos;
- culpa;
- incapacidade de aceitar amor;
- medo;
- raiva;
- ressentimentos.

Faça os *downloads*:

"Eu sei qual é a sensação de viver sem medo."

"Eu sei como viver sem medo."

"Eu sei como viver sem ressentimento."

"Eu sei qual é a sensação de estar seguro o conceito do Criador."

"Eu sei qual é a sensação de estar protegido segundo o conceito do Criador ."

"Eu sei qual é a sensação de estar seguro segundo o conceito do Criador ."

Suplementos e outras recomendações nutricionais

- aloe é um bom laxante e reforça o cólon;
- cálcio e magnésio quelados são benéficos;

- certifique-se de que o corpo da pessoa está alcalino;
- sugira que a pessoa remova trigo e glúten de sua dieta.

Veja também <u>*Síndrome do Intestino Irritável.*</u>

DISTÚRBIOS DO SANGUE

O sangue é o grande comunicador do corpo. Ele transporta nutrientes, hormônios e crenças com ele. Se não está fluindo corretamente, esses nutrientes vitais e mensagens não são enviados. Hormônios enviados através da corrente sanguínea comunicam-nos a sensação de que estamos tendo uma experiência de vida. Se temos baixa capacidade de comunicação, temos um fluxo de sangue pobre em nosso corpo e vice-versa. Por exemplo, quando não conseguimos nos defender e dizer não a alguém, geralmente possuímos uma má circulação sanguínea.

O sangue também está ligado à forma como nos percebemos. Se nossa autopercepção é saudável, então nosso sangue fluirá uniformemente através de nosso corpo e os outros nos perceberão de uma forma equilibrada. Os pensamentos que nos são enviados em troca serão equilibrados, fazendo com que o sangue se regule de maneira uniforme.

Vista sob um microscópio, a célula sanguínea é amarela. É o ferro que faz com que o sangue fique vermelho e, se não houver oxigênio no sangue, ele aparecerá azul.

A medula óssea produz plaqueta, glóbulos brancos e hemácias. Se você for para o espaço de uma pessoa e se encontrar com as células do sangue dela, elas estarão ocupadas e em uma grande correria. Os glóbulos brancos e hemácias têm papéis diferentes. As hemácias funcionam como tropas de abastecimento, fornecem oxigênio às células e levam embora os resíduos de dióxido de carbono, enquanto os glóbulos brancos, chamados leucócitos, defendem contra ataques de invasores e limpam os detritos do sangue. Cinco tipos de leucócitos estão estrategicamente implantados no organismo:

- *Basófilos* liberam anticoagulantes e se contraem e se dilatam para curar inflamações.

- *Eosinófilos* combatem certas reações alérgicas e desintoxicam substâncias estranhas.
- *Linfócitos* combatem micróbios que nos fazem mal e são essenciais em lesões cancerígenas.
- *Monócitos* incham para se tornar macrófagos, capazes de engolir grandes partículas inteiras.
- *Neutrófilos* lideram a luta no local de uma lesão, envolvendo bactérias e partículas estranhas.

As hemácias não têm núcleo. Elas o destroem depois que são liberadas na corrente sanguínea para que tenham mais espaço para transportar oxigênio para as células. Se uma hemácia não consegue destruir seu próprio núcleo, o baço, por sua vez, destrói a célula.

Hemácias vivem até 90 dias. Algumas células-T brancas podem viver tanto quanto a pessoa. As células-T podem ficar adormecidas até o vírus, que são programadas para combater, entre no sistema. Você pode ter só uma célula-T que saiba como lutar contra um vírus específico, mas ela irá produzir milhões de outras células-T quando encontrar esse vírus.

Tipos de sangue

Os seres humanos têm quatro tipos de sangue: O, A, B e AB.
- O *tipo O* foi o primeiro a se desenvolver e era o tipo de nossos ancestrais caçadores-coletores. Só receberá sangue de um doador de tipo O.
- Um antígeno é uma substância com a capacidade de produzir um anticorpo que combaterá uma doença. O sangue *tipo A* tem o antígeno de proteína A e seu plasma tem o anticorpo B. O sangue tipo A pode receber transfusões de sangue de ambos os tipos A e ambos os tipos O.
- O sangue *tipo B* tem o antígeno B e o anticorpo A. Ele pode receber sangue dos tipos B e O.
- O sangue *Tipo AB* tem ambos os antígenos e nenhum anticorpo. É compatível com todos os outros tipos de sangue.

Insights intuitivos

Vistas intuitivamente, as células do sangue devem parecer e se sentir felizes, não com raiva ou teimosas.

Substâncias negras no sangue podem ser metais pesados. Se partículas marrons são vistas, significa que os rins ou fígado não estão limpando o sangue. Também pode haver partículas castanhas caso existam parasitas ou nutrientes indigestos presentes. Se esse for o caso, a pessoa precisa de mais enzimas.

Trabalho de crenças

Em distúrbios do sangue, os sistemas de crenças circulam em torno de questões de nutrição, receber amor e alimento, codependência, o retorno de fragmentos de alma, o medo de estar sozinho, a individualidade, o medo do abandono e de "saber" qual é a sensação de algo. Para mais sobre crenças, *veja Sistema Circulatório*.

Suplementos e outras recomendações nutricionais

- pimenta caiena;
- trevo-vermelho;
- vitamina B;
- equinácea é a rainha de todos os purificadores de sangue;
- a niacina também é um purificador do sangue, mas use-a apenas por duas semanas a cada vez.

Veja também Hemofilia, Metais Pesados, Doença Renal e Leucemia.

DOENÇA CARDÍACA

Veja Doença Cardiovascular; Coração e Sistema Circulatório.

DOENÇA CARDIOVASCULAR

A doença cardiovascular é um termo amplo utilizado para descrever uma série de doenças que afetam o coração ou os vasos sanguíneos. Elas incluem a doença da artéria coronária, ataque cardíaco, insuficiência cardíaca, pressão arterial elevada e acidente vascular cerebral. O termo "doenças cardiovasculares" é usado como sinônimo de "doenças cardíacas", porque ambos os termos referem-se a doenças do coração, artérias e vasos sanguíneos. Para além de qualquer nome, esse é um problema sério. A doença cardiovascular é a assassina mundial número 1 de homens e mulheres.

"Doença cardiovascular" é o termo usado mais frequentemente para descrever os danos causados ao coração ou aos vasos sanguíneos pela aterosclerose. Essa doença afeta as artérias. São os vasos sanguíneos que levam oxigênio e nutrientes do coração para o resto do corpo. As artérias saudáveis são flexíveis, fortes e elásticas. Ao longo do tempo, no entanto, uma pressão excessiva nas artérias pode fazer as paredes ficarem grossas e duras. Isso às vezes restringe o fluxo sanguíneo para os órgãos e tecidos. Esse processo é chamado de arteriosclerose ou endurecimento das artérias. Os principais fatores de risco para o desenvolvimento da aterosclerose, e por sua vez da doença cardiovascular, são uma dieta pouco saudável (gorduras saturadas), falta de exercício, excesso de peso e tabagismo.

Algumas formas de doença cardiovascular não são causadas pela aterosclerose. Estas incluem cardiomiopatia (doença do músculo do coração), doença cardíaca congênita, infecções do coração e valvulopatias cardíacas.

Terminologia médica

Aneurisma: Uma seção do vaso sanguíneo em que a parede se torna fina com uma protuberância para fora.

Angina de peito: Dor ou pressão forte no peito que é causada pela oferta insuficiente de oxigênio para o coração.

Angiograma: Um retrato de diagnóstico produzido pela injeção de um corante, que é visível no raio X, no coração e/ou nos vasos sanguíneos.

Angioplastia: Um processo no qual um pequeno balão é inserido em uma artéria obstruída ou parcialmente bloqueada, para comprimir a placa sobre a parede do vaso sanguíneo, alargando a artéria e permitindo que o sangue flua através dela.

Aorta: O principal canal de circulação arterial do coração; a grande artéria para dentro da qual o sangue oxigenado é bombeado pelo coração.

Arritmia: Perturbação do ritmo normal do batimento cardíaco. Existem diferentes tipos de arritmia; algumas são bastante perigosas, oferecendo até risco de vida, enquanto outras são apenas um incômodo e não representam um perigo específico.

Artéria carótida: A principal artéria que irriga o cérebro.

Artérias coronárias: As artérias que fornecem sangue ao coração.

Ataque cardíaco: O termo médico é "enfarte do miocárdio". Em um ataque cardíaco, o coração para de receber oxigênio. Dependendo do tamanho e localização da(s) área(s) afetada(s), o ataque pode ser descrito como suave ou severo.

AVC: Uma interrupção do fluxo sanguíneo para o cérebro.

Cardiomegalia: O termo médico para o alargamento do coração.

Cardiomiopatia: Qualquer grupo de doenças do músculo do coração que resulta em um funcionamento cardíaco comprometido e, em última instância, em uma insuficiência cardíaca.

Cardiopatia congênita: Um defeito cardíaco que está presente no nascimento, embora não seja necessariamente hereditário.

Cardioversão: Um procedimento utilizado para corrigir arritmias no qual uma corrente elétrica é aplicada ao coração para restaurar o ritmo normal.

Cardite: Inflamação do músculo cardíaco.

Cateterização: Um procedimento utilizado para diagnosticar a condição do coração e/ou sistema circulatório. Um tubo oco chamado cateter é inserido através do vaso sanguíneo para detectar o bloqueio da artéria ou descobrir malformações do coração.

Claudicação: dores como se houvesse um grampo nas pernas, que são o resultado de má circulação nas pernas.

Doença arterial coronariana: Arteriosclerose das artérias coronárias.

Doença valvular: Um distúrbio que prejudica o funcionamento de uma ou mais válvulas cardíacas. Pode ser causada por um defeito congênito ou uma doença, tal como a febre reumática ou endocardite, que é uma infecção do músculo cardíaco.

Estenose aórtica: Uma condição em que a valva aórtica é reduzida, restringindo o fluxo sanguíneo do coração para a aorta.

Ecocardiograma: Um procedimento para diagnóstico que utiliza a tecnologia de ultrassom para formar uma imagem do coração.

Eletrocardiograma: Um teste para diagnóstico que controla os impulsos elétricos do coração.

Embolia: Uma condição circulatória em que um objeto estranho como ar, gás, ou uma peça de tecido de um tumor é transportado pelo corpo e fica retido em um vaso sanguíneo, obstruindo o fluxo de sangue.

Fibrilação atrial: Um batimento cardíaco irregular caracterizado por um batimento cardíaco lento ou rápido. Muitas vezes é uma complicação proveniente de um ataque cardíaco.

Insuficiência cardíaca congestiva: doença cardíaca crônica, que resulta na acumulação de fluidos nos pulmões.

Parada cardíaca: Ocorre quando o coração para de bater. Quando isso acontece, o fornecimento de sangue para o cérebro é interrompido e a pessoa perde a consciência.

Prolapso da válvula mitral: Uma condição em que a válvula mitral, que controla o fluxo de sangue do átrio esquerdo para o ventrículo esquerdo (a principal câmara de bombeamento do coração), se projeta excessivamente para o átrio esquerdo, enquanto ele está bombeando. Em muitos casos, isso não causa nenhum sintoma, embora algumas pessoas experimentem tonturas ocasionais, fadiga e palpitações.

Sopro cardíaco: som feito pelo coração que pode ou não ser uma doença cardíaca.

Trombose: A formação de um coágulo em um vaso sanguíneo.

Tratamento convencional

Há uma variedade de tratamentos convencionais para doenças cardiovasculares:

• Inibidores de ACE inibem a formação do hormônio angiotensina, que estreita os vasos sanguíneos.

- Anticoagulantes são comumente prescritos para pessoas que são especialmente propensas a desenvolver coágulos de sangue.
- Betabloqueadores induzem o coração a bater mais lentamente e com menos força.
- Bloqueadores dos canais de cálcio relaxam os músculos dos vasos sanguíneos.
- Inibidores adrenérgicos centrais impedem que o sistema nervoso aumente a frequência cardíaca e estreite os vasos sanguíneos.
- Diuréticos ou pílulas de água ajudam os rins a se livrar do sódio e da água, reduzindo o volume de sangue no corpo e, por conseguinte, a pressão sobre o coração.
- Helidac é um tratamento para *Helicobacter pylori*, que agora é visto como um culpado da doença cardíaca. Ele contém três medicamentos diferentes: subsalicilato de bismuto, metronidazol e tetraciclina.
- Estudos têm mostrado que pessoas que tomam um suplemento de CoQ10 logo após um ataque cardíaco são menos propensas a ter um segundo ataque no prazo de cinco anos.
- Para aqueles que tiveram um ataque cardíaco, o melhor é evitar altos níveis de sal, açúcar e farinha branca e, claro, abuso de álcool e tabaco.

Insights intuitivos

Os cientistas descobriram, com base no batimento cardíaco, que as criaturas que mais vivem são algumas espécies de aves. Essa é uma indicação do quão importantes são as ações do coração para nós.

O coração recebe mensagens hormonais constantes que criam um pulso elétrico. Ele tem seu próprio marca-passo interno que se automonitora, e vários sistemas de *backup*.

Se houver problemas no coração, ele fará muito barulho em uma leitura. Ele lhe pedirá ajuda. Você tentará se mover para outras partes do corpo, mas mesmo assim será constantemente puxado de volta para o coração até que pergunte à pessoa se ela tem algum problema no coração.

Muito tempo atrás, trabalhei com um homem que tinha problemas cardíacos. Eu estava profundamente imersa no estado de transe do Theta, e vi um anjo entrar no corpo desse homem e tirar uma válvula de seu coração e ligá-la em outro local. Muitos anos mais tarde, ele foi fazer uma cirurgia cardíaca. Eles descobriram que ele tinha uma válvula que estava voltada para outra parte do coração.

Uma das coisas mais importantes que você pode fazer para seu coração é ter boas companhias. Isso porque você é afetado pelos pensamentos das pessoas ao seu redor. Assim, a pessoa com quem você está junto deve ter uma vibração que combina com a sua. A comunicação com essa pessoa é importante. Você pode estar com sua alma gêmea e não saber, pois não se comunica com ela. Trabalhe com o sangue e o coração para aprender a se comunicar. Se você insistir em pensamentos negativos, isso drenará seu corpo e criará o que você cultivou, como por exemplo um ataque cardíaco.

Você pode manter seu coração em perfeita ordem, mantendo seu fígado em perfeita ordem. Quanto mais limpo for seu fígado, melhor seu coração vai trabalhar. O fígado processa os alimentos para o coração e, do coração, para o cérebro.

Sempre que alguém faz uma operação de coração de qualquer tipo, fica abrasivo e se irrita facilmente. Se alguém tiver feito uma cirurgia de revascularização, é típico que esteja mal-humorado. Muitos homens terão problemas associados à próstata. Às vezes, você identificará problemas na próstata quando escanear o corpo antes de reconhecer os problemas cardíacos.

Trabalho de crenças

Amor e alegria são emoções predominantes no coração; por isso, as pessoas que têm problemas cardíacos podem não saber como dar ou receber amor ou alegria. Minha teoria é a seguinte: se são as artérias que têm problema, a pessoa não sabe como dar amor; se forem as veias, ela não sabe como receber amor.

Problemas de coração sempre têm algo a ver com amor ou medo da vida. Se a pessoa tem problemas sérios de coração, sei que há provavelmente uma razão para isso. Eu também sei que ela terá muita raiva antiga surgindo, então tenho de ter cuidado na maneira com que falo com ela, pois senão ela pode querer um confronto!

Às vezes, quando as pessoas têm muitos assuntos, o chacra do coração sofre porque elas não sabem como amar alguém completa e totalmente.

Acho que muitas pessoas têm problemas de coração porque a pessoa com quem elas estão se relacionando mudou muito ao longo do tempo e elas já não querem realmente estar com essa pessoa.

Outras pessoas pensam que em um relacionamento elas devem se tornar o que a outra pessoa quer, então, é isso que elas fazem. Depois de três ou quatro anos fazendo isso, no entanto, elas ficam realmente cansadas e ressentidas.

Isso acontece com relações familiares também. Às vezes, você se esforça para ser o que a entidade familiar quer que você seja e descobre que é uma coisa difícil de sustentar, e por isso você começa a se ressentir de todos eles por isso. O mesmo acontece com membros específicos da família – às vezes você está se esforçando para ser o que sua mãe ou pai quer que você seja, ou talvez o que eles não querem que você seja, e isso pode trazer ressentimentos à tona e levar a problemas cardíacos.

Quando um cliente tem uma mágoa ou coração partido, ele reclama de uma dor no peito. Você precisará ensiná-lo a aceitar o amor com facilidade.

Se, depois de procurar a sabedoria do Criador, você sente que existe um problema físico no coração, intuitivamente testemunhe o Criador limpando todas as válvulas da área do coração. Fique de olho nele. Esteja preparado para trabalhar no coração dele no momento em que este precisar ser trabalhado. Sugira aconselhamento médico. Verifique se ele sabe como amar alguém completa e totalmente, aceitando-o pelo que ele é e ainda continuar sendo ele mesmo. Também faça o teste energético para:

"Eu preciso abrir mão de quem sou para estar em um relacionamento."

"Eu preciso abrir mão da minha identidade para estar em um relacionamento."

Faça os *downloads*:

"Eu sei qual é a definição do Criador sobre a sensação de ter respeito por mim mesmo."

"Eu sei qual é a sensação de respeitar minha família e os outros."

"Eu sei qual é a sensação de respeitar o trabalho de Theta."

"Eu sei qual é o conceito do Criador sobre a sensação de ser doce."

"Eu entendo qual é a sensação de ser amado."

"Eu sei qual é a sensação do amor de mãe."

"Eu sei qual é a sensação do amor de pai."

"Eu sei qual é a sensação do amor de uma criança."

"Eu sei qual é a sensação de viver minha vida diária sem desespero e tristeza."

"Eu entendo qual é a sensação de me comunicar com os outros."

"Eu sei qual é a sensação de ser importante o suficiente para comunicar meus pensamentos aos outros de forma fácil e sem esforço."

"Eu sei como e quando me comunicar."

"Eu sei que é possível me comunicar."

"Eu sei que é possível viver minha vida sem ser egoísta e egocêntrico."

"Eu sei qual é a sensação de viver minha vida me importando com os outros."

"Eu sei qual é a sensação de cuidar de mim mesmo enquanto cuido dos outros."

"Eu sei qual é a sensação de aceitar o sopro da vida."

"Eu sei como lidar com confronto."

"Eu sei como interagir com os outros."

"Eu sei como viver sem lutar por meu direito de ser."

"Eu sei como dizer não."

"Eu sei como viver sem que as pessoas se aproveitem de mim."

"Eu sei como honrar meus limites e os dos outros."

"Eu sei qual é a sensação de aprender facilmente e sem esforço."

"Eu sei como enfrentar alguém da melhor e mais elevada maneira."

"Eu sei como estar consciente dos sentimentos das outras pessoas."

"Eu sei como ser assertivo."

"É fácil para mim ser respeitado."

Remédios intuitivos

No caso de problemas no coração, use os exercícios "Curando a Alma Partida" (*Veja Câncer*) e especialmente o exercício "A Canção do Coração".

A Canção do Coração

O exercício "A Canção do Coração", que é projetado para liberar a tristeza e raiva através de um tom que vem do coração, já foi delineado no livro *ThetaHealing Avançado*, mas é trazido aqui como referência, uma vez que é de valor inestimável para a cura do coração.

Apenas a voz do cliente é capaz de liberar a tristeza e a dor do coração. O praticante não pode liberá-las para ele, só pode ajudar o cliente, incentivando-o a produzir o tom.

Muitas das pessoas que fazem este exercício vão se conectar ao tom universal que libera a raiva, ódio e a tristeza em nível mundial.

Há três moléculas que estão ligadas à alma e que estão com ela em todos os lugares aonde ela vai. Essas moléculas estão distribuídas em três locais do corpo quando entramos nesta vida:

- Um é na glândula pineal e libera emoções e programas físicos;
- Um é no coração e libera tristezas e raivas antigas;
- Um está na base da coluna e ativa a molécula no coração para liberar tristeza.

O praticante deve orientar o cliente por meio do processo da seguinte forma:

O processo para a canção do coração

1. Centre-se em seu coração e visualize-se descendo para a Mãe Terra, que é uma parte de Tudo O Que É.
2. Visualize-se trazendo a energia através de seus pés, abrindo cada chacra até o chacra coronário. Em uma linda bola de luz, vá para o universo.
3. Vá além do universo, além da luzes brancas, além da luz escura, além da luz branca, além da substância gelatinosa que são as Leis, em uma luz branca perolada iridescente, no Sétimo Plano da Existência.

4. Faça o comando: "*Criador de Tudo O Que É, é comandado que tristeza seja liberada a partir do canto do coração através de um tom de minha voz. Grato. Está feito. Está feito. Está feito*".

5. Imagine-se indo à Lei da Música e pedindo o tom que vai liberar a tristeza e a raiva do coração. Imagine que você está indo para baixo, bem profundo em seu coração. Ouça a música triste que seu coração canta. Deixe que saia em sua voz, no tom que você cantar.

6. Enquanto você ouvir o som que o coração canta, ouça todos os ressentimentos, todas as frustrações com a guerra, fome, ódio e raiva que estão trancadas no coração. Deixe o som que está trancado no coração sair de sua boca e ser liberado. Depois, faça o mesmo para todos os órgãos do corpo.

7. Quando tiver terminado, conecte-se novamente com a energia de Tudo O Que É, respire fundo e faça uma quebra energética, se assim desejar.

A maneira de saber se o processo terminou é o cliente sentir ter terminado. Ele sentirá que liberou toda a tristeza e raiva acumuladas em seu coração.

Esse processo pode ser feito mais de uma vez se o cliente precisar liberar outras camadas de tristeza e raiva do coração.

O cliente pode não se sentir completamente feliz liberando toda sua tristeza armazenada na presença de outra pessoa. Se assim for, diga-lhe que ele pode usar o processo quando estiver sozinho, talvez quando estiver relaxando em uma banheira com água quente. Esse processo é capaz de criar propriedades de cura surpreendentes para o corpo.

Além disso, faça os *downloads* de sentimentos para que se saiba que:

"Tudo o que eu experimentei importa."

"Eu posso despertar as pessoas para suas identidades divinas."

"Desta vez eu posso despertá-los."

Suplementos

- O magnésio é necessário para o coração funcionar adequadamente. Ele pode limpar questões do coração.

Ataques cardíacos

Sintomas

Os sintomas incluem:

- ansiedade;
- desmaio;
- dificuldade em engolir;
- dor no peito;
- falta de ar;
- náusea;
- perda da fala;
- súbitos zumbidos nos ouvidos;
- suor;
- tontura;
- vômitos.

A gravidade da dor no peito irá variar de uma pessoa para outra. Algumas pessoas sentem uma dor intensa, enquanto outras sentem apenas um leve desconforto. Muitos confundem os sinais de um ataque cardíaco com uma indigestão simples. Alguns não apresentam nenhum sintoma, essa situação é chamada de ataque cardíaco "silencioso".

Muitas doenças mimetizam os ataques cardíacos, como fibromialgia, um ataque na vesícula biliar e doença do refluxo. Independentemente disso, se você tiver dor no peito é melhor consultar um médico.

Insights intuitivos

Suas células cardíacas vivem uma vida inteira e, de acordo com a medicina convencional, não se regeneram. No caso de um ataque cardíaco, metade do coração pode ser afetado e os médicos lhe dirão que é impossível que o coração seja como era antes. Eles acreditam que o dano não pode ser reparado, mas eu não acredito que isso seja verdade.

Uma mulher uma vez veio até mim dizendo que seu médico havia dito que ela possuía apenas 17% de sua função cardíaca. Ela mal conseguia andar em meu consultório. Fiz um trabalho com ela e ela acabou se divorciando. Após seu divórcio, ela foi testada e sua função cardíaca era de cerca de 60%. Os médicos ficaram surpresos com esse evento inexplicável. Eles não conseguiam descobrir por que suas células cardíacas haviam se regenerado.

Você tem de entender que seu corpo produz células-tronco e estas podem se tornar qualquer coisa que o corpo precise. Acho que todos nós temos a capacidade de nos regenerar, mas essa capacidade foi esquecida. Há muitos casos científicos em que crianças, que não sabem que não é possível que uma mão ou dedo se desenvolva de novo, desenvolvam novos.

Encontrei-me com um homem que veio a uma de minhas aulas que tinha acidentalmente cortado a ponta dos dedos. Ele enfiou seu dedo em um pote de mel para que ele pudesse curar lentamente, sendo que a ideia inicial era que a pele e o osso voltassem a crescer. Ele fez com que todo seu dedo voltasse a crescer, inclusive as unhas.

Crianças pequenas podem ter um acidente vascular cerebral que destrua parte de seu cérebro e corpo, mas elas ainda possuem as memórias fetais de regeneração e por isso são capazes de reparar o dano.

Seu corpo está de fato constantemente se reparando. É um milagre! Ele está trabalhando continuamente a fim de trazer oxigênio e alimento para as células. Ele constantemente envia e recebe mensagens para garantir que haja açúcar suficiente na corrente sanguínea, oxigênio suficiente na corrente sanguínea, e assim por diante. Essas respostas autônomas estão acontecendo a cada segundo durante toda a nossa vida.

Acredito que o ThetaHealing possa desencadear a capacidade de regeneração esquecida para que o corpo cure a si mesmo.

Remédios intuitivos

Chame uma ambulância! Use a reanimação cardiorrespiratória (RCR) se você souber como fazer.

Além disso, faça uma cura. Comande que as veias e artérias sejam limpas e que o fluxo sanguíneo recomece. Comande que o coração bata até que o ritmo correto seja restaurado e dê a ele energia do Criador. Use células-tronco para reconstruir o coração.

Trabalho de crenças

Os ataques cardíacos sempre estão ligados a não receber amor.

Depois de um ataque cardíaco, a pessoa supostamente vive com menos capacidade de bombeamento do coração. Isso pode fazer com que a pessoa crie programas relacionados àqueles que a rodeiam. Faça os *downloads*:

"Eu sei qual é a sensação de ser nutrido no conceito do Criador."

"Eu sei como me nutrir no conceito do Criador."

"Eu entendo como ser amado."

"Eu entendo como aceitar amor."

"Eu entendo como ter alegria."

"Eu entendo qual a sensação de ter alegria."

"Eu sei qual é a sensação de viver sem abrir mão de quem sou para estar em um relacionamento."

"Eu sei qual é a sensação de viver sem ter de abrir mão da minha identidade para estar em um relacionamento."

"Eu sei como amar alguém completa e totalmente."

"Eu sei como dar amor."

"Eu sei como lidar com o confronto da melhor e mais elevada maneira."

"Eu vivo sem temer a vida."

Suplementos

Falta de cobre e de magnésio podem causar um ataque cardíaco. São suplementos úteis:

- ácido alfalipoico;
- CoQ10;
- espinheiro branco (como medida preventiva);
- extrato de semente de uva;
- lecitina;
- magnésio;
- potássio (se a medicação da pessoa permite);
- selênio.

Colesterol alto

O colesterol é uma substância semelhante à gordura que seu corpo precisa para funcionar de modo normal. Está naturalmente presente na parede ou membranas celulares em todo o corpo, incluindo o cérebro, coração, intestinos, fígado, músculos, nervos e pele.

O corpo usa colesterol para auxiliar a produção de hormônios, de vitamina D e de ácidos biliares que ajudam na digestão de gorduras. É necessária apenas uma pequena quantidade para atender a essas necessidades. Se você tem colesterol em excesso na corrente sanguínea, o excesso pode ficar depositado nas artérias, incluindo as artérias coronárias (coração), o que contribui para o estreitamento e bloqueio que causam doenças cardíacas.

A doença arterial coronariana é causada por colesterol e gordura que ficam depositados nas paredes das artérias que alimentam o coração com oxigênio e nutrientes. Como qualquer músculo, o coração necessita de um fornecimento constante de oxigênio e nutrientes, que são transportados para ele pelo sangue. Estreitamentos estabelecidos nas artérias, que fica muitas vezes calcificada (endurecida), podem causar angina. Um estreitamento menos severo pode originar bloqueios instáveis chamados placas de gordura. A placa aterosclerótica instável pode romper, resultando na formação de coágulos, interrupção do fluxo sanguíneo e, possivelmente, em um ataque cardíaco.

Se o fornecimento de sangue para alguma parte do coração for completamente interrompido por uma obstrução total de uma artéria coronária, o resultado é um ataque cardíaco. Isso se dá geralmente graças a um fechamento repentino da artéria por causa da formação de um coágulo de sangue se formando em cima da placa instável.

Um simples exame de sangue é realizado para o colesterol alto. Conhecer seu nível total de colesterol não é suficiente. Um perfil lipídico completo mede sua LDL (lipoproteína de baixa densidade, o colesterol ruim), o colesterol total, a HDL (lipoproteína de alta densidade, o bom colesterol) e triglicerídeos, outra substância gordurosa no sangue.

Um nível de colesterol total desejável é 200 mg/dL ou inferior. Um LDL desejável é 100 mg/dL, 130-159 é o alto no limite, 160 é alto, 190 é muito alto. HDL, o "colesterol bom", deve estar em torno de 40 mg/dL ou superior. Com HDL, quanto maior for o número, melhor, e 60 mg/dL é um nível preventivo de doenças cardíacas.

Muitas pessoas têm níveis elevados de colesterol total e de LDL (o colesterol ruim). Uma dieta rica em gorduras saturadas (um tipo de gordura encontrada principalmente em alimentos que vêm de animais e certos óleos) aumenta os níveis de LDL mais do que qualquer outra coisa. Você também come colesterol diretamente em sua comida, apesar de o efeito da gordura saturada na dieta ser maior do que o efeito do colesterol dietético. Os ácidos graxos trans (contidos em alimentos processados e em muitos *fast-foods*) também podem aumentar os níveis de LDL. O colesterol dietético é encontrado apenas em alimentos de produtos de origem animal. Fatores genéticos combinados com comer muita gordura saturada e colesterol são as principais razões para os altos níveis de colesterol que levam a ataques cardíacos. Reduzir a quantidade de gordura saturada e de colesterol que você consome é um passo importante na redução de seus níveis de colesterol no sangue.

Há grande incidência de colesterol alto em pessoas de regiões do Norte. Nas pessoas da linha do equador, essa incidência tende a ser menor.

Remédios intuitivos

Equilibre os hormônios do coração no cérebro. Peça ao Criador para lhe mostrar. Certifique-se de que a pessoa sabe receber e aceitar amor e sabe dar amor.

Suplementos
- ácido alfalipoico
- fibra e farelo de aveia;
- lecitina;
- ômega 3;
- selênio;
- tomar a luz solar adequada parece reduzir os níveis de colesterol;

- a dieta da maioria dos vegetarianos não costuma conter as gorduras boas – eles devem comer abacate e prímula (*Evening Primrose*). Se você não ingere os lipídios corretos quando é vegetariano, seu colesterol pode ficar alto. Você pode até ganhar peso e ficar deprimido;
- parece que azeite de oliva diminui o colesterol;
- a vitamina C é útil para o colesterol alto, mas você não deve usar mais de 3.000 a 5.000 mg; deve usar esporadicamente durante o dia 1.000 mg de cada vez.

Hipertensão

A hipertensão pode ser uma precursora dos problemas cardíacos. É uma forma comum de doença cardiovascular. É geralmente resultado de uma diminuição da elasticidade do diâmetro interior das artérias. Isso pode ser causado por arteriosclerose, dificuldade de metabolizar sódio, desequilíbrios enzimáticos e eletrolíticos, deficiências nutricionais e estresse. Quando o quadro se torna avançado o suficiente para causar sintomas como tonturas, pulsação acelerada, dificuldade de respirar e sudorese, é muito mais difícil de tratar. Muitas pessoas nem sequer sabem que têm hipertensão, antes que seja tarde demais. É por isso que ela é chamada de "assassina silenciosa". As mulheres são mais propensas a sofrer com essa condição do que os homens.

Se a pressão arterial é alta, não existe relaxamento quando o corpo e o coração estão relaxados, e a pressão nas veias pode se tornar excessiva. Ela encontrará um ponto fraco nas veias e a pessoa pode desenvolver um ataque cardíaco, insuficiência renal ou um acidente vascular cerebral. (Quando me refiro a um acidente vascular cerebral, estou me referindo a um aneurisma em que a parede do vaso sanguíneo torna-se fina, protuberante e, então, se rompe, causando um acidente vascular cerebral.) Toda vez que houver uma obstrução nas artérias carótidas, haverá sintomas de hipertensão.

Se sua pressão arterial é alta, seu corpo não consegue decompor sais da maneira que ele precisa. Seus lipídios não estão sendo mantidos no corpo, e isso pode causar um problema.

Pessoas com hipertensão têm uma tendência a desenvolver apneia do sono. Essa é uma condição perigosa em que a pessoa para de respirar por curtos períodos enquanto dorme.

Tipos

A pressão arterial é normalmente dividida em duas categorias, primária e secundária. A hipertensão primária é a pressão arterial elevada que não está vinculada a nenhuma outra doença. A causa exata é desconhecida, mas os fatores de risco incluem tabagismo, abuso de drogas, uso excessivo de estimulantes, como café ou chá, alta ingestão de sódio, obesidade e estresse.

Quando a pressão arterial elevada é resultado de um problema de saúde subjacente, é chamada de hipertensão secundária. As causas da hipertensão secundária podem ser arteriosclerose, insuficiência renal ou, às vezes, problemas de fígado.

Medições da pressão arterial

A pressão arterial é medida conforme o sangue esteja sendo bombeado pelas veias enquanto o corpo e o coração estão relaxados.

A medição sistólica (maior) é o valor máximo da pressão sanguínea que é bombeada para fora do coração. A medição diastólica (inferior) se refere ao sistema quando ele está entre batimentos, situação conhecida como pressão arterial de repouso. Esta deve ser 60-80, enquanto a medição sistólica deve ser 120-140, embora 120 seja melhor.

Se houver uma distância muito grande entre os números das pressões sistólica e diastólica, não há motivo para preocupação. Se o número mais baixo for demasiado alto, existe uma pressão excessiva no sistema. Se a medida sistólica for alta, a pessoa está mais suscetível a ter um acidente vascular cerebral.

Quando os dois números estão muito altos, a pressão pode explodir seus rins e isso poderia explodir o topo de seu coração.

O coração em si deve bater entre 50 e cem batimentos por minuto e a pulsação deve estar entre 50 e 70 batidas por minuto.

Remédios intuitivos

Testemunhe os hormônios do coração que são enviados para o cérebro entrar em equilíbrio. Peça ao Criador que lhe mostre.

Sugira que a pessoa faça uma limpeza de fígado (*Veja Fígado*).

Trabalho de crenças

As crenças da pressão arterial estão centradas no estresse.

"Não importa o que eu faça, não é o suficiente."

"Devo sempre fazer mais."

"Não há tempo para descanso."

Suplementos e outras recomendações nutricionais

- aminoácidos, além de fenilalanina e tirosina;
- pectina da maçã (do suco de maçã);
- CoQ10;
- alho;
- lecitina;
- magnésio;
- selênio;
- vitamina B;
- vitamina C;
- vitamina E;
- zinco;
- evite álcool, tabaco e excesso de cafeína;
- seja cauteloso na utilização de gingko biloba, pois existe o risco de acidente vascular cerebral;
- pepino é surpreendente para regulação da pressão arterial;
- não use anti-histamínicos;
- diminua o consumo de sódio;
- note que alguns procedimentos de acupuntura e alguns ajustes para as costas da quiropraxia irão afetar a pressão arterial;
- ômega 3 ajudará a evitar o acúmulo de colesterol nas veias;
- comece uma dieta rica em fibras;
- comece a fazer exercício moderadamente.

Hipotensão/baixa pressão arterial

Em alguns casos, a medicação farmacêutica para pressão alta pode causar pressão baixa, o que é chamado de hipotensão. Os sintomas de hipotensão são desmaio, fadiga, náuseas, sudorese e até mesmo perda de consciência.

Se alguém estiver muito agitado e tiver pressão arterial baixa, é possível que algo esteja errado.

DOENÇA CELÍACA

A doença celíaca é uma condição digestiva desencadeada pela ingestão da proteína do glúten, que é encontrado em biscoitos, pães, massas de pizza e muitos outros alimentos que contêm trigo. Cevada, centeio e até aveia podem conter glúten.

Quando uma pessoa com doença celíaca come glúten, uma reação imunológica ocorre no intestino delgado, resultando em danos à sua superfície. Normalmente, o intestino delgado está alinhado com projeções semelhantes a pequenos pelos chamados vilosidades. Assemelhando-se a uma profunda pilha de carpetes de plush em uma escala microscópica, eles trabalham para absorver vitaminas, minerais e outros nutrientes dos alimentos. A doença celíaca resulta em danos para as vilosidades, e sem elas, a superfície interna do intestino delgado fica incapaz de absorver os nutrientes e em vez disso esses são eliminados com as fezes.

A redução da absorção de nutrientes pode causar deficiências de vitaminas que podem levar a outras doenças. Estas podem ser especialmente graves em crianças, que precisam de uma nutrição adequada para se desenvolver e crescer. No entanto, a doença celíaca pode ser administrada por meio de uma mudança da dieta.

Alguns especialistas supõem que a doença celíaca apareceu desde que a humanidade mudou de uma dieta de forrageio de carne e nozes para uma dieta baseada no cultivo usando trigo.

Causas

A doença celíaca é frequentemente hereditária. Pode ocorrer em qualquer idade, embora os problemas não apareçam até que o glúten seja introduzido na dieta.

A doença pode surgir após alguma forma de trauma, como uma infecção, uma lesão física, estresse da gravidez ou qualquer outro estresse grave ou cirurgia.

Sintomas

Os sintomas de doença celíaca podem mimetizar outras condições, como estados nervosos, anemia, doença de Crohn, úlceras gástricas, síndrome do intestino irritável, infecções por parasitas e doenças de pele. A maioria das pessoas com a doença tem queixas como dor abdominal intermitente, distensão abdominal e diarreia, mas algumas nem apresentam sintomas gastrointestinais.

A doença pode apresentar-se em formas menos óbvias que incluem depressão, irritabilidade, dor nas articulações, feridas na boca, cãibras musculares, neuropatias, osteoporose, problemas de pele e estômago.

Indicações de má absorção que podem resultar em doença celíaca incluem:

- atraso de crescimento em crianças;
- cólicas abdominais, gases e inchaço;
- diarreia;
- fadiga e fraqueza;
- mau cheiro ou fezes acinzentadas;
- osteoporose;
- perda de peso acentuada.

Remédios intuitivos

Testemunhe o trabalho de genes e a cura.

Trabalho de crenças

Na doença celíaca, os sistemas de crenças têm a ver com a sensação de ser vítima e perfeccionista, nunca ser bom o suficiente e não ser capaz de absorver amor.

Faça os *downloads*:

"Eu sei como receber e aceitar amor."

"Eu recebo amor."

"Tenho bom discernimento quanto às pessoas."

"Eu posso viver sem ser vítima."

"Eu sei como viver sem estar doente."

Suplementos

Estes aqui ajudarão todos os danos do intestino:

- alcachofra-de-Jerusalém;
- aloe vera;
- clorofila;
- espirulina;
- extrato de folha de oliveira.

Veja também Síndrome do Intestino Irritável.

DOENÇA DE ADDISON

Veja Distúrbios das Glândulas Suprarrenais.

DOENÇA DE ALZHEIMER

A doença de Alzheimer (DA) é uma doença que progride lentamente no cérebro, é caracterizada pela perda da memória e, eventualmente, por distúrbios no raciocínio, planejamento, linguagem e percepção. Muitos cientistas acreditam que resulta de um aumento da produção ou da acumulação da proteína beta-amiloide no cérebro, que conduz as células nervosas à morte.

Insights intuitivos

Muitas pessoas vêm me ver pensando que têm doença de Alzheimer, quando na verdade é somente uma falta de magnésio ou de outros minerais. Eu sei que a demência pode ser causada por uma falta de magnésio.

Acredito que a doença de Alzheimer é causada pela intoxicação por metais pesados, então quanto mais você limpa a pessoa de metais pesados, mais clara sua mente vai ficar. Algumas pessoas acreditam que a doença de Alzheimer é um presente dos deuses para levá-los de volta aos tempos em que a vida era mais fácil. Eu digo que é um presente dos metais pesados e que deve ser removida.

Acredito que uma das causas da doença de Alzheimer é a intoxicação por conta do alumínio dos recipientes e utensílios de cozinha, para não mencionar a intoxicação pelo uso excessivo de medicamentos como antiácidos. O alumínio interfere nos receptores de dopamina. Existem evidências científicas que sustentam essa visão.

Com a doença de Alzheimer, também sei que é necessário trabalhar com a família. A partir do momento em que uma pessoa tem a doença de Alzheimer, a doença causará um monte de estresse na família, então você pode ter de trabalhar com todos os envolvidos.

Trabalho de crenças

Quando você começar a trabalhar com a doença de Alzheimer, vai se deparar com um monte de opiniões estranhas sobre o assunto, então talvez você precise convencer os filhos de que "Tudo bem cuidar de meu pai da melhor e mais elevada maneira".

Alguns pais com Alzheimer trataram mal os seus filhos no passado. Quando os filhos são submetidos à responsabilidade de cuidar dos pais, é como coloca-los contra a parede, pois eles nunca tiveram uma relação decente com os pais. Mesmo quando existe um bom relacionamento, quando as pessoas mais velhas ficam doentes, o estresse pode fazer com que seus filhos fiquem doentes também. Eles ficam completamente sobrecarregados. Você geralmente está lidando com duas ou três doenças no momento em que começa a tratar um cliente com Alzheimer – nos filhos e no pai.

Em alguns casos, a pessoa com a doença de Alzheimer está simplesmente com medo de ficar impotente e ter de ter alguém para cuidar dela, então atrai esse exato arranjo de circunstâncias para si.

Antes de começar a trabalhar com essas pessoas, você precisa se certificar de que elas têm vitaminas e minerais muito bons, especialmente quando se trata do cérebro, porque seus sintomas podem não ser em decorrência do Alzheimer, mas, sim, por conta de uma deficiência de vitaminas e minerais.

Trabalho de crenças

Verifique se há:

"A melhor parte da minha vida acabou."

"O passado é melhor do que o presente."

"Eu vivo no passado."

"O futuro é demais para suportar."

Faça os *downloads*:

"Eu sei qual é a sensação de me sentir saudável e forte."

"Eu sei qual é a sensação de viver minha vida sem me sentir preso."

"Eu sei qual é a sensação de viver minha vida sendo responsável por tudo o que faço."

"Eu sei qual é a sensação de ser responsável por mim mesmo."

Eu sei qual é sensação de permitir que os outros cuidem bem de mim."

"Eu sei qual é a sensação de ter minha independência física."

"Eu sei qual é a sensação de viver sem medo da doença."

"Eu sei qual é a sensação de testemunhar o desaparecimento dessa doença."

"Eu sei qual é a sensação de viver sem o estereótipo da doença."

"Eu sei qual é a sensação de meu cérebro funcionar perfeitamente."

Suplementos e outras recomendações nutricionais

- ácido alfalipoico;
- aminoácidos, como tirosina e creatina;
- betacaroteno (para a perda de memória);

O Corpo Canta

- cálcio-magnésio;
- CoQ10;
- DHEA;
- magnésio (para a perda de memória);
- complexo B;
- vitamina C, 3.000 unidades por dia;
- vitamina E;
- são indicadas injeções de glutationa e ácido alfalipoico. Elas limpam metais pesados rapidamente e removem as toxinas do cérebro;
- faça de duas a três limpezas de fígado (*Veja Fígado*) para remover metais pesados.

DOENÇA DE CROHN

A doença de Crohn é um tipo de doença inflamatória do intestino que pode ser causada por bactérias. Os pesquisadores estão descobrindo que também pode ser causada por intoxicação de metais pesados.

Na doença de Crohn, o revestimento do trato digestivo fica inflamado, causando diarreias graves e dores abdominais. A inflamação muitas vezes se espalha profundamente nas camadas de tecidos do intestino e a comida simplesmente passa direto através do trato intestinal, sem a absorção de nenhum nutriente. O tratamento médico usual é utilizar esteroides para reduzir a velocidade do sistema digestivo.

Como a colite ulcerativa, a doença de Crohn pode ser tão dolorosa quanto debilitante. Ela pode, eventualmente, causar a morte se a pessoa não fizer algum tipo de tratamento. Não há cura médica conhecida. No entanto, o tratamento pode reduzir significativamente os sintomas e muitas pessoas afetadas com a doença de Crohn são capazes de viver normalmente.

Sintomas

- artrite;
- diarreia;
- distúrbios da pele;
- dor abdominal e cólicas;

- fadiga;
- febre;
- fístula ou abscesso;
- inflamação dos dutos do fígado ou da bile;
- inflamação no olho;
- redução do apetite e perda de peso;
- sangue nas fezes;
- úlceras.

Remédios intuitivos

Acredito que a doença de Crohn seja causada por bactérias e também por níveis de cortisona desequilibrados. Os níveis de cortisona desequilibrados induzem o organismo a produzir histamina em excesso. Quando você está com histamina excesso, ela começa a atacar o cólon interior.

Trabalho de crenças

As pessoas com doença de Crohn tendem a ter personalidades Tipo A, com uma natureza perfeccionista. Elas nunca param. Sentem que nunca fazem o suficiente. Têm tendência a uma capacidade de comunicação ruim. Sentem que não tiveram uma oportunidade justa na vida. Podem estar tentando escapar dessa situação.

Faça os *downloads*:

"Eu sei como viver minha vida vendo perfeição em tudo."

"Eu sei qual é o conceito de Deus de perfeição."

"Eu sei como viver sem o mundo me irritar."

"Eu sei qual é a sensação de tomar decisões assertivas."

"Eu sei qual é a sensação de viver sem ferir intencionalmente os sentimentos das outras pessoas."

"Eu sei qual é a sensação de viver sem ter de lutar o tempo todo."

"Eu sei qual é a sensação de viver sem sentir que estou sob ataque."

"Eu sei qual é a sensação de escolher amigos que me elevem."

"Eu sei qual é a sensação de viver sem dor."

"Eu sei qual é a sensação de permitir que outras pessoas sejam gentis comigo."

"Eu me atraio por pessoas que são gentis e amorosas."

"Eu sei qual é a sensação de viver sem ter de lutar por tudo que tenho."

"Eu sei qual é a sensação de viver sem me sentir sobrecarregado."

"Eu sei qual é a sensação de viver minha vida sem ser superexigente comigo mesmo."

"Eu sei qual é a sensação de viver minha vida sem me tornar agressivo."

"Eu sei qual é a sensação de ser compreendido."

"Eu sei qual é a sensação de ter compaixão."

"Eu sei qual é a sensação de viver sem me ressentir de abusos antigos."

"Eu sei qual é a sensação de avançar em um bom caminho."

"Eu sei que é seguro fazer perguntas."

"Eu sei como viver sem ter de defender o mundo."

"Eu sei qual é a sensação de descansar."

"Eu sei qual é a sensação de viver sem pensar que as coisas nunca são feitas."

"Eu sei qual é a sensação de ter expectativas razoáveis para mim mesmo."

"Eu sei qual é a sensação de viver sem dor."

"Eu sei qual é a sensação de comer sem dor."

"Eu sei qual é a sensação de me comunicar facilmente."

"Eu sei qual é a sensação de viver sem sentir que a vida me trai."

"Eu sei qual é a sensação de me sentir feliz com minha vida."

"Eu sei qual é a sensação de viver sem desejar estar no corpo de outra pessoa."

"Eu sei qual é a sensação de aceitar e amar meu próprio corpo."

"Eu sei qual é a sensação de saber que é possível estar bem."

"Através de Deus, tudo é possível."

"Eu sei que é possível viver sem arrependimentos."

"Eu sei como viver sem tirar vantagem dos outros."

Suplementos e outras recomendações nutricionais

Aloe vera é muito útil e ômegas 3 são muito importantes. A dieta alcalina é útil. Outros suplementos úteis:

- acidofilus;
- alcachofra-de-jerusalém;
- cálcio-magnésio;
- olmo;
- vitamina C.

A pessoa com doença de Crohn deve evitar álcool, cafeína, tabaco e produtos de trigo.

DOENÇA DE GRAVES

A doença de Graves é a forma mais comum de hipertireoidismo. Ela ocorre quando o sistema imunológico ataca erroneamente sua glândula tireoide e faz com que ela produza o hormônio tiroxina. Isso pode aumentar significativamente a taxa metabólica do corpo, levando a uma série de problemas de saúde, incluindo afetar o tecido por trás de seus olhos, bem como partes de sua pele. A doença pode ser reconhecida pelo inchaço nos olhos, perda de peso e cabelo. O tecido em torno dos olhos precisará ser reconstruído. A doença de Graves, no entanto, raramente é uma ameaça à vida.

Embora possa ocorrer em qualquer idade e em homens ou mulheres, a doença de Graves é mais comum em mulheres e geralmente começa depois dos 20 anos de idade.

Os cientistas acreditam que não há nenhuma maneira de fazer com que o sistema imunológico pare de atacar a glândula tireoide. No entanto, o tratamento pode aliviar os sintomas e diminuir a produção de tiroxina.

Remédios intuitivos

Pergunte ao Criador como reparar a tireoide e testemunhe sendo feito. Em muitos casos, essa pode ser uma cura instantânea. De qualquer maneira, a doença de Graves parece responder rapidamente às curas.

Para crenças, veja <u>Tireoide</u>.

DOENÇA DE HUNTINGTON

A Doença de Huntington (DH) resulta da degeneração geneticamente programada de células cerebrais, chamadas neurônios, em certas áreas do cérebro. Essa degeneração provoca movimentos descontrolados, perda de faculdades intelectuais e distúrbio emocional.

A DH é uma doença familiar, passada de pais para filho através de uma mutação no gene normal. Cada filho de um pai com DH tem uma chance de 50% de herdar o gene da DH. Se ele não herda o gene, não desenvolverá a doença e não poderá passá-la para as gerações subsequentes.

A Doença de Huntington é uma doença triste. Pessoas com essa doença são geralmente raivosas. Elas vão berrar e gritar e aí esquecerão que estavam zangadas. Há uma memória genética de raiva não expressada.

A Doença de Huntington pode causar cegueira e morte. Ela responde bem à cura.

Downloads

"Eu sei qual é a sensação de curtir minha vida cotidiana em todos os sentidos."

"Eu sei como estar totalmente conectado a Deus."

"Eu sei qual é a sensação de controlar meu temperamento."

"Eu sei qual é a sensação de controlar meu humor."

"Eu sei qual é a sensação de estar livre desta doença."

"Eu sei qual é a sensação de saber que estou seguro."

"Eu sei como me amar."

"Eu sei como ter equilíbrio em minha vida."

"Eu sei qual é a sensação de saber que estou equilibrado."

Os seguintes *downloads* são úteis para crianças com pais que têm a Doença de Huntington:

"Eu sei qual é a sensação de viver sem medo de ter Doença de Huntington, porque meu pai tem."

"Eu sei qual é a sensação de viver sem ser afetado e sem ter ressentimento daqueles ao meu redor."

"Eu sei como controlar meu temperamento sem descontar em outra coisa."

DOENÇA DE LOU GEHRIG

A doença de Lou Gehrig também é chamada de esclerose lateral amiotrófica. Ela danifica os neurônios motores no cérebro e na medula espinhal. Neurônios motores são células nervosas que controlam os movimentos musculares. Os neurônios motores superiores enviam mensagens do cérebro para a medula espinhal e os neurônios motores inferiores enviam mensagens da medula espinhal para os músculos. Os neurônios motores são uma parte importante do sistema neuromuscular do corpo. O sistema neuromuscular permite ao corpo que se mova e é composto pelo cérebro, muitos nervos e músculos. Coisas que fazemos todos os dias, como respirar, andar, correr, levantar e mesmo pegar um copo de água são todas controladas pelo sistema neuromuscular.

Insights intuitivos

Acredito que um microplasma está entrando na bainha de mielina e os linfócitos-T estão atacando as mitocôndrias da bainha de mielina. Os linfócitos-T estão fazendo o trabalho deles, mas causando uma enorme quantidade de danos. Os médicos só podem tentar suprimi-los antes que muito estrago seja feito.

Intoxicação por alumínio é um dos principais fatores produzindo esse desafio. Falta de vitamina E também pode causar esse transtorno.

Remédios intuitivos

Testemunhe uma cura e peça ao Criador que lhe mostre.

Trabalho de crenças

Toda vez que trabalhei com a doença de Lou Gehrig, o problema mais prevalente era o cônjuge do cliente. Para trabalhar com essa doença com sucesso, você precisa encontrar as crenças que estão mantendo o cliente bloqueado, mas o cônjuge sempre acompanhará o cliente e estará em negação absoluta, geralmente dizendo que a vida é boa e que está tudo sob controle.

O cliente não falará sobre quaisquer sentimentos profundos na presença do cônjuge. A única coisa que dizem é que eles estão perfeitamente felizes e que está tudo bem. É por isso que, de alguma forma, você precisa ficar sozinho com ele. Então, ele revelará seus sentimentos mais profundos.

Não se surpreenda se você encontrar raiva, uma quantidade enorme de ressentimento e sensações fora de controle. Pessoas com Gehrig são também muito teimosas. Suas crenças são muito próximas às das pessoas com esclerose múltipla.

Faça os *downloads*:

"Eu sei qual é a sensação de expressar meus próprios sentimentos."

"Eu sei qual é a sensação de viver sem assumir responsabilidade pelo mundo inteiro."

"Eu sei qual é a sensação de viver sem acreditar que tenho de cuidar de todos perto de mim."

"Eu sei qual é a sensação de viver sem ser responsável por tudo o que dá errado."

"Eu sei como viver sem fingir."

"Eu sei qual é a sensação de ser responsável."

"Eu sei qual é a sensação de permitir que os outros tenham sua própria responsabilidade e felicidade."

"Eu sei qual é a sensação de me expressar sem fingimento."

"Eu sei qual é a sensação de viver sem fingir que sou feliz."

"É seguro para mim estar vivo."

"Tenho controle sobre mim e sobre meu corpo."

Suplementos e outras recomendações nutricionais

- Adicione a vitamina E à dieta.
- Sugiro um programa de desintoxicação de metais pesados.

Veja também Esclerose Múltipla.

DOENÇA DE LYME

Uma das pessoas mais enfermas que já vi foi uma mulher que tinha doença de Lyme medicamente intratável, o que a levou a ter intensas dores de artrite, disfunção adrenal, coágulos de sangue, câncer, diabetes e muito mais.

A doença de Lyme é causada por uma picada de um carrapato de veado que infecta o hospedeiro com a bactéria Borrelia da classe espiroqueta. As pessoas *podem ser infectadas por carrapatos transportados para sua casa por animais de estimação.* Uma vez que um carrapato pica um hospedeiro, ele fica grudado à carne, entocando-se no tecido. Quanto mais tempo fica grudado, maior o risco de Lyme ser contraída.

Lyme faz com que a pessoa infectada fique muito doente e produz sintomas como asma, artrite e dores no corpo inteiro. Em muitos casos, ele é confundido com fibromialgia. O exame médico para doença de Lyme pode ser inconclusivo, ou seja, ele pode não vir positivo para Lyme na primeira vez, ou até mesmo na segunda.

Se não diagnosticada imediatamente, a doença de Lyme provoca inchaço e pode causar diabetes. É tratada com antibióticos – tetraciclina. Se identificada em seus estágios iniciais, antes que sejam feitos danos aos sistemas do corpo, é medicamente curável, embora o paciente deva seguir o tratamento até o fim. A bactéria espiroqueta morre lentamente no corpo, mesmo com antibióticos. Existe uma vacina para Lyme, mas não é 100% eficaz.

A doença tornou-se óbvia em 1975, quando as mães de um grupo de crianças em Lyme, Connecticut, informaram pesquisadores que seus filhos tinham sido diagnosticados com artrite reumatoide. O agrupamento incomum da doença que parecia ser "reumatoide" levou os pesquisadores à identificação da causa bacteriana da condição de saúde das crianças, o que veio a ser chamado de "doença de Lyme", em 1982. A doença de Lyme, desde então, tem sido relatada em todos os estados dos Estados Unidos, bem como na China, Europa, Japão, Austrália e União Soviética.

Sintomas

Uma lesão circular vermelha na pele com um buraco no centro é o primeiro indício de uma picada de carrapato. Pode haver um anel exterior com uma vermelhidão mais brilhante e uma área central clara, parecendo um "alvo". Essa clássica erupção inicial é chamada de *eritema migratório*. Mais de um em cada quatro pacientes, no entanto, não chegam a ter erupção cutânea. Os sintomas variam de pessoa para pessoa, mas em geral a doença de Lyme tem várias fases de sintomas:

- Doença localizada cedo com inflamação da pele.
- Doença localizada cedo com fadiga, dor de cabeça, rigidez das articulações e músculos e glândulas inchadas.
- Doença disseminada cedo com envolvimento do sistema cardiovascular e nervoso, incluindo paralisias e meningite.
- As fases posteriores da doença de Lyme podem causar inflamação do músculo do coração, levando a ritmos anormais do coração e insuficiência cardíaca. O sistema nervoso pode desenvolver paralisia de Bell, meningite e confusão. A inflamação nas articulações pode ser acompanhada por inchaço, rigidez e dor, mais comumente nos joelhos. A artrite da doença de Lyme pode agir como muitos outros tipos de artrite inflamatória e pode se tornar crônica.

- Lyme baixa o sistema imunológico, tornando a pessoa suscetível a outras doenças.

Insights intuitivos

Descobri que, para trabalhar na doença de Lyme, você tem de saber que é realmente doença de Lyme. A doença é muitas vezes confundida com outras desordens, e um diagnóstico claro é feito apenas cerca de 35% das vezes.

Consigo ver que alguém tem doença de Lyme quando ela se senta na minha frente e me diz que nada tem funcionado para elas. Também me diz que está caindo completamente aos pedaços. A bactéria espiroqueta lhe dá a sensação de que não há nenhuma ajuda e de que não há cura para sua condição de saúde. Por isso, ela não terá concluído um curso de antibióticos ou ervas e as bactérias firmaram uma relação parasitária com ela. A pessoa com Lyme dirá ao profissional de saúde que o medicamento não está funcionando, mas se ela fosse persistente e tomasse o remédio, estaria melhor.

Um dos testes que eu uso se suspeito de Lyme é ir para o corpo e pedir ao Criador que me mostre a bactéria espiroqueta. Vista intuitivamente no corpo, ela aparecerá como uma bactéria meio parasita, que tem pequenos ganchos engraçados enquanto ela flutua através da corrente sanguínea. Lyme também aparece como uma cor amarela em cima do plasma sanguíneo.

Trabalho de crenças

Uma vez que eu acho que é Lyme, trabalharei nos sistemas de crença "nada funciona para mim", "Não tenho esperança", "Estou caindo aos pedaços" e "Ninguém pode me ajudar".

Em muitos casos, a pessoa com Lyme, ou não tem nenhum relacionamento ou está em um relacionamento com um parceiro a quem é incapaz de amar por causa da doença. Eles ficam na relação por causa da sensação de que não podem mudar nada em suas vidas. Eu treino-os para usarem ThetaHealing em si mesmos e nos outros e para fazerem contínuas curas e trabalhos de crença em si mesmos. Curar a si mesmo e a outras pessoas tira-os da espiral derrotista em que estão.

Então, comande que Lyme vá embora – Deus irá lhe mostrar – e trabalhe nas crenças de desesperança. Faça os *downloads*:

"Eu sei qual é a sensação de ter esperança."

"Eu sei qual o conceito de Deus de esperança."

"Eu sei como viver sem cair aos pedaços ."

"Eu sei como viver sem desistir."

"Eu tenho perseverança."

"Eu sei qual é a sensação de viver minha vida cotidiana com alegria, esperança e amor por mim."

"Eu sei como colocar limites."

"Eu sei como viver sem os outros se aproveitando de mim."

"Eu nunca caio em armadilhas."

"Eu posso tomar minhas próprias decisões."

"Eu tenho múltiplas possibilidades."

"Eu sei como viver sem me sentir usado, abusado ou machucado."

"Eu sei qual é a sensação de ser capaz de dar seguimento às minhas decisões."

"Eu sei como viver sem o sentimento de desesperança."

"Eu sei qual é a sensação de viver minha vida sem o medo dos médicos."

"Eu sei qual é a sensação de saber o que está acontecendo com meu corpo."

"Eu sei qual é a sensação de viver sem ter de ter um diagnóstico para ficar melhor."

"Eu sei qual é a sensação de viver sem pensar que nada nunca funciona."

"Eu sei qual é a sensação de ter um bom relacionamento e de ser amado."

"Eu sei qual é a sensação de ter tempo para mim sem que meu corpo caia aos pedaços."

"Eu aprecio e amo meu corpo por sua resistência."

"Eu aprecio e amo tudo o que meu corpo faz por mim."

"A cada dia que passa, tenho mais energia em todos os sentidos."

"Eu sei qual é a sensação de ser ouvido."

"Eu sei qual é a sensação de viver sem esperar o resultado mais negativo."

"A cada dia que passa, sinto-me mais positivo em minha vida."

"Eu respeito e me identifico com a força que há dentro de mim."

"Eu me sinto bem quando ajudo os outros."

"Me permito ajudar os outros."

"Eu tenho bom senso."

"Eu sei como viver sem dar ouvidos à doença de Lyme."

"Eu sei como prosseguir e tomar quaisquer vitaminas e suplementos que sejam bons para mim."

"Nada pode me deter de me tornar um sucesso."

Suplementos e outras recomendações nutricionais

- a dieta alcalina;
- aminoácidos;
- cápsulas de orégano, por um período prolongado de tempo;
- clorofila;
- cobre de água pura (*water of life*);
- multiminerais;
- multivitaminas;
- vinagre de maçã e água.

DOENÇA DE PAGET

A doença de Paget, é uma condição que afeta os processos biológicos normais dos ossos. A doença adotou o nome de um cirurgião inglês de meados do século XIX, *sir* James Paget, que também identificou a doença de Paget da mama. No entanto, as duas condições não estão relacionadas.

Os ossos são tecidos vivos que estão engajados em um contínuo processo de renovação. Esse processo é chamado de remodelação óssea e isso fica desregulado na doença de Paget. Ela faz com que o osso antigo comece a se decompor mais rápido do que o novo osso possa ser construído. Ao longo do tempo, o corpo responde através da geração de um novo osso em um ritmo mais rápido do que o normal. Essa alteração rápida produz ossos que são mais macios e mais fracos do que o normal, o que pode gerar dores nos ossos, deformidades e fraturas de ossos. Ela geralmente afeta o crânio, a coluna vertebral e os ossos dos braços, pernas e pélvis.

Sintomas

A doença de Paget do osso afeta cada pessoa de forma diferente. A maioria das pessoas não têm sintomas. Quando os sintomas ocorrem, eles estão normalmente presentes em áreas específicas, afetadas pela doença, embora possam ser generalizados e incluir:

- deformidades ósseas, como pernas arqueadas e um tamanho expandido de cabeça;
- fraturas ósseas;
- dor óssea que é mais intensa à noite;
- ossos expandidos, comprimindo a medula espinhal ou os nervos que saem o cérebro e a medula espinhal. A dor resultante da compressão do nervo pode ser severa e a pressão sobre um nervo pode causar visão dupla, perda auditiva, dormência, formigamento e fraqueza;
- danos na cartilagem articular que reveste as articulações perto dos ossos afetados. Esse desgaste frequentemente conduz à osteoartrite;
- problemas neurológicos, como perda de audição e dor de cabeça;
- calor na pele sobre a área afetada.

Tratamentos estão disponíveis através de medicação ou cirurgia.

Causas

Não foi estabelecida nenhuma causa definitiva para a doença de Paget do osso, apesar de terem sido descobertos vários genes que parecem estar ligados ao transtorno. Acredita-se que a doença de Paget está relacionada a uma infecção viral nas células ósseas que pode estar presentes muitos anos antes que apareçam problemas. Fatores hereditários parecem influenciar a suscetibilidade à doença.

Remédios intuitivos

Use o trabalho de genes e testemunhe as mudanças.

Acho que, em alguns casos, a doença de Paget pode ser desencadeada pela exposição a metais pesados. Remover os metais pesados pode ser benéfico.

Trabalho de crenças

Na doença de Paget, os sistemas de crenças giram em torno de como a pessoa recebe e aceita amor e de como se sente em relação ao Criador.

Faça os *downloads*:

"Estou totalmente conectado ao Criador."

"Eu me sinto completamente suportado pelo Criador de Tudo O Que É."

"O Criador e eu estamos conectados como um."

"Eu compreendo que estou criando minha própria realidade."

"Eu sei que existem milagres todos os dias."

"Estou pronto para ter milagres em minha vida."

"Estou pronto para meu corpo estar saudável e forte."

"Tudo em meu corpo se torna perfeito quando estou conectado como uno com o Criador."

"A cada dia, em todos os sentidos, estou ficando mais forte."

DOENÇA DE PARKINSON

A doença de Parkinson é uma dentre um grupo maior de condições neurológicas, chamadas distúrbios do sistema motor. Historiadores encontraram evidências da doença tão antigas que remontam a 5000 a.C. Ela afeta mais homens do que mulheres. Foi primeiro descrita como "a paralisia trêmula", em 1817, pelo médico britânico James Parkinson. Por causa de seus primeiros trabalhos na identificação de sintomas, a doença adotou seu nome.

No cérebro normal, algumas células nervosas produzem a substância química dopamina, que transmite sinais dentro do cérebro para que sejam realizados os movimentos fluidos dos músculos. Em pacientes com doença de Parkinson, 80% ou mais dessas células produtoras de dopamina estão danificadas, mortas ou degeneradas. Isso faz com que as células nervosas atirem descontroladamente, deixando os pacientes incapazes de controlar seus movimentos.

Sintomas

Os sintomas incluem:
- coordenação e equilíbrio comprometidos;
- demência;
- depressão;
- lentidão de movimentos;
- rigidez dos braços, pernas e tronco;
- tremor das mãos, braços, pernas, maxilar e face.

O estresse faz com que os sintomas fiquem mais prevalentes.

Insights intuitivos

Muitos jovens vêm até mim com mal de Parkinson. Encontro alumínio, mercúrio e chumbo em todo mundo com doença de Parkinson.

Quanto à tendência genética para a doença de Parkinson, uma pessoa pode ter um pai e avô com a doença de Parkinson, mas o que você pode notar é que a vovó cozinha com panelas de alumínio há 40 anos e que toda a família bebe água abastecida por canos de chumbo. É aí que reside a tendência genética. Os efeitos do chumbo e alumínio podem ser transmitidos nos genes como a predisposição para a doença de Parkinson. Há também a probabilidade de que, quando criança, a pessoa comeu alimentos e bebeu água na casa do avô que estava envenenada com metais pesados.

Enquanto nós continuarmos usando o cérebro, ele continuará aprendendo.. Podemos aprender por bem mais do que cem anos se nos mantivermos livres dos metais pesados e levedura.

Acredito que algumas das pessoas que são diagnosticadas com a doença de Parkinson estão realmente sofrendo de doença da vaca louca. Acho que é mais comum do que as pessoas sabem. Também acho que a exposição a certos vírus no cérebro pode desencadear a doença de Parkinson.

Remédios intuitivos

Pessoas com Parkinson são muito receptivas às curas. Elas podem ter medo de ficar bem, mas geralmente fazem o que podem para se livrar do mal de Parkinson.

A coisa que já vi funcionar melhor com a doença de Parkinson foi pedir ao Criador que fizesse uma cura e observar os níveis de dopamina mudarem. Testemunhe intuitivamente a reconstrução da célula mestra e das células que produzem dopamina.

Se os metais pesados não forem limpos, a desordem se recriará, então peça ao Criador que remova os metais lentamente, da maneira que seja a mais elevada e melhor para a pessoa.

Trabalho de crenças

Pessoas com Parkinson têm uma tendência a ser muito críticas com os outros. Não estou certa do motivo, mas suspeito que seja porque suas glândulas suprarrenais estejam sobrecarregadas na tentativa de dar ao corpo os hormônios de que ele precisa.

Veja questões de Parkinson como incuráveis e faça o teste energético para:

"O mundo está se arruinando."

"Estou sem nenhuma diretriz na minha vida."

"Preciso de piedade."

"Eu posso desistir. Mas não quero desistir." (O cliente parece estar lutando com si mesmo.)

Além de remover esses programas, também remova aqueles que dizem que devemos esquecer as coisas conforme envelhecemos.

Faça os *downloads*:

"Eu sei qual é a sensação de ser forte e saudável."

"Meu corpo está retornando à saúde total."

"Eu consigo me lembrar."

"Eu consigo me lembrar facilmente e sem esforço."

"Eu consigo me mover facilmente e sem esforço."

"Meu corpo produz a quantidade certa de dopamina."

"Meus receptores estão acordados e vivos."

"Eu consigo receber impulsos do cérebro para o corpo."

"Meus receptores estão perfeitos."

"Eu assumo o controle da minha vida."

"Eu sei qual é a sensação de me mover sem dor."

"Eu sei qual é a sensação de viver sem rigidez."

"Eu sei qual é a sensação de me mover sem tremer."

"Eu sci como ficar imóvel."

"Eu sei qual é a sensação de acreditar em mim."

"Estou totalmente conectado ao Criador de Tudo O Que É."

"Estou mais forte e mais saudável a cada dia."

"A cada dia que passa meu corpo e mente se tornam mais fortes."

"Eu sei viver sem deixar que os outros tirem proveito de mim."

"Os outros acreditam em mim."

"Eu sei qual é a sensação de viver sem culpar Deus."

"Eu sei qual é a sensação de viver sem ressentir minha vida."

"Eu posso viver sem arrependimentos."

"Eu sei qual é a sensação de estar no controle de minhas emoções."

Suplementos e outras recomendações nutricionais

• O melhor suplemento que já encontrei para Parkinson foi o ácido alfalipoico. Injeções de glutationa e o ácido alfalipoico irão limpar metais pesados rapidamente e removerão as toxinas do cérebro.

• Limpezas de fígado também são benéficas e podem fazer um cliente parar de tremer (*veja Fígado*), embora algumas pessoas mais velhas não possam fazer as limpezas intensivas de fígado, então nesses casos peça ao Criador que ajude a limpar o fígado e você verá uma diferença enorme. Se você puder, tome três ou quatro limpezas de fígado com azeite para remover os metais pesados.

• Para perda de memória, magnésio e betacaroteno são necessários.

• Para aqueles com uma predisposição à doença de Parkinson, DHEA pode ser usado como um preventivo.

• Aminoácidos como a tirosina e creatina.

• Bardana.

• Cálcio-magnésio.

• Pimenta caiena.

• CoQ10.

• Raiz de dente-de-leão.

• Espinheiro branco.

• Cardo de leite.

• Trevo vermelho.

• Complexo B.

• Vitamina C, 3.000-5.000 mg por dia.

• Vitamina E.

DOENÇA DE WILSON

A doença de Wilson é uma doença hereditária que provoca um acúmulo excessivo de cobre nos órgãos vitais. A doença se apresenta de muitas maneiras diferentes, mas pode não se manifestar durante anos. Se não for tratada, pode ser fatal. Porém, se diagnosticada cedo, é uma doença tratável e muitas pessoas conseguem viver suas vidas normalmente com ela.

O cobre desempenha um papel-chave no desenvolvimento da saúde dos ossos, colágeno, nervos e do pigmento melanina da pele.

Normalmente, ele é absorvido a partir do alimento e qualquer excesso é eliminado através da bílis, uma substância produzida no fígado. A doença de Wilson é uma mutação genética do cromossoma 13, que afeta a ATP7B, uma proteína que ajuda no transporte do cobre para a bílis. A ATP7B também está envolvida na incorporação do cobre à ceruloplasmina, uma proteína que transporta os minerais através da corrente sanguínea. Os defeitos no gene ATP7B causam um problema na hora de eliminar o cobre do organismo. Em vez disso, ele se acumula no fígado, podendo causar danos. Com o tempo, o excesso de cobre sai do fígado e começa a ser acumulado em outros órgãos, especialmente no cérebro, olhos, rins e articulações. Isso pode danificar os tecidos e órgãos. O fígado e o sistema nervoso central são mais frequentemente afetados.

A doença de Wilson é herdada como uma característica autossômica recessiva, o que significa que, para desenvolver a doença, duas cópias do gene defeituoso precisam ser herdadas, uma de cada pai. Se ambos os pais são portadores de um gene de Wilson anormal, eles têm 25% de chance de ter um filho com dois genes normais, 50% de ter um filho que também é um portador e 25% de chance de ter um criança com dois genes recessivos, que irá desenvolver a doença. Por essa razão, recomenda-se que todas as crianças e irmãos de pessoas que tenham Wilson façam um teste para saber se têm a doença.

Sintomas

Em pessoas com a doença de Wilson, o cobre começa a se acumular no fígado diretamente após o nascimento, mas os sintomas raramente ocorrem antes da idade dos 5 ou 6 anos. A doença geralmente se torna aparente antes dos 30, mas os sintomas podem se apresentar mais tarde na vida.

O fígado

Como o fígado é o filtro do corpo, o cobre se acumula nesse órgão vital e a maioria das pessoas com a doença de Wilson apresenta sinais de uma lesão hepática, incluindo dor abdominal e amarelamento da pele (icterícia), anemia ou vômito de sangue. É possível que uma cirrose desenvolva cicatrizes irreversíveis no fígado que afetam sua capacidade de desempenhar as funções vitais. Os sintomas da cirrose incluem inchaço no abdômen ou nas pernas e um aumento do baço.

Os sintomas neurológicos

Um terço das pessoas com doença de Wilson tem sintomas neurológicos, como um andar cambaleante, dificuldade na fala, espasmos musculares, baba e tremores.

Problemas comportamentais e psicológicos

A doença de Wilson pode causar súbitas mudanças de personalidade e comportamento inadequado. As crianças com a doença podem ser mal diagnosticadas como se fosse apenas um problema de comportamento, pois se comportam de forma imprevisível.

Olhos, rins e ossos

Muitas das pessoas com a doença de Wilson, mesmo aquelas que não apresentam outros sintomas, desenvolvem uma pigmentação marrom-dourada ao redor da córnea chamada de anel de Kayser-Fleischer. Este é causado pela acumulação de cobre.

A doença de Wilson também pode interferir na filtragem dos rins e levar à osteoporose.

Insights intuitivos

A maioria das pessoas que vêm até mim com a doença de Wilson já foi diagnosticada. No entanto, com uma mulher que teve uma consulta comigo foi diferente – ela não tinha ideia do que havia de errado com ela. A partir do momento que falei no telefone com ela, eu sabia que ela tinha a doença de Wilson. Uma vez que você sente a energia da doença, não pode confundi-la. Quando comecei a conversar com ela, descobri que ela estava completamente psicótica, acreditando que ninguém poderia ajudá-la e que todo mundo estava tentando matá-la ou fazer alguma coisa contra ela. Eu fiz meu melhor para convencê-la a ir ao médico para fazer um exame, mas ela se recusou, pois era tão psicótica que não acreditava em nada do que eu lhe dizia. A doença tinha progredido ao ponto em que ela estava completamente desequilibrada.

Tenho observado muitos jovens em minha região morrerem da doença de Wilson e também tenho visto muitas pessoas se curarem dela.

Trabalho de genes

A melhor maneira de lidar com a doença de Wilson é por meio do trabalho de genes.

Vá para o espaço da pessoa e peça ao Criador para mudar o gene que está causando o problema através do seguinte processo:

O processo para o trabalho de genes

1. Centre-se em seu coração e visualize-se descendo para a Mãe Terra, que é uma parte de Tudo O Que É.
2. Vá além do universo, além da luzes brancas, além da luz escura, além da luz branca, além da substância gelatinosa que são as Leis, em uma luz branca perolada iridescente, no Sétimo Plano da Existência.
3. Faça o comando: *"Criador de Tudo O Que É, é comandado que o defeito genético em [nome da pessoa] seja curado. Mostre-me. Grato! Está feito. Está feito. Está feito"*.
4. Vá para o espaço da pessoa e testemunhe a mudança. Pode acontecer tão rapidamente que você talvez só veja um flash de luz.

Downloads

"Eu sei que é possível fazer mudanças em minha vida."

"Eu tenho uma vida para viver."

"Tenho a capacidade de seguir em frente."

Suplementos e outras recomendações nutricionais

Uma série de alimentos, especialmente abacate, ovos, fígado, cogumelos, nozes e mariscos, contêm grandes quantidades de cobre, por isso devem ser evitados. Além disso:

- Evite álcool e café.
- Coma cebolas, porque elas têm enxofre, que removerão o excesso de cobre.
- Teste sua água para verificar se há níveis de cobre nela.
- Se estiver tomando um multivitamínico, verifique os níveis de cobre no mesmo.

SÍNDROME DE WILSON

Veja Hipotireoidismo.

DOENÇA DO LEGIONÁRIO

A doença do Legionário é uma infecção grave do pulmão e dos brônquios causada por bactérias. As bactérias vivem principalmente na água e são transmitidas através de gotículas de vapor no ar. É aconselhável verificar os sistemas de aquecimento e refrigeração em sua casa e em seu local de trabalho para que a doença do Legionário não seja disseminada através dos sistemas de ventilação. As bactérias também podem ser encontradas em solos recém-lavrados.

O período de incubação é de dois a dez dias após a exposição. A doença não se dissemina de uma pessoa para outra. O risco de contraí-la é maior para aqueles com saúde debilitada, os muito jovens e os muito velhos.

Sintomas

Os primeiros sinais e sintomas podem assemelhar-se àqueles da gripe: dores, fadiga, dor de cabeça e febre moderada. A doença então progride para incluir febre alta, calafrios, tosse, diarreia, desorientação, náuseas e vômitos, dor no peito, falta de ar e, por causa de oxigênio inadequado, uma coloração azulada na pele e unhas.

Curando

Já trabalhei na doença do Legionário algumas vezes, tanto durante quanto após a doença, e testemunhei uma cura nos pulmões e nos sistemas debilitados do corpo. Sempre pergunte ao Criador o que deve ser feito. Testemunhe os pulmões se curando.

Suplementos

- chá de olmo escorregadio;
- equinácea;
- extrato de folha de oliveira.
  Para ajudar a reconstruir a estrutura do pulmão:
- aminoácidos;
- betacaroteno;
- extrato de timo cru;
- proflavanol;
- vitamina C.
  Mude a dieta para eliminar produtos de trigo e lácteos.

DOENÇA DO REFLUXO GASTROESOFÁGICO

Veja Azia.

DOENÇA FIBROCÍSTICA DA MAMA

Alterações fibrocísticas ocorrem em cerca de metade das mulheres, principalmente durante a idade fértil. A causa parece ser flutuações hormonais normais. Isso ocorre porque os sintomas da doença fibrocística da mama geralmente se intensificam logo antes da menstruação, diminuem após a menstruação e, geralmente, param depois da menopausa. Mudanças fibrocísticas da mama antes eram vistas como uma doença, mas, uma vez que essa condição é tão comum, ela não é mais assim considerada.

Sintomas

Os seguintes sintomas geralmente têm seu estado de pico logo antes da menstruação:

- sensação dos seios estarem cheios;
- sensibilidade e dor na mama;

- secreção no mamilo ou sensações não usuais;
- cistos não cancerígenos;
- áreas espessas e irregulares no tecido mamário.

Os resultados da mamografia para mulheres com doença fibrocística da mama podem ser difíceis de ler em virtude de o tecido mamário ser mais denso do que o tecido normal. No entanto, o diagnóstico definitivo pode ser dado com uma combinação de mamografia, ultrassom e, às vezes, uma agulha de biópsia minimamente invasiva.

Remédios intuitivos

A doença fibrocística da mama geralmente é uma condição hereditária. No entanto, se a pessoa utilizar a limpeza de fígado e mantiver seu fígado limpo, ela conseguirá fazer parar o crescimento desses fibromas, além de encolhê-los.

A cura básica funciona bem para encolher fibromas.

Um sutiã que vista bem, com um bom suporte, também ajudará.

Trabalho de crenças

A maior parte das questões relacionadas à doença fibrocística da mama circulam em torno da sexualidade.

Suplementos e outras recomendações nutricionais

A medicina convencional prescreve cálcio e magnésio para encolher fibromas. Algumas das seguintes medidas de autoajuda podem aliviar os sintomas:

- Elimine a cafeína da dieta.
- Restrinja a ingestão de gordura a 25% ou menos das calorias diárias.
- Use contraceptivos orais – discuta esse assunto com um médico.

Tente os seguintes suplementos:

- ALA;
- bardana;
- complexos de aminoácidos;
- trevo-vermelho;

- vitamina A;
- vitamina C.

DOENÇA INFLAMATÓRIA PÉLVICA

Veja Clamídia.

DOENÇA RENAL (INSUFICIÊNCIA RENAL)

Os rins desempenham papéis-chave no corpo, não só pela filtragem de ácido úrico do sangue e despejo de resíduos de produtos, mas também por equilibrar os níveis de eletrólitos no corpo, controlar a pressão arterial e estimular a produção de hemácias do sangue. A doença renal crônica inclui condições que danificam os rins e reduzem sua capacidade de manter uma pessoa saudável ao realizarem essas funções. Se a doença renal é grave, os resíduos podem chegar a altos níveis no sangue e fazem a pessoa se sentir muito mal.

As complicações causadas pela doença renal são anemia (baixa contagem de sangue), hipertensão arterial, danos nos nervos, saúde nutricional pobre e ossos fracos. A doença renal também aumenta o risco de ter doenças cardíacas e dos vasos sanguíneos. Esses problemas podem surgir lentamente ao longo de muito tempo.

Tratamento e detecção precoce podem muitas vezes evitar que a doença renal se agrave. Se não tratada, pode eventualmente levar à insuficiência renal, a qual requer diálise ou um transplante de rim para a sobrevivência. A insuficiência renal pode ser acompanhada por muitas desordens, como insuficiência cardíaca congestiva, diabetes, hipertensão, doença hepática, anemia lúpus e anemia falciforme.

Com diabetes, açúcar alto no sangue, pressão arterial alta ou um histórico familiar de doença renal, você pode estar em maior risco de ter doença renal.

Testes convencionais para disfunção renal envolvem os níveis de cálcio, creatinina, hemoglobina, fósforo, potássio, proteína e ureia.

Tipos

- A *doença de Bright* é uma doença renal, marcada pela presença da proteína do sangue na urina e pela retenção de água nos tecidos.
- *Glomerulonefrite* é uma inflamação dos pequenos vasos sanguíneos dentro do rim que filtram os resíduos do sangue. Esta pode ser resultado de uma infecção, como uma infecção de garganta por estreptococos.
- *Hidronefrose* é uma condição na qual o rim e a pelve renal ficam cheios de urina e podem causar obstrução do fluxo urinário.
- *Pedras nos rins* são acúmulos de minerais nos rins (*veja Pedras nos Rins*).
- A *doença renal policística* é uma doença hereditária em que cistos crescem nos rins, deixando-os incapazes de funcionar.
- A *pielonefrite* é uma infecção renal que pode ser causada por um defeito de nascença.
- A *acidose tubular renal* é uma doença que ocorre quando os rins não conseguem excretar ácidos na urina, o que faz com que o sangue fique ácido demais. Sem o tratamento adequado, a acidez crônica do sangue leva à doença óssea, ao retardo no crescimento, às pedras nos rins e à insuficiência renal progressiva.

Sintomas

Os sintomas de problemas nos rins incluem:

- dor abdominal;
- perda de apetite;
- dor nas costas;
- calafrios;
- febre;
- retenção de líquidos;
- urgência urinária;
- vômitos;
- um sintoma chave é o edema. Este acontece quando os rins produzem menos urina porque são incapazes de excretar sal e outros resíduos corretamente. Como resultado, líquido se acumula no corpo. As mãos

e tornozelos incham e a pessoa fica com falta de ar. Resíduos tóxicos podem se acumular na corrente sanguínea, causando também o edema;

- a urina pode estar turva ou com sangue.

Causas

A doença renal crônica pode ser causada por diabetes, hipertensão arterial e outras doenças; assim como por intensa exposição à quimioterapia, drogas, metais pesados, venenos e outras toxinas.

Altas doses de analgésico ibuprofeno podem levar à disfunção renal.

Chumbo e outros venenos metálicos são muito prejudiciais para os rins. Alguém que trabalhe com chumbo ou que está exposto a chumbo regularmente deve tomar precauções para proteger seus rins de danos.

Trabalho de crenças

Se a disfunção renal foi causada por toxinas, então uma simples cura resolverá o problema.

No entanto, se esta não foi causada por toxinas, pode demandar um trabalho de crenças. Ressentimento e raiva antiga são armazenados nos rins. Problemas renais associados a emoções também surgem quando uma pessoa está muito chateada ou supercrítica.

Sempre procure limpar os velhos ressentimentos e rancores para fazer com que os rins funcionem novamente. Isso pode demorar um pouco, pois você deve encontrar a forma com que o ressentimento está servindo à pessoa a fim de limpar completamente o transtorno.

Faça os *downloads*:

"Eu sei como viver sem me ressentir."

"Eu sei como viver sem ficar com ressentimento dos outros."

"Eu sei que é possível para mim me comunicar facilmente e sem esforço."

"Eu sei como me livrar das energias destrutivas que estão em minha vida."

"Eu sei como viver sem tomar para mim as emoções de todo mundo."

"Eu sei como viver sem ser crítico com os outros."

"Eu sei qual é a sensação de ter meu corpo fluindo com felicidade."

"Eu sei qual é a sensação de me comunicar com os outros sem ter ressentimentos antigos."

"Eu sei qual é a sensação de seguir com ideias e planos."

"Eu sei qual é a sensação de saber que sou importante para Deus e de que eu importo."

"Eu sei qual é a sensação de ouvir os outros."

"Eu sei qual é a sensação de viver sem o medo de que meu corpo está falindo."

"Eu vivo com o conhecimento de que meu corpo está ficando mais forte a cada dia."

"Eu sei como viver sem aceitar estresse."

"Eu sei a diferença entre as emoções que são causadas pelos rins e aquelas que são normais."

"Eu sei como dizer não antes que uma situação difícil comece."

"Eu sei qual é a sensação de viver sem outros tirarem vantagem de mim."

"Eu sei como ser feliz."

"Eu posso respirar o sopro da vida."

"Eu sei qual é a sensação de comer alimentos que são bons para mim."

"Eu sei como perdoar meu corpo."

"Eu sei como ser grato por estar vivo."

"Eu sei qual é a sensação de preencher cada célula de meu corpo com gratidão e amor."

"Estou em perfeita harmonia com meu ambiente."

Suplementos e outras recomendações nutricionais

- Aipo e salsa são bons diuréticos naturais. Eles ajudam o corpo a se livrar do ácido úrico. Seja cauteloso com a salsa, porque ela acelera o metabolismo.
- Chá de seda de milho pode ser útil.
- Suco de cranberry é maravilhoso para os rins.
- Chá de raiz de dente-de-leão ajuda os rins, mas você só deve usá-lo por alguns dias a cada vez.
- Bagas de zimbro podem ser usadas como um restaurador.
- Chá de malva ajuda a limpar os rins.
- Estudos provaram que o uso de espirulina pode reduzir os efeitos da intoxicação do rim causado por mercúrio e drogas.

Infecções renais

Aja sobre uma infecção renal da mesma maneira que você agiria se fosse uma infecção da bexiga: testemunhe o Criador raspando a infecção dos rins, removendo-a para baixo e para fora do corpo.

Pedras nos rins

Pedras nos rins são pequenas massas sólidas que se formam quando sais ou minerais, normalmente encontrados na urina, se cristalizam no interior do rim. Na maioria dos casos, os cristais são muito pequenos para ser notados e saem do corpo inofensivamente. No entanto, eles podem acumular-se dentro do rim e formam pedras muito maiores. Uma pedra no rim pode ser uma das experiências mais dolorosas que você um dia pode ter.

Pedras nos rins são muito mais comuns nos dias de hoje do que eram no início do século XX. Isso pode se dar por causa de um aumento dos níveis de gorduras animais e de proteínas em uma dieta ocidental média. Eu também acredito que seja porque nosso solo é rico em cálcio, mas não tem magnésio suficiente. O magnésio ajuda a equilibrar o acúmulo de cálcio no organismo. As chances são de 50% de que, se você já teve uma pedra no rim, você terá outra nos próximos dez anos.

Pessoas que têm a doença de Crohn ou a síndrome do cólon irritável podem ter um risco aumentado de pedras nos rins. Isso se dá também em virtude da adsorção de oxalato de cálcio e da excreção.

Se uma pedra se torna grande o suficiente, pode começar a sair do rim e a progredir através dos ureteres, os tubos que transportam a urina do rim para a bexiga. Se ela ficar presa no ureter, ela pode causar uma infecção, que pode levar a danos permanentes nos rins.

Tipos

Existem quatro tipos de pedra nos rins:

• Cerca de 80% de todas as pedras nos rins são *pedras de oxalato de cálcio*. Pedras de cálcio podem circular nas famílias por causa de fatores genéticos. Parece haver um problema com a absorção de oxalato nessas pessoas. Os níveis elevados de cálcio do sangue também podem resultar do mau funcionamento das glândulas paratireoides, do mieloma múltiplo e da intoxicação por vitamina D.

• *Pedras de cistina* são causadas por uma condição rara em que as pedras são compostas do aminoácido cistina.

• *Pedras de estruvita* não estão relacionadas com o metabolismo e são causadas por infecção. As mulheres geralmente têm esse tipo de pedras.

• *Pedras de ácido úrico* ocorrem quando o volume de urina excretada está baixo demais ou os níveis sanguíneos de ácido úrico estão altos demais.

Todas as pedras nos rins são compostas de diferentes minerais.

Dependendo de onde elas estão localizadas, as pedras nos rins são também conhecidas como nefrolitíase, cálculos renais, cálculos urinários, doença da pedra do trato urinário, ureterolitíase e urolitíase.

Remédios intuitivos

Certa vez, uma mulher me ligou sofrendo de uma dor intensa por causa de suas pedras nos rins. Ela ia fazer uma operação no dia seguinte e não tinha certeza de que ia conseguir resistir àquela noite por causa da dor. Subi, conectei-me ao Criador e testemunhei as pedras sendo dissolvidas. Ela ficou sem dor imediatamente e não precisou de cirurgia no dia seguinte. Mesmo que ela não gostasse tanto de mim (e ainda não gosta), suas pedras nos rins desapareceram da mesma forma. Isso é para lhe mostrar que, se você acredita que vai funcionar, vai funcionar.

Entrar e imaginar as pedras nos rins se quebrando e se dissolvendo em pequenos pedaços é uma maneira muito eficaz de removê-las.

Trabalho de crenças

Pedras nos rins são causadas por uma falta de minerais no corpo ou por um desequilíbrio de minerais no corpo. Em qualquer momento que você tenha dificuldades com minerais, é provável que esteja associado com os sistemas de crenças relativos à comunicação e à raiva do Criador.

Suplementos e outras recomendações nutricionais

- suco de aloe vera;
- chá de quebra-pedra;
- raiz de cascalho;
- cavalinha;
- l-arginina;
- magnésio;
- extrato de malva;
- uva ursina;
- vitamina A;
- complexo B;
- vitamina C;
- vitamina E;
- zinco – 100 mg diariamente pode inibir a formação de pedras nos rins;
- equilibre sua ingestão de cálcio e magnésio;
- aumente o consumo de alimentos ricos em vitamina A. A vitamina A é benéfica no trato urinário e ajuda a evitar a formação de pedras. Boas fontes de vitamina A incluem a alfafa, damascos, cenouras, abóbora e abobrinha;
- reduza o consumo de proteínas animais;

- reduza o consumo de fosfato de potássio;
- estranhamente, beber café pode reduzir o risco de pedras nos rins, enquanto beber suco de toranja pode aumentar esse risco;
- para aliviar a dor nos rins, esprema meio limão em um copo de água e beba.

DOENÇAS SEXUALMENTE TRANSMISSÍVEIS (DSTs)

Existem muitas doenças que são transmitidas através do contato sexual.

Tipos

Os tipos de doenças sexualmente transmissíveis incluem AIDS, cancroide, clamídia, herpes genital, gonorreia, granuloma inguinal, hepatite, linfogranuloma vernereum, sífilis e tricomoníase.

- A *gonorreia* é causada por um microrganismo chamado *Neirreria gonorrhoeae*. Essas bactérias são comumente chamadas de gonococos. Se não tratada, a infecção pode viajar através da corrente sanguínea e afetar os ossos, as articulações e os tendões, causando uma doença sistêmica. Os sintomas dessa fase da doença são articulações inflamadas e, ocasionalmente, lesões na pele. O organismo é difícil de detectar e a condição frequentemente é diagnosticada de modo errôneo como uma simples osteoartrite. Se não tratada, a gonorreia pode causar esterilidade.
- A *sífilis* é causada por um tipo de bactéria chamada *Treponema pallidum*. Essa doença é geralmente contraída através de contato físico próximo como beijar, assim como através de relações sexuais. Se não tratada, ela progride ao longo de muitos anos através de três estágios básicos. De dez a 90 dias após o contato, uma úlcera indolor vermelha aparece sobre o local onde a bactéria entrou no corpo. Na segunda etapa, de quatro a dez semanas após o contato, aparecem erupções cutâneas e escamações na boca, nas palmas das mãos, nas solas dos pés ou na área genital. Se a doença progride à sua terceira fase, um ano ou mais após a infecção inicial, podem ocorrer cegueira, danos cerebrais, perda auditiva e/ou doença cardíaca. Essa doença pode permanecer latente por até 20 anos.

Primeiros sintomas

Candidíase

Coceira na área genital, dor ao urinar e um corrimento genital inodoro espesso.

Herpes genital

Coceira, ardor na área genital, desconforto ao urinar, um corrimento uretral ou vaginal aquoso, erupções com bolhas preenchidas de líquido na vagina ou no pênis. A herpes é contagiosa, mesmo que a pessoa não mostre sinais externos do vírus.

Verrugas genitais

Caroços com uma aparência de couve-flor surgindo isoladamente ou em aglomerados, dentro ou em torno da vagina, pênis, virilha ou área escrotal.

Gonorreia

A gonorreia frequentemente não apresenta sintomas em mulheres. Quando há sintomas, eles incluem sangramento menstrual abdominal, inflamação aguda da área pélvica, urinação frequente ou dor e corrimento vaginal.

Os homens, por outro lado, geralmente apresentam sintomas, incluindo um corrimento amarelo de pus ou muco do pênis e micção lenta, difícil e dolorosa.

Os sintomas geralmente aparecem entre dois e 20 dias após o contato sexual.

Sífilis

Uma ferida na genitália, febre, manchas de tecido em descamação, erupção cutânea, dor de garganta e feridas na boca ou no ânus.

Tricomoníase

Para as mulheres, coceira vaginal e dor com corrimento espumoso esverdeado ou amarelo com mau odor.

Para os homens, corrimento uretral claro.

Tratamento convencional

Em muitas dessas doenças, os antibióticos resolverão o problema, mas em outras não há nenhuma cura convencional conhecida.

Trabalho de crenças

A contração de doenças sexualmente transmissíveis gira em torno de questões de dignidade. Trabalhe sobre as crenças que a pessoa tinha quando contraiu a doença. Faça os *downloads*:

"Eu sou digno de um relacionamento maravilhoso."

"Eu me amo".

"Eu amo o Criador de Tudo O Que É."

"Eu me sinto bem comigo mesmo."

"Eu mereço coisas boas."

"Meu corpo se torna mais forte a cada dia."

"Eu sei como deixar o passado para trás."

"Eu sei qual é a sensação de estar livre de arrependimentos."

"Estou feliz e saudável."

"Eu entendo qual é a sensação de ser amado por Deus."

"A cada dia, em todos os sentidos, sou digno do amor de Deus."

"É fácil de ser digno do amor de Deus."

"Estou seguro em mim mesmo."

"É fácil para as pessoas me amarem."

DOR DE GARGANTA

Essa é uma das mais comuns queixas de saúde – queimação e/ou sensação áspera no fundo da garganta.

Causas

A maioria das dores de garganta é causada por infecções virais ou bacterianas, especialmente pela infecção de estreptococos.

A dor de garganta também pode ser causada por qualquer coisa que irrite as mucosas sensíveis no fundo da garganta e da boca. Os fatores irritantes incluem poeiras, fumos, medicamentos, radioterapia, fumaças, cirurgias e comidas ou bebidas extremamente quentes.

A dor de garganta pode sinalizar um resfriado, uma gripe, uma mononucleose, o vírus Epstein-Barr e a herpes simplex, bem como muitas doenças infantis como sarampo e catapora.

Remédios intuitivos

Bebês pequenos geralmente ficam expostos a estreptococos enquanto estão engatinhando pelo chão. Estreptococos tendem a se reproduzir atrás e embaixo de geladeiras. Simplesmente lavar suas mãos e as mãos de seus filhos pode prevenir em cerca de 70%. dos casos que várias infecções entrem no sistema, como por exemplo a de estreptococos.

Existem estreptococos tipo A que podem rapidamente destruir o corpo. Nesse caso, a pessoa precisa de uma cura imediata e de cuidados médicos imediatos. Dê à pessoa uma cura, mas certifique-se de que seu medo não interfira nisso.

Para fazer a cura de uma dor de garganta, comande que as bactérias vão embora e testemunhe o Criador raspando a garganta até que fique limpa e o problema desapareça. Se não desaparecer complemente, use o trabalho de crenças.

Trabalho de crenças

Não sou contra uma pessoa usar antibióticos se tiver estreptococos na garganta. No entanto, pessoas que têm o estreptococo de forma recorrente não sabem como se colocar de maneira correta. Elas não sabem verbalizar como se sentem. Para prevenir que uma pessoa atraia recorrentes estreptococos, use o trabalho de crenças e de sentimentos.

Suplementos

Os seguintes podem ajudar a prevenir uma dor de garganta:

- acidofilus;
- própolis e pólen de abelha;
- prata coloidal (use-a apenas por cerca de uma semana, uma vez que em excesso pode deixar sua pele azul);
- equinácea (para desenvolver o sistema imunológico);
- multivitaminas e minerais;
- vitamina C – 2.000 mg de cada vez distribuídas ao longo do dia, acrescendo até 5.000 mg por dia.

DOR NAS COSTAS

Fui muito bem-sucedida liberando dores nas costas por simplesmente entrar em Theta, fazer o comando para que as costas sejam postas de volta no lugar e testemunhar a cura sendo feita. Você deve fazer o comando para as vértebras, assim como para os músculos. Na maioria das vezes, depois do corpo se reajustar, a pessoa continua com dor por 15 minutos, até uma hora, mas, logo em seguida, ela melhora.

O interessante é que os ossos e músculos que estavam fora do lugar têm uma tendência a cair novamente no mesmo padrão, a menos que a cura seja seguida por um trabalho de crenças.

Trabalho de crenças

Em dor nas costas, os sistemas de crenças têm a ver com a comunicação com o Criador e com uma relação maior com o Criador, além do sentimento de se sentir apoiado e estruturado na vida. Se a pessoa não está se sentindo apoiada, é suscetível a ter dores nas costas.

Em muitos casos, no entanto, a dor nas costas é causada por uma simples deficiência de cálcio e magnésio ou por levantar algo muito pesado sem os apoios adequados.

Faça os *downloads*:

"Eu sei qual é a sensação de ser completamente amado pelo Criador."

"Eu sei a definição do Criador de amor."

"Eu entendo o conceito de Criador do Criador."

"Eu sei qual é a sensação de estar perto de Deus."

"Eu sei como viver sem arrependimento."

"Eu sei como viver sem medo."

"Eu sei qual o conceito de verdade do Criador."

"Eu sei como ouvir a verdade do Criador sem impor minha própria interpretação."

"Eu sei qual o conceito de perdão e compaixão do Criador."

"Eu tenho compaixão por mim mesmo."

"Eu sei qual é a sensação de ser um sucesso."

"Eu sei qual é a sensação de viver sem ser uma vítima."

"Eu sei qual é a sensação de viver sem vitimizar os outros."

"Eu me valorizo."

"Eu sei qual é a sensação de viver sem lutar irracionalmente."

"Eu sei como viver sem o medo de o Criador me abandonar."

"Eu sei como viver sem ser um mártir."

"Eu sei qual é a sensação de viver sem o peso do mundo sobre meus ombros."

"Eu sei qual é a sensação de crescer e ficar forte."

"Eu sei qual é a sensação de receber mensagens claras e decisivas do Criador."

"Eu sei qual é a sensação de viver minha vida sem culpar Deus por tudo."

"Eu sei qual é a sensação de ouvir o conceito do Criador do que eu preciso."

DORES DE CABEÇA

A dor de cabeça é definida como uma dor na cabeça que está localizada acima dos olhos ou dos ouvidos, atrás da cabeça ou na parte de trás da parte superior do pescoço. Como dor no peito ou tonturas, ela tem muitas causas.

Existem dois tipos de dor de cabeça: primária e secundária.

Dores de cabeça primárias

Dores de cabeça primárias não estão associadas a outras doenças. Exemplos são enxaqueca, cefaleia tensional e cefaleia em salvas. Causas de dores de cabeça primárias são ansiedade, fadiga visual, tensões em geral, tensão muscular e estresse.

Cefaleias tensionais

Estas são o tipo mais comum de dor de cabeça. 90% dos adultos tiveram ou terão cefaleia tensional. Ela é mais comum entre mulheres do que entre homens.

A cefaleia tensional é uma dor constante em uma área específica ou em toda a cabeça, causando dores musculares e em outros pontos associados no pescoço e na parte superior das costas. Elas causam vertigens e tonturas.

As causas são raiva, ansiedade, depressão, estresse emocional, alergias alimentares, má postura, respiração superficial e preocupação.

Bromelina, gengibre, magnésio e prímula geralmente aliviam essa condição.

Enxaquecas

Estas são o segundo tipo mais comum de dores de cabeça. Elas afetam tanto as crianças quanto os adultos. Antes da puberdade, meninos e meninas são igualmente afetados, mas, após a puberdade, as mulheres são mais afetadas do que os homens.

Existem dois tipos de enxaqueca:

• A *enxaqueca comum* é uma dor latejante intensa que acontece de um lado da cabeça junto a mãos frias, tonturas, náuseas, vômitos e sensibilidade à luz e som. Ela é causada pela dilatação excessiva ou contração dos vasos sanguíneos do cérebro.

• A *enxaqueca clássica* é semelhante à enxaqueca comum, mas é precedida por alucinações, dormência nos braços e pernas, cheiros estranhos ou distúrbios visuais.

Você deve compreender que uma enxaqueca não é exatamente uma dor de cabeça, mas é causada pela forma como o sangue está fluindo no cérebro. Três coisas causam enxaqueca:

1. O pescoço pode estar fora do lugar.
2. Pode haver um desequilíbrio hormonal.
3. Pode ser apenas um estresse total absoluto.

Para aliviar uma enxaqueca:

- Se for hormonal, com base no ciclo menstrual da mulher, você pode sugerir vários remédios diferentes. Dente-de-leão é um que eu recomendo. Acho que três a quatro limpezas de fígado também podem ajudar (*veja Fígado*).
- Sempre vá para dentro e mova intuitivamente o pescoço de volta para onde ele deveria estar.
- Se a causa for o estresse, um banho quente misturado com sais de Epsom ou uma massagem são excelentes maneiras de aliviar uma enxaqueca.
- Você também pode aliviar uma enxaqueca com um enema de café ou com cafeína.

Os sistemas de crenças associados à enxaqueca têm a ver com o sangue e com o sistema digestivo. Muitos dos programas estão associados a se sentir amado, a abusos antigos e ao estresse.

Cefaleia em salvas

Essas dores de cabeça são caracterizadas por uma dor latejante intensa de um lado da cabeça, causando rubor, congestão nasal e lacrimejamentos, e podem ocorrer até três vezes por dia durante semanas e meses. Algumas das causas são o álcool e o tabagismo. Essa é uma das dores de cabeça mais dolorosas. Em muitos casos, ela só é aliviada pelo sono.

O suplemento l-tirosina é recomendado, mas não se você estiver tomando um medicamento inibidor da MAO. A terapia de luz de Stanley Burrows, usando a luz azul, pode ajudar.

Volte na linha do tempo da pessoa para saber quando as cefaleias em salvas começaram e trabalhe nas crenças associadas. Remova todas as memórias flutuantes (*veja Alcoolismo*) e use o exercício "Enviando Amor para o Bebê no Ventre" (*veja Câncer*).

Dores de cabeça secundárias

As dores de cabeça secundárias são causadas por outras doenças. Essas doenças variam de acordo com o risco que oferecem à vida. Elas podem ser tanto tumores cerebrais, hemorragias, meningite e derrames quanto condições menos graves, mais comuns, como a interrupção do uso de um analgésico ou de cafeína. Outras possibilidades são anemia, distúrbios cerebrais, prisões de ventre, hipertensão, hipoglicemia, sinusite e desalinhamento da coluna vertebral.

Dores de cabeça por reação

As dores de cabeça podem também ser sinal de um problema de saúde subjacente ou alergia. Pessoas que sofrem de dores de cabeça frequentes podem estar reagindo a certos alimentos e aditivos alimentares, como álcool, ácido cítrico, chocolate, produtos lácteos, alimentos fermentados, cachorros-quentes, carne de almoço, comida marinada, glutamato monossódico, nozes, açúcar, sulfatos e/ou trigo.

Dores de cabeça por reação também podem ser causadas pelo uso de álcool, por deficiências nutricionais e pela exposição a perfumes, poluição ou outras toxinas.

Outros tipos de dor de cabeça

Dor de cabeça da artrite

A dor é causada por uma inflamação nas articulações do ombro e/ou pescoço. Um suplemento da marca GNC chamado Matricaria é bom para isso, mas não deve ser usado durante a gravidez.

As crenças associadas à dor de cabeça da artrite são aquelas que estão associados à artrite em si:

"Eu sempre tenho de estar certo."

"Tenho medo de ter de depender de outras pessoas."

"Eu temo a mudança."

"Eu me ressinto de tudo."

Faça o *download*:

"Consigo ouvir as palavras de outra pessoa sem rejeição."

Sentimentos em que trabalhar:
- culpa;
- medo;
- ressentimento.

Dor de cabeça biliar

Uma dor de cabeça biliar se manifesta como uma leve dor na testa e latejamento nas têmporas. Esse tipo de dor de cabeça é causado por indigestão e falta de exercício.

Uma limpeza do cólon e um enema de café podem aliviar o problema.

Dor de cabeça de cafeína

Essas são causadas pela interrupção do uso da cafeína, por causa da dilatação dos vasos sanguíneos. O melhor tratamento é deixar a cafeína lentamente.

Dor de cabeça de esforço

Dores de cabeça causadas por esforço físico são normalmente um sintoma de uma enxaqueca ou da cefaleia em salvas.

Vá para o espaço da pessoa e pergunte ao Criador o que está causando a dor de cabeça. Se for um problema sério, dê-lhe uma cura e sugira que ela faça um *check-up* com seu médico. Se não for um problema tão sério, faça-lhe uma cura e testemunhe a dor de cabeça sendo liberada.

Dor de cabeça de ressaca

Uma dor de cabeça de ressaca é uma dor latejante parecida com a enxaqueca, acompanhada de náuseas. É causada pela desidratação do álcool e pela dilatação dos vasos sanguíneos do cérebro.

A pessoa deve beber muita água, tomar um suplemento de vitaminas do complexo B e aplicar gelo no pescoço.

Faça-lhe uma cura.

Dor de cabeça de fome

Essas dores de cabeça surgem por causa da pouca quantidade de açúcar no sangue, por tensão muscular e pela dilatação dos vasos sanguíneos. A causa é uma dieta inadequada.

Para evitar dores de cabeça de fome, a pessoa deve comer regularmente quantidades adequadas de carboidratos complexos. Recomende que faça um exame para hipoglicemia e sugira que ela altere sua dieta.

Dor de cabeça por hipertensão

Essas dores de cabeça são caracterizadas por uma dor generalizada em uma área grande da cabeça e são agravadas pelo movimento ou esforço. A causa é uma pressão arterial intensa. A pessoa deve manter sua pressão arterial sob controle.

Dor de cabeça no seio paranasal

A dor de cabeça no seio paranasal é uma dor corrosiva, persistente sobre a área do seio paranasal, que muitas vezes aumenta com o passar do dia. Pode haver febre e muco incolor. É resultado de bloqueios dos seios nasais por causa de alergias, infecções ou pólipos nasais.

A pessoa deve aumentar sua ingestão de vitaminas A e C e usar calor úmido para ajudar na drenagem dos seios.

Os sistemas de crenças dessa dor de cabeça estão associados a estar irritado com alguém em sua vida.

Arterite temporal

A arterite temporal apresenta uma "pontada" e ardência nas têmporas ou em torno da orelha ao mastigar. É possível que haja problemas associados à visão e à perda de peso. Se deixada sem tratamento, a arterite temporal pode levar a uma ruptura na aorta, cegueira, a um ataque cardíaco ou derrame. Ela é causada pela inflamação das artérias temporais.

A medicina convencional utiliza tratamentos com esteroides. Use o trabalho de escavação (*digging*) e de crenças para encontrar a causa.

Dor de cabeça de tumor

Uma dor de cabeça de tumor é uma dor que progressivamente piora e com problemas de equilíbrio, na fala e na visão, além de também provocar alterações de personalidade.

Vá para o espaço da pessoa e reduza o tumor.

Dor de cabeça vascular

A dor de cabeça vascular gera pulsação de um lado da cabeça, sensibilidade à luz e muitas vezes náuseas. Ela está relacionada à cefaleia em salvas e à enxaqueca. As causas estão vinculadas a perturbações nos vasos sanguíneos. Mantenha a calma para baixar a pressão arterial.

Remédios intuitivos

Verifique se a coluna da pessoa está alinhada e se seus hormônios estão equilibrados, pois talvez os níveis de estrogênio possam estar fora de equilíbrio, o que poderia estar sendo causado por pílulas anticoncepcionais. Pergunte se ela já esteve no serviço militar. Verifique se há espíritos errantes. A dilatação dos vasos no cérebro pode estar relacionada a um fluxo sanguíneo inadequado. É possível que haja parasitas. Peça ao Criador para lhe mostrar a causa.

Suplementos

Para dores de cabeça primárias

Dependendo da causa da dor de cabeça, os suplementos seguintes são sugeridos:

- cálcio-magnésio;
- CoQ10;

- d-fenilalanina;
- hidróxido;
- l.-glutamina;
- l.-tirosina;
- triptofano;
- limpe o trato intestinal com limpezas intestinais;
- enemas de café orgânico podem ser utilizados para aliviar a dor;
- faça uma limpeza de parasitas e mude para uma dieta alcalina.

Ervas para dores de cabeça primárias

- Pimenta caiena limpa o sangue, reduz a dor e permite que o sangue flua.
- Chá de camomila relaxa os músculos.
- Esfregar gengibre, hortelã-pimenta e óleo de gaulteria no pescoço e nas têmporas pode aliviar dores de cabeça.
- Suco de goji é útil para se livrar de dores de cabeça.
- Guaraná é usado para cefaleias em salvas.
- A flor caveira (*scutellaria lateriflora*) é um agente antiespasmódico e tem efeitos sedativos.

Suplementos para cefaleias em salvas

- potássio;
- vitaminas do complexo B;
- vitamina C;
- vitamina E.

Os resultados podem variar de acordo com a causa subjacente da dor de cabeça.

E. COLI

Veja Intoxicação Alimentar.

ENDOMETRIOSE

A endometriose é uma doença comum em mulheres. Seu nome vem do endométrio, o tecido que reveste o útero. Em mulheres que têm esse problema, o tecido que parece e age como revestimento do útero cresce do lado de fora dele, formando protuberâncias, tumores, implantes, lesões ou nódulos.

Sintomas

Os sintomas incluem:
- cólicas menstruais muito dolorosas;
- dor crônica na parte inferior das costas e pélvis;
- dor durante ou após o sexo;
- dor intestinal;
- dores ao evacuar ou urinar durante os períodos menstruais;
- dores nos períodos menstruais que pioram ao longo do tempo;
- fadiga;
- infertilidade;
- períodos menstruais longos e pesados;
- sangramentos entre os períodos menstruais.

Causas

A endometriose pode ser genética, causada por problemas com o fígado ou gerada por crenças.

Remédios intuitivos

Comande que a endometriose encolha para equilibrar o corpo. O exercício "Memórias Flutuantes" (*veja Alcoolismo*) pode se revelar eficaz.

Trabalho de crenças

Verifique se há:

"Eu sinto que estão tirando proveito de mim."

"Eu tenho de lutar por tudo o que tenho."

"Eu nunca me permito descansar."

"Eu sou bom o suficiente."

Veja Fibroides para outras crenças.

Suplementos e outras recomendações nutricionais

- ácido alfalipoico;
- cálcio-magnésio;
- limpezas de fígado (*veja Fígado*);
- vitamina C.

ENFISEMA

O enfisema é uma doença que progride lentamente no pulmão e que provoca falta de ar. Ele está incluído em um grupo de doenças chamado Doenças Pulmonares Obstrutivas Crônicas, ou DPOC. Ele é chamado de doença pulmonar obstrutiva porque a destruição do tecido pulmonar em torno das pequenas vias aéreas, chamadas bronquíolos, torna-os incapazes de manter seu formato adequadamente no momento da expiração.

Causas

Possíveis causas incluem:

- asma;
- defeitos genéticos;
- poluição do ar;
- tabagismo.

Remédios intuitivos

Testemunhe o Criador suspendendo os pulmões e soprando para dentro deles amor e a vida para recriar as células. Testemunhe o Criador transformando o enfisema e testemunhe as manchas escuras sendo enviadas para a luz do Criador.

Downloads
"Eu sou digno do amor de Deus."
"Eu sei qual é a sensação de ter amor por mim mesmo."
"Eu tenho compaixão por mim mesmo."

Veja Asma para outras crenças.

ENVELHECIMENTO

Há muitos livros maravilhosos sobre envelhecimento dizendo que seu corpo é programado para envelhecer por causa dos radicais livres no ambiente. Muitas pessoas não sabem o que é um radical livre, então me deixe explicar.

Dentro de suas células existem mitocôndrias, que retêm ATP, a energia para as células. Toda vez que as células liberam ATP, elas também liberam uma molécula de oxigênio extra chamada de radical livre. Ela é um resíduo. A não ser que haja um antioxidante presente, ela pode flutuar pelo corpo e realmente causar uma destruição dentro da célula. Se assim for, o antioxidante irá se anexar à molécula de oxigênio/radical livre e a tornará inofensiva.

Se, por outro lado, os radicais livres se chocarem repetidas vezes com o DNA, isso pode causar uma destruição permanente. Se o DNA tiver qualquer dano grave, a célula não será capaz de reproduzir-se com sucesso e se autodestruirá. Essa é uma das formas de as pessoas envelhecerem.

Muitas das células de nosso corpo se autodestroem por causa de danos causados pelos radicais livres. Existem outras maneiras de as células serem danificadas (por exemplo, intoxicação por metais pesados), mas a chave para prevenir danos nas células e, portanto, o envelhecimento, é tomar o máximo de antioxidantes possível.

No seguinte exercício vamos enviar uma mensagem aos receptores das células para regenerarem-se constantemente e para parar o envelhecimento.

O processo para alterar programas genéticos de envelhecimento

1. Centre-se em seu coração e visualize-se descendo para a Mãe Terra, que é uma parte de Tudo O Que É.

2. Visualize-se trazendo a energia através de seus pés, abrindo cada chacra até o chacra coronário. Em uma linda bola de luz, vá para o universo.

3. Vá além do universo, além da luzes brancas, além da luz escura, além da luz branca, além da substância gelatinosa que são as Leis, em uma luz branca perolada iridescente, no Sétimo Plano da Existência.

4. Faça o comando: *"Criador de Tudo O Que É, é comandado que todos os programas genéticos de [nome pessoa] para envelhecimento sejam removidos e cancelados, enviados para a luz do Criador, substituídos pelo programa "Eu sou jovem e eterno, estou para sempre me regenerando", para todos os corpos presentes e futuros, e que sejam substituídos por todo o corpo. Grato! Está feito. Está feito. Está feito. Mostre-me".*

5. Testemunhe o processo. Fique no espaço da pessoa até que o processo termine.

6. Enxágue-se e coloque-se de volta ao seu espaço. Vá para a Terra, puxe a energia da Terra através de todos os seus chacras até seu chacra coronário e faça a quebra energética, ou permaneça no Sétimo Plano de Existência, onde você está em perfeito equilíbrio.

Trabalho de crenças

Verifique se há:

"Eu vou ficar velho."

"Ninguém vai precisar de mim."

"A aposentadoria significa que estou velho."

Faça os *downloads*:

"Eu sou jovem para sempre."

"Meu corpo é jovem."

"Meu corpo é bonito."

"Eu me regenero facilmente."

"Eu vivo sem arrependimentos."

"Eu estou descansado."

"Eu me preocupo com meu corpo."

"Eu sei qual é a sensação de meu corpo de se regenerar facilmente."

"É fácil me achar jovem e bonito."

"Estou feliz com a maneira que aparento."

"Eu sou atraente."

Suplementos e outras recomendações nutricionais

- acido alfalipoico;
- complexo de aminoácidos;
- glutationa;
- noni, cinco dias de uso e dois dias de pausa;
- complexo B;
- evite fumar, pois o fumo destrói as células;
- seguir *O sistema completo de autocura: Exercícios internos*, do dr. Stephen T. Chang (Atlantic Books, 1986), irá aumentar a jovialidade;
- ômegas 3, 6 e 9 são muito importantes para reparar a pele. Ômega 3 produz serotonina e ômega 6 produz estrogênio. Ômegas 3, 6 e 9 são bons para o funcionamento do cérebro e todo o corpo;
- além disso, lembre-se de abençoar sua comida quando você come. E não perca sua vida e os preciosos momentos de prazer comendo coisas de que você não gosta. Alimentos naturais, vivos são sempre melhores, mas entenda que se você está compulsivamente fazendo um estardalhaço por cada pequena coisa que come, não está vivendo. Coma alimentos saudáveis que lhe tragam alegria.

ENXAQUECA

Veja _Dores de Cabeça_.

EPILEPSIA

A epilepsia é um distúrbio cerebral que leva as pessoas a terem convulsões recorrentes. Elas acontecem quando os neurônios no cérebro enviam sinais errados. Pessoas com epilepsia podem ter emoções e sensações não usuais ou se comportar estranhamente. Elas podem ter violentos espasmos musculares ou perder a consciência. Em uma crise epiléptica, o coração realmente para.

Os médicos usam escaneamentos do cérebro e outros testes para diagnosticar a epilepsia. É importante começar o tratamento imediatamente. Existem muitos medicamentos que podem controlar as convulsões. Quando os medicamentos não estão funcionando bem, uma cirurgia ou dispositivos implantados, como os estimuladores do nervo vago, podem ajudar. Dietas especiais podem auxiliar algumas crianças com epilepsia. Algumas crianças superam a doença conforme crescem. Bons resultados têm sido obtidos pelo tratamento com hormônios masculinos/femininos.

Causas

A epilepsia tem muitas causas possíveis, incluindo o desenvolvimento anormal do cérebro, lesão e doenças cerebrais. O estresse da mãe, pode ocasionar estresse fetal, levando o feto à perda de neurotransmissores. Em muitos casos, a causa é desconhecida.

Há muitas coisas que podem desencadear crises, incluindo álcool, lesões cerebrais, cafeína, luzes piscando, hormônios, medicamentos, memórias e eventos traumáticos. Esses também podem ser comportamentos aprendidos. Alguns medicamentos convencionais dados para convulsões podem na realidade criá-las, por causa de doses excessivas.

Os ataques também são acionados quando o cérebro não recebe oxigênio suficiente, de forma que o corpo tenta recuperar a falta e começa a tremer. O tremor não é o ataque epiléptico; é o corpo tentando se recuperar.

Insights intuitivos

A epilepsia é intuitivamente vista como um curto-circuito que atravessa a parte de trás do cérebro ou como lesões na parte da frente.

Remédios intuitivos

A melhor maneira de tirar alguém de uma crise epiléptica é tocá-lo, fazer o comando para que o corpo pare de tremer e imaginar a energia subindo através dos pés.

Para curar a epilepsia, conecte-se ao Criador e faça o comando: "*Mostre-me*", e testemunhe as mudanças. Testemunhe os neurônios se reconectando e remova qualquer memória flutuante com o exercício "Memórias Flutuantes" (*veja Alcoolismo*). Entre, altere a memória fetal e diga ao bebê em crescimento que ele não se preocupe e que é seguro.

Suplementos e outras recomendações nutricionais
- ácido alfalipoico;
- dieta alcalina;
- luz azul (evite luzes vermelhas que pisquem);
- maca;
- Panax Ginseng;
- terapia hormonal orientada por um médico.

ESCABIOSE/SARNA

A escabiose é uma infestação pelo ácaro *Sarcoptes scabiei*. Os ácaros são pequenos parasitas de oito patas. Eles são minúsculos e escavam a pele de modo a causar uma coceira intensa, que tende a ser pior à noite. Os ácaros que causam a escabiose não são visíveis a olho nu, mas podem ser vistos com uma lupa ou microscópio.

Ácaros da sarna são muito sensíveis a seus arredores. Só conseguem viver fora de um corpo hospedeiro de 24 a 36 horas, na maioria das situações. A transmissão dos ácaros envolve contato próximo entre pessoas, do tipo pele a pele. É difícil, se não impossível, pegar sarna apertando as mãos, pendurando seu casaco ao lado do de alguém que a tenha, ou até mesmo compartilhando lençóis que tiveram ácaros na noite anterior. O contato físico necessário para contrair sarna pode ser sexual. Essa é a forma mais comum de transmissão entre jovens sexualmente ativos. No entanto, outras formas de contato físico, como mães abraçando seus filhos, são suficientes para disseminar os ácaros. Ao longo do tempo, amigos e parentes podem contraí-los também dessa maneira. Configurações escolares normalmente não produzem o nível de proximidade de contato pessoal necessário para a transmissão dos ácaros.

O diagnóstico da sarna se dá geralmente através de uma raspagem de pele por um médico, que é então examinada sob um microscópio.

Quando a erupção cutânea aparece pela primeira vez, você pode ver bem linhas onduladas finas que emanam de alguns dos nódulos, se observados de perto. Estas podem secar e começar a coçar, especialmente à noite. A erupção cutânea parece afetar sobretudo as axilas, as nádegas, os genitais e os mamilos, assim como a pele entre os dedos dos pés e das mãos.

Escabicidas são comumente prescritos, mas não são recomendados para crianças com menos de 6 anos ou para mulheres grávidas. Em tais casos, é geralmente recomendada uma solução suave aplicada ao cabelo.

Pomada de calêndula, compressas frias e banhos de aveia com água fria são alternativas naturais para aliviar o inchaço e a coceira.

Remédios herbais

- Aloe vera tem excelentes propriedades curativas. Aplique o gel topicamente na área afetada conforme indicado no rótulo do produto.
- Confrei aplicado topicamente na pele pode ajudar a escabiose.
- Alimentos ricos em zinco podem ser úteis.
- Óleo de melaleuca aplicado topicamente na área afetada pode ajudar também. No entanto, tenha cuidado com ele em locais mais sensíveis como a virilha e os mamilos, e evite colocá-lo diretamente em feridas abertas, pois ele queimará.

ESCLEROSE MÚLTIPLA

A esclerose múltipla (EM) é uma desordem nervosa causada pelo ataque dos linfócitos T à camada isolante em torno dos neurônios do cérebro e da medula espinhal. Esse isolamento, chamado bainha de mielina, ajuda os sinais elétricos a passarem entre o cérebro e o resto do corpo. Quando a bainha está danificada, as mensagens dos nervos são enviadas mais lentamente e com menos eficiência. Podem se formar remendos de tecido cicatricial, interrompendo a comunicação dos nervos para o corpo. Geralmente, o corpo reconstitui o dano que é causado por esse ataque, mas apenas o suficiente para superar o problema. A pessoa pode estar perdendo a bainha de mielina, mas o corpo está continuamente substituindo-a caso contrário a pessoa morreria em horas.

As mulheres têm quase duas vezes mais probabilidade de ter EM do que os homens, e os índices são mais elevados nos Estados Unidos, no Canadá e no norte da Europa do que em outras partes do mundo.

Sintomas

A EM causa grande variedade de sintomas e pode afetar o equilíbrio, as funções corporais, a coordenação, a sensação, a força e a visão. Eles ocorrem quando os nervos do cérebro e da medula espinhal já não correspondem corretamente a outras partes do corpo. A maioria das pessoas têm seus primeiros sintomas entre os 20 e 40 anos.

Os sintomas variam descontroladamente em gravidade de pessoa para pessoa e possivelmente incluem:
- alterações mentais, como esquecimento ou dificuldades de concentração;
- disfunção sexual – a pessoa quer sexo o tempo todo ou não tem vontade;
- dormência ou fraqueza em um ou mais membros;
- fadiga;
- fala arrastada;
- formigamento ou dor em partes do corpo;

   Eles também podem incluir:
- paralisia.

- perda parcial ou total da visão;
- problemas com a bexiga ou com os intestinos;
- rigidez muscular ou espasticidade;
- sensações de choque elétrico que ocorrem com determinados movimentos da cabeça;
- tontura;
- tremor, falta de coordenação ou caminhada instável;
- visão dupla ou embaçamento da visão

A EM pode ser uma doença devastadora ou nunca causar quaisquer sintomas. Em sua pior forma, a pessoa pode ficar cega e paralítica, uma prisioneira em seu próprio corpo. Apenas uma pequena percentagem das pessoas com EM fica debilitada, entretanto; 60% vive vidas normais. É importante que as pessoas saibam disso, uma vez que o medo da EM gera muitos problemas.

Causas

Os médicos não têm certeza da razão pela qual a EM ocorre, mas eles sabem que os glóbulos brancos atacam a bainha de mielina como se esta fosse uma substância estranha.

A clamídia é considerada uma possível causa.

Insights intuitivos

Vistos intuitivamente, os nervos parecem fios desgastados. Se ligasse um aspirador de pó e passasse por cima do cabo elétrico algumas vezes, o cabo ficaria desgastado e sofreria um curto-circuito. Isso é semelhante ao que acontece no corpo. O cérebro de uma pessoa com esclerose múltipla envia uma mensagem através do sistema nervoso para o braço se mover. Mas, como há um curto-circuito no sistema nervoso, outra coisa se move em vez disso.

Pessoas com EM sentem como se elas estivessem pegando fogo. Elas usarão a EM em uma tentativa de controlar as pessoas ao seu redor.

Quando os médicos fazem um exame para EM, encontram coisas como lesões no lobo frontal do cérebro. Essas lesões estão, na verdade, impedindo a comunicação para diferentes partes do cérebro e do corpo.

A pessoa que faz muito trabalho de Theta precisa estar ciente de que, se ela for testada dessa mesma forma, impulsos elétricos no lobo frontal do cérebro que poderiam ser entendidos como anormais podem aparecer.

Quando você olha intuitivamente para a EM, pode primeiro confundi-la com câncer no cérebro, mas se você se concentrar verá tecido cicatricial ou lesões. Você também pode ver as correntes elétricas erráticas disparando através do corpo.

Acredito que a esclerose múltipla seja desencadeada por uma intoxicação por metais pesados ou por microplasma. Há novos tipos de EM aparecendo que eu sinto serem provenientes do mesmo vírus ou microplasma que causa o linfoma não Hodgkin. Os médicos não têm certeza de como chamá-lo, mas sabem que é uma forma de EM. Quando eu entro no corpo, consigo ver que o sistema imunológico está atacando algum tipo de microrganismo que está lá. Acho que isso também pode ser causado por bactérias que vivem à base de petróleo que estão atacando a mitocôndria na célula.

Remédios intuitivos

Foi uma grande aventura quando comecei a fazer curas em EM. Eu observava coisas estranhas acontecendo no corpo e, quando testemunhava a cura, conseguia alguns resultados, mas a pessoa não ficava completamente bem. Quando perguntei ao Criador sobre isso, ouvi a voz dizer: "Eles acreditam que suas vidas estão fora de controle".

Dessa mensagem, assumi que tinha de fazer trabalho de crenças e instalar o programa "Eu tenho controle sobre minha vida" e "Eu sei qual é a sensação de ter controle sobre minhas decisões", mas, mesmo com esses programas, meus clientes só melhoravam um pouco. Então perguntei ao Criador novamente e ouvi: "Eles sentem que não estão no controle de suas vidas".

Frustrada, fiz uma pergunta primordial: "O que eu faço?".

Ouvi o Criador dizer: "Ensine-os como fazer a cura em si mesmos".

Então, comecei a ensinar pessoas com EM a subir comigo e comandar sua própria cura. Expliquei-lhes que algum tipo de vírus ou microplasma estava causando parte de sua doença e mostrei-lhes como comandar que seu corpo se curasse completamente. Depois lhes disse que testemunhassem a cura acontecer e lhes mostrei como fazer o trabalho de sentimentos e de crenças em si mesmos.

Aconteceu uma coisa engraçada: comecei a receber cartas de pessoas dizendo, "Consigo sair da cama" e "Consigo sair de minha cadeira de rodas".

Então, para trabalhar com alguém com esclerose múltipla, você deve devolver-lhe seu poder. Primeiro, pergunte-lhes se eles querem mudar a realidade em que estão. Em caso afirmativo, pergunte ao Criador o que causou a EM. Dê luz e energia para todos os músculos e dê amor para todas as partes do corpo. Pergunte ao Criador se há trabalho de genes que precise ser feito e, em caso afirmativo, testemunhe esse feito.

Em seguida, dê à pessoa a responsabilidade de fazer sua própria cura. Ensine-a como entrar em Theta e mostre-lhe como transformar seu vírus e curar a bainha de mielina. Dê-lhe o processo passando pela própria coluna, meridianos e sistemas elétricos dele com a energia do Criador. Se a pessoa aceitar curas nos primeiros estágios, irá se livrar do vírus e estará de volta no controle de sua vida.

Tenha em mente que eles podem gostar de receber o amor extra que recebem de você e se tornarem codependentes de você como curador. Essa codependência pode interromper o próprio processo de cura deles, mas você ainda tem de fazer com que saibam que você está sempre ali para eles, ao mesmo tempo ensinando-os a assumir seu próprio poder.

Eu não só digo às pessoas com EM que trabalhem sobre si mesmas, mas também lhes dou tarefas para trabalharem em outros. Isso ajuda-as a ver que outras pessoas têm desafios, em vez de focarem completamente em sua própria situação. Você vê, quando a doença está em seu pior, elas estão tão absorvidas no fato de que não conseguem controlar sua própria vida que se esforçam muito para controlar as pessoas ao seu redor. E, quanto mais fora de controle elas se sentem, pior a EM. Então, de uma maneira estranha, a solução para a EM é não só lhes dar responsabilidade por sua própria vida, mas também ensiná-las a estar a serviço dos outros.

Depois de ver um casal de pessoas morrerem de EM, fiquei muito desestimulada. Mas, uma vez que descobri como dar de volta às pessoas com EM responsabilidade por sua própria cura e permiti que eles fizessem curas em outros, as mudanças foram notáveis. Essas pessoas se tornaram os melhores curadores que eu já vi.

Trabalho de crenças

O trabalho de crenças é muito eficaz com EM. Algumas pessoas com EM não sabem como mudar porque têm muito medo disso.

Faça os *downloads*:

"Eu sei como mudar."

"Eu consigo ver todas as minhas possibilidades."

"Eu sei como viver sem me sentir impotente."

"Eu sei qual é a sensação de ter controle sobre minha vida."

"Eu acredito que eu posso ter controle sobre minha vida."

"Acredito que eu sei como ajudar outras pessoas."

"Eu sei como viver sem o medo da EM."

"Meu corpo pode e vai se recuperar."

"Eu sei como viver sem o estereótipo dessa doença."

"Eu sei qual é a sensação de pedir uma segunda, terceira e quarta opinião médica."

"Vejo meu corpo se curar todos os dias."

"Vejo minhas terminações nervosas funcionando perfeitamente."

"Minha bainha de mielina é forte."

"Sinto-me feliz da vida."

"Eu sei que posso ter sucesso."

"Eu sei qual é a sensação de viver minha vida sem ficar obcecado pelas coisas que os médicos me dizem."

"A cada dia, aprecio mais a vida."

"Sinto a vida em todo o meu redor."

"A cada momento de cada dia, eu aprecio o que meu corpo faz por mim."

"Eu agradeço a mim mesma, a Deus e aos outros."

"É fácil para mim ajudar os outros."

É fácil para mim sair de meu próprio paradigma de medo."

"Eu sei como trazer pessoas incríveis para minha vida."

"Eu sei como criar a vida que eu quero."

"Eu sei como ser bem-sucedido."

"Eu sei qual é a sensação de estar com pessoas que me valorizam e me amam."

"Eu sei como viver sem desânimo."

"Eu sei como viver sem forçar minha vontade sobre os demais."

"Eu sei como viver sem controlar a vida das outras pessoas."

"Estou totalmente conectado a Deus."

"Eu tenho bom senso sobre o que é certo e o que é errado."

"Eu consigo controlar minhas emoções."

"Eu sei como viver com o conceito do Criador de esperança plena."

"Eu sei como viver sem me sentir sobrecarregado."

"Meu corpo está voltando à força."

"Meu sistema imunológico está completamente equilibrado."

"Eu mereço mudança."

"Eu sei como viver sem me ressentir dos outros."

"Eu sei como viver sem me chatear."

"Estou livre para desfrutar de minha vida."

Suplementos e outras recomendações nutricionais

Com a pessoa que tem esclerose múltipla há sempre uma desculpa para não tomar suas vitaminas!

Os seguintes serão benéficos:

- O ácido alfa-lipóico é bom porque a pessoa não desintoxica rápido demais.

- Eu sinto que você tem de remover algumas das toxinas do corpo.
- Eu recomendo DHEA se o médico da pessoa recomendá-lo.
- Suco de noni pode ser benéfico.
- Uma coisa que você pode sugerir para a EM é vitamina B. As pessoas com EM têm realmente uma baixa nela.
- Pessoas tratadas com veneno de abelha têm mostrado melhorias sintomáticas registradas.
- Ômega 3 misturado com queijo cottage também pode ajudar na produção de interferon natural no corpo.
- Suco de espinheiro-amarelo (*sea buckthorn*) é benéfico.
- Passar para uma dieta alcalina.
- A pessoa deve se exercitar o máximo possível.
- A pessoa precisará de CoQ10, cálcio, magnésio e lipídios.
- A vitamina C ajuda na produção de interferon natural no corpo.

ESCOLIOSE

A escoliose é uma condição que afeta a coluna vertebral de muitas crianças, adolescentes e adultos. A coluna vertebral apresenta várias curvas naturais, que nos ajudam a nos mover e a sermos flexíveis. Quando uma pessoa tem escoliose, no entanto, esta começa a curvar-se de maneiras que não são benéficas.

Remédios intuitivos

Pouco a pouco, mova as vértebras e treine os músculos a aceitarem a nova posição. Siga os mesmos remédios que os de osso quebrado ou fora de lugar (*veja Fraturas Ósseas*). Tudo deve ser feito gradualmente, ao longo de tantas sessões quantas forem necessárias para o Criador.

Downloads

"Minhas costas estão alinhadas."

"A cada dia em todos os sentidos minhas costas ficam mais alinhadas."

"Caminho com graça e facilidade."

"Eu sustento meu corpo com orgulho."

"Eu me levanto com orgulho de mim."

"É fácil para mim ficar de pé com a cabeça erguida."

"Eu me amo."

"Eu amo aqueles que me rodeiam."

"Eu sou um reflexo de como me sinto sobre mim mesmo; portanto, é fácil para mim me sustentar com orgulho."

"Estou com o suporte de Deus."

"A cada dia, em todos os sentidos, eu me torno mais forte."

ESPORÃO DE CALCÂNEO

Veja Osteófitos.

ESQUIZOFRENIA

Certa época, uma mulher com esquizofrenia ficava vindo ao meu consultório tentando receber uma leitura minha. Ela tinha desenvolvido um fascínio comigo, mesmo que eu não a tivesse conhecido antes e que nunca tivesse falado com ela. Ela começou a acreditar que eu era a melhor amiga dela e que ela tinha conversado comigo à noite durante seu sono. Ela constantemente me escrevia cartas, dizendo que acreditava que o fim do mundo estava chegando e que algumas pessoas estavam atrás dela. Ela escrevia cartas para outra pessoa também, um homem por quem estava obcecada. Um dia ele veio ao meu consultório para descobrir por que ela estava atrás dele. Aparentemente, ela tinha lhe dito que eu era sua melhor amiga. Ela lhe dizia nessas cartas que ele era seu namorado, mas ele me disse que nunca a tinha conhecido. Você pode imaginar que surpresa ambos tivemos quando descobrimos que nenhum de nós a conhecia. Esses tipos de alucinações são típicas de esquizofrenia.

A esquizofrenia é uma desordem cerebral crônica, grave e incapacitante que vem sendo reconhecida ao longo da história documentada. Pessoas com esquizofrenia podem ouvir vozes que outras pessoas não ouvem ou podem acreditar que outros estão lendo suas mentes, controlando seus pensamentos ou planejando prejudicá-las. Essas experiências são aterrorizantes e podem causar medo, recolhimento ou agitação extrema. Pessoas com esquizofrenia podem não fazer sentido quando falam, podem se sentar por horas sem se mover ou quase sem falar ou podem parecer perfeitamente bem até que falem sobre o que realmente estão pensando. Como muitas pessoas com esquizofrenia têm dificuldade em manter um emprego ou cuidar de si mesmas, os encargos para suas famílias e para a sociedade são significativos.

Tratamentos disponíveis podem aliviar muitos dos sintomas da desordem, mas a maioria das pessoas com esquizofrenia precisa lidar com alguns sintomas residuais, enquanto viver. No entanto, este é um momento de esperança para as pessoas com esquizofrenia e suas famílias. Os pesquisadores estão desenvolvendo formas mais eficazes de medicação e usando novas ferramentas de pesquisa para compreender as causas da esquizofrenia e encontrar maneiras de prevenir e tratá-la, e muitas pessoas com o transtorno agora vivem em suas comunidades uma vida recompensadora e com significado.

Tipos

Existem quatro tipos básicos de esquizofrenia:

• A *esquizofrenia catatônica* é caracterizada por posturas incomuns e movimentos frenéticos.

• A *esquizofrenia desorganizada* é caracterizada pela falta de um movimento regular normal, juntamente com um discurso que expressa uma forma desorganizada de pensar.

• A *esquizofrenia paranoide* é caracterizada por sintomas alucinatórios e delirantes.

• A *esquizofrenia indiferenciada* envolve uma mistura de sintomas.

Causas

Não se sabe a causa subjacente da esquizofrenia. Há muitas teorias e alguns pesquisadores acreditam que a esquizofrenia é hereditária. De fato, há provas que, em alguns casos, é resultado de um defeito na química corporal herdada.

Outros teorizam que a esquizofrenia resulta de fatores externos como complicações durante o nascimento, um ferimento na cabeça, uma reação a um vírus ou por uma intoxicação do meio ambiente que danifica o cérebro.

Ainda outra teoria centra-se em fatores nutricionais. Há alguma indicação de que a esquizofrenia possa ser associada a altos níveis de cobre nos tecidos do corpo. A deficiência de zinco pode resultar em danos à glândula pineal, e isso pode fazer com que um indivíduo fique vulnerável à esquizofrenia e outras psicoses.

Em geral, os homens parecem ser mais propensos a ter esquizofrenia do que as mulheres. Isso pode se dever à produção do hormônio estrogênio, que pode proteger o cérebro nas mulheres.

Considera-se que os níveis e o equilíbrio entre os neurotransmissores dopamina, epinefrina, norepinefrina e serotonina e a maneira com que o cérebro responde a essas substâncias desempenham um papel profundo no desenvolvimento da esquizofrenia.

Insights intuitivos

Acredito que a esquizofrenia é causada por um vírus, cerca de 50% das vezes. Isso gera uma separação energética no cérebro, que faz uma divisão no cérebro e resulta em uma pessoa com duas personalidades e sem filtros entre a imaginação, a informação intuitiva que entra do exterior para o cérebro e as informações não filtradas da mente inconsciente.

A esquizofrenia também pode ser uma condição hereditária e devida ao abuso de drogas alucinógenas.

Além disso, pode ser causada por excesso de dopamina sendo liberada no cérebro.

Geralmente, os clientes com esquizofrenia não chegam até você sozinhos. É sua mãe, irmã ou tia que os arrastam até você. Para mostrar a diferença entre a esquizofrenia e outras formas de problemas mentais, uma pessoa com transtorno de personalidade múltipla quer mudar as coisas e fazer as coisas melhorarem. O esquizofrênico, por outro lado, é geralmente muito feliz estando onde está e sendo quem é. Mas ele terá pelo menos duas personalidades distintas, então você tem de saber com qual delas está lidando. As pessoas que querem se curar de esquizofrenia têm de vir por si mesmas. Então, você sabe que elas querem realmente ser curadas.

Há muitas coisas que podem desencadear um episódio esquizofrênico, e uma delas é o uso de drogas. Pessoas com esquizofrenia têm de ter muito cuidado com drogas ou álcool. Por exemplo, uma mulher (casada) em minha área tinha o delírio de que ela deveria ir embora e se casar com Bruce Willis. Ela acreditava que ele a observava, esperando o momento certo! Ela o viu incógnito, vestido em disfarce, vindo vê-la fingindo ser um cliente, quando ela era garçonete. Ela acreditava que quando eles fossem casados, Danny de Vito e Arnold Schwarzenegger viriam pegá-la para que todos pudessem construir uma escola juntos. Essa escola seria o último lugar seguro na Terra e todo o resto seria destruído! Por muitos anos, ela realmente acreditava que isso ia acontecer. Ela acreditava que seu marido morreria para que ela pudesse ficar com essas pessoas. Eu perguntei ao Criador o que iria ajudá-la e me foi dito que ela devia parar de fumar maconha. Minha convicção é de que era o uso da maconha que estava provocando os episódios esquizofrênicos.

O problema com as ilusões é que elas podem se tornar perigosas. Aquela mulher poderia ter colocado veneno no açucareiro, por exemplo, para apressar a morte do marido.

Remédios intuitivos

Na maioria das vezes, as pessoas com esquizofrenia não querem ser curadas. No entanto, tenho tido bons resultados com as pessoas que querem ser curadas.

Há sempre espíritos errantes presentes e pode parecer que há dois ou mais espíritos lutando pela supremacia do corpo. As pessoas que estão tomando remédios para esquizofrenia têm uma tendência a atrair espíritos errantes para si. Quando trabalho em esquizofrênicos, às vezes, vejo até dois ou três espíritos diferentes dentro deles. Às vezes você pode trabalhar na pessoa comandando que os espíritos deixem o corpo dela. Eles vão lutar com você e dizer que existe um acordo entre eles e que eles devem compartilhar o mesmo corpo. Você precisa perguntar ao Criador se isso é verdade, porque normalmente não é. Uma vez que os espíritos tiverem ido embora, a pessoa voltará ao normal.

Para curar a esquizofrenia, intuitivamente vá para o cérebro a fim de ver se está começando a se separar. Conecte-se ao Criador e testemunhe as duas metades do cérebro se unindo para trabalharem em harmonia. Equilibre as químicas do cérebro. Equilibre os níveis de dopamina. Pergunte ao Criador o que é certo para a pessoa. Envie qualquer espírito errante para a luz de Deus.

Para ajudar uma pessoa com esquizofrenia a curar a si mesma, faça com que ela visualize sua consciência mudando para o lado direito do crânio. Isso parará com as vozes e reiniciará o cérebro.

Não os tire de sua medicação. Há uma razão para eles estarem tomando-a e você pode deixá-los muito doentes se eles a interromperem de uma vez só. Mas, se eles começarem a responder às curas, trabalhe com um médico que possa reduzir a medicação aos poucos. Pessoas com doenças mentais como esquizofrenia usam drogas poderosas como Thorazine, que prejudicariam uma pessoa normal se ela as usasse.

Trabalho de crenças e de sentimentos

Você tem de ser muito paciente e persistente com esse transtorno. Certifique-se de que a pessoa sabe qual é a sensação de se sentir segura e como manter o controle sobre seu próprio espaço.

Você tem de perceber que, se eles não vieram ser ajudados por sua própria vontade, vão se sentar lá e brincar com você. Eles são inteligentes e adoram jogar jogos mentais. Não acredite nesses jogos durante uma sessão de trabalho de crenças. Eles só farão você dar voltas em círculos e vão adorar. Eles aprenderam a manipular as pessoas e isso é parte da doença.

No entanto, você precisa fazer todo o trabalho de crenças que eles permitirem. Se não permitirem isso, não se coloque em perigo físico forçando-os demais! E lembre-se de que você ainda precisa ter a permissão deles antes que possa trabalhar neles.

A esquizofrenia pode ser complicada e, às vezes, é melhor perguntar ao Criador quais sentimentos a pessoa precisa.

Faça os *downloads*:

"Eu sei a diferença entre meus pensamentos e aqueles que estão invadindo minha cabeça." (Se isso se aplicar ao seu cliente.)

"Minha mente me pertence."

"Eu sei qual é a sensação do Criador."

"Eu sei a diferença entre a energia do Criador e quaisquer energias negativas que me cercam."

"Eu sei qual é a sensação de viver sem ser paranoico."

"Meu corpo fica mais forte a cada dia."

"Cada pensamento que tenho é meu próprio."

"Eu sei como viver sem lutar contra meus pensamentos."

"Nada pode assumir minha mente."

"Eu venci a batalha."

"É seguro ter meus próprios pensamentos ."

"Eu sou imune aos pensamentos negativos que interferem em minha vida."

"Estou no controle de meus pensamentos, mente e corpo."

"Eu vivo sem medo de ser perseguido."

"Eu sei qual é a sensação de viver sem ser paranoico com as coisas que não consigo entender."

"Meu corpo é seguro."

"Eu sou um."

"A energia que flui através de todas as coisas trabalha comigo, e eu trabalho com ela."

"Eu posso facilmente canalizar a energia do Criador."

"Nada me impede de criar meu destino."

"Vejo meu destino como ele verdadeiramente é."

"Através do Criador de Tudo o Que É eu posso criar o meu próprio destino."

"Minha definição de verdade e a do Criador são iguais."

"Eu vejo a verdade nas situações e tenho validação."

"Eu vivo sem assustar outras pessoas."

Suplementos

Esteja ciente de que a deficiência de magnésio pode causar sintomas como os de esquizofrenia. Muitos transtornos psiquiátricos podem ser atribuídos a deficiências de vitaminas e minerais. Os seguintes suplementos podem ser benéficos:

- ácido fólico;
- complexo B;
- complexos de aminoácidos;
- complexos multivitamínicos e minerais com cálcio e magnésio;
- glutationa;
- lecitina;
- óleo de linhaça;
- tireoide crua.

Pessoas com esquizofrenia devem evitar cafeína, álcool e drogas.

FARINGITE ESTREPTOCÓCICA

A faringite é uma infecção causada por bactérias do gênero *streptococcus*. É muito comum entre crianças e adolescentes. Os sintomas incluem febre, dor de estômago e amígdalas vermelhas e inchadas.

Se nossos corpos fossem equilibrados em ácido alcalino, coisas como estreptococos nunca nos incomodariam. Entrando no corpo, essas bactérias e vírus automaticamente se transformariam em outra coisa.

O estreptococo é interessante porque ele ficará dormente no sistema e depois voltará. O estreptococo que infecta os ouvidos pode ser quase impossível de erradicar com antibióticos. Se alguém chega até você com estreptococo e está tomando antibióticos, não tire-o, senão o estreptococo irá desenvolver resistência ao antibiótico.

Crianças pegam estreptococo o tempo todo por causa de seu contato direto com outras crianças que também têm. Então você pode fazer uma cura no estreptococo, mas se eles estiverem em contato com outros que têm, eles podem ser reinfectados.

As bandejas de gotejamento no fundo de algumas geladeiras são um terreno fértil para a reprodução de estreptococos. Crianças pequenas que rastejam pelo chão podem contraí-los dessa forma.

Remédios intuitivos

Você pode fazer uma cura no estreptococo, mas as bactérias se multiplicam a cada 30 minutos, então é melhor fazer uma cura subsequente de acompanhamento. Também, as pessoas estão muitas vezes presas à ideia de que têm de tomar um antibiótico. Então, o que eu faço é: faço uma cura nelas, mas ainda sugiro que usem um gargarejo de óleo de melaleuca (para uma infecção na garganta).

Aqui está um segredo: gengibre matará o estreptococo. Se você pegar um pedaço de gengibre cru e colocá-lo ao lado do ouvido de um bebê infectado com uma bandagem por cima, ele se livrará da infecção de ouvido. Isso funcionará em adultos também.

FEBRE DO FENO

A febre do feno é uma resposta alérgica ao pólen ou mofo que afeta as membranas mucosas do nariz, dos olhos e as vias aéreas. Pelos, poeira, penas, fungos e esporos também podem desencadear os sintomas.

Existem três estações diferentes para a febre do feno. A primeira vem do pólen das árvores entre fevereiro e maio no Hemisfério Norte. O pólen das ervas daninhas e grama vem em seguida, no final da primavera e verão. No outono, o pólen da ambrosia é predominante.

As pessoas que sofrem de febre do feno também podem ter distúrbios como asma e dermatite. Diz-se que aqueles que sofrem de febre do feno durante o ano inteiro têm rinite alérgica.

Sintomas

Os sintomas incluem:
- fadiga;
- coceira nos olhos;
- irritabilidade;
- espirros;
- secreção aquosa no nariz.

Os sintomas diferem daqueles de um resfriado comum, uma vez que uma secreção nasal clara e fina é típica nas alergias, em oposição à secreção espessa amarelo-verde das infecções bacterianas.

Remédios

• Um estudo da Universidade da Califórnia descobriu que comer iogurte todos os dias reduz a incidência de ataques de febre do feno.

• Os anti-histamínicos são o tratamento convencional mais recomendado para febre do feno. Eles podem reduzir a coceira nos olhos, ouvidos, garganta e fazer parar o corrimento nasal. No entanto, eles também provocam sonolência e depressão, além de outros efeitos colaterais.

Não é aconselhável utilizar anti-histamínicos com suco de toranja, pois isso pode causar reação.

- Evite álcool e fumaça de cigarro.
- Mantenha as janelas fechadas durante o dia com o ar-condicionado para filtrar o ar.
- Use um purificador de ar em sua casa.

Suplementos

- Noni é um bom complemento para a febre do feno, mas você deve usá-lo sozinho, pois ele irá inibir outras ervas.
- Tomar molibdênio e fazer uma limpeza de levedura pode ajudar com a febre do feno.

FEBRE REUMÁTICA

A febre reumática é uma doença inflamatória grave que pode afetar muitas partes do corpo, incluindo o coração, as articulações, o sistema nervoso e a pele. Embora possa ocorrer em qualquer idade, ocorre mais frequentemente em crianças entre os 6 e 15 anos de idade. É duas vezes mais comum em meninos do que em meninas.

Os sintomas de febre reumática geralmente aparecem dentro de cinco semanas após uma infecção estreptocócica (faringite estreptocócica) não tratada. Apenas uma pequena percentagem de pessoas com faringite estreptocócica desenvolve febre reumática.

Em muitos casos, a febre reumática afeta as válvulas cardíacas e interfere no fluxo normal de sangue através do coração.

Não há qualquer cura médica conhecida para febre reumática, mas pode ser evitada pelo rápido e completo tratamento da faringite estreptocócica com antibióticos.

A febre reumática não é tão comum no Ocidente hoje quanto era antes do uso generalizado de penicilina, embora surtos ocorram periodicamente. Ainda é comum em países em desenvolvimento.

Sintomas

Sintomas comuns de faringite incluem:

- febre;
- dor de cabeça;
- dores musculares;
- amígdalas inchadas e vermelhas;
- dor de garganta.

Os sintomas da febre reumática incluem uma combinação de:

- dor no peito;
- fadiga;
- articulações inchadas e doídas;
- falta de ar.

No diagnóstico de febre reumática, os médicos geralmente procuram a presença de quaisquer dois dos seguintes critérios principais ou de um principal mais dois critérios menores. Em todos os casos, a evidência de uma infecção estreptocócica anterior é chave para se ter um diagnóstico de febre reumática.

Critérios principais

- manchas na pele, rosadas ou de um vermelho-fraco, que não coçam (raro);
- inflamação do coração, às vezes indicada por fraqueza e falta de fôlego ou dor no peito;
- movimentos espasmódicos involuntários dos membros e do rosto ou maior dificuldade em realizar movimentos sutis, como deterioração na caligrafia, o que geralmente desaparece ao longo de várias semanas;
- nódulos sob a pele (raro);
- artrite dolorosa afetando, muitas vezes, os tornozelos, cotovelos, joelhos e pulsos e, muitas vezes, migrando de uma articulação a outra.

Critérios menores

- exame de sangue indicando inflamação;
- batimentos cardíacos anormais no eletrocardiograma;

- febre;
- dor nas articulações sem haver inflamação;
- novos sopros cardíacos;
- antecedente de febre reumática ou evidência de doença cardíaca reumática.

Causas

As causas exatas da febre reumática não são claras. Em algumas pessoas, parece que, quando o corpo luta contra uma faringite, outras partes do corpo desenvolvem a inflamação. Por exemplo, as válvulas do coração não são necessariamente infectadas pela bactéria estreptococos, mas podem ficar feridas ou inflamadas enquanto o corpo luta contra a faringite.

A pesquisa médica concentrou-se em uma resposta anormal do sistema imunológico aos antígenos produzidos por tipos específicos de bactérias estreptocócicas. Uma possível causa para isso é a semelhança entre antígenos estreptocócicos e proteínas da válvula do coração e as células musculares do coração. Além disso, pesquisadores estão estudando se algumas pessoas têm maior predisposição genética para uma resposta anormal do sistema imunológico aos antígenos estreptocócicos.

Remédios intuitivos

Na maioria das vezes eu não trabalho com as pessoas quando elas estão com febre reumática, mas depois de elas terem tido. É com os problemas causados pela doença que eu trabalho. Estes são, geralmente, artrite, arritmias cardíacas (e outros problemas com o coração), problemas renais e problemas de pele.

Você tem de voltar ao passado para descobrir o que estava acontecendo quando a pessoa primeiro contraiu a doença. Converse com eles sobre as emoções que estavam acontecendo naquela época (se eles conseguirem se lembrar). Use o trabalho de crenças para seguir a trilha até as questões de fundo.

Se a pessoa não conseguir se lembrar do passado, volte no tempo e testemunhe conforme o Criador faz uma cura na doença. Então, traga a energia de cura de volta para o presente. Isso tem uma tendência a aliviar os sintomas em geral.

Suplementos

É muito importante ter cuidado ao dar suplementos a uma criança. Certifique-se de que a criança está a caminho da recuperação antes de considerar qualquer suplementação. Discuta quaisquer suplementos com um profissional de saúde antes de usá-los.

Se a pessoa tiver mais de 18 anos, eu sugiro:

- ALA;
- aminoácidos;
- sulfato de condroitina para as articulações;
- ômegas 3, 6 e 9;
- vitamina C.

FIBROMIALGIA

A fibromialgia é uma condição crônica caracterizada por dor generalizada nos músculos, ligamentos e tendões, além de uma fadiga geral. É mais comum em mulheres do que em homens e é caracterizada por dor em áreas específicas do corpo, quando uma pressão é aplicada. A dor geralmente persiste por meses e é muitas vezes acompanhada por rigidez.

Pessoas com fibromialgia muitas vezes acordam cansadas, apesar de terem tido uma boa quantidade de sono. Os estudos sugerem que isso é resultado de um distúrbio de sono chamado padrão de intrusão de ondas alfa no sono, uma condição em que o sono profundo é interrompido.

A síndrome do intestino irritável é considerada um agravamento da fibromialgia. Os sintomas incluem dor abdominal, distensão abdominal, constipação e diarreia. Estes são comuns em pessoas com fibromialgia. Muitas pessoas que têm fibromialgia também têm dores de cabeça e dor facial que podem estar relacionadas a uma sensibilidade ou rigidez no pescoço e ombros. Também é comum que pessoas com fibromialgia relatem ser sensíveis a luzes brilhantes, ruídos, odores e toque.

Os médicos não sabem o que causa a fibromialgia; no entanto, as informações se centram atualmente em uma teoria chamada "sensibilização central". Isso indica que as pessoas com fibromialgia têm um limite menor para a dor por causa de uma sensibilidade aumentada no cérebro para os sinais de dor.

Insights intuitivos

A fibromialgia é, na verdade, o sintoma de uma doença que começa nos músculos. Às vezes, pode ser causada pelo vírus Epstein-Barr. Pode se desenvolver quando a pessoa estiver sob uma grande dose de estresse, e o sistema imunológico fica cansado.

As pessoas que estão em movimento o tempo todo e nunca param têm uma tendência a desenvolver fibromialgia. Às vezes, acho que o corpo cria uma doença leve, a fim de produzir o efeito desejado. É como se ele dissesse: "Já que você não sabe como descansar, eu vou fazer isso com você". Ele sabe que a pessoa não descansará a não ser que tenha uma boa razão para isso, e que razão melhor que doença?

Então, se você tem tendência a ser *workaholic*, pode querer fazer os *downloads*:

"Meus músculos sabem como descansar."

"Eu sei como descansar."

"Eu sei como receber amor."

Suplementos
- acido alfalipoico;
- cálcio-magnésio;
- pimenta caiena (para estimular o sistema imunológico);
- equinácea (para limpar o sangue);
- cardo de leite (para limpar o fígado);
- suco de fruta crua com beterraba, cenoura, aipo, alho e gengibre (para aliviar a dor).

FIBROSE CÍSTICA

A Fibrose Cística (FC) é uma doença hereditária que é resultado de um defeito no cromossomo 7. Esse cromossomo é responsável por instruir uma proteína que regula a passagem do sal para dentro e para fora das células das glândulas exócrinas do corpo. Esse pequeno defeito no DNA pode causar uma doença nas mucosas e glândulas sudoríparas. Ela afeta os intestinos, o fígado, os pulmões, o pâncreas, os órgãos sexuais e os seios nasais, fazendo com que o muco seja espesso e viscoso. O muco então obstrui os pulmões, causando problemas respiratórios e tornando mais fácil que bactérias cresçam. Isso pode levar a problemas, como repetidas infecções pulmonares e danos nos pulmões.

Os sintomas e a gravidade da FC variam amplamente. Algumas pessoas têm problemas graves de nascimento. Outras têm uma versão mais suave da doença que não aparece até que sejam adolescentes ou jovens adultos.

Embora não haja nenhuma cura médica conhecida para FC, o tratamento tem melhorado muito nos últimos anos. Muitos dos sintomas são tratados com medicamentos ou suplementos nutricionais. A atenção e o tratamento imediato de complicações respiratórias e digestivas têm aumentado drasticamente a vida útil de uma pessoa com FC. Enquanto várias décadas atrás a maioria morria antes de chegar aos 2 anos, hoje cerca da metade das pessoas com FC vive até aos 31.

Trabalho de crenças

As crianças com fibrose cística podem se beneficiar do uso do trabalho de genes. A maioria delas é de seres maravilhosos que querem viver. Muitas vezes, são os pais que os estão preparando para morrer. Assim, os pais geralmente precisam do trabalho de crenças para que não desistam de ter esperança. Eles devem acreditar que a recuperação é possível. Em muitos casos, a culpa dos pais impede que a criança se cure.

Downloads para os pais:

"É possível que meu filho seja curado."

"Eu sei qual é a sensação de esperar uma cura do Criador."

"Eu sei que é possível que o DNA seja alterado."

"Eu sei que é possível esperar coisas boas do Criador."

"Eu sei qual é a sensação de o meu filho de aceitar uma cura."

"Eu sei qual é a sensação de viver sem o medo de perder minhas esperanças."

"Eu sei que é possível ser feliz."

"Eu sei como deixar meu filho ser feliz."

FÍGADO

O fígado é responsável por mais de 500 funções no corpo. Ele produz o colesterol e a bile a partir da decomposição da gordura ingerida e de hemácias antigas. Usando aminoácidos, ele produz proteínas e armazena glicogênio, ferro e vitaminas. Ele também remove substâncias como venenos e produtos residuais do sangue, excretando-os ou convertendo-os em substâncias mais seguras.

Quando o fígado fica inundado de toxinas, já não consegue funcionar corretamente. Isso, por sua vez, causará desequilíbrios nos hormônios que regulam o crescimento, o comportamento sexual e o fluxo de serotonina. Os taoistas ensinam que, se o fígado e os rins estão limpos, nós não envelheceremos. Em virtude de todas as toxinas e poluições em nosso meio ambiente, nossos fígados estão sobrecarregados.

Para manter a vesícula biliar e o fígado funcionando corretamente, eu lhes ofereço a excelente limpeza de fígado listada abaixo. Leia as instruções cuidadosamente e, claro, vá para cima e pergunte ao Criador se isso é bom para você.

Limpeza da vesícula biliar/fígado!

Essa limpeza não deve ser usada por aqueles que têm hepatite ou cirrose do fígado.

Como com qualquer limpeza, essa é apenas uma sugestão, e aqueles que a usam devem ser cautelosos, pois ela pode ser poderosa.

1. Tome um laxante natural (de ervas) à noite.

2. A cada manhã pelos próximos três dias, coloque 100 gotas de Ortho--Phos (um nome de marca para ácido ortofosfórico) em um copo com

um quarto de suco de maçã de alta qualidade e beba durante a manhã. Durante esses três dias, você não precisa alterar sua dieta. Se por algum motivo você não pode beber suco de maçã, coloque 135 gotas de Ortho--Phos em um copo com um quarto de água e beba durante a manhã. Essas gotas são a base da limpeza.

3. Na noite do quarto dia, coma o jantar cedo. Depois, mais ou menos uma hora antes de sua hora de dormir normal, misture e beba uma xícara de azeite, um copo de Coca-Cola e um limão inteiro espremido. Use um azeite de alta qualidade, que seja prensado a frio. A Coca-Cola é usada para ajudar a tomar o azeite de oliva. Sem ela, o azeite é muito difícil de engolir. Você verá que a Coca-Cola e o limão fazem com que o azeite fique quase sem gosto.

4. Imediatamente depois de beber a mistura de azeite, vá para a cama. Coloque os joelhos em cima do peito. Deite-se para o seu lado direito por meia hora. Isso vai fazer com que o azeite vá diretamente para a vesícula biliar e o fígado. Esses órgãos não saberão o que fazer com todo esse azeite, então eles terão um espasmo e atirarão pedras. Aí você está livre para se levantar e fazer o que quiser. Ao tomar essa mistura de azeite, você esvazia o sistema de sua bile antiga, forçando-o a produzir nova bile sem as toxinas antigas.

5. Tome um laxante natural (de ervas) nesta noite para que você elimine na manhã seguinte. Isso ajudará a enxaguar as pedras para fora do cólon.

6. Considere fazer uma colón hidroterapia dois dias depois do enxágue.

Se você está muito doente com um desafio (como câncer), considere fazer isso uma vez por mês por alguns meses. O sistema de cada um é diferente, portanto, não há nenhuma verdade absoluta. Por prevenção, repita essa limpeza pelo menos uma vez por ano.

Variação de sais de Epsom

Os sais de Epsom mantêm as entranhas se movendo, então, quaisquer toxinas restantes são removidas do corpo.

1. No terceiro dia do enxágue do fígado, duas horas depois do almoço, dissolva duas colheres de sopa de sais de Epsom em 90 ml de água e beba. Se você achar o gosto intolerável, adicione um pouco de suco cítrico.

2. Dose noturna: cinco horas depois do almoço, dissolva uma colher de sopa de sais de Epsom em 90 ml de água e beba.

3. Na manhã seguinte, dissolva uma colher de sopa de sais de Epsom em 90 ml de água e beba.

Essa limpeza têm a intenção de ser um guia informativo. Os remédios, as abordagens e a técnica descritos aqui têm o objetivo de complementar, e não de ser um substituto para o tratamento médico profissional. Essa limpeza não deve ser usada para tratar uma doença grave sem consulta prévia com um profissional de saúde qualificado.

As gotas dessa purificação estão disponíveis em uma variedade de lojas de produtos naturais.

Downloads

Muitos dos seguintes *downloads* serão muito benéficos para fortalecer e limpar o fígado:

"Eu sei qual é a sensação de viver sem que a raiva de outras pessoas me afete."

"Eu sei como viver sem carregar raivas antigas."

"Eu sei qual é a sensação de viver sem carregar ressentimentos antigos."

"Eu sei qual é a sensação de reconhecer as coisas em minha vida que me servem."

"Eu sei qual é a sensação do amor."

"Eu sei qual é a sensação da alegria."

"A cada dia, meu corpo se torna mais forte."

"Eu amo meu corpo."

"Eu sei quando dizer não."

"Eu sei que estou vivendo em um mundo onde sou responsável por minha própria conexão com Deus."

"Eu sou responsável por meus comprometimentos com os outros."

"Eu sei como viver sem meus familiares se aproveitarem de mim."

"Eu me aprecio e me amo."

"A cada dia que passa, eu aprecio e amo mais a vida."

"Estou totalmente conectado a Deus."

"Meu fígado regula todos os meus hormônios facilmente e sem esforço."

"Eu respeito e amo meu corpo."

"Eu limpo toxinas de meu corpo facilmente e sem esforço."

"Eu amo meu fígado."

"Eu sei como viver sem doença."

"Eu sei como viver sem a doença como um desafio."

"Meu sistema imunológico funciona em harmonia."

"Eu sei como viver sem estar obcecado."

FRATURAS ÓSSEAS

As fraturas acontecem quando um osso não consegue resistir às forças externas que são aplicadas nele. "Fraturar", "quebrar" e "rachar" significam a mesma coisa: que a estrutura óssea falha.

Existem algumas dores corporais que podem ser comparadas com as de um osso fraturado. Algumas pessoas desmaiam de dor e há pessoas que até mesmo morrem por causa do choque de um grande osso sendo quebrado. Um osso quebrado dói porque as terminações nervosas que rodeiam os ossos contêm fibras de dor. Essas fibras ficam irritadas quando um osso é quebrado. Além disso, ossos quebrados sangram, e o sangue e o consequente inchaço causam dor. Os músculos que circundam a área lesada podem começar a ter espasmos ao tentar segurar os fragmentos de ossos quebrados no lugar, e esses espasmos também causam uma dor intensa.

Em muitos casos, uma fratura é fácil de detectar, mas não é facilmente diagnosticada se não houver uma deformação óbvia.

Tipos

As fraturas ocorrem por causa de golpes diretos, torcidas, lesões ou quedas. O tipo de força sobre o osso determina que tipo de lesão ocorre.

O Corpo Canta

Descrições de fraturas podem ser confusas. Elas se baseiam em onde no osso ocorreu a quebra, como os fragmentos de ossos estão alinhados e se existem quaisquer complicações.

O primeiro passo na descrição de uma fratura é se esta é aberta ou fechada. Se a pele sobre a fratura estiver rompida, então é uma fratura exposta. Se a pele estiver cortada, rasgada ou desgastada, existe a possibilidade de uma infecção adentrar o osso. Essas lesões precisam ser cuidadosamente limpas e uma anestesia talvez seja necessária para se fazer o trabalho de forma eficaz.

A etapa seguinte é a descrição da linha de fratura. Através de um raio-x, um médico irá traçar isso para ver se ela passa através do osso (transversal), em um ângulo (oblíquo) ou em uma espiral. A fratura pode também estar em duas partes ou cominutiva, o que significa em vários pedaços.

Tipos de fratura:

Cominutiva: ossos fraturados em vários pedaços.

Completa: O osso se quebra completamente em dois ou mais pedaços.

Composta: O osso se projeta através da pele. Essa também é chamada de fratura exposta.

Incompleta: O osso racha, mas não se separa.

Impactada: Um fragmento de osso é acoplado a outro fragmento de osso.

Simples: Um osso se quebra em duas partes.

Estresse: Uma ruptura muito fina que é muitas vezes invisível em um raio-x nas primeiras seis semanas após o início da dor.

Insights intuitivos

Os ossos e a espinha se alinham quando os músculos relaxam. É a tensão nos músculos que impede que os ossos estejam em alinhamento. Assim, com um osso fraturado, é necessário também fazer um trabalho intuitivo nos músculos, ao mesmo tempo que nos ossos. Lembre-se, o Criador de Tudo O Que É cuidará disso.

Uma vez que os ossos nos seguram, eles pensam que são a parte mais importante do corpo e é verdade que tudo tem base neles: os ligamentos, os músculos e o sistema nervoso. Eles são o núcleo de tudo o que somos. Eles estão diretamente ligados ao chacra coronário e por isso são um diapasão espiritual, e daí o ditado: "Eu sinto em meus ossos".

Sempre que você trabalha com os ossos, também trabalha com as cartilagens. A parte da frente da costela é feita de cartilagem para que possamos respirar, enquanto a metade de trás é feita de osso. O esterno é cartilagem.

Remédios intuitivos

Para fazer uma cura em qualquer tipo de fratura, entre em Theta e comande que o osso volte para onde estava antes do momento em que o acidente aconteceu. Diga: "Não, isso não aconteceu", e testemunhe a mudança no osso. O sistema esquelético é extremamente fácil de curar e coopera tranquilamente.

Ossos que estão quebrados e separados podem ser trabalhados a partir da técnica de cura básica, que é ir para cima, fazer o comando para que o osso seja completamente curado, testemunhando-o se curando e sendo embalado em cálcio.

Ao fazer uma cura em um osso, lembre-se de trazer energia criativa de Tudo O Que É, caso contrário, o corpo irá roubar cálcio dos outros ossos, especialmente dos ossos do quadril.

Se você tiver uma pessoa com uma fratura exposta, deve chamar os serviços de emergência, além de fazer uma cura nelas. Nunca tente empurrar manualmente um osso de volta para o lugar.

Trabalho de crenças

Se o osso não cicatrizar imediatamente, entre em um estado de Theta mais profundo. Seja gentil com você mesmo. A consistência nas curas virá com a prática. Lembre-se de que um trabalho de crenças pode ser necessário e que podem ser suas crenças que estão bloqueando a cura. Veja se você tem medo da lesão ou doença.

A lesão também pode estar ligada a crenças subconscientes referentes a questões de sacrifício e dignidade.

Você deve ter muito tato com um cliente que tem problemas emocionais nos ossos, porque geralmente se trata de questões de confiança e de ter apoio na vida. Muitas pessoas têm problemas com Deus. Elas devem confiar que Deus as apoia.

FUNGOS

Fungos crescem em ambientes ácidos, aeróbicos e de baixa umidade. Podem crescer sobre a pele, cabelo ou unhas, ou no interior do corpo. Seu gênero mudará de acordo com a temperatura ambiente.

Infecções por fungos podem afetar todos os órgãos do corpo. Atualmente, as pessoas estão se infectando mais do que nunca. Os fungos estão se tornando uma das principais causas de infecção nos hospitais. Pessoas que usaram antibióticos por longos períodos de tempo são especialmente suscetíveis.

Se uma pessoa tiver uma infecção de fungos, ela deve cogitar a remoção de farinha branca e açúcar de sua dieta e considerar uma dieta alcalina. Algumas infecções dos seios são causadas por fungos. Problemas de mofo são comuns. O mofo preto em casas está começando a chamar a atenção dos administradores públicos pelo perigo que apresenta à saúde.

Insights intuitivos

Quando visto de forma intuitiva no corpo, o fungo tem uma gama de cores, dependendo do tipo que é. Ele é visto como uma cor turva nos pulmões (infecções bacterianas e virais têm uma aparência diferente). Fungos mortos e moribundos são vistos como uma substância nublada preta.

Os fungos projetam programas de "eu vou fazer isso mais tarde" e a pessoa pensa que esses sentimentos são seus.

Uma vez que todos os fungos estão ligados a questões de ressentimento, você deve limpar essas questões e, depois disso, o fungo irá embora.

Remédios intuitivos

A melhor maneira de lidar com fungos é transformá-los em uma forma inofensiva. Você pode fazer isso apenas dizendo: *"Criador, mostre-me o que precisa ser feito e mude isso agora"*. No entanto, você deve primeiro encontrar e liberar as crenças que estão segurando-o nesse lugar. Se você encontrar a crença-raiz, eles se transformarão em apenas alguns segundos. Se você fizer o comando para transformar o fungo sem encontrar a crença-raiz, o cliente poderá passar por uma crise de cura como resultado da terrível morte dos fungos.

Crenças associadas com fungos geralmente têm a ver com ressentimento. A pessoa deve descobrir como esse ressentimento está servindo-os.

Downloads

"Eu sei qual é a sensação de viver sem ressentimento."

"Eu sei como viver sem me ressentir de meu corpo."

"Eu sei como viver sem me ressentir de meus pais."

"Eu sei como viver sem me ressentir de meus amigos."

"Eu sei como viver sem me ressentir de meu companheiro."

"Eu sei que é possível viver sem me ressentir das pessoas à minha volta."

Suplementos

- cálcio-magnésio (este ajuda a afastar fungos);
- eucalipto (apenas uso tópico);
- noni;
- folhas de extrato de oliveira;
- pau d'arco;
- óleo de melaleuca (apenas uso tópico).

GANGRENA

Gangrena é um tecido morto e podre deixado depois de uma infecção bacteriana. Não há fluxo de sangue nele (uma vez que está morto), e por isso agora está sujeito à infecção.

Remédios intuitivos

A gangrena responde bem à introdução intuitiva de novos tecidos.
Faça o comando: "*Criador, mostre-me*". Limpe a gangrena e comande que toda a região se regenere. Veja o tecido antigo ser removido e veja o novo tecido entrando.

GENGIVAS

Veja *Dentes*.

GIÁRDIA

Veja *Intoxicação Alimentar*.

GLAUCOMA

Veja *Olhos*.

GONORREIA

Veja *Doenças Sexualmente Transmissíveis*.

GOTA

A gota é um tipo comum de artrite que ocorre quando há excesso de ácido úrico no sangue e nos tecidos musculares.

Ácido úrico é o produto final da metabolização da classe dos produtos químicos conhecidos como purinas. Em pessoas com gota, o corpo não produz quantidade suficiente da enzima digestiva uricase, que oxida o ácido úrico relativamente insolúvel em um composto altamente solúvel. Como resultado, o ácido úrico se acumula no sangue e nos tecidos, e acaba se cristalizando. Quando se cristaliza, ele assume uma forma semelhante à de uma agulha e, como uma agulha, encontra seu caminho até as articulações. A gota geralmente afeta o dedão do pé, mas pode afetar os joelhos, pulsos e até mesmo os dedos.

A dor aguda e a inflamação das articulações são geralmente os primeiros sintomas. A área afetada pode ser sensível ao toque. A gota geralmente afeta homens entre as idades de 40 e 50 anos. Ela pode ser hereditária ou causada por abuso de álcool, certos tipos de medicação, algum machucado na articulação, comer em excesso, estresse ou cirurgia.

Remédios intuitivos

Testemunhe uma cura. Você pode assistir às instruções do DNA mudarem na maneira que o corpo decompõe o ácido úrico.

Trabalho de crenças

Os sistemas de crenças da gota são parecidos com os da artrite: medo de seguir, culpa, ressentimento e tristeza.

A dor da gota também fará com que a pessoa sinta que tem de ser teimosa e discutir com você a respeito de tudo que você está tentando lhe dizer. Ela não quer mudar. Ela sente que tem de estar certa o tempo todo. Ela sente que tem de carregar todo o mundo.

A maneira que fazemos o trabalho de crenças na gota depende de onde ela está no corpo. Por exemplo, se estiver no joelho, trabalharemos em questões de seguir em frente.

Suplementos e outras recomendações nutricionais

• A deficiência de ácido pantotênico (vitamina B5) produz quantidades excessivas de ácido úrico, por isso considere um suplemento de vitamina B.

- A pessoa que desenvolve gota só deve comer frutas e verduras cruas por cerca de duas semanas. Ela deve considerar eliminar toda a carne e alimentos fritos ou gordurosos a dieta.
- Evite farinha branca.
- Evite o aminoácido glicina. (A glicina pode ser convertida em ácido úrico mais rapidamente em pessoas que sofrem de gota).
- A cortisona é comumente prescrita para aliviar os ataques agudos. No entanto, ela pode colocar pressão adicional sobre as glândulas suprarrenais.
- Nenhum álcool deve ser consumido.
- Suco de cereja tart decompõe o ácido úrico.
- O tratamento com veneno de mel de abelha tem proporcionado alívio para alguns pacientes de gota.
- Experimente complementar a dieta com:

✓ arando;

✓ garra-do-diabo;

✓ mandioca.

HANTAVÍRUS

A síndrome pulmonar por hantavírus (HPS) é uma doença contraída a partir de roedores infectados ou pela urina e fezes destes. Ela foi reconhecida pela primeira vez em 1993. Apesar de rara, é potencialmente mortal.

O vírus entra na célula e rompe a membrana pleural. Os pulmões se enchem de água, o que parece pneumonia para um médico. Os sobreviventes ficam inchados e parecem que têm a doença de Cushing.

Verificar a presença de roedores dentro e em torno da casa continua a ser a principal estratégia para prevenir a infecção pelo hantavírus. Não varra fezes de rato; use uma toalha molhada com desinfetante.

Remédios intuitivos

Peça ao Criador para lhe mostrar o comando que deve ser feito. Testemunhe.

HEMOFILIA

A hemofilia é uma doença genética rara que impede que o sangue coagule adequadamente. Um em cada 5 mil meninos nasce com ela; meninas são raramente afetadas. Um homem não pode transmitir o gene de hemofilia para seus filhos, apesar do que todas as suas filhas serão portadoras deste. Cada criança do sexo masculino nascida de uma mulher que contém o gene tem uma chance de 50% de ter hemofilia.

O sangue humano contém proteínas especiais conhecidas como fatores da coagulação. Identificados por algarismos romanos, esses fatores ajudam a parar a hemorragia e permitem que o vaso sanguíneo se cure após uma lesão. O último passo no processo de coagulação é a criação de uma "rede", que fecha o vaso sanguíneo rasgado e para o sangramento. Essa parte do processo envolve os fatores de coagulação VIII e IX. As pessoas com hemofilia têm uma deficiência em um desses fatores por causa de seus genes incomuns e, como resultado, seu sangue não consegue coagular adequadamente.

Os sintomas de hemofilia variam, dependendo da gravidade da deficiência do fator e do local da hemorragia.

Muito poucos bebês são diagnosticados com hemofilia, pois eles não são suscetíveis a sustentar uma ferida que levaria a um sangramento.

Tipos

• A *hemofilia A*, também conhecida como deficiência do fator VIII, é a causa de cerca de 80% dos casos.

• A *hemofilia B*, que compõe a maioria dos casos dos 20% restantes, é uma deficiência do fator IX.

Os pacientes são classificados como leves, moderados ou graves, com base na quantidade de fator presente no sangue. Um paciente cujos testes sanguíneos sugerem hemofilia grave geralmente irão sangrar com frequência, ao passo que um paciente com uma forma mais leve de hemofilia raramente sangrará.

Remédios intuitivos

Descobri que o trabalho de genes traz bons resultados. Testemunhe o Criador fazendo alterações nos genes.

Trabalho de crenças

Busque questões de comunicação e de autopercepção.

HEMORROIDAS

Hemorroidas são veias inflamadas e dolorosas no reto. Elas são muito comuns.

Hemorroidas estão associadas a prisões de ventre e evacuações forçadas. Elas podem também estar associadas à gravidez. Considera--se que essas condições conduzem a um aumento da pressão nas veias hemorroidas, causando o inchaço. Doenças de fígado também podem causar um aumento da pressão nas veias e por isso também podem causar hemorroidas.

Tipos

• Há dois conjuntos de veias que drenam o sangue da parte inferior do reto e do ânus. As veias internas podem inchar e formar *hemorroidas internas*. A não ser que sejam graves, elas não podem ser vistas ou sentidas.

• Da mesma maneira, as veias externas podem inchar e formar *hemorroidas externas*. Estas podem ser vistas e sentidas em torno do exterior do ânus. Elas não são tumores ou protuberâncias.

• O *prolapso hemorroidário* é uma hemorroida interna que entra em colapso e se projeta para fora do ânus, muitas vezes acompanhada pela secreção de um muco e sangramento intenso. Os prolapsos hemorroidários podem desenvolver tromboses, o que significa que formam coágulos que os impedem de regredir.

Sintomas

Os sintomas mais comuns incluem:

• coceira;
• inchaço;
• infiltração;
• inflamação;
• irritação;
• queimação dolorosa.

Trabalho de crenças

Pelo fato de as hemorroidas fazerem parte do trato digestivo e normalmente ser agravadas por prisão de ventre e diarreia, os sistemas de crenças associados pertencerão ao sistema digestivo: raiva, medo, culpa, abusos antigos, ressentimento e a incapacidade de aceitar amor.

Suplementos e outras recomendações nutricionais

• CoQ10;
• vitamina A;
• vitamina C;
• vitamina E;

- limpeza de fígado usando acido alfalipoico e o produto "Cleanse and Build" da marca Lidtke Technologies. Essa é a chave para ajudar com as hemorroidas. Algumas coisas que ajudam o fígado são os sucos de beterraba, cenoura e aipo;
- beba gel de aloe vera;
- beba muita água, evite alimentos gordurosos e use uma colher de sopa de óleo de linhaça por dia.

HEPATITE

O fígado é uma das casas de força do corpo. Ele ajuda no processamento de nutrientes e metaboliza medicamentos. Ele também ajuda a limpar o corpo de produtos de resíduos tóxicos. "Hepatite" significa uma inflamação do fígado e pode ser causada por uma dentre várias coisas, incluindo uma infecção bacteriana, lesão hepática causada por uma toxina (veneno) e até mesmo por um ataque no fígado pelo sistema imunológico do próprio corpo.

Tipos

Embora existam várias formas de hepatite, a condição é geralmente causada por um dos três vírus: hepatite A, hepatite B ou hepatite C. Alguns vírus de hepatite podem sofrer mutações, o que significa que eles podem mudar ao longo do tempo e podem se tornar difíceis para o corpo lutar. Em alguns casos, a hepatite B ou C pode destruir o fígado. O paciente pode precisar de um transplante de fígado para sobreviver, que nem sempre está disponível ou é bem-sucedido.

- A *hepatite A* é conhecida como hepatite infecciosa e é facilmente disseminada através de alimentos contaminados, contatos interpessoais, água e até mesmo frutos do mar crus.
- A *hepatite B* é referida como hepatite soro e se dissemina através do contato com sangue infectado. Ela é contraída por meio da atividade sexual e transfusões de sangue.
- A *hepatite C* é a forma mais grave de hepatite. É quatro vezes mais preponderante do que a AIDS e 20 vezes mais fácil de pegar. Cerca de 85% das infecções levam à doença hepática crônica. Pessoas com hepatite

C têm níveis elevados de ferro no fígado, que causam danos graves. O meio mais comum de transmissão de hepatite C é a transfusão de sangue, mas pode também ser transmitida por contato sexual e uso de drogas injetáveis e de mãe para filho durante o parto.

- A *hepatite D* ou *delta hepatite* ocorre em algumas pessoas já infectadas com hepatite B. É o menos comum de todos os vírus da hepatite, mas o mais grave, pois existem dois tipos de hepatite trabalhando juntos. Pode ser transmitida através do contato sexual ou de mãe para filho no nascimento.

- A *hepatite E* é rara no Ocidente, porém mais comum em outras partes do mundo. Ela é normalmente transmitida através de contaminação fecal e parece ser perigosa para mulheres grávidas, mas em geral não leva à hepatite crônica.

- A *hepatite tóxica* se desenvolve em virtude da exposição a certas toxinas ou pelo uso de álcool e drogas, incluindo o uso excessivo de medicamentos farmacêuticos, como paracetamol ou ibuprofeno.

Sintomas

Os sintomas da hepatite incluem:

- desconforto abdominal;
- dor de cabeça;
- dores musculares;
- dores nas articulações;
- febre;
- fezes de cor clara;
- fraqueza;
- icterícia;
- náuseas;
- perda de apetite;
- sonolência;
- urina escura;
- vômitos.

Quanto mais danos no fígado, mais irregular a personalidade. Esse transtorno faz com que a pessoa fique mal-humorada e agressiva.

Insights intuitivos

A hepatite C pode ter a aparência semelhante à de uma aranha ou um robô e o fígado parecerá ter um filme esfumaçado sobre ele com manchas se movendo.

Remédios intuitivos

Temos experimentado muitos bons resultados com hepatite. Na maioria dos casos, simplesmente dizer ao vírus para deixar o corpo já foi suficiente.

Uma possível razão para isso é que a hepatite C é um dos vírus mais amigáveis que se pode encontrar. Quando você entra pela primeira vez e faz contato com ele, ele é educado e envia formas-pensamento como "Por favor" e "Obrigado". Ele gosta de se comunicar com você, e quando você lhe diz que ele é ruim para o corpo, ele diz coisas como "Opa, me desculpe!". Ele é doce, amável, agradecido, adorável, fala com você, é educado e tem boas maneiras. Por mais que isso possa parecer estranho, é verdade.

A maioria das curas que são feitas na hepatite C é instantânea. Elas são atingidas por entrar em contato com o vírus e lhe dizer que ele é ruim para o corpo. Na maioria dos casos, ele simplesmente muda para uma forma que é inofensiva ao corpo.

Trabalho de crenças

Só trabalhei em algumas pessoas cuja hepatite não limpou imediatamente. Todas elas tinham problemas de raiva que precisavam ser liberados com o trabalho de crenças.

Em tais casos, é provável que a pessoa tenha contraído a doença por compartilhar agulhas em meio de uso abusivo de drogas. Isso geralmente significa que elas precisam de um trabalho de crenças referente a questões de dignidade e dominação.

Elas também precisam trabalhar sobre os sistemas de crença que tiveram durante a época em que estavam usando drogas. Estas podem não ser aparentes em sua vida atual. É por isso que é importante fazer o trabalho de escavação para encontrar as crenças-raiz no momento em que a doença foi contraída.

A hepatite C está relacionada a questões de nutrição. Ela projeta no hospedeiro pensamentos de "Está tudo bem" e "Eu sou incurável". A pessoa pensa, então, que essa consciência é a sua própria.

Então, faça o comando para mudar as crenças-base que estão associadas ao hospedeiro e faça os *downloads*:

"Eu sei como cuidar de mim."

"Eu sei como inspirar o sopro da vida."

"Eu compreendo como lidar com confronto."

"Eu sei como interagir com os outros."

"Eu sei quando lutar por meu direito de ser."

"Eu sei como dizer não."

"Eu sei como viver sem permitir que as pessoas se aproveitem de mim."

"Eu sei como fazer com que as pessoas honrem meus limites."

"Eu sei como respeitar os limites dos outros."

"Eu sei como sentir a alegria da vida."

"Eu sei como aproveitar a vida."

"Eu sei como aprender facilmente e sem esforço."

"Eu sei qual é a sensação de me afirmar."

"Eu sei como viver sem permitir que o confronto me assuste."

"Eu sei como enfrentar alguém da mais elevada e melhor maneira quando é necessário."

"Eu sei como estar consciente dos sentimentos dos outros."

"Eu sei como ser respeitoso."

"Eu sei como ser assertivo e ainda ser respeitoso."

Suplementos e outras recomendações nutricionais

- ácido alfalipoico, 600-1.200 mg;
- alcachofra;

O Corpo Canta

- cálcio-magnésio;
- cardo de leite (continuar com ele por um tempo prolongado);
- chá verde;
- combinações de aminoácidos;
- combinações de vitamina B;
- noni;
- ômegas 3, 6, 9;
- raiz de alcaçuz;
- selênio;
- suco de beterraba, suco de cenoura e espirulina;
- unha-de-gato;
- urtiga;
- vitamina C, 2.000-5.000 mg;
- vitamina E, 400 IUs.

Se a pessoa está saudável o suficiente, sugiro uma limpeza hepática (*veja Fígado)*.

HÉRNIA

Uma hérnia é a protrusão de um órgão ou tecido de sua cavidade normal. O tecido cerebral, por exemplo, pode sobressair-se através de um defeito no crânio. A protrusão pode se estender fora do corpo ou entre cavidades dentro do corpo, como quando alças do intestino escapam da cavidade abdominal para dentro do tórax através de um defeito no diafragma (a partição muscular entre as duas cavidades).

O termo é geralmente aplicado, no entanto, para uma herniação externa do tecido através da parede abdominal. Isso pode ocorrer em qualquer ponto fraco na parede abdominal. Os locais comuns são a virilha (hérnia inguinal), a parte superior da coxa (femoral) e o umbigo (umbilical).

As hérnias podem ser congênitas ou adquiridas mais tarde na vida.

Remédios intuitivos

Testemunhe a ruptura curada.

Suplementos

- complexo B.

HÉRNIA DE DISCO

Quando ocorre uma hérnia de disco, a almofada que fica entre as vértebras é empurrada para fora de sua posição normal. Isso não seria um problema se não invadisse os nervos espinhais que estão muito perto da ponta desses discos intravertebrais, causando dor e desconforto. Quando as pessoas têm uma hérnia de disco, têm dor nas costas, dor na perna ou fraqueza na musculatura de extremidade inferior.

Remédios intuitivos

Peça ao Criador para lhe mostrar o que fazer e testemunhe o trabalho sendo feito. Observe como os músculos relaxam ao redor do disco e ele se move para o local correto.

Uma vez que a cura é feita, você deve dizer à pessoa que você trabalhou no disco, mas que ela ainda têm de relaxar e mudar seu estilo de vida para evitar mais danos.

Se hastes tiverem sido colocadas cirurgicamente na coluna, você ainda pode fazer uma cura, mas não puxe nem perturbe as hastes. Lembre-se, o Criador é o curador.

Trabalho de crenças

Você precisará fazer trabalho de crenças e de sentimentos com a pessoa antes de que ela possa realmente ser curada.

Cerca de 50% dos problemas na coluna se devem a deficiências de vitaminas e minerais. Ensine à pessoa como aceitar e receber amor e isso irá ajudá-la com a absorção de suas vitaminas.

HERPES

Tipos

- Os dois tipos principais de vírus de herpes são *herpes simples tipo 1* (*HSV-1*) e *herpes simples tipo 2* (*HSV-2*). Eles parecem exatamente iguais sob o microscópio, partilhando 50% de seu DNA. Ambos podem permanecer latentes no sistema nervoso a vida toda ou produzir sintomas erráticos. Ambos são disseminados da mesma forma (contato direto por via oral e genital). A principal diferença entre os dois tipos é sua parte preferida do corpo, enquanto estabelece latência. Qualquer um dos tipos pode infectar superfícies mucosas nas áreas orais e genitais, embora geralmente o HSV-1 ocorra na área da boca e o HSV-2, abaixo da cintura. O HSV-1 geralmente afeta os lábios e o interior da boca e pode ser a causa da paralisia de Bell. Ele normalmente estabelece latência no gânglio trigeminal perto das orelhas; assim, os sintomas ocorrem na região facial, com aftas ou herpes labial se desenvolvendo, e podem se disseminar para outras partes do corpo. O HSV-1 é geralmente leve, quando afeta os lábios, o rosto e as partes genitais, mas pode ser grave quando afeta os olhos e o cérebro.

• O HSV-2, em geral, causa herpes genital. O vírus fica no gânglio sacral na base da coluna vertebral e, quando ativado, os sintomas ocorrem na área genital. As lesões podem ser encontradas dentro e ao redor da área vaginal (por exemplo, vulva, colo do útero), no pênis, nas nádegas, em torno da abertura do ânus e nas coxas. O HSV-2 pode ser tão suave que não produz quaisquer sintomas evidentes. Raramente causa complicações e a disseminação para outras partes do corpo é muito incomum.

• Existem outros tipos de herpes. O *vírus Epstein-Barr* é o vírus que causa a mononucleose infecciosa. Os *herpesvírus humano 6 e 7* são suspeitos de desencadear doenças autoimunes, incluindo esclerose múltipla e roséola. O *herpesvírus humano 8* está intimamente relacionado com o vírus Epstein-Barr e pode levar ao câncer ósseo, à síndrome da fadiga crônica e à infecção do sistema linfático.

Sintomas

Mais da metade das pessoas que têm algum tipo de vírus da herpes nunca desenvolvem sintomas graves. Ele é, no entanto, especialmente perigoso para bebês, que podem ser infectados no canal do parto e correm o risco de cegueira, danos cerebrais e morte.

Para aquelas pessoas cujos sintomas não permanecem latentes, a herpes genital causa surtos de sensibilidade e vermelhidão na pele, coceira, ardor e bolhas dolorosas cheias de líquido que são altamente infecciosas, até que estejam completamente curadas, o que leva até três semanas.

Os sintomas em uma mulher podem ser um leve formigamento e ardor na área genital, seguida em questão de poucas horas por bolhas ao redor do colo do útero, clitóris e reto e na vagina. Em homens, pode haver bolhas na virilha, pênis e escroto, frequentemente com um corrimento e dor ao urinar.

O primeiro ataque de herpes genital geralmente vem no prazo de 20 dias após a exposição ao vírus, mas os sintomas podem ser tão suaves que não são notados.

Apesar de ser uma doença grave, a herpes normalmente não é fatal. Aqueles que têm o vírus devem ajustar seu estilo de vida para proteger a si e aos outros.

Insights intuitivos

O HSV-2 parece ser atraído por pessoas que têm níveis elevados de intoxicação por metais pesados. A falta de estrutura em suas vidas e o sentimento de que elas não são apoiadas as torna muito vulneráveis a essa doença.

Remédios intuitivos

Procure o vírus no corpo. O da herpes sexual esconde-se na parte inferior da coluna. Você tem de trabalhar a atitude do vírus, o que demandará muito trabalho de crenças. Em muitos casos, no entanto, a remoção de crenças será suficiente para se livrar do vírus. Peça ao Criador que lhe mostre e testemunhe as mudanças.

Trabalho de crenças

De todos os vírus com os quais já trabalhei, o da herpes parece ter o maior número de sistemas de crenças anexado a ele.

É essencial voltar para onde a pessoa primeiro contraiu a doença e se dirigir aos seus sistemas de crença daquele momento de sua vida. Estes geralmente têm a ver com questões de culpa e dignidade e merecimento. Eles são um bom indicador do motivo de a pessoa ter herpes em primeira instância. Às vezes, foi um namorado, outras vezes, foi uma noite de sexo, mas, independentemente disso, será geralmente associado com a falta da sensação de ser digno dentro de si. É aqui que você começa o processo de escavação.

A questão da indignidade pode se estender a relacionamentos atuais. Se a pessoa não diz ao seu parceiro que tem herpes, as questões de indignidade se perpetuarão por causa da culpa envolvida em não contar ao seu parceiro que ele está em perigo de contrair herpes. É o medo da rejeição que guarda em segredo a doença.

Todos os *downloads* que você fizer na pessoa também devem ser feitos para o vírus herpes em si. As pessoas esquecem que o vírus também tem sistemas de crenças.

Uma pessoa com que eu estava trabalhando disse que, se ela se livrasse de sua herpes, não teria nenhuma desculpa para não fazer sexo com seu marido, o que ela não queria fazer. Como você pode ver, o vírus estava servindo a ela. Sua herpes tinha a ver com várias questões de mérito, pois, assim que ela começava a fazer os trabalhos de Deus, ela colocava sua família de lado. Ela tinha programas como "Eu só posso fazer os trabalhos de Deus", "É errado para mim ter um parceiro e estar perto de Deus" e "Eu sou casada com Deus", que são essencialmente questões de dignidade.

Então, ensine à pessoa e ao vírus qual a sensação de ser digno do amor do Criador. O vírus se transformará em algo completamente diferente e deixará o corpo. Essa é a maneira mais eficaz que encontrei para trabalhar a herpes sexual.

Uma cura pode limpar completamente a doença, mas se você não encontrou todas as crenças associadas, haverá um surto imediato do vírus. Por isso é essencial liberar todas as crenças associadas a partir da época em que a pessoa primeiro contraiu a doença.

Em uma época, usei tons e vibrações para lidar com vírus. Eu pedia ao Criador o tom para destruir o herpes e testemunhava-o sendo enviado através do vírus. O vírus ficava latente, mas a primeira vez que vi o herpes desaparecer realmente foi quando eu disse ao vírus que ele era digno de ser amado e lhe mostrei qual era a sensação de ser amado. Depois disso, ele deixou o corpo.

Então, retire os seguintes programas:

"Eu não sou bom o suficiente."

"Sou digno, não."

"Deus está me punindo."

E substitua por:

"Eu sei qual é a sensação de ter autoestima."

"Eu sei qual é a sensação de ser digno de ser acarinhado."

"Eu sei qual é a sensação de ser digno de amor."

"Eu sei qual é a sensação de ser apreciado, aceito e adorado."

"Eu sei qual é a sensação de estar seguro em uma relação."

"Eu sei como deixar alguém me amar de verdade."

"Eu sei qual é a sensação de apreciar completamente meu corpo."

"Eu sei qual é a sensação de apreciar o amor que recebo."

"Eu sei qual é a sensação de viver sem prejudicar os outros para me sentir importante."

"Eu sei qual é a sensação de viver sem me elevar à custa dos outros."

"Eu sei qual é a sensação de ser digno da grandeza de tudo o que posso ser."

"Eu sei qual é a sensação de fazer os outros se sentirem apreciados e aceitos."

"Eu sou digno de um corpo forte e saudável."

"Meu corpo se torna mais forte e mais saudável a cada dia."

"Eu sei como apreciar meu companheiro."

"Eu sei qual a sensação de ser apreciada por meu companheiro."

"Eu sei qual a sensação de entender que a energia sexual é a energia da criação."

"Eu compreendo qual é a sensação de respeitar a energia sexual."

"Eu compreendo qual é a sensação de me sentir sagrado, bonito e sexy."

"É possível ter uma vida amorosa maravilhosa e ainda estar perto de Deus."

"Eu sei qual é a sensação de viver a vida sem sentir que estou condenado."

"Eu sei qual é a sensação de viver sem esse vírus e dizer-lhe não."

"Eu compreendo como dizer a esse vírus que deixe meu corpo."

"Eu sei qual é a sensação de viver sem medo de um surto."

"Eu sei como comer bons alimentos, vitaminas e suplementos minerais sem chocar meu corpo."

Suplementos

- acidofilus;
- unha-de-gato;
- alho;
- hidraste;
- l-lisina com complexo de aminoácidos;
- lecitina;
- noni em feridas superiores e inferiores;
- extrato de folha de oliveira;
- extrato de timo cru;
- cogumelos shitake;
- espirulina;
- óleo de melaleuca (aplicado diretamente sobre a feridas abertas na boca);
- vitaminas A, B, C e E;
- zinco.

HERPES-ZÓSTER

A herpes é uma doença causada pelo vírus varicela-zoster, que é o vírus que causa a catapora. É um vírus de herpes. Quando você tem catapora, o vírus permanece em seu corpo. Ele pode permanecer inativo na medula espinhal e não causar problemas por muitos anos. No entanto, conforme você envelhece, ele pode reaparecer como herpes.

Ao contrário da catapora, a herpes não é contagiosa.

Cerca de 90% das pessoas que tiveram catapora correm o risco de desenvolver herpes. A chance de um ataque pode ser aumentada por vários fatores, incluindo câncer, lesões na medula espinhal, estresse e condições que suprimam o sistema imunológico. A herpes pode ser perigosa para pessoas com deficiências no sistema imunológico, porque pode danificar os órgãos internos. A morte pode ocorrer como resultado de uma infecção bacteriana secundária ou pneumonia viral causada pela herpes.

Sintomas

Os primeiros sinais de herpes incluem queimação ou disparos de dor e formigamento ou coceira, geralmente em um lado do corpo ou rosto. A dor pode ser de moderada a grave. Bolhas, em seguida, se formam e duram até 14 dias.

Se a herpes aparece no rosto, ela pode afetar a visão ou audição. A dor da herpes pode durar semanas, meses ou mesmo anos depois de as bolhas terem sido curadas.

Tratamento convencional

Não há nenhuma cura médica conhecida para herpes. Um tratamento precoce com medicamentos que combatem o vírus pode ajudar. Estes também podem ajudar a prevenir a dor que persiste. Em algumas pessoas, a dor de herpes se torna tão intensa que elas precisam de medicamentos analgésicos.

Uma vacina pode evitar a herpes ou diminuir seus efeitos. Esta é para pessoas com 60 anos de idade ou mais.

Remédios intuitivos

Procure o vírus no corpo. A herpes se esconde na parte inferior da coluna.

Você tem de trabalhar no comportamento do vírus, o que exigirá muito trabalho de crenças. Às vezes, no entanto, a remoção das crenças será suficiente para estar livre do vírus, então remova as crenças do vírus e instale sentimentos também. Peça ao Criador para lhe mostrar e testemunhe as mudanças.

Verifique se o DNA do corpo mudou por causa do vírus. Se sim, então repare-o.

Veja também Vírus.

Trabalho de crenças

Os vírus são inteligentes o suficiente para sobreviver no corpo até que as crenças associadas sejam removidas. As crenças irão variar, mas remova:

"Eu não sou bom o suficiente."

"Eu não sou digno."

"Deus está me punindo."

Uma vez que a maioria dos surtos de herpes é induzida por estresse, é bom trabalhar sobre as crenças que estão causando o estresse.

Em muitos casos, você pode voltar para encontrar as emoções que estiveram associadas à pessoa quando ela teve catapora e trabalhar sobre essas crenças. No entanto, se ela era muito jovem, pode não haver quaisquer crenças associadas a essa época.

Certifique-se de que a pessoa compreende qual é a sensação de ser digno de amor, perdão, alegria e respeito. Faça os *downloads*:

"Eu sei qual é a sensação de viver sem estresse."

"Eu sei como viver minha vida do dia a dia sem permitir que o estresse afete como penso e como me sinto."

"Eu sei como viver sem reagir ao estresse de maneira dolorosa."

"Eu sei como viver sem arrependimentos."

"É fácil para mim ficar forte."

"A cada dia, em todos os sentidos, meu corpo se torna mais e mais forte."

"Eu sei como ser feliz."

"Eu sei que a vida é boa."

Suplementos

- ácido alfalipoico;
- acidofilus;
- cardo de leite para limpar o fígado;
- complexo B;
- dimetilsulfóxido (DMSO) para limpar a pele;
- ômega 3;
- pimenta caiena;
- pomada Super Salve aplicada topicamente;
- própolis e pólen de abelha;
- suco de noni, aplicado tanto tópica quanto internamente;
- vitamina A;
- vitamina E sobre as bolhas;
- zinco.

HIPERTIREOIDISMO

A tireoide é uma glândula com formato de borboleta localizada na base do pescoço logo abaixo do pomo-de-adão. Ela afeta vastamente a saúde. Cada aspecto de seu metabolismo, de sua frequência cardíaca, até quão rapidamente você queima calorias, são regulados pelos hormônios da tireoide. Você não pode viver sem sua glândula tireoide ou sem o hormônio da tireoide, tiroxina. Se a tireoide secreta hormônio demais, resulta em hipertireoidismo; hormônio de menos irá resultar em hipotireoidismo.

Muitos casos de ambos, hipotireoidismo e hipertireoidismo, são considerados resultado de respostas imunes anormais.

Uma em cada oito mulheres passa por algum tipo de problema de tireoide em algum momento de sua vida. Problemas de tireoide podem causar muitas doenças recorrentes e fadiga. Álcool, drogas, exercícios de resistência, consumo excessivo de gorduras saturadas, flúor na água, resíduos de pesticidas em frutas e legumes, uma dieta pobre e radiação de raios-x são todas as causas.

Há interligação entre a glândula pituitária, as glândulas paratireoides e as glândulas sexuais. Todas essas glândulas trabalham juntas e são influenciadas pelo funcionamento da tireoide. Se houver um problema em algum lugar, todas elas podem ser afetadas.

O hipertireoidismo afeta mais as mulheres do que os homens.

Parece haver uma associação entre a doença de Parkinson e o hipertireoidismo. Uma vez que a condição da tireoide é tratada, a doença de Parkinson melhora drasticamente.

Os médicos usam medicamentos antitireoide e iodo radioativo para diminuir a produção de hormônios da tireoide. Às vezes, médicos removem cirurgicamente parte da glândula tireoide. Embora o hipertireoidismo possa ser fatal se ignorado, a maioria das pessoas responde bem aos métodos convencionais.

Sintomas

O hipertireoidismo pode acelerar consideravelmente o metabolismo de seu corpo, causando:

- glândula tireoide inchada (bócio), que pode aparecer como um inchaço na base do pescoço;
- ansiedade ou ataques de ansiedade;
- mudanças nos padrões do intestino, especialmente movimentos intestinais mais frequentes;
- mudanças nos padrões menstruais;
- dificuldade para dormir;
- fadiga;
- aumento da sensibilidade ao calor;
- irritabilidade;
- fraqueza muscular;
- nervosismo;
- batimentos cardíacos rápidos (taquicardia);
- perda de peso repentina, mesmo quando sua ingestão de alimentos e apetite permanecem normais ou aumentam;
- suor;
- tremor – geralmente um tremor fino nas mãos e nos dedos.

Adultos mais velhos são mais propensos a ter sintomas mínimos, como um aumento da frequência cardíaca, intolerância ao calor e a tendência a tornar-se cansado durante as atividades normais.

Medicamentos chamados betabloqueadores (usados para tratar a hipertensão arterial e outras condições) podem mascarar muitos dos sintomas do hipertireoidismo.

Uma condição da tireoide não diagnosticada pode ser confundida com os sintomas da menopausa. Sintomas como depressão, fadiga e flutuações de humor muitas vezes estão presentes em ambas as circunstâncias. Se você estiver tendo sintomas da menopausa, é uma boa ideia testar o funcionamento de sua tireoide.

Causas

O hipertireoidismo pode ser causado pelo uso excessivo de medicamentos convencionais contra hipotireoidismo.

Uma das outras causas pode ser um tumor na glândula tireoide, por isso é uma boa ideia que o praticante de Theta vá dentro do espaço do corpo e peça ao Criador que lhe mostre a glândula tireoide.

Insights intuitivos

O hipertireoidismo está associado com excesso de expressão e o hipotireoidismo relaciona-se com não dizer o suficiente. Ambas as condições fazem com que a pessoa se torne compulsiva.

Remédios intuitivos

O hipertireoidismo é um dos problemas da tireoide mais fáceis de trabalhar intuitivamente.

Vá dentro do espaço da pessoa e comande ao corpo que volte para um estado normal. Testemunhe enquanto o Criador faz as mudanças na tireoide.

Isso funciona quase instantaneamente na maioria dos casos.

Suplementos

Evite produtos lácteos durante pelo menos três meses, interrompa o uso de cafeína e evite ao máximo possível o açúcar branco.

Os seguintes são benéficos:

- lecitina;
- vegetais verdes;
- vitamina D;
- vitamina E.

HIPERPARATIREOIDISMO

As glândulas paratireoides estão posicionadas atrás da tireoide e secretam um hormônio chamado PTH, que controla os níveis de cálcio. O hiperparatireoidismo é uma doença rara em que as glândulas paratireoides crescem e ficam superativas, liberando PTH em excesso no sistema. O resultado disso é um excesso de cálcio vazando dos ossos para o sangue. Se não tratado, isso pode levar a outros problemas como dor nos ossos e pedras nos rins.

HIPOGLICEMIA

A hipoglicemia, também chamada de baixa de açúcar no sangue, ocorre quando os níveis de glicemia (açúcar no sangue) caem demais para fornecer energia suficiente para as atividades do corpo.

Para explicar como isso acontece, nós observamos a glicemia, uma forma de açúcar que é importante para o abastecimento do corpo. Carboidratos são a principal fonte dietética de glicose. Arroz, batata, pão, tortilhas, cereais, leite, frutas e doces são todos alimentos ricos em carboidratos. Após uma refeição, as moléculas de glicose são absorvidas na corrente sanguínea e transportadas para as células, onde são convertidas em energia. A insulina, um hormônio produzido pelo pâncreas, ajuda a glicose a entrar nas células. Se você ingerir mais glicose do que seu corpo precisa no momento, ele armazena a glicose excedente em seu fígado e músculos em uma forma chamada glicogênio. Seu corpo pode usar a glicose armazenada sempre que seja necessário energia entre as refeições. A glicose excedente também é convertida em gordura e armazenada nas células adiposas. Quando a glicose no sangue começa a cair, o glucagon, outro hormônio produzido pelo pâncreas, sinaliza ao fígado que quebre o glicogênio e libere glicose, fazendo com que os níveis de glicose no sangue subam em direção a um nível normal. Se você tem diabetes, essa resposta de glucagon pode estar danificada, tornando mais difícil que seus níveis de glicose retornem à faixa normal.

Em adultos ou crianças com mais de dez anos, a hipoglicemia não é comum, exceto como um efeito colateral do tratamento da diabetes. No entanto, pode ser o resultado de outros medicamentos ou doenças, hormônios e deficiências enzimáticas ou tumores. Muitas vezes é uma causa subjacente do que está mal diagnosticado como transtorno de déficit de atenção.

Mais de metade das pessoas com hipoglicemia que tem mais de 50 anos possui problemas de tireoide.

Sintomas

Os sintomas incluem:

- confusão;
- dificuldade para falar;
- fome;
- nervosismo e tremores;
- sentir-se ansioso ou fraco;
- sonolência;
- tonturas ou vertigens;
- transpiração.

Pessoas com hipoglicemia podem tornar-se muito agressivas e perdem a paciência facilmente. Qualquer um ou todos esses sintomas podem ocorrer algumas horas depois de comer doces ou gorduras. O início e a severidade dos sintomas estão diretamente relacionados à distância de tempo desde que a última refeição foi comida e ao tipo de alimento que a refeição continha. É por isso que uma dieta adequada é importante para pessoas com hipoglicemia.

Tipos

• *A hipoglicemia de jejum* ocorre majoritariamente como resultado da abstenção de alimentos por oito ou mais horas. Isso geralmente é causado pela doença do fígado ou um tumor do pâncreas.

• A *hipoglicemia funcional* é a secreção excessiva de insulina pelo pâncreas em resposta a um rápido aumento do açúcar no sangue ou glicose.

• A *hipoglicemia reativa* é quando o açúcar no sangue cai para níveis anormalmente baixos de duas a cinco horas depois de comer uma refeição.

Causas

A hipoglicemia é causada principalmente pela incapacidade do corpo de lidar adequadamente com as grandes quantidades de açúcar que a pessoa média do mundo ocidental consome hoje. É a sobrecarga de álcool, cafeína, estresse, açúcar e tabaco que é o problema.

Em termos médicos, a hipoglicemia é definida em relação ao que a causa. Ela pode ser herdada, mas é causada principalmente por dieta inadequada. Ela em geral é causada por uma reação alérgica ao glúten e outras questões dietéticas. Muitas outras disfunções corporais podem causar problemas de hipoglicemia, como insuficiência adrenal, distúrbios da tireoide e pancreatite. A deficiência imunológica e a cândida são também fortemente ligadas à hipoglicemia. Outras causas são a insuficiência hepática crônica, o tabagismo e o consumo excessivo de cafeína. Baixo açúcar no sangue também pode ser um sinal de diabetes. Um diagnóstico adequado é crucial, uma vez que os sintomas de hipoglicemia mimetizam outras doenças. A maneira convencional de diagnosticar a hipoglicemia é por meio de um teste de tolerância à glicose.

Trabalho de crenças

Indivíduos que sofrem de hipoglicemia precisam ter alegria em suas vidas. Devem acreditar que a alegria pode ser uma coisa duradoura.

Faça os *downloads*:

"Eu acredito que a alegria pode durar."

"Eu sei quando meu corpo precisa de energia."

"Eu sei como cuidar de meu corpo."

"Eu sei como utilizar a força da vida da maneira mais elevada e melhor."

"Eu me sinto seguro em um relacionamento."

"Eu me sinto seguro com os outros."

"Eu sei como reconhecer minhas necessidades físicas."

"Eu sei como amar e cuidar de meu corpo com dignidade."

"Eu sei qual é a sensação de ser energizado e aceito."

"Eu sei como controlar meu humor quando me sinto cansado."

"Eu sei quando estou ficando cansado."

"Eu sei quando preciso comer."

"Meu corpo guarda energia."

"Meu corpo é forte."

"Meu corpo fica mais forte a cada dia."

"Cada dia que passa, os sistemas de meu corpo se tornam mais fortes."

"Eu respiro o sopro da vida."

"Quando estou cansado, encontro a energia do sopro da vida."

"Meu corpo entende como regular meus açúcares."

"Eu sou incrível."

"Eu sou brilhante."

"Estou cheio de energia e força."

"Eu uso minhas palavras sabiamente."

"Eu entendo qual a sensação de viver sem medo de me tornar diabético."

Outras recomendações nutricionais e suplementos

• Dieta rica em proteínas, consistindo de peito de frango, peixe, grãos, kefir, queijo cottage com baixo teor de gordura, iogurte com baixo teor de gordura e peru são benéficos.

- Acido alfalipoico deve ser considerado como um suplemento, somado a cálcio, magnésio, manganês, vitamina D, vitamina E e zinco.
- Evite alimentos com muito carboidrato, como massas, pães e açúcares. Os melhores alimentos são aqueles ricos em fibras, minerais e vitaminas, como vegetais crus.
- Levedura de cerveja é útil.
- Picolinato de cromo usado durante três ou quatro meses em algum momento é bom para a hipoglicemia, mas não deve ser usado continuamente, pois isso pode causar outros problemas.
- O exercício é muito importante.
- Também são recomendáveis frutas, sobretudo maçãs, damascos, abacates, bananas, toranja e limões.
- Tratamentos de glutationa são uma das melhores coisas para hipoglicemia, uma vez que estimulam o corpo inteiro a produzir mais glutationa.
- Injeções de complexo B, bem como vitamina B6, acompanhada de extrato de fígado têm produzido bons resultados.
- Sugere-se eliminar o pão branco da dieta.
- As pessoas que são mais propensas à hipoglicemia são aquelas que tomam medicamentos para diabetes ou para o alto nível açúcar no sangue.
- Pessoas com hipoglicemia devem comer pequenas refeições de quatro a cinco vezes por dia, consistindo de bons alimentos integrais baixos em carboidratos.
- Use um suplemento de proteína em pó.

Ervas

- Raiz de dente de leão por pequenos períodos de tempo.
- Raiz de alcaçuz também pode ser usada, mas não em uma base diária ou se você tem pressão alta ou cânceres femininos.
- Cardo de leite pode ser usado para estimular o fígado.

HIPOTENSÃO – PRESSÃO BAIXA

Veja Doença Cardiovascular.

HIPOTIREOIDISMO

O hipotireoidismo é o oposto do hipertireoidismo. Enquanto no hipertireoidismo a tireoide está produzindo excesso de hormônio da tireoide, no hipotireoidismo ele não está produzindo o suficiente.

Se o hipotireoidismo congênito em crianças não é tratado, pode levar a um retardo mental. Geralmente, no entanto, o hipotireoidismo é detectado dentro dos primeiros meses do bebê, quando os exames de sangue de rotina são realizados.

Uma condição que decorre de um hipotireoidismo não diagnosticado por um longo prazo é o coma mixedematoso. O resultado dessa condição é um coma que ocorre após um acidente, durante uma doença, da exposição ao frio ou como resultado da ingestão de narcóticos e/ou sedativos.

O lítio mineral de rastreamento, usado para tratar transtornos depressivos maníacos, às vezes pode causar o mau funcionamento da tireoide.

Sintomas

Os sintomas mais comuns de hipotireoidismo são: fadiga e intolerância ao frio. Outros sintomas incluem:

- bócio (um inchaço da glândula tireoide);
- cãibras musculares;
- corrimento leitoso dos seios;
- depressão;
- dificuldade de concentração;
- diminuição da frequência cardíaca;
- dores do período pré-menstrual;
- enxaquecas;
- fadiga;
- fraqueza muscular;
- ganho de peso;
- infecções recorrentes;
- infecções respiratórias;
- olhos pendentes e inchados;

O CORPO CANTA

- pele seca e escamosa;
- perda de apetite;
- perda de cabelo;
- prisão de ventre;
- problemas de fertilidade;
- rouquidão.

Como a menopausa é semelhante aos sintomas de disfunção da tireoide, é importante saber a diferença entre as duas. Tomar medicamentos para a tireoide enquanto você está no auge da menopausa não é uma boa coisa.

A Tireoide de Hashimoto

Uma condição chamada Doença de Hashimoto ou Tireoide de Hashimoto é a causa mais comum de uma tireoide hipoativa. Nesse distúrbio, o corpo se torna alérgico ao hormônio da tireoide. Então, ele produz anticorpos contra seu próprio tecido da tireoide. A tireoide de Hashimoto é uma causa comum de bócio. Entre adultos, pode ocorrer em associação com outros distúrbios, como infecções, lúpus, anemia perniciosa e artrite reumatoide.

O tratamento convencional para a Tireoide de Hashimoto é geralmente uma receita de um hormônio da tireoide que deve ser tomado durante toda a vida.

A Tireoide de Hashimoto responde bem às curas.

Doença de Wilson

A Doença de Wilson é uma condição que resulta de um problema na conversão de um hormônio da tireoide, T4, para um chamado T3. Isso gera sintomas da redução do funcionamento da tireoide, como alergias, ansiedade e ataques de pânico, depressão, pele seca, fadiga, infecções frequentes, dores de cabeça, insônia, intolerância ao frio, falta de energia e motivação, perda de concentração, baixa temperatura corporal, perda de memória, disfunção menstrual e unhas não saudáveis. Os sintomas podem ser desencadeados por estresse físico ou emocional significativo, mas persistem mesmo depois que o estresse passa.

Tratamento convencional

Uma vez que a medicação para a tireoide pode interagir com outras drogas farmacêuticas, tome-as com várias horas de diferença entre uma e outra. Sempre avise seu médico de qualquer medicamento que você esteja tomando antes de começar outro.

Aplicar um creme natural de progesterona pode aumentar a atividade da tireoide.

Exames de tireoide

Um exame de sangue medindo os níveis de hormônio estimulante da tireoide secretado pela glândula pituitária pode determinar se a glândula tireoide está funcionando corretamente. Pode também ser feito um teste de absorção de iodo. Esse teste requer a ingestão de uma pequena quantidade de iodo radioativo. Em seguida, um raio-x mostra quanto do iodo foi absorvido pela tireoide. Uma baixa absorção indica hipotireoidismo.

Para um auto exame, mantenha um termômetro perto de sua cama à noite. Quando você acordar de manhã, coloque-o debaixo do braço e segure-o lá por 15 minutos. Fique quieto e em silêncio. Qualquer movimento pode comprometer a leitura da temperatura. Uma temperatura de 36,4° ou inferior pode indicar uma disfunção da tireoide. Mantenha um registro da temperatura por cinco dias. Se suas leituras forem constantemente baixas, consulte seu médico.

Remédios intuitivos

Pessoas que têm hipotireoidismo parecem ter um desequilíbrio em sua glândula pituitária. A razão pela qual digo isso é porque, toda vez que testemunhei curas nesses indivíduos, voltei à glândula pituitária.

Em uma cura para o hipotireoidismo, conecte-se ao Criador e comande que uma cura seja feita nessa pessoa. Você testemunhará a energia sendo liberada da glândula pituitária e enviada para a tireoide.

Esfregar suavemente as glândulas tireoide em um movimento circular para estimulá-las pode ajudar.

O hipotireoidismo não parece ser curado tão prontamente quanto o hipertireoidismo. Mais frequentemente, haverá trabalho de crenças a ser feito.

Trabalho de crenças

A maioria dos sistemas de crença do hipotireoidismo tem a ver com quão bem a pessoa se expressa e se comunica com os outros. Elas estarão cansadas e irritáveis, então você deve ser muito cuidadoso e gentil quando trabalhar em suas crenças. Elas têm a crença de que o que dizem não será ouvido. Elas têm uma tendência a super-retificar, o que significa que, quando elas decidem se expressar, falam demais.

No hipotireoidismo, as percepções estão mais expandidas do que o normal. Pequenas coisas que são acontecimentos cotidianos para a maioria de nós são provações terríveis para pessoas com hipotireoidismo. Elas muitas vezes se tornam compulsivas, consumidas com sentimentos, e têm dificuldade em lidar com assuntos cotidianos.

Em ambos os casos, hipotireoidismo e o hipertireoidismo, a pessoa se sente sobrecarregada por pequenas coisas.

Faça os seguintes *downloads*:

"Eu sei como falar minha verdade."

"Eu sei qual é minha direção espiritual."

"Eu sei como me conectar com o Criador."

"Eu sei que tenho minha opinião própria."

"Eu sei como dar voz à minha opinião própria."

"É fácil para mim dar voz à minha opinião própria."

"Eu sei como viver sem me sentir oprimido, cansado demais ou muito estressado."

"Eu sei qual a sensação de ter energia."

"Meu corpo está energizado."

"Eu tenho boas habilidades de comunicação."

"É fácil para mim estar conectado a energias espirituais equilibradas."

"Eu sei qual a sensação de ter tolerância e gentileza e falar minha verdade."

"Eu sei como criar uma vida de alegria."

"Eu sei como criar uma vida de respeito."

"Eu sei qual a sensação de ser respeitado por minha família."

"Eu sei qual a sensação de ser respeitado por meus filhos."

"Eu sei como viver sem ser agressivo demais ou de menos."

"Estou em perfeito equilíbrio."

"Estou conectado ao Criador."

"O Criador é real."

"É fácil para mim respirar."

É fácil ter energia."

"Eu sei qual a sensação de ter energia todos os dias."

"A cada dia que passa, fico mais feliz e a alegria me rodeia."

Outras recomendações nutricionais e suplementos

- selênio 250 mcg;
- vitamina A;
- complexo B;
- vitamina C, 5.000 mg;
- zinco, 50 mg;
- recomenda-se uma dieta incluindo damascos, gema de ovo com leite cru e queijos;
- tirosina L. é usada para pessoas com hipotireoidismo, mas não funciona bem com aqueles com pressão arterial elevada;
- Musgo irlandês funciona bem para hipotireoidismo.

Ervas

Muitos terapeutas alternativos irão sugerir que você use algas. Eles acreditam que o iodo das algas ajudará a pessoa. Eu não entendo o porquê disso, uma vez que o iodo das algas é diferente do iodo de que seu corpo necessita. A erva certa seria o musgo irlandês, que tem o tipo de iodo que seu corpo pode digerir. Ele também irá digerir a fava-do-mar, que tem iodo.

Salsa é também uma erva boa a se considerar para o uso em tratamento.

IMPLANTES

No ThetaHealing hoje, não temos uma opinião sobre a validade dos implantes ou de energias alheias; simplesmente ajudamos a pessoa a se curar.

Ao trabalhar com pessoas com implantes, certifique-se de que eles têm implantes de mama, implantes de coração ou um marca-passo, antes de começar a comandar que qualquer implante seja removido. Há muitos implantes médicos que são usados hoje em dia.

Downloads

Implantes psíquicos

"Estou seguro."

"Meu corpo é meu."

"Eu sei qual a sensação de saber que meu corpo é meu."

"Nada pode tirar proveito de meu corpo."

"O Criador de Tudo O Que É é o poder mais elevado."

Implantes cirúrgicos

"Eu sei qual a sensação de aceitar as mudanças em meu corpo com facilidade e sem esforço."

"Eu sei como aceitar o que assumi da forma melhor e mais elevada."

"Os implantes cirúrgicos que estão em meu corpo me beneficiam e são aceitos facilmente por cada célula de meu corpo."

"Eu posso viver e ser feliz."

"Eu desfruto cada momento que tenho nesta vida."

IMPLANTES MAMÁRIOS

Os implantes mamários funcionam bem para muitas mulheres; no entanto, em algumas mulheres podem causar lúpus, esclerose múltipla e outros distúrbios autoimunes. Aceita-se agora na medicina convencional que o silicone e o plástico dos implantes mamários são tóxicos. A solução salina é atualmente utilizada como material de preenchimento para os implantes, porém existem preocupações quanto a ela.

Acho que, independentemente da substância, os corpos de algumas mulheres simplesmente começam a rejeitar os implantes.

Remédios intuitivos

Você já sugeriu que alguém removesse implantes mamários? Boa sorte! A maioria das mulheres não quer abrir mão de seus implantes mamários. Elas se sentem lindas com eles e têm medo de ficar sem eles.

Se uma mulher está tendo problemas, mas se recusa a remover os implantes mamários, faça o comando para que seu corpo aceite os implantes como se fossem o tecido normal do corpo.

Isso pode melhorar a situação; no entanto, em muitos casos, bactérias se desenvolvem em torno do implante. Transforme-o em uma substância inofensiva e testemunhe o cálcio encapsulando-o, para que o corpo da pessoa não lute contra ele. Isso vale para todos os implantes, como de fêmur ou um implante de quadril. E, então, testemunhe o Criador dando a mensagem ao corpo que aceite o implante.

Não faça o comando para que o implante mamário se evapore, pois, quando ele realmente desaparecer, a mulher ficará muito chateada. Isso aconteceu duas vezes em minha carreira.

Faça os *downloads*:

"Eu sou linda, com ou sem implantes mamários."

"Eu sei como me aceitar fisicamente."

"Eu aceito meu implante como parte de meu corpo."

IMPOTÊNCIA

Impotência (disfunção erétil, DE) é um problema comum entre os homens que se caracteriza pela incapacidade constante de sustentar uma ereção suficiente para o intercurso sexual, a incapacidade de atingir a ejaculação, ou ambos. Isso pode implicar uma incapacidade total de conseguir uma ereção ou uma ejaculação, uma capacidade inconstante de fazer isso ou uma tendência a sustentar apenas ereções muito breves.

O risco de impotência aumenta com a idade. É quatro vezes maior em homens em seus 60 anos do que naqueles em seus 40 anos. Tende a ser mais preponderante em homens com estilos de vida menos saudáveis em razão de uma dieta menos saudável, abuso de álcool e pouco ou nenhum exercício. O exercício físico tende a diminuir o risco de impotência.

Causas

Ereções resultam de uma combinação complexa de estímulos do cérebro, o funcionamento dos nervos dos vasos sanguíneos e reações hormonais. Qualquer coisa que interfere com qualquer um desses funcionamentos pode levar à impotência.

As causas podem ser álcool, arteriosclerose, certos medicamentos, uso de tabaco ou uma doença crônica como diabetes ou pressão alta.

No passado, supunha-se que a impotência era principalmente um problema psicológico. Mas os médicos hoje acreditam que 85% de todos os casos têm uma base física. Se há uma outra condição de saúde que está causando a DE, isso deve ser tratado para curá-la.

Foi reconhecido que mais de 200 drogas podem causar impotência. Algumas das mais comuns são:

- álcool;
- antidepressivos;
- anti-histamínicos;
- diuréticos;
- inibidores de ácido do estômago;
- medicação anti-hipertensiva;
- medicamentos de úlcera;

- narcóticos;
- nicotina;
- quimioterapia;
- sedativos.

Downloads

"Está tudo bem em fazer sexo."

"Eu sou atraído por meu parceiro."

"É possível ser sexualmente atraído por meu parceiro."

"Meu parceiro é sexualmente atraído por mim."

"Eu libero os ressentimentos passados com relação ao meu parceiro."

"Eu libero os ressentimentos passados com relação ao sexo oposto."

"Posso ser estimulado sexualmente."

"Posso relaxar do estresse."

"Eu sou forte."

"Eu sou saudável."

"Eu sou bonito."

"Eu sei qual a sensação de lidar com minha raiva em relação ao meu parceiro."

"Eu sou um ser inteligente, maravilhoso, de luz."

"Eu reflito alegria em tudo o que eu faço."

"Meu corpo absorve as vitaminas e minerais com facilidade."

"Sinto amor total por meu parceiro."

"É fácil para mim sentir amor e ser aceito por meu parceiro."

"É fácil para mim ir com o fluxo da vida."

"Nada bloqueia a energia que sinto do Criador."

"Sinto o fluxo da vida por todas as veias de meu corpo."

"É fácil para mim aceitar e apreciar o amor."

"Eu sei qual a sensação de expressar amor de forma sensual, sexual."

"Eu sei qual a sensação de satisfazer meu parceiro."

"Eu sei qual a sensação de meu parceiro me satisfazer."

"Eu sei qual a sensação de ficar radiante pela energia de fazer sexo."

"Meu corpo é saudável e forte."

"Sinto-me feliz em estar vivo."

"Eu gosto da energia que partilho com meu parceiro."

"Eu posso relaxar do estresse e curtir o momento."

"Eu sei como viver no momento."

"Meu parceiro ama estar comigo."

"Eu sei qual a sensação de viver sem medo de desapontar meu parceiro."

Poção mágica de Vianna para impotência

Existem vários medicamentos que podem ser prescritos para impotência, mas, em minha experiência, se a pessoa não tem apetite sexual e a causa não é emocional ou psicológica, então é provável que seja uma falta de vitaminas. Nesse caso, a seguinte receita tem funcionado bem nos indivíduos que a usaram.

Para aumentar o desejo sexual em homens e mulheres, tome:

- damiana, 6 comprimidos por dia;
- ginseng, dose da garrafa (tomar duas semanas e ter duas semanas de folga);
- lecitina, 1 comprimido;
- selênio, 250 mcg;
- vitamina E, 400IU;
- 100 – 150 mg de zinco;

    Também:

- sempre use ômega 3, 6 e 9 para DE;
- o corpo precisa de certos nutrientes vitais para a produção de testosterona e uma delas é o zinco. Lecitina e zinco ajudam a abrir os capilares.

Ervas extras

- DHEA, 100 mg para homens;

- epimedium;
- sabal (*saw palmetto*) é útil para normalizar o funcionamento da próstata;
- a vitalidade sexual dos homens foi aumentada usando uma combinação de duas ervas: aveia verde e urtiga;
- inhame selvagem pode ajudar a DE graças aos esteroides naturais nele.

INCONTINÊNCIA

A incontinência urinária significa que você não consegue controlar sempre quando você vai urinar. Como resultado, você molha suas roupas. Isso pode ser constrangedor, mas pode ser tratado. Normalmente acontece quando a bexiga escapa e e os rins estão fracos.

Tipos

Existem quatro tipos básicos de incontinência:

• *Incontinência funcional*: a incontinência que ocorre quando há deficiência física, obstáculos externos ou problemas em pensar ou comunicar-se que impedem que a pessoa chegue até um banheiro antes que urine.

• *Incontinência por transbordamento*: a incontinência que ocorre quando a bexiga está sempre cheia e chega a um ponto em que ela transborda e vaza urina. Essa condição pode ocorrer quando a uretra está bloqueada por causa de pedras nos rins ou cálculos urinários, tumores ou hiperplasia prostática. Também pode ser resultado de fraqueza nos músculos da bexiga, em virtude de uma lesão grave dos nervos ocasionada pela diabetes ou outras doenças.

• *Incontinência por estresse*: a incontinência que ocorre durante a tosse, espirros, riso, levantando objetos pesados ou fazendo outros movimentos que colocam pressão ou estressam a bexiga. Isso resulta de músculos pélvicos fracos ou de um enfraquecimento da parede entre a bexiga e a vagina. A fraqueza ocorre em razão de gravidez e parto ou de níveis mais baixos de estrogênio durante o período menstrual ou após a menopausa.

- *Incontinência por urgência*: a incontinência após sentir uma súbita vontade de urinar enquanto está bebendo água, dormindo ou ouvindo água correr.

Remédios intuitivos

Peça ao Criador que lhe mostre o que está causando o problema.

- Se a bexiga está fora do lugar, testemunhe o Criador puxando-a para cima. Observe os músculos sendo reforçados e apertados para segurá-la.
- Se a causa é a fraqueza dos rins, testemunhe uma cura sendo feita neles.
- Se a causa é uma pedra no rim, testemunhe a pedra se desintegrando e sendo liberada do sistema.
- Se a causa é um tumor, testemunhe-o encolhendo.
- Se a causa é uma outra doença no corpo, será necessário trabalhar nisso.

Acredito que a incontinência é outra doença que pode ser melhorada com uma limpeza de fígado (*veja Fígado*). Quando os rins estão em um estado de fraqueza, eles não absorvem cálcio tão prontamente quanto deveriam.

Esse desafio pode demandar duas ou três curas para ser completamente superado.

Suplementos

- Fortaleça os rins com a baga da erva zimbro.
- Cálcio e magnésio podem ajudar.
- Vitamina A, zinco e potássio (se o potássio não interferir com outro medicamento) podem ser benéficos.

INDIGESTÃO

Indigestão pode ser qualquer coisa, desde uma sensação de inchaço após comer até uma diarreia crônica, constipação ou mesmo vômitos. Também pode ser acompanhada de azia.

A indigestão em específico é um desafio com o qual eu não trabalho muito. A única situação em que começo a trabalhar nela é quando é causada por algo como giárdia, *Salmonella* ou *Escherichia coli*. Outras doenças com as quais trabalho que estão associadas com indigestão são Crohn ou outros problemas digestivos.

Causas

O ácido clorídrico (HCL) é produzido pelas glândulas do estômago para a decomposição e digestão dos alimentos, e quantidades insuficientes de HCL podem levar à indigestão.

Você pode determinar se precisa de mais ácido clorídrico com este simples teste. Tome uma colher de sopa de vinagre de maçã ou de suco de limão. Se isso fizer sua indigestão ir embora, você precisa de mais ácido do estômago. Se isso a torna pior, você tem ácido demais.

Outros fatores que podem causar ou contribuir para a indigestão são a falta de bactérias amigáveis, má absorção, úlceras pépticas e distúrbios da vesícula biliar, do fígado ou do pâncreas. Também pode haver um problema subjacente de parasita.

Trabalho de crenças

Trabalhe em:

- como receber e aceitar o amor – a capacidade de processar o afeto de outras pessoas;
- velhas questões relacionadas a merecimento;
- questões de vitimização originárias da infância.

Suplementos

Muitos antiácidos comerciais contêm alumínio, que se conecta à doença de Alzheimer. Antiácidos contêm carbonato de cálcio e magnésio também, por isso é melhor construir seu sistema usando suplementos em vez deles. Os seguintes ajudarão o trato intestinal:

- acidofilus;
- acido alfalipoico;
- aloe vera;
- complexo de aminoácidos;
- gengibre (uma vez por dia);

- suco de noni (uma vez por dia);
- ômega 3, 6 e 9;
- olmo;
- complexo B;
- às vezes, cobre pode ser benéfico, mas você não pode usá-lo se você tiver a doença de Wilson.

INFECÇÃO DO TRATO URINÁRIO

A Infecção do Trato Urinário (ITU) é uma infecção que começa no sistema urinário.

O sistema urinário é composto pelos rins, ureteres, bexiga e uretra. Todos eles desempenham um papel na remoção dos resíduos do corpo. Os rins filtram os resíduos do sangue. Tubos chamados ureteres transportam a urina dos rins para a bexiga, onde ela é armazenada até que saia do corpo através da uretra. Todos esses componentes podem ser infectados, mas a maioria das infecções envolve o trato inferior, a uretra e a bexiga. Geralmente, a infecção se restringe à bexiga. Consequências graves podem ocorrer se esta se disseminar para os rins.

As mulheres têm mais risco de desenvolver uma infecção do trato urinário. Na verdade, metade das mulheres irá desenvolver uma ITU durante sua vida e muitas terão de lidar com esta mais de uma vez. Essas infecções podem ser dolorosas e irritantes.

Os antibióticos são o tratamento convencional.

Sintomas

Os sintomas variam de acordo com a parte infectada e incluem:

- vontade forte e persistente de urinar;
- sensação de queimação ao urinar;
- urina com sangue (hematúria) ou turva, com cheiro forte;
- expelir frequentemente pequenas quantidades de urina.

Tipos

- *Pielonefrite aguda*: é uma infecção dos rins e pode ocorrer depois de se disseminar a partir da bexiga. A infecção renal pode causar febre

O CORPO CANTA

alta, calafrios, náuseas, tremores, dor na parte superior das costas e no flanco, e vômitos.

• *Cistite*: inflamação ou infecção na bexiga que pode resultar em micções frequentes e dolorosas, desconforto na parte baixa do abdômen, pressão pélvica e urina com cheiro forte.

• *Uretrite*: é a inflamação ou infecção da uretra, que leva a uma queimação na micção. Nos homens, pode causar corrimento peniano.

As infecções do trato urinário acontecem quando bactérias entram no trato urinário através da uretra. O sistema urinário tem capacidade de combater infecções, o que reduz o crescimento de bactérias que não são benéficas. No entanto, alguns fatores aumentam as chances de as bactérias entrarem no trato urinário e se multiplicarem em uma infecção completa.

A cistite pode ocorrer em mulheres após relações sexuais. No entanto, mesmo as meninas e mulheres que não são sexualmente ativas estão suscetíveis a infecções do trato urinário inferior, pois o ânus fica muito perto da uretra feminina. A maioria dos casos de cistite é causada pela *Escherichia coli* (*E. coli*), uma espécie de bactéria comumente encontrada no trato gastrointestinal.

Na uretrite, os mesmos organismos que infectam o rim e a bexiga podem infectar a uretra. Além disso, por causa da proximidade da uretra feminina com a vagina, doenças sexualmente transmissíveis (DST), como o vírus da herpes simples, e clamídia também podem ser possíveis causas. Nos homens, a uretrite muitas vezes é resultado de bactérias adquiridas através do contato sexual. A maioria dessas infecções é causada por clamídia e gonorreia.

Insights intuitivos

Em minha experiência, infecções do trato urinário geralmente são agravadas se alguém está com raiva de outra pessoa ou se existem ressentimentos escondidos que se manifestam como emoções negativas. Quando você não trabalha sobre essas questões, a infecção urinária pode ser apenas o resultado, e isso pode se repetir até que as questões de fundo sejam tratadas e liberadas.

Remédios intuitivos

Vá para além de seu espaço e comande que todas as bactérias que não sejam saudáveis vão para a luz de Deus. Veja todas elas saírem até que tenham desaparecido completamente do corpo. Nove em cada dez vezes isso curará a infecção urinária.

Se a pessoa não estiver melhor dentro de meia hora, inicie o trabalho de crenças.

Trabalho de crenças

Se a pessoa precisar de um trabalho de crenças, a primeira coisa a perguntar é: "Com quem você está irritado?". Quando eles lhe disserem, pergunte: "Você gostaria de se livrar dessa raiva?".

Se você não se livrar da raiva e das questões, é provável que a infecção não vá embora.

Já vi pessoas que estão usando antibióticos pesados para uma infecção urinária e mesmo assim esta não vai embora até que a raiva seja liberada e que a crença raiz seja encontrada.

Faça os *downloads*:

"Eu sei qual é a sensação de perdoar a pessoa com quem estou irritado e chateado."

"Eu sei qual é a sensação de viver minha vida diária sem ressentimento e raiva."

"Eu sei que a energia que desperdiço enquanto estou irritado e chateado pode ser usada para um propósito maior."

"Eu sei qual é a sensação de perdoar a mim mesmo e aos outros."

"A cada dia, em todos os sentidos, eu me torno cada vez mais saudável."

"Meu corpo responde."

"Eu estou feliz."

Suplementos

- O suco de cranberry pode ser usado para lavar o sistema.

- Baga de zimbro e uva ursi (também chamada de uva-de-urso) não devem ser usados junto a antibióticos que tenham sido prescritos para infecção urinária.

Veja também Infecções na Bexiga.

INFERTILIDADE

A infertilidade pode ser definida como a incapacidade de conceber após um ano ou mais de atividade sexual regular no período da ovulação. Pode também se referir à incapacidade de levar uma gravidez a termo.

Causas

Em 40% dos casais inférteis, problemas que afetam o parceiro masculino são a causa. Isso se dá, geralmente, por causa da baixa contagem de esperma. Muitos fatores podem causar uma baixa contagem de esperma, incluindo doenças agudas, consumo de álcool, doenças endócrinas, calor excessivo, exposição a toxinas, febre prolongada, radiação e lesão de testículo.

Para as mulheres, as causas mais comuns de infertilidade incluem obstruções nas trompas de Falópio, endometriose, falha ou defeito ovulatório e miomas uterinos. Algumas mulheres desenvolvem anticorpos ao esperma de seu parceiro, tornando-se, na verdade, alérgicas a eles. Clamídia, uma doença sexualmente transmissível, também provoca infertilidade.

As razões predominantes para casais serem incapazes de conceber são:

- A mulher tem endometriose.
- O homem tem esperma anormal, uma baixa contagem de esperma ou disfunção erétil.
- As trompas de Falópio da mulher estão obstruídas.
- A ovulação ocorre raramente ou de forma irregular.
- O muco cervical ataca e mata o esperma.

- A mulher não fabrica progesterona suficiente para carregar o bebê a termo.
- A mulher tem mais de 34 anos.

Alguns lubrificantes artificiais podem impedir que o esperma alcance o colo do útero. A saliva também pode ter um efeito prejudicial sobre o esperma.

Medicamentos de úlcera, como Tagamet e Zantac, podem diminuir a contagem de esperma.

Maconha e cocaína baixam a contagem de esperma.

Insights intuitivos

Em minha opinião, a gravidez depende de quando o bebê quer vir. Às vezes pensamos que podemos definir e escolher o momento, mas a verdade da questão é que os bebês virão quando eles quiserem, não quando nós queremos. É importante entender que seu Tempo Divino e o Tempo Divino da criança podem estar em conflito.

Mulheres vêm até mim o tempo todo me dizendo que elas não conseguem engravidar. Quando subo para fora de meu espaço, posso ver que o espírito do bebê não está pronto para entrar no corpo da mãe. Vou até o espaço da mãe e pergunto ao Criador quando ela terá o bebê.

Eu me lembro de uma mulher em particular que chegou e me disse que ia ser implantada em setembro. Fui até seu espaço e lhe disse: "Não, você vai ficar grávida em agosto". Como era de se esperar, ela voltou em agosto e me disse que estava grávida.

Em minha opinião, o que acontece é que, mesmo que a centelha de vida esteja no embrião desde o início, a maior faísca da vida do espírito espera até ter certeza do embrião. Ele observa a formação do minúsculo corpo para se certificar de que está perfeito. Na maioria dos casos, se não estiver perfeito, o espírito não fica.

Curiosamente, quando uma criança está pronta para entrar no útero, a mãe, de repente, quererá um filho mais do que tudo!

Também notei que há muito mais fertilidade se o casal está apaixonado.

Remédios intuitivos

Se a mulher está com as trompas de Falópio obstruídas, vá até seu espaço e testemunhe as trompas de Falópio abrindo e se alterando. Essa simples cura funciona em mulheres de todos os tipos, que estiveram indo a médicos durante anos tentando engravidar.

A infertilidade pode também estar associada ao estresse. Em muitos casos, tudo o que você precisa fazer é remover o estresse de sua vida e, como um passe de mágica, você está grávida!

Downloads

"Eu sei qual é a sensação de me permitir ter filhos."

"É seguro para mim ter filhos."

"Meu corpo é forte e funciona perfeitamente."

"Meu corpo é equilibrado e forte."

"Os óvulos em meu corpo são fortes."

"Estou pronta para a criança que é para ser minha."

"Sou fértil."

"Eu confio que meu companheiro será um bom pai."

"Eu confio que minha companheira será uma boa mãe."

"Tenho amor suficiente para todos em minha vida."

"Eu amo meu parceiro e meu bebê."

"Eu sou especial."

"Eu sou parte de Deus."

"Estou completamente saudável e normal."

"Cada dia que passa, meu corpo fica mais forte."

"Cada dia que passa, meu corpo se prepara para meu bebê."

"O momento é agora."

"Cada célula de meu corpo está acordada e viva."

"Tenho nutrientes suficientes para mim e para meu bebê."

"Meus ovários são perfeitos."

"Meu útero é perfeito."

"Minha trompas de Falópio são perfeitas."

"Meu corpo é um lugar perfeito para meu bebê crescer."

"Estou pronta para mostrar ao mundo como amo meu filho."

"Estou preparado para educar uma criança."

"Meu corpo aceita meu companheiro."

"Meus hormônios estão perfeitamente equilibrados."

Outras recomendações nutricionais e suplementos

- ginseng;
- sarsparilla;
- espirulina;
- urtiga;
- uma mulher pode elevar os níveis de progesterona só pelo uso de mais ômega 3, 6 e 9;
- uma mulher também deve considerar o uso de damiana, que contribuirá com a fertilidade. No entanto, damiana tem estrogênio e testosterona, tudo em uma planta, e alguns desses compostos podem suscitar cânceres femininos. Se há um histórico de câncer, a damiana deve ser evitada;
- ambos os sexos devem evitar qualquer álcool, cigarros, alimentos fritos, alimentos-porcaria e açúcar;
- alimentos frescos, chás de ervas, abacaxi fresco (ou bromelina), peixes de água doce e salmões são sugeridos;
- geleia real e pólen de abelha ajudam o corpo a normalizar;
- o uso transdérmico de creme de progesterona natural pode beneficiar as mulheres inférteis.

INFLUENZA

A influenza (a gripe) é uma doença respiratória contagiosa causada pelo vírus Influenza. Isso pode causar doenças leves a graves e, às vezes, pode levar à morte, sobretudo, em crianças pequenas ou idosos. Idosos, crianças pequenas e pessoas com determinados estados de saúde estão em maior risco de complicações graves de gripe.

Os sintomas da influenza começam muito parecidos com os do resfriado comum. Em muitos casos, uma febre se desenvolve, e a pessoa sente um calor insuportável em uma hora e frio na próxima. Muitas vezes, elas estão tão fracas e desconfortáveis que não sentem vontade de comer ou de fazer qualquer outra coisa. Um resfriado comum pode durar cerca de uma semana a dez dias, mas a "gripe pode durar mais tempo, até 12 dias ou mais.

Os vírus da gripe se propagam principalmente de pessoa para pessoa através da tosse ou do espirro. Às vezes, as pessoas podem ser infectadas por tocar em algo com um vírus da gripe e depois tocar sua boca ou nariz. A maioria dos adultos saudáveis é capaz de infectar outras pessoas desde um dia antes dos sintomas se desenvolverem até cinco dias depois de ficar doente.

Sintomas

- cansaço extremo;
- dor de cabeça;
- dor de garganta;
- dores musculares;
- febre (geralmente alta);
- nariz escorrendo ou entupido;
- tosse seca.

Os sintomas de estômago, como náuseas, vômitos e diarreia também podem ocorrer, mas são mais comuns em crianças do que adultos.

Complicações incluem pneumonia bacteriana, desidratação, infecções de ouvido, sinusite e o agravamento dos problemas médicos crônicos, como asma, diabetes ou insuficiência cardíaca congestiva.

Remédios intuitivos

Quando as pessoas vêm até mim com gripe, sempre sugiro que elas vão ao médico também. Na maioria dos casos, simplesmente deixarei seu sistema imunológico cuidar do vírus da gripe, porque essa é a ordem natural das coisas. O sistema imunológico foi criado para desenvolver anticorpos para combater a maioria das bactérias e vírus.

É somente quando ele está comprometido que farei uma cura para interditar o vírus da gripe.

Curadores, muitas vezes, não entendem as ramificações do que acontece quando vão até o espaço de alguém e fazem uma cura da gripe. Uma vez que a cura mata o vírus, todas as células mortas do vírus ainda precisam ser processadas do corpo. Pode demorar até três a quatro dias para o corpo equilibrar-se completamente. É por isso que muitas pessoas se sentem pior depois desse tipo de cura em vez de melhor.

Outras soluções nutricionais e suplementos

- Evite o uso de quaisquer suplementos de ferro, porque o ferro na verdade alimenta diferentes bactérias.
- Evite o uso de zinco ao mesmo tempo em que bebe sucos, uma vez que estes impedem a potência de zinco.
- Pimenta caiena ajuda a manter o fluxo de muco e auxilia a digestão e as dores de cabeça associadas.
- Equinácea é muito eficaz em reforçar as defesas naturais do próprio corpo. O extrato de equinácea sem álcool pode ser dado para crianças. Dar quatro a seis gotas de extrato com água ou suco a cada quatro horas durante três dias.
- Bagas de sabugueiro têm propriedades antivirais.
- Por alguma razão estranha, sopa de frango e de peru parecem ajudar com gripe.
- Descanse o máximo possível.
- Aumentar sua vitamina C ajuda consideravelmente.
- Muitas pessoas usam hidraste. No entanto, você não deve usá-lo por mais de uma semana a cada vez, e não é recomendado durante a gravidez ou para aqueles que têm diabetes.
- Uma das melhores misturas que já encontrei é o Xarope de Casca de Cerejas Selvagens do Velho Índio, da marca Planetary Formulas.
- Compre uma nova escova de dentes para que não receba de volta os mesmos germes e se reinfecte.
- Chá de pau d'arco tem propriedades antibacterianas, que podem ajudar com gripe.
- Tomilho ajuda a livrar os seios do muco.

INSÔNIA

Por definição, insônia é "dificuldade de iniciar ou manter o sono, ou ambos". Ela afeta todas as faixas etárias e entre adultos mais velhos, afeta as mulheres mais frequentemente do que homens. A incidência aumenta com a idade.

O estresse desencadeia mais comumente, a curto prazo, a insônia aguda. Se você não tratar a insônia aguda, no entanto, isso pode evoluir para insônia crônica. Muitas pessoas permanecem inconscientes de que existem opções comportamentais e médicas disponíveis para tratar a insônia.

Remédios intuitivos

A insônia é geralmente causada por falta de magnésio. Às vezes, a pessoa pode não ter outras vitaminas também, mas peça ao Criador. Entre e remova os sentimentos de ansiedade e medo e traga para dentro aqueles que são calmantes e suavizantes. Testemunhe a estimulação de mais serotonina e a liberação de melatonina.

INSUFICIÊNCIA RENAL

Veja Doença Renal.

INTOXICAÇÃO ALIMENTAR

Alimentos podem causar distúrbios gastrointestinais nos seres humanos e animais se estiverem contaminados por microrganismos e seus metabólitos secundários. Geralmente, "intoxicação alimentar" é um termo aplicado à doença causada por bactérias comuns, como *Staphylococcus* ou *E. coli*. No entanto, a intoxicação alimentar clássica, às vezes incorretamente chamada de intoxicação por ptomaína, é causada por uma variedade de bactérias. As mais comuns são *Salmonella, Staphylococcus aureus, Escherichia coli* ou outras linhagens de *E. coli, Shigella* e *Clostridium botulinum*. Cada uma tem um período de incubação e duração um pouco diferente, mas todas, exceto a *C. botulinum*, causam inflamação no intestino e diarreia.

As linhagens de bactérias mais comuns com que eu trabalho são *E. coli*, *Salmonella* e *Giardia*. Você encontra *Salmonella* em carne de frango crua.

Remédios intuitivos

Suba até o Criador, comande que uma cura seja feita e testemunhe as bactérias sendo liberadas de todo o sistema. Houve momentos em que fiz uma cura e a pessoa vomitou imediatamente depois. Faça-a beber bastante líquido, pois existe perigo de desidratação.

Se você tiver se intoxicado com algum alimento, pode ser difícil entrar em uma onda Theta profunda o suficiente para testemunhar uma cura, então sugiro que use um pouco de tomilho na forma de Listerine para expulsar a bactérias. É recomendado tomar duas colheres de chá por dois dias de cada vez.

Antes de comer qualquer alimento, não se esqueça de ir acima de seu espaço e perguntar ao Criador se o alimento está contaminado. Você deve ser particularmente cuidadoso em *buffets* de saladas, porque, quanto mais a comida está exposta, mais propensa ela está ao crescimento de bactérias. Sempre mantenha alimentos como maionese e ovos na geladeira. Nunca use ovos se eles estiverem rachados. Tenha um cuidado especial com a possibilidade de a carne contaminar outros alimentos. Limpe as tábuas de corte e utensílios quando entrarem em contato com aves, e descongele toda a carne da geladeira.

E. coli

Há algumas *E. coli* que estão naturalmente no corpo, por isso não faça o comando para que todos elas sejam destruídas.

Remédios intuitivos

Comande que o corpo se equilibre.

Suplementos e outras recomendações nutricionais

Duas cápsulas de tomilho por dois dias ou carvão para ajustar o estômago.

Giardia

Giardia é uma bactéria contraída através da água e de alimentos contaminados. Ela pode causar vômitos e diarreia violenta.

Suplementos e outras recomendações nutricionais

- A *Giardia* ouve e responde à voz da cura.
- Uma colher de chá de Listerine funciona bem em uma emergência.
- Se você estiver em uma área isolada, um pouco de carvão de uma fogueira misturado com água pode ajustar o estômago.

INTOXICAÇÃO POR CÁDMIO

O cádmio é uma substância inorgânica que está naturalmente presente no ambiente. No entanto, com o advento da indústria moderna, tornou-se um risco para a saúde em regiões onde há fundição de metais, em plásticos e em baterias. Ele é muito tóxico para o corpo. Na década de 1960, o governo britânico conduziu um experimento que jogou cádmio pulverizado sobre a cidade de Norwich, causando riscos incalculáveis para a saúde dos habitantes.

O cádmio está presente em tintas, corantes e brinquedos e pode também estar presente, em menor volume, em água potável e fertilizantes, e mesmo em cafés, chás e refrigerantes. Cigarros possuem níveis muito elevados de cádmio e chumbo. Este pode causar pressão alta, perda de olfato e sobrecarregar os rins.

Remédios intuitivos

Assim como com qualquer envenenamento tóxico, a intoxicação por cádmio responde bem à cura. Testemunhe o Criador liberando as toxinas do corpo e indique suplementos para restabelecer o corpo.

Trabalho de crenças

As crenças que atraem o cádmio envolvem:

- Ser abusado e acreditar que isso é amor.
- Ter uma promessa de apoio e não recebê-la.

- Não sentir amor suficiente.
- Não receber apoio suficiente.

Faça os *downloads*:

"Eu sei qual o conceito do Criador de amor sem abuso."

"Eu sei o que é amor verdadeiro."

"Eu sei o que é amor sem ter de lutar ou implorar por ele."

Suplementos

- alfafa;
- cálcio-magnésio;
- espirulina;
- vitamina E;
- zinco, de 50 a 100 mg por dia com o estômago cheio.

INTOXICAÇÃO POR CHUMBO

Chumbo, mercúrio e alumínio são três dos metais pesados que vejo mais frequentemente em clientes. Chumbo é um dos metais mais tóxicos conhecidos. É um veneno "cumulativo" que fica retido no corpo. Quando ele finalmente sai da corrente sanguínea, fica armazenado juntamente com outros minerais nos ossos, onde continua a se acumular durante toda a vida. Ele pode, então, voltar para a corrente sanguínea a qualquer momento, como um resultado de um estresse biológico grave, como gravidez, menopausa, imobilização ou doença prolongada, ou insuficiência renal.

O chumbo reage com selênio e enzimas antioxidantes nas células que contêm enxofre, diminuindo seriamente a capacidade dessas substâncias de proteger contra danos dos radicais livres.

O corpo não consegue distinguir entre cálcio e chumbo. Uma vez que entra no corpo, ele é assimilado da mesma maneira que o cálcio.

O chumbo é muito mais prejudicial para as crianças do que para os adultos, porque pode afetar o desenvolvimento dos nervos e do cérebro delas. Quanto mais jovem a criança, mais prejudicial o chumbo pode ser. Crianças ainda por nascer são as mais vulneráveis. As crianças trazem chumbo para dentro de seus corpos quando colocam objetos de chumbo na boca, especialmente se os engolem. Elas podem até ter intoxicação por chumbo por tocarem em um objeto de chumbo empoeirado ou descascando e depois colocarem os dedos na boca ou comerem. Testes mostraram que muitas crianças têm níveis elevados de chumbo no sangue. Crianças que vivem em cidades ou em casas mais antigas estão mais propensas a ter níveis elevados.

Fontes

O chumbo é encontrado em:

• *Hobbies* que envolvem materiais de arte, fabricação de joias, cerâmica de vitrificação, miniaturas de chumbo, vitrais e solda (sempre olhe os rótulos).
• Pintura de casa anteriores a 1978. Crianças pequenas, em particular, muitas vezes engolem tinta ou pó de tinta à base de chumbo. Mesmo que a tinta não esteja descascando, pode ser um perigo. Tinta de chumbo é muito perigosa quando ela está sendo arrancada ou lixada. Essas ações liberam uma poeira fina de chumbo no ar.
• Balas de chumbo, pesos de cortina, pesos de pesca.
• Jarros de estanho e louça.
• Tubulações e encanamento. O chumbo pode ser encontrado na água potável em casas cujos encanamentos foram conectados com solda de chumbo.
• Solo contaminado por décadas de escapamentos de carros ou anos de raspas de pinturas de casas. Assim, o chumbo é mais comum em solos perto de estradas e casas.
• Alguns brinquedos pintados e decorações.
• Baterias de carros.
• Brinquedos e mobiliário pintados antes do início dos anos 1970.

Sintomas

Quando uma pessoa engole um objeto de chumbo ou inala poeira de chumbo, um pouco do veneno pode ficar no corpo e causar sérios problemas de saúde. Uma única dose elevada de chumbo pode causar graves sintomas de emergência. É mais comum, no entanto, que a intoxicação por chumbo se dê lentamente pela repetida exposição a pequenas quantidades de chumbo. Nesse caso, pode não haver quaisquer sintomas óbvios, mas o chumbo ainda pode causar sérios problemas de saúde ao longo do tempo.

Existem muitos sintomas de intoxicação por chumbo, uma vez que o chumbo pode afetar muitas partes diferentes do corpo. Ao longo do tempo, mesmo baixos níveis de exposição a chumbo podem prejudicar o desenvolvimento mental da criança. Os problemas de saúde pioram conforme o nível de chumbo no sangue se eleva. Possíveis complicações incluem:

- anemia;
- comportamento agressivo;
- danos nos rins;
- dificuldade para dormir;
- dificuldades na escola;
- dor abdominal e cólicas (geralmente o primeiro sinal de uma dose tóxica de chumbo);
- dores de cabeça;
- irritabilidade;
- perda de habilidades de desenvolvimentos anteriores (em crianças pequenas);
- pouca energia e apetite;
- prisão de ventre;
- problemas comportamentais ou de atenção;
- problemas de audição;
- QI reduzido;
- retardamento no crescimento do corpo;
- sensações reduzidas.

Altos níveis de intoxicação por chumbo podem causar coma, fraqueza muscular, convulsões, andar cambaleante ou vômitos.

Medidas preventivas

- Sempre verifique os rótulos na compra de produtos como maquiagem de olho. Alguns desses produtos podem conter até 99% de óxido de chumbo.
- Tenha cuidado ao beber bebidas quentes em copos de cerâmica esmaltados com chumbo.
- Tenha cuidado ao comprar cerâmica, brinquedos e outros produtos pintados.
- Não vire do avesso sacos de pão e use-os, porque a tinta pode ser à base de chumbo.
- Não use cristais de vidro de chumbo para armazenar alimentos.
- Teste sua água.
- Se você bebe vinho, sempre limpe a boca da garrafa com um pano úmido antes de se servir, uma vez que as embalagens de lâmina em torno da rolha são feitas de chumbo.
- Procure latas de comida que sejam seladas sem chumbo.
- Nunca ferva água por mais tempo do que o necessário, porque isso irá concentrar contaminantes, incluindo o chumbo.
- Nunca use a primeira água que sai de sua torneira. Deixe-a correr por pelo menos três minutos.
- Lave as mãos de seus filhos e tenha cuidado com onde eles brincam.

Considerações

- Qualquer construção de 50 anos ou mais antiga deve ser inspecionada por um profissional e, se tiver pintura à base de chumbo nas paredes, essa deve ser removida por alguém com o conhecimento e os equipamentos adequados.
- Qualquer pessoa que cultiva plantios ou produtos de jardim perto de ruas ou rodovias movimentadas deve verificar o nível de chumbo no solo.
- "Teste do cabelo" é um método que pode ser usado para detectar a toxicidade de metais pesados.
- Muitas tinturas de cabelo usadas por homens são à base de chumbo.

Remédios intuitivos

Em uma cura, nunca comande que todo o chumbo seja removido do corpo. Qualquer metal pesado deve ser retirado suave e gradualmente. Se você remover todo o chumbo que há nos ossos, ele será enviado para a corrente sanguínea para ser expelido com a urina e, para o sistema, o choque pode ser grande demais. É melhor usar suplementos para remover o chumbo suave e facilmente do sistema. Pergunte ao Criador o que fazer e comande que lhe mostre.

Trabalho de crenças

O chumbo é atraído para pessoas que precisam de carinho. Essas pessoas só estão recebendo carinho artificial das pessoas ao redor delas e, então, possuem tendência a estar um pouco deprimidas. Elas precisam desesperadamente de amor e carinho verdadeiros. Essa situação cria um tipo de fraqueza e faz com que a pessoa se abra à intoxicação por chumbo.

A chave para evitar a intoxicação por chumbo em crianças é mais amor e mais conexão com a família. A criança precisa se sentir envolvida e acarinhada.

Faça os *downloads*:

"Eu sei qual é a sensação de ser apoiado e amado."

"Eu sei qual é a sensação de ter estrutura na minha vida."

"Eu sei qual é a sensação de estar completamente conectado a Deus."

"Eu sei que sou importante."

"Eu sei como viver sem os outros tirarem vantagem de mim."

"Eu sei qual é a sensação de atrair pessoas que são para meu bem maior."

"Eu sei como escolher meus amigos com sabedoria."

"Eu sei qual é a sensação de estar sempre conectado ao Criador."

"Eu estou sempre apoiado pelo universo."

"Eu sei como tomar vitaminas, minerais e alimentos que me deixarão forte."

"Meu corpo absorve cálcio e magnésio da melhor e mais elevada forma."

"Eu sei qual é a sensação de permitir que qualquer chumbo deixe meu corpo facilmente e sem esforço, sem qualquer problema ou estresse."

"Eu sei qual é a sensação de constituir meu corpo de volta à juventude e vitalidade."

"Eu posso viver sem depressão."

"Eu sei que meu corpo é forte e eu posso ter alegria."

"A cada dia, tenho paciência no conhecimento de que estou me tornando mais forte."

"A cada dia, sinto mais o amor do Criador."

Suplementos

- aminoácidos;
- pectina de maçã;
- cálcio;
- lecitina;
- magnésio;
- selênio, 200 mcg diariamente;
- vitamina C;
- zinco, 80 mg/dia;
- quelação com EDTA pode evitar a acumulação de chumbo. No entanto, EDTA irá remover os minerais do corpo que são benéficos, por isso é melhor usar suplementos junto a ele;
- acido alfalipoico é menos invasivo que EDTA e é muito eficaz. Ele deve ser usado com ômega 3.

INTOXICAÇÃO POR MERCÚRIO

O mercúrio é um dos metais mais tóxicos conhecidos pelo homem. É ainda mais tóxico que o chumbo. Ele pode ser encontrado no fornecimento de terra, água e alimentos. É usado em herbicidas e pesticidas e, como ele contamina a água, pode ser encontrado em peixes em níveis elevados. Também é usado em baterias, cosméticos, obturações dentárias, amaciadores, instrumentos industriais e até mesmo em medicamentos. Na verdade, é tão comumente usado que foi encontrado em uma série de vacinas de gripe e imunização.

A presença de mercúrio no sistema nervoso pode impedir a entrada normal de nutrientes nas células e a remoção de resíduos das células. Pode ligar-se a células do sistema imunológico e interferir nas respostas imunes normais. Esse pode ser um fator por trás de algumas doenças autoimunes. O mercúrio também pode causar problemas cardíacos, renais e respiratórios permanentes. Como é um veneno cumulativo, não há nenhuma barreira que o impede de alcançar as células do cérebro. Uma quantidade significativa de mercúrio no corpo pode causar artrite, depressão, dermatite, diarreia, tonturas, fadiga, doença na gengiva, dor de cabeça, insônia, dor nas articulações, perda de memória, fraqueza muscular, náuseas, fala arrastada e vômitos. Intoxicação por mercúrio também pode imitar os sintomas da esclerose múltipla e da doença de Lou Gehrig. Suspeita-se que seja uma das causas do autismo.

Sintomas

Sinais que indicam a presença de níveis tóxicos de mercúrio apontam alterações comportamentais, depressão, confusão, hiperatividade e irritabilidade. Pessoas com essa toxicidade também podem sofrer reações alérgicas ou asma. Elas podem se queixar de um gosto metálico na boca e os dentes podem estar frouxos.

Causas

De acordo com a Organização Mundial de Saúde, obturações de amálgama são uma fonte primordial de exposição a mercúrio. Elas contêm 50% de mercúrio, 25% de prata e 25% de outros materiais. Uma obturação de amálgama pode liberar de sete a 13 microgramas de mercúrio por dia. Muitas pessoas têm sofrido por anos com vários problemas de saúde que se curaram depois que removeram suas obturações de amálgama. No entanto, remover as obturações de amálgama é quase tão perigoso quanto deixá-las, a não ser que sejam removidas de maneira adequada. Muito poucos dentistas são treinados para remover mercúrio corretamente e com segurança. Certifique-se de encontrar uma pessoa que saiba como lidar com mercúrio, antes que você deixe qualquer um tocar em seus dentes.

Depois de liberar o mercúrio do sistema, você descobrirá que já não tem mudanças de humor tão imprevisíveis.

Insights intuitivos

A intoxicação por mercúrio é bastante difícil de limpar, porque o mercúrio se anexa às células. Pessoas morrem disso todos os dias. Mais de um médico identificou a ligação entre mercúrio, a doença de Alzheimer e a doença de Parkinson. Também acredito que pelo menos um terço dos casos de depressão e suicídio estão ligados à intoxicação por metais pesados de algum tipo, sendo mercúrio o mais prevalente. É interessante notar que os dentistas apresentam um dos maiores índices de suicídio dentre todas as profissões.

Intoxicação por mercúrio é, admito, um assunto delicado para mim porque o Criador me disse que uma das causas de meu câncer foi mercúrio. Isso foi antes de eu ter aprendido como lidar com intoxicação por mercúrio usando energia de cura. Passei muitas horas em uma sauna de infravermelhos, além de fazer limpezas com ervas, antes de viver a cura instantânea.

O mercúrio tem uma tendência a se anexar às pessoas que têm uma predisposição à depressão e que sentem que não são boas o suficiente. Ele deixa as pessoas facilmente irritadas e mais deprimidas e aumenta a tendência ao suicídio. Esses pensamentos e sensações são causados pelo mercúrio que está preenchendo esses receptores emocionais.

Quando você estiver trabalhando com alguém que tenha questões ou reclamações sobre depressão, verifique se ela tem obturações de amálgama. Intoxicação por mercúrio do amálgama é bastante comum. Pelo menos 20% dos clientes com quem falo a tem. A percentagem é provavelmente maior do que isso, mas pelo menos esse tanto tem esse problema. Quando faço leituras, sempre verifico se a intoxicação por mercúrio é a causa de doenças sanguíneas, leucemia e linfoma.

Remédios intuitivos

Pergunte ao Criador como limpar o corpo da forma melhor e mais elevada. Quando você se desintoxica dos metais pesados, remove memórias antigas anexadas a eles e estas inundam seu sistema, então é melhor fazer isso gradualmente.

Você não deve comandar que todos os metais pesados do corpo vão embora, uma vez que elementos como cálcio e zinco são uma parte vital de nossa estrutura molecular. É melhor perguntar ao Criador o que fazer, já que todo mundo é diferente e que as toxinas devem ser removidas do corpo a um ritmo adaptado ao indivíduo.

Downloads

Muitas pessoas que têm intoxicação por mercúrio tendem a confiar demais, de uma maneira que pode ser considerada ingênua. Elas precisam de discernimento de quem pode ser confiável e quem não pode.

"Eu sei qual é a sensação de viver sem depressão."

"Eu vivo meu dia a dia com alegria."

"A cada dia, meu corpo se torna mais forte."

"Eu sei qual é a sensação de viver sem meu corpo estar debilitado."

"Eu consigo ver os outros como eles são."

"É fácil para mim me conectar ao Criador de Tudo O Que É e saber que sou digno."

"Eu sei como viver sem ressentimento, raiva e arrependimento relativos ao passado."

"Eu sou digno de estar conectado ao Criador em todos os momentos."

"Eu consigo distinguir entre o bem e o mal."

"Eu sei como viver minha vida sem interferência dos pensamentos negativos dos outros."

"Eu sei como perseguir as metas em minha vida com facilidade."

"Eu sei como controlar meu temperamento e meus humores."

"Estou financeiramente estável."

"Estou mentalmente estável."

"Minha força espiritual cresce a cada dia."

"Eu sei qual é a sensação de amar sem ser crítico."

Suplementos e outras recomendações nutricionais

O Criador disse que, se nós mudarmos um átomo na molécula de mercúrio, podemos transformá-lo em uma substância inofensiva. Até que você chegue nesse ponto de perfeição Theta, sugiro que use coentro para removê-lo do corpo.

Também:

* Acido alfalipoico e limpezas de fígado irão ajudar a limpar o mercúrio para fora do sistema.
* Terapia de quelação é usada para remover metais pesados do sistema. É recomendável que você use acido alfalipoico antes de decidir usar quelantes, uma vez que essa terapia pode ser bastante difícil.
* Selênio, coentro ou pectina irão sugar o mercúrio para fora do corpo. Eles se ligam ao mercúrio nas obturações de amálgama e sugam-no para fora. Por essa razão, é melhor tirar as obturações de amálgama primeiro e, em seguida, fazer a limpeza.
* Espirulina e algas azuis-verdes irão remover o mercúrio.

INTOXICAÇÃO POR METAIS PESADOS

Veja o <u>Prólogo</u>; também <u>Intoxicação por Chumbo</u>.

INTOXICAÇÃO QUÍMICA

A intoxicação química e pelo ambiente pode ser um problema grave, especialmente para aqueles que são sensíveis ou que têm o sistema imunológico comprometido.

Tipos

Um dos poluentes químicos mais predominante é o formaldeído, que é um produto químico industrial fabricado a partir do metanol, do gás natural e de alguns dos hidrocarbonetos de petróleo mais profundos, encontrado amplamente na resina em pó de ureia-formaldeído utilizada em residências e casas pré-fabricadas.

Outro grupo de venenos ambientais são os herbicidas e pesticidas. Uma forma que era utilizada antigamente era o DDT.

Uma das mais perigosas substâncias tóxicas é o amianto. Quando ele chega aos pulmões, abre-se como um arame farpado e se engancha nos lados dos pulmões. É essa sua aparência no corpo.

Há muitas outras formas de poluição, incluindo:

Poluição ambiental
- chuva ácida;
- emissões de centrais de tratamento de resíduos;
- emissões de refinaria;
- micotoxinas – cryptosporidium;
- monóxido de carbono;
- plásticos;
- solventes;
- sprays de tratamento do solo – herbicidas, fungicidas, pesticidas.

Poluição eletromagnética
- aparelhos eletrodomésticos;
- celulares;
- frequências dos sistemas de comunicação;
- linhas de transmissão de energia elétrica;
- transformadores.

Campos magnéticos: impacto direto
- armações de cama;
- aviões;
- carros;

- edifícios de aço e vigas estruturais;
- fivelas de cinto;
- joias;
- óculos;
- presilhas de cabelo;
- sutiãs com armação;
- tratamentos dentários.

Radiação de substâncias tóxicas

- borrachas esponjosas;
- pesticidas;
- plásticos;
- poliuretano;
- produtos de limpeza domésticos;
- tapetes e estofados;
- tecidos sintéticos.

Ingestão tóxica

- *alimentos*: produtos químicos nocivos, realçadores de sabor, conservantes.;
- *bebidas*: adoçantes artificiais, açúcar refinado;
- *drogas*: derivados do álcool, fenol, agentes que carregam sintéticos (compostos sintéticos, agentes sintéticos, drogas sintéticas).

Campos magnéticos e radiação de substâncias tóxicas

Dentro de casa:

- aparelhos eletrodomésticos;
- colchões;
- cortinas;
- eletricidade nas paredes e pisos;
- enchimentos de espuma;
- estofamento;
- luzes;
- paredes;
- produtos de limpeza para cozinha;

- tapetes;
- tecidos.

No local de trabalho:

- edifícios de aço;
- equipamento de escritório;
- ferramentas elétricas;
- iluminação;
- maquinário;
- painéis;
- tapetes;
- telefones.

Trabalho de crenças

Faça o teste energético para:

"Eu luto contra o ambiente."

"Eu tenho de lutar por tudo que eu tenho."

"O mundo está tentando me matar."

Downloads:

"É seguro estar neste planeta."

"Eu sei como viver em meu ambiente em paz e harmonia."

"Meu corpo está sempre saudável e forte."

"Eu sei como viver sem absorver substâncias tóxicas."

"Eu sei como viver sem ter medo de meu ambiente."

"Eu sou impermeável às toxinas de meu mundo."

Para mais crenças e downloads, *veja* Metais Pesados (Prólogo), Intoxicação por Chumbo *e* Intoxicação por Mercúrio.

Suplementos e outras recomendações nutricionais

Para pesticidas e herbicidas:

- acido alfalipoico;
- algas azuis-verdes;
- cálcio;
- zinco.

Para amianto:

- chlorella;
- espirulina.

LEVEDURA

A levedura requer menção especial. Ela pode causar doenças como asma, fadiga, dores de cabeça e fraqueza. Ela também cria acetaldeído, que é seu resíduo. Incapaz de ser discriminada pelo corpo, é simplesmente armazenada e, eventualmente, torna-se tóxica. O molibdênio irá decompô-la e precisa ser tomado em pequenas doses.

A levedura deseja açúcar, pois necessita dele para sobreviver no corpo.

Os antibióticos podem causar infecções fúngicas.

Insights intuitivos

Intuitivamente, a levedura parece uma energia empoeirada, enevoada ou nublada no corpo. É um problema quando a pessoa é crítica demais ou ressentida consigo ou com os outros.

O excesso de levedura no corpo pode causar ganho de peso.

Levedura no cólon afeta os seios.

Remédios intuitivos

Não é aconselhável comandar intuitivamente que toda a levedura do corpo de uma pessoa morra. O corpo precisa de uma certa quantidade de levedura para funcionar. Dietas alcalinas são boas para controlar a levedura.

Trabalho de crenças

A levedura é atraída e mantida por questões de raiva e ressentimento. Faça os *downloads*:

"Eu sei qual é a sensação de estar em um ambiente de amor."

"Eu sei qual é a sensação de ser apreciado."

"Eu sei como viver minha vida sem me ressentir de mim e dos outros."

"Eu sei qual é a sensação de entender o que uma pessoa pensa e sente."

"Eu sei que é seguro ver o corpo intuitivamente."

"Eu sei qual é a sensação de testemunhar mudanças intuitivas em leveduras e fungos."

LÚPUS

O lúpus é uma doença inflamatória crônica que pode afetar muitos órgãos do corpo. É uma doença autoimune que ocorre quando o mecanismo imunológico forma anticorpos que atacam os tecidos do próprio corpo. Isso pode danificar os vasos sanguíneos, as articulações, os órgãos e a pele.

Tipos

Existem muitos tipos de lúpus:

- *Lúpus discoide* provoca uma erupção da pele que não vai embora.
- *Lúpus neonatal*, que é raro, afeta recém-nascidos.
- *Lúpus eritematoso cutâneo subagudo* provoca feridas após a exposição ao sol. Um outro tipo pode ser causado por medicamentos.
- O tipo mais comum de lúpus, *lúpus eritematoso sistêmico*, afeta muitas partes do corpo.

Qualquer pessoa pode ter lúpus, mas as mulheres têm maior risco.

Sintomas

O lúpus tem muitos sintomas:

- febre sem uma causa conhecida;
- dores articulares ou inchaço;
- dor muscular;

- erupções vermelhas, frequentemente na face (também chamado de *rash* em asa de borboleta);

Essa é uma doença muito dolorosa.

Causas

A causa do lúpus não é conhecida na medicina convencional. Muitos especialistas acreditam que ocorre por causa de um vírus não identificado. Acredito que é em decorrência de um microplasma de algum tipo que entra nas células e nos tecidos conjuntivos. Isso faz com que o sistema imunológico desenvolva anticorpos para resistir ao vírus, que, por sua vez, atacam o tecido conjuntivo do corpo.

Tratamento convencional

A medicina convencional trata lúpus com esteroides. Infelizmente, isso às vezes pode ser tão prejudicial quanto a própria doença. O tratamento de cortisona pode fazer com que a pessoa tenha problemas no coração, na estabilidade mental e no sistema autoimune.

Insights intuitivos

No lúpus, o sistema imunológico *não* está se atacando; está atacando o microplasma que os médicos não conseguem ver. Isso é causado por moléculas de produtos de petróleo. Esses produtos podem ser encontrados em químicas de cabelo ou unhas, chumbo e níquel. Pergunte à pessoa se ela tem inalado fumaças de produtos de petróleo.

Acredita-se que o plástico dos implantes de mama cause uma nova forma de lúpus. É aí que o corpo rejeita os implantes plásticos. Na maioria dos casos, direi à mulher que remova os implantes de mama, mas para algumas isso não é uma opção, então, nesse caso, faço uma cura em Theta e digo ao seu corpo que os aceite.

Tenho notado que as pessoas que fazem manicure tendem a desenvolver lúpus por causa das colas usadas nas unhas acrílicas.

Pessoas com lúpus devem alterar seu ambiente para um espaço que seja livre de toxinas. Se elas são enfermeiras, vão ter de usar máscaras mais frequentemente quando estão usando luvas de plástico. Se são manicures,

O Corpo Canta

diga a elas que consigam um filtro HEPA para sua sala de trabalho (e alguns outros filtros), para que não precisem respirar qualquer fumaça.

Remédios intuitivos

Quando entro no corpo de uma pessoa que tem lúpus, comando uma cura instantânea e assisto às energias à base de petróleo saindo das articulações. Você pode realmente entrar e colhê-las, tirando-as das articulações.

Além disso, trabalhe em qualquer DNA que possa estar danificado. O Criador irá lhe mostrar. Testemunhe o trabalho.

Trabalho de crenças

Acredito que certas substâncias e doenças são atraídas para nós por causa de nossas crenças. Essas crenças não precisam ser negativas; também podem ser positivas. Isso pode ser verdade no caso de quem tem lúpus. O lúpus é uma doença que definitivamente é atraída para a pessoa por causa de seu tipo de personalidade.

O lúpus também vem com emoções próprias e, na verdade, assume algumas das emoções da pessoa que está com ele. Se você trabalha com alguém com lúpus, boa sorte. Esse é o povo mais teimoso e argumentativo que já vi. A razão para isso é que o tecido conjuntivo está sendo atacado, o que impede de fluir com a vida. Ensine-as qual a sensação de fluir com a vida e que as pessoas estão ali para ajudá-las e faça alguns trabalhos em questões amorosas para que suas articulações possam ficar limpas.

Pessoas com lúpus não acreditam que nada seja culpa delas. Elas acreditam que não deveriam ter problemas físicos, e que não têm nada para trabalhar referente a crenças emocionais.

Faça o teste energético para:

- raiva do mundo e raiva das pessoas;
- problemas de comunicação, como colocar limites e sensações em relação ao Criador;
- programas de "Eu não sou bom o suficiente";
- questões de mérito.

Ensine-as que elas são dignas de mudança, dignas de cura, que a cura é possível e que elas podem se curar sem culpa. Faça os *downloads*:

"O passado está limpo e posso ir em frente."

"Eu sei qual é a sensação de ter força em meu corpo."

"Todo o meu tecido conjuntivo está perfeito."

"Eu sei qual é a sensação de viver sem estar irritado com o mundo."

"Eu sei qual é a sensação de viver sem ter de lutar por tudo o que sou."

"Eu sei qual é a sensação de viver sem ser excessivamente crítico com os outros."

"Eu sei qual é a sensação de viver sem deixar que os outros me irritem."

"Eu sei qual é a sensação de assumir responsabilidade por minha vida."

"Eu sei qual é a sensação de ir com o fluxo da vida e de permitir que os outros me amem."

"Eu sei qual é a sensação de viver sem ter de discutir o tempo todo."

"Eu sei qual é a sensação de viver sem ter de discutir comigo mesmo."

"Eu sei qual é a sensação de permitir que a vida se mova comigo."

"Eu sei qual é a sensação de ser flexível e aproveitar a vida."

"Eu sou importante."

"Eu sou forte."

"Eu sou saudável."

"Eu sei como viver sem me sentir culpado pelas decisões de outras pessoas."

"Eu sei qual é a sensação de viver sem carregar as responsabilidades dos outros."

"Eu posso seguir em frente."

"Eu posso receber amor sem me dilacerar."

"Eu sei qual é a sensação de receber saúde."

"Eu sei como ensinar às pessoas à minha volta como serem responsáveis sem se dilacerarem."

"Eu sei como aceitar ajuda dos outros sem ser levado por isso."

"Eu sei qual é a sensação para meu corpo de se mover facilmente e sem esforço."

"Eu sei como viver sem me sentir culpado pelo que os outros fazem."

"Sou digno de mudança."

"Sou digno de amor."

"A cada dia que passa, meu corpo fica mais forte."

"Eu sei como viver sem desistir da esperança."

"Eu sei como viver sem aceitar tudo o que o médico diz."

"Eu sei como viver sem esperar que meu corpo vá se desmoronar."

"Eu sei como usar minha força de vontade criativa."

"Vejo possibilidades da forma mais elevada e melhor."

"Eu me movo com facilidade e graça, sem dor."

"Eu sei qual é a sensação de viver sem dor."

"Eu sei qual é a sensação de viver sem ser excessivamente agressivo."

"Eu sei qual é a sensação de viver sem me sentir ameaçado."

Suplementos e outras recomendações nutricionais

Pessoas com lúpus estão com baixa em lipídios e precisam de ômega 3. Elas devem considerar tomar ácido alfalipoico. O médico delas pode conversar sobre isso, porque é um antioxidante, mas a maioria dos médicos vai deixá-las tomar porque acham que ele funciona bem. Foi descoberto também que o DHEA ajuda algumas pessoas com lúpus e MS. Se um cliente vai a um médico, ao mesmo tempo que estou vendo-o, vou dizer-lhe para ir ao seu médico e perguntar se ele podem usar o ácido alfalipoico e DHEA junto com seu tratamento de cortisona.

As coisas que estimulam o sistema imunológico farão com que o corpo faça uma desintoxicação. Você tem de tirar a pessoa de seus sintomas de lúpus primeiro, então não deve dar-lhes muitos suplementos de ervas, mas recomendo:

- acidofilus;
- ácidos graxos essenciais;
- aminoácidos;
- cálcio-magnésio;
- cobre e zinco;
- CoQ10;
- DHEA;
- extrato de semente de uva;
- noni;
- urtiga;
- vinagre de maçã;
- vitamina C;
- vitamina E.

Nada de pão ou laticínio.

MANCHAS SENIS

Manchas senis são geralmente causadas pela falta de exercícios ou problemas no fígado. Se você tiver problemas no fígado, elas aparecerão em sua pele dentro de três meses. Portanto, se você tem manchas senis na pele, há algo acontecendo lá dentro. Na verdade, a maioria das dificuldades com a pele começa com as crenças que são guardadas no fígado.

Trabalho de crenças

O praticante de Theta pode fazer um trabalho de cura para limpar as manchas senis, mas para isso é importante que se limpe o fígado. O fígado retém raivas antigas. Se ele estiver doente com cirrose, a pessoa ficará enfurecida rapidamente. O fígado também tem programas antigos de ódio armazenado. Pessoas com doenças hepáticas precisam deixar que o ódio vá embora a fim de estarem bem.

Faça o teste energético para problemas de raiva, medo, culpa, abusos antigos, ressentimentos e incapacidade de aceitar amor. Faça os *downloads*:

"Eu sei como viver sem medo."

"Eu sei qual é a sensação de viver sem medo."

"Eu sei como viver sem ressentimento."

"Eu sei qual o conceito do Criador da sensação de me sentir em segurança."

"Eu sei qual o conceito do Criador da sensação de me sentir protegido."

"Eu sei qual o conceito do Criador da sensação de estar seguro."

Suplementos

Sugere-se que você comece a limpar o fígado usando ácido alfali-poico, cardo mariano e um pouco de selênio.

Veja também <u>*Fígado*</u>.

MENINGITE

Meningite é uma inflamação das membranas chamadas meninges e do líquido cefalorraquidiano em torno do cérebro e da medula espinhal. Geralmente se dá por causa da disseminação de uma infecção. A severidade da inflamação e o melhor tratamento dependem da causa da infecção.

Em virtude de vacinas que impedem essa condição de saúde em crianças pequenas, a maioria dos casos de meningite agora ocorre em jovens entre as idades de 15 e 24 anos. Adultos mais velhos também tendem a ter uma alta incidência de meningite.

Tipos

A maioria dos casos de meningite é causada por uma infecção viral, mas infecções bacterianas e fúngicas também podem levar ao transtorno.

Meningite bacteriana

A meningite bacteriana ocorre normalmente quando bactérias entram na corrente sanguínea e migram para o cérebro e a medula espinhal. No entanto, também pode ocorrer quando bactérias invadem as meninges diretamente, por causa de uma infecção auditiva ou sinusal ou a uma fratura no crânio. A meningite bacteriana pode ser fatal e é geralmente muito mais grave do que a meningite viral.

As linhagens de bactérias que podem causar meningite bacteriana aguda incluem:

Haemophilus influenzae-haemophilus: antes da década de 1990, essa bactéria era a principal causa de meningite bacteriana, mas vacinas infantis reduziram o número de casos desse tipo de meningite.

Listeria monocytogenes-listeria: essas bactérias podem ser encontradas em quase qualquer lugar. A maioria das pessoas saudáveis expostas a elas não adoece, embora mulheres grávidas, recém-nascidos e adultos mais velhos tendem a ser mais suscetíveis.

Neisseria meningitides-meningococo: a meningite meningocócica comumente ocorre quando as bactérias de uma infecção respiratória superior entram na corrente sanguínea. Essa infecção é altamente contagiosa e pode causar epidemias locais em escolas, faculdades e bases militares.

Streptococcus pneumoniae-pneumococo: Essa bactéria é a causa mais comum de meningite bacteriana em recém-nascidos e crianças pequenas nos Estados Unidos. Essa linhagem pode ser mortal, causando danos cerebrais, coma e perda auditiva.

Meningite crônica

A meningite aguda ataca de repente, mas a crônica se desenvolve ao longo de quatro semanas ou mais. Os sinais e sintomas são semelhantes aos da meningite aguda: febre, dores de cabeça, turvação mental e vômitos. Esse tipo de meningite é raro.

Meningite fúngica

A meningite fúngica é incomum. A meningite criptocócica é uma forma fúngica da doença que afeta pessoas com deficiências imunológicas, como a AIDS.

Meningite viral

A cada ano, vírus causam um número maior de casos de meningite do que bactérias. A meningite viral é geralmente leve e muitas vezes se cura por conta própria em menos de dez dias. Os sintomas mais comuns são: erupção cutânea, dor de garganta, dores articulares e dor de cabeça.

Causas

Além de ser resultado de infecções, a meningite também pode se dar em decorrência de causas não infecciosas, como alergias a drogas, alguns tipos de câncer e doenças inflamatórias como o lúpus.

Sintomas

Os sintomas podem ser confundidos com os da gripe e incluem:

- febre alta;
- um torcicolo;
- confusão;
- falta de interesse em beber e comer;
- convulsões;
- sensibilidade à luz;
- dor de cabeça severa;
- sonolência ou dificuldade de acordar;
- vômitos ou náuseas com dor de cabeça.

Recém-nascidos e crianças podem não ter os sintomas clássicos. Eles podem chorar de forma constante, parecerem estranhamente sonolentos ou irritáveis e comer mal.

Remédios intuitivos

Uma pessoa com meningite precisará de um extenso trabalho de crenças referente aos programas das bactérias e ao porquê de estar atraindo doenças para si.

É recomendável que faça os exercícios internos descritos por Stephen Chang em seu livro *O Grande Tao*.

Em uma cura, comande que qualquer dano que tenha sido feito ao cérebro ou à audição seja reparado. Comande que todos os traumas anteriores sejam liberados do corpo.

Suplementos

Quando uma pessoa está se recuperando de meningite, ela precisa tomar vitaminas, mas nada muito agressivo. As seguintes são sugeridas:

- aminoácidos, multivitaminas, multiminerais e shakes de proteína;
- vitamina A;
- complexo B;
- vitamina C, 5.000 mg.

Se ela usou antibióticos, é bom usar acidófilo.

MENOPAUSA

A menopausa é um processo natural na vida de uma mulher quando seus ciclos menstruais mensais param, geralmente depois dos 45 anos. Isso ocorre porque os ovários param de produzir os hormônios estrogênio e progesterona.

A menopausa não é uma doença e a maioria das mulheres não precisa de tratamento, embora posteriormente possam estar mais vulneráveis à perda óssea e a doenças cardíacas por causa da subprodução de estrogênio e progesterona.

Uma mulher atinge a menopausa, quando ela não tiver nenhuma menstruação por um ano. No entanto, alterações e sintomas podem iniciar vários anos antes, por causa do estrogênio e progesterona baixos.

Sintomas

Os sintomas incluem:

- mudança nas menstruações;
- alterações no apetite sexual;
- ondas de calor;
- irritabilidade;
- problemas de memória;
- mudanças de humor;
- suor noturno;
- dificuldade para focar;
- dificuldade para dormir;
- secura vaginal.

A terapia de reposição hormonal é frequentemente prescrita, mas há tendência de aumentar o risco de certos cânceres.

Insights intuitivos

Os taoistas chineses acreditavam que, quando uma mulher passava a menopausa, ela parava de envelhecer. Eles acreditavam que a única razão para a menopausa não ser uma transição suave era pelo fato de o fígado estar congestionado.

Em minha experiência, a menopausa não é um problema para a maioria das mulheres se seu fígado estiver limpo.

Após a menopausa, as suprarrenais geralmente produzem hormônios suficientes para as necessidades do corpo, a menos que haja um problema com o fígado. É por isso que uma limpeza do fígado é tão importante para os indivíduos que estão atravessando a menopausa (*veja Fígado*). Pode ser benéfico usar cremes de estrogênio e progesterona até que o fígado esteja limpo.

O processo pode ser ajudado dizendo ao corpo que entre inteiramente em menopausa em vez de deixá-lo lutar contra si mesmo.

Trabalho de crenças

Muitas mulheres têm a crença de que elas vão desmoronar quando atravessarem a menopausa. O trabalho de crenças deve ser centrado na liberação de crenças de que sua vida está terminando.

É importante convencer as mulheres de que elas podem se tornar ainda mais *sexies* durante essa transição. Elas precisam entender que não necessariamente perderão seu apetite sexual, e não ter mais sua menstruação para enfrentar lhes dará uma liberdade incrível.

Faça os *downloads*:

"Eu sei qual é a sensação de viver sem pensar que eu estou caindo aos pedaços."

"Meu corpo é jovem e regenerador."

"Eu me sinto maravilhosa."

"Meu corpo é ainda sexy."

"Eu ainda tenho o desejo de estar com meu parceiro."

"Tenho uma nova liberdade."

"Eu entendo qual é a sensação de saber que sou vital e importante para Deus."

"Meus humores estão estáveis."

"Estou feliz."

"A cada dia que passa, minha vida fica melhor."

"Eu ainda aprecio ser mulher."

"Meu corpo está se tornando mais forte e mais bonito."

"Eu compreendo a liberdade e a emoção que estão entrando em minha vida."
"Eu sempre tenho o conceito do Criador de esperança."
"Tenho resistência e energia."

Suplementos

Maca equilibra os níveis hormonais e a coisa boa dela é que o corpo usa apenas o que precisa, ao contrário do acteia (*black cohosh*), que pode prover estrogênio demais.

Os seguintes podem ser benéficos:

- ácidos graxos essenciais;
- boro;
- cálcio-magnésio;
- damiana;
- DHEA;
- lecitina;
- selênio;
- sílica;
- vitamina B;
- vitamina C;
- vitamina E;
- zinco.

A mulher passando pela menopausa também deve beber bastante água para manter-se hidratada, evitar o estresse e fazer muito exercício.

A menopausa masculina

Muitas pessoas fazem piadas sobre a menopausa masculina. No entanto, os homens realmente passam por um período na meia-idade em que sofrem mudanças hormonais.

Quando um homem passa pela menopausa, pode ter ansiedade e diminuição do apetite sexual.

DHEA e zinco extra são úteis para equilibrar os hormônios.

MIOMAS/FIBROMAS

O mioma ou fibroma uterino é o tumor benigno mais comum (não cancerígeno) no útero de uma mulher. Os miomas começam nos tecidos musculares do útero. Eles podem se desenvolver na cavidade uterina, na parede uterina ou na superfície do útero na cavidade abdominal. Embora sejam chamados de fibromas, esse termo pode acabar confundindo, pois eles são compostos de tecido muscular e não de tecido fibroso. Eles podem crescer como um único tumor ou em aglomerados.

Fibromas uterinos podem causar sangramento menstrual excessivo, dor pélvica e micção frequente. Eles ocorrem em cerca de 25% das mulheres e são a principal causa de histerectomia (remoção do útero) nos Estados Unidos. De todas as mulheres com idade superior a 35 anos, uma em cada cinco tem um fibroma uterino. Medicamentos e cirurgias recentes menos invasivas podem controlar o crescimento de miomas.

Remédios intuitivos

Vá para dentro do corpo e faça o comando para que os fibromas vão embora. Certifique-se de trabalhar em qualquer ferida não resolvida que a pessoa possa ter.

Suplementos e outras recomendações nutricionais

• Fibromas podem ser reduzidos facilmente, adicionando mais cálcio e magnésio à dieta e fazendo uma limpeza de fígado (*veja Fígado*).
• Se a pessoa está roendo as unhas, considere isso como uma indicação de que seu corpo pode estar precisando de cálcio.
• Maca, uma erva da América do Sul, encolherá fibromas também.
• Sugira ácido alfalipoico também.

MÚSCULOS

Os músculos se acham a parte mais importante do corpo. São eles que bombeiam o sistema linfático. São orgulhosos de seu trabalho. Sua consciência é de coragem e bravura. Eles também têm muito a ver com a forma que você se sente em relação a si mesmo.

Os músculos têm uma energia muito forte. A mandíbula é o músculo mais forte do corpo. Além de ser forte, os músculos podem ser teimosos e ter tensão guardada neles. Eles são muito controladores e se prendem a questões de teimosia.

Junto a grande parte do corpo, os músculos acham que são indestrutíveis. Se sofrem um acidente, há um momento de choque em que percebem que não são inquebráveis. Eles podem armazenar a memória de uma lesão na área do trauma. É por isso que pode ser importante liberar o trauma de um acidente que esteja guardado nos músculos através de uma cura.

Exercícios cardiovasculares são bons para os músculos e levantamento de peso limpa resíduos do sistema. Se você exercita os músculos regularmente, produzirá mais antioxidantes. Músculos também produzem cortisona. Exercícios desencadeiam que o corpo produza mais mitocôndrias também. Pilates e ioga movem os músculos de uma maneira positiva. Pessoas com câncer devem estimular os grupos musculares, uma vez que isso pode ajudar o câncer a entrar em remissão. Os músculos aliviam o estresse do corpo quando eles são exercitados. Uma massagem profunda de corpo inteiro é equivalente a exercitar todos os músculos.

Os músculos necessitam de proteína. Levantadores de peso podem desenvolver diabetes ou se tornar hipoglicêmicos se sua dieta não tiver proteína o bastante, uma vez que os músculos roubarão a proteína dos órgãos do corpo.

Os músculos gostam de ser mimados e que conversem com eles.

Trabalho de crenças

Faça o teste energético para as seguintes:

"Eu sou teimoso."

"Eu tenho de aprender da maneira difícil."

"É difícil para mim aprender."

Veja também questões de confiança (não superioridade), autoestima e vulnerabilidade. Faça os *downloads*:

"Eu sei qual é o conceito do Criador de flexibilidade."

"Eu sei como viver sem permitir que os outros me manipulem."

"Eu sei como viver sem manipular os outros."

"Eu sei como viver sem permitir que as pessoas me intimidem."

"Eu sei qual o conceito do Criador do que é ser carismático."

"Tudo bem ser forte."

"Tudo bem que uma mulher seja forte."

"Eu tenho a força do Criador dentro de mim."

"Tudo bem ser quem você quer ser."

"Eu sei qual é a sensação de ser fisicamente forte no conceito do Criador ."

"Eu sei o que é descansar no conceito do Criador."

"Eu sei como relaxar no conceito do Criador ."

"Eu sei qual é a sensação de ser confiante."

Cãibra muscular

Uma cãibra muscular é uma contração súbita, de um ou mais músculos. O resultado pode ser uma dor intensa e a incapacidade de usar os músculos afetados.

Algumas cãibras musculares ocorrem durante o descanso e uma variedade comum ocorre nos músculos da panturrilha ou nos pés durante o sono.

Você pode desenvolver cãibras musculares em sua mão ou braço, depois de passar longas horas segurando uma ferramenta. A cãibra do escritor afeta o polegar e os dois primeiros dedos da mão que escreve e vem do uso dos mesmos músculos por longos períodos de tempo.

Causas

As causas mais comuns de cãibras nas pernas em atletas são uso excessivo e desidratação durante esportes jogados em clima quente. Lesão, tensão muscular ou ficar na mesma posição também pode causar cãibras musculares. Outras causas podem ser problemas circulatórios ou de nervos.

Se a cãibra ocorre depois de caminhar e cessa quando você descansa, o problema pode ser uma debilidade na circulação.

Suplementos

Quando as pessoas se queixam de que têm cãibras musculares, suspeito que elas têm deficiências minerais, geralmente de magnésio e cálcio, ou potássio ou vitamina E. É claro que as cólicas também podem se dar por causa dos desequilíbrios eletrolíticos que são resultado de uma falta de potássio.

Considere o uso de mais magnésio e vitamina C para ajudar o corpo a se livrar de toxinas. O cálcio aperta os músculos e o magnésio relaxa-os. O ácido alfalipoico deve ser usado durante os exercícios para ajudar a limpar as toxinas do corpo e dar mais energia.

Também são úteis:
- lecitina;
- complexo B;
- zinco para ajudar a decompor a vitamina B para boa absorção.

NARCOLEPSIA

A narcolepsia é um distúrbio neurológico crônico causado pela incapacidade do cérebro de regular os ciclos sono-vigília normalmente. Em vários momentos ao longo do dia, uma pessoa com narcolepsia tem uma urgência fugaz de dormir. Se o desejo se torna esmagador, elas adormecem por qualquer coisa de alguns segundos a vários minutos. Em casos raros, eles permanecem dormindo por uma hora ou mais. A narcolepsia é como um curto-circuito no cérebro.

Remédios intuitivos

Trabalhe intuitivamente no hipotálamo e reestruture o ciclo sono-vigília.

OBESIDADE

Obesidade significa ter muita gordura corporal em proporção ao tecido muscular. É diferente de estar com sobrepeso, que significa pesar muito. O excesso de peso pode se dar por causa dos ossos, da gordura e/ou da água do corpo. Ambos os termos, no entanto, querem dizer que o peso da pessoa é maior do que aquele que é considerado saudável para sua altura.

Na maioria das pessoas, a obesidade ocorre ao longo do tempo quando mais calorias são consumidas do que utilizadas. O equilíbrio entre calorias que entram e calorias que saem é diferente para cada pessoa. Fatores que podem causar obesidade incluem a composição genética, comer demais, comer alimentos com alto teor de gordura e não ser ativo fisicamente. A obesidade aumenta o risco de artrite, diabetes, doença cardíaca, derrame e alguns tipos de câncer.

Nem todo mundo que é obeso está comendo demais. Problemas de tireoide podem causar obesidade, assim como os distúrbios psicológicos. Certos tipos de medicação, como a prednisona e antidepressivos (inibidores da MAO), também podem causar obesidade.

Em um estudo, verificou-se que os adolescentes americanos que tomam café da manhã todos os dias pesavam em média sete quilos a menos do que aqueles que não comiam. Uma teoria é que, quando as pessoas ficam em jejum e depois consomem grandes quantidades de comida de uma vez só, têm uma tendência a armazenar gordura. É melhor mais refeições pequenas espaçadas ao longo do dia que grandes refeições de uma vez só.

Insights intuitivos

Muitas pessoas que estão com sobrepeso têm uma tendência a ser insistentes, argumentativas e críticas dos outros (particularmente dos outros que estão acima do peso) e podem estar com raiva do mundo.

Esses sentimentos são causados por desequilíbrios em seus órgãos, como o fígado e os rins. Um controle rigoroso do consumo de carboidratos (não calorias) ajuda em um plano de dieta geral.

Remédios intuitivos

Quando você estiver com sobrepeso, sempre ouvirá o "sermão do exercício". No entanto, é difícil para aqueles que são obesos se exercitarem se não conseguem respirar, quanto mais se mover sem risco de queda ou lesão. É por isso que é melhor para eles fazer exercícios que sejam simples, como andar, usando um apoio, ou andar de bicicleta ergométrica em um ritmo lento.

A coisa lamentável que é provável de acontecer quando alguém começa a se exercitar após um longo período de abstenção é que o exercício liberará as toxinas que foram armazenadas nos tecidos. Isso pode fazer a pessoa se sentir péssima até que essas toxinas sumam. Eis por que é sempre melhor começar qualquer regime de exercício lentamente.

Pessoas com intoxicação por metais pesados têm uma tendência a estar acima do peso, porque as células de gordura tentam encapsular as toxinas. Libere os metais pesados e a pessoa provavelmente perderá peso.

Além disso, estimular intuitivamente a hipófise a produzir os hormônios corretos pode ajudar a obesidade.

O exercício de "Enviando Amor ao Bebê no Ventre" e o trabalho de crença parecem trazer os melhores resultados.

Trabalho de crenças

Na maior parte das vezes, aqueles que são obesos têm seu próprio motivo especial para isso estar lhe servindo. Faça o teste energético para:

"Se eu for gordo, eu não trairei minha esposa."

"Se eu for pesado, não me envolverei em um relacionamento."

"Tenho medo de ser ferido emocionalmente."

"Eu tenho medo do amor."

"A comida é má."

"A comida é minha inimiga."

"Se eu perder peso, eu serei excluído."

Em seguida, certifique-se de programar a pessoa para ser magra. Não os programe para "perder peso", porque, se o fizer, os obesos vão procurar o peso e encontrá-lo novamente. Sempre os programe para "liberar" peso.

É melhor liberá-los também de qualquer julgamento ou crítica dos outros por eles estarem acima do peso. Os sentimentos que outras pessoas projetam naqueles que estão acima do peso podem deixá-los deprimidos, especialmente se eles forem intuitivos.

Confira os níveis histórico e genético para a crença de que estar com excesso de peso significa ser rico e para questões relativas a poder ou segurança. Muitas das questões que você encontrará com mulheres girarão em torno de abuso, programas ancestrais de que sexo é vergonhoso e sentimentos de culpa ligados à energia sexual. Estas crenças precisam ser mudadas e colocadas de volta em perspectiva.

Faça os *downloads*:

"Eu amo meu corpo."

"Eu gosto da comida que eu como."

"Eu sei quando estou satisfeio."

"Eu como menos."

"Sou jovem."

"Eu sou forte."

"Gosto de me exercitar diariamente."

"Sinto-me bem comigo mesmo."

"Eu sou importante."

"Evito alimentos gordurosos."

"Gosto de tomar minhas vitaminas."

"Meu estômago está encolhendo."

"O espelho é meu amigo."

"Assumo responsabilidade pelo que eu como."

"Eu gosto de água."

"Gosto de bons alimentos de proteína."

"Porções menores de comida são satisfatórias."

"Menos pão é melhor."

"Eu gosto de fruta."

"Gosto de vegetais crus."

"Eu faço exercício todos os dias."

"Estou confiante sobre a liberação de peso."

"Eu sou paciente comigo mesmo."

"Eu vivo sem o medo de fracassar."

"Eu como devagar."

"Eu sou calmo e sereno."

"Eu sou magro e atraente."

"Se eu for magro, as pessoas ainda me amarão pelo que sou."

"Eu compreendo qual é a sensação de absorver os nutrientes dos alimentos."

"Cada mordida do alimento que como está cheia de amor e eu fico satisfeito facilmente."

Suplementos e outras recomendações nutricionais

Você pode gerar uma grande mudança no peso de uma pessoa só por excluir de sua dieta todo pão branco e glúten.

Também recomendo, para seus estudos posteriores sobre esse assunto, um livro do dr. Peter J. d'Adamo chamado *A Dieta do Tipo Sanguíneo*. Esse livro trata não só da perda de peso, mas também do que você deve e não deve comer de acordo com seu tipo sanguíneo.

A Sociedade Americana de Câncer descobriu que as pessoas que usaram adoçantes artificiais na verdade ganharam peso em vez de perdê-lo. Adoçantes artificiais são muito piores do que o açúcar normal no corpo.

Chocolate, usado criteriosamente, na verdade pode ser uma ajuda na perda de peso.

Muitas das ervas que beneficiam aqueles que são obesos podem ser perigosas, em virtude da tensão que elas produzem nos outros órgãos do corpo.

Aqueles que são obesos, em virtude da medicação, têm uma tendência a evitar refeições nutritivas regulares. Frutas e vegetais são uma obrigação para essas pessoas, uma vez que elas precisam de algo para limpar o trato intestinal.

Do outro lado da moeda, você tem a pessoa obesa que não consegue parar de comer, pois seu corpo não consegue absorver os nutrientes da ingestão de alimentos.

Infecções parasitárias causam obesidade em muitas pessoas, então uma limpeza de parasitas pode ser sugerida.

Comer não é ruim. Para a maioria das pessoas, comer os alimentos certos ajudará na perda de peso.

O adoçante Just Like Sugar (Quase Igual ao Açúcar) é um suplemento surpreendente. Outros suplementos úteis:

- ácido alfalipoico;
- complexo de aminoácidos;
- DHEA;
- extrato de semente de uva (embora fique atento a contradições com medicações);
- lecitina;
- óleo de linhaça;
- ômega 3, 6 e 9;
- suco de aloe vera para o sistema digestivo;
- vitamina E (em doses baixas).

Uma dieta para obesidade

Esta dieta vem do Hospital Memorial do Sagrado Coração e é usada para ajudar pacientes cardíacos acima do peso a perderem peso rapidamente, em geral antes de cirurgias.

SOPA BÁSICA DE QUEIMA DE GORDURA

12 cebolinhas picadas
2 pimentões verdes
1 ou 2 latas de tomates picados
1 molho de aipo
1 cabeça grande de repolho, picado
1 pacote de mistura de sopa de cebola Lipton
Opcional: eu acrescento coentro ou salsa, picados.
Temperos: Sal, pimenta, curry, caldo ou molho de pimenta (Tabasco)

Corte os legumes em pedaços pequenos a médios, adicione a mistura de sopa de cebola Lipton, os tomate enlatados e temperos, cubra com água filtrada pura, ferva por cinco a dez minutos e, em seguida, deixe cozinhar em fogo brando até que os legumes estejam macios.

Essa sopa pode ser consumida a qualquer momento que você esteja com fome e na quantidade que quiser.

A sopa não adicionará calorias. Quanto mais você comer, mais perderá. Encha uma garrafa térmica de manhã, se você for ficar fora durante o dia.

Aviso: Essa dieta, se comida sozinha por períodos indefinidos, pode causar desnutrição.

Dia um

Coma só a sopa e frutas (exceto bananas). Melão e melancia são mais baixos em calorias. Beba chá sem açúcar, suco de cranberry ou água purificada.

Dia dois

Não coma nenhuma fruta. Coma, juntamente com a sopa, todos os legumes – frescos, crus ou em conserva. Legumes de folhas verdes são melhores do que milho, feijão e ervilhas. Na hora do jantar, recompense-se com uma batata cozida.

Dia três

Coma toda a sopa, frutas e legumes que você quiser. Coma uma batata cozida.

Dia quatro

Se você tiver comido por três dias conforme anteriormente e não tiver trapaceado, descobrirá na manhã do quarto dia que perdeu de dois a três quilos.

No quarto dia, coma bananas e leite desnatado. Coma no máximo três bananas e beba quantos copos de água purificada você puder. As bananas são ricas em calorias e carboidratos, assim como o leite. Hoje seu corpo precisará do potássio e dos carboidratos, das proteínas e calorias para diminuir sua avidez por doces. Hoje tome a sopa pelo menos duas vezes.

Dia cinco

Carne e tomates. Você pode comer de 300 a 600 gramas de carne e uma lata de tomates ou até seis tomates frescos hoje. Tente beber, pelo menos, de seis a oito copos de água purificada para ejetar o ácido úrico de seu corpo. Tome a sopa pelo menos uma vez hoje.

Dia seis

Carne e vegetais. Coma quanto desejar de carne e legumes hoje. Se quiser, pode comer dois ou três bifes. Coma legumes verdes folhosos. Nada de batatas assadas. Certifique-se de comer a sopa pelo menos uma vez hoje.

Dia sete

Arroz integral, suco de fruta sem açúcar e legumes. Entupa-se! Não se esqueça de tomar a sopa pelo menos uma vez hoje.

Nãos Definitivos

- álcool;
- pão;
- refrigerantes (incluindo os *diet*) (fique com a água purificada, chá sem açúcar, café, suco de fruta sem açúcar, suco de cranberry e leite desnatado).
- alimentos fritos;
- pele de frango.

Você pode comer frango grelhado ou assado ou peixe assado em vez de carne, só nos dias da carne. Você precisa da alta proteína da carne nos outros dias.

A sopa básica de queima de gordura pode ser comida em qualquer hora que você esteja com fome. Quanto mais você comer, mais perderá. Coma quanto quiser.

Nenhuma medicação prescrita lhe fará mal nessa dieta.

Ao final do sétimo dia ou na manhã do oitavo dia, se você não tiver trapaceado, terá perdido de 4,5 a oito quilos e terá uma abundância de energia. Se você perdeu mais de sete quilos, fique fora da dieta por dois dias antes de retomar a dieta de novo no dia um.

Esse plano de alimentação de sete dias pode ser usado quão frequentemente quanto você quiser. De fato, se seguida corretamente, ela limpará seu sistema de impurezas e dará uma sensação de bem-estar como nunca antes. Continue esse plano por quanto tempo você desejar e sinta a diferença. Essa dieta é rápida, queima gordura e o segredo é que você queimará mais calorias do que consome.

Nessa dieta, não se pode beber quaisquer bebidas alcoólicas a qualquer momento, por causa da remoção do acúmulo de gordura em seu sistema. Saia da dieta pelo menos 24 horas antes de qualquer ingestão de álcool.

Como o sistema digestivo de cada pessoa é diferente, essa dieta afetará cada um de maneira diferente. Depois do dia três, você terá mais energia do que quando começou. Depois de estar na dieta por vários dias, você verá que seus movimentos intestinais mudaram. Coma uma xícara de farelo ou fibra. Embora você possa tomar café preto com essa dieta, você descobrirá que talvez não precise da cafeína depois do terceiro dia.

Siga esse plano por quanto tempo você quiser, mas somente em curto prazo – ele não deve ser usado continuamente.

OLHOS

Os olhos consistem na córnea, no cristalino, na retina e no nervo óptico.

Cada um de nós vê de forma um pouco diferente e usamos os outros sentidos para compensar. Em minha opinião, há muita ênfase no que chamamos de "visão normal". Os valores aceitos para a visão normal são 20/20 – 20/15, com 20/10 como melhor do que a visão normal. Então, quanto menor o último número, melhor a visão.

Para focar a distância, os músculos relaxam e o cristalino relaxa sobre o olho se inclinando e dobrando, de modo que os raios de luz atinjam diretamente a parte de trás dos olhos.

Quando os músculos dos olhos contraem muito, o cristalino fica mais arredondado. No momento em que a imagem atravessa o cristalino, os objetos ficam turvos, causando a miopia. Isso ocorre quando o cristalino atinge sua curvatura máxima para criar a imagem adequada.

Doenças e desordens do olho

- astigmatismo
- cataratas
- degeneração macular
- falência renal
- glaucoma
- hipermetropia
- miopia

Miopia

A miopia ocorre quando o globo ocular é muito longo e pontudo. Em vez de focar na superfície da retina, a imagem é focada na frente dela. Você precisa reajustar essa parte da superfície até que seja capaz de fazer o foco corretamente.

Hipermetropia

A hipermetropia acontece quando o globo ocular é muito curto, fazendo com que a imagem seja focada atrás da retina, em vez de na superfície. É possível corrigir isto alterando a superfície do olho.

Ao contrário da miopia, a hipermetropia pode surgir em decorrência de a mãe estar tomando pílulas anticoncepcionais no momento da concepção, ou pode ser causada por crenças.

Para Astigmatismo, Catarata e Glaucoma, veja abaixo.

Insights intuitivos

Os olhos são as janelas da alma. Eles são um reflexo de todas as nossas experiências. Estamos autorizados a trazer conosco uma coisa em todas as nossas vidas: a energia de nossos olhos. Às vezes, os olhos têm cores diferentes de existência para existência, mas a mesma energia de visão nos segue e a memória do passado é mantida nos olhos.

Os iridologistas acreditam que, se os olhos têm uma coloração verde, então há bile extra no sangue, o que é um sinal de congestão hepática. Acredito que a cor dos olhos é genética. Verde, vermelho e azul são as únicas verdadeiras cores do espectro e as restantes são uma mistura dessas. No entanto, tenho visto pequenas variações de cor nos olhos com as limpezas de fígado.

Remédios intuitivos

Os olhos são um bom indicador dos sistemas de crenças de uma pessoa e da verdade. Trabalhar em cima deles faz emergir uma riqueza de emoções. Avise à pessoa que, quando você trabalhar com os olhos dela, muitas emoções irão emergir a cada vez que os programas forem liberados e substituídos ou quando curas físicas forem feitas.

Quando você estiver trabalhando nos olhos, certifique-se de que a pessoa está sem seus óculos ou lentes de contato. A razão para isso é que, caso contrário, o comando para reparação não será aceito porque os olhos já vão estar "vendo" próximo à visão 20/20 e, assim, o cérebro e a alma aceitarão esses fatos como reais.

Todas as partes dos olhos se curam rapidamente, incluindo a retina. Peça ao Criador a melhor visão possível para a pessoa.

Se você pedir por uma visão melhor, isso também aumentará o sentido intuitivo de "visão" da pessoa.

Quando você trabalhar nos olhos, vá para o espaço da pessoa, testemunhe as mudanças do Criador e saia rapidamente para evitar medo, dúvida ou descrença! Se você vê algo com os olhos físicos, em certo sentido, é testemunhado nessa realidade como uma manifestação. Os olhos são um dos processadores de energia intuitiva e, se a informação é enviada através deles para o cérebro, ela é percebida como real nesse plano de existência por causa da conexão com o sistema nervoso.

Você não tem de conhecer a complexa estrutura do olho para curá-lo. Imagine que a luz que entra em seu olho bate no fundo do olho de modo uniforme e correto. Se a pessoa tem hipermetropia, faça-a observar um objeto a uma distância que ela possa enxergar claramente enquanto a cura é feita. Se ela for míope, faça-a focar em algo próximo para que ela possa ver claramente enquanto você corrige a forma como a luz entra em seu olho. Fique com esse processo e observe a luz realmente atingindo a parte traseira do olho de maneira correta. Em muitos casos, você só testemunhará um flash e o Criador terá terminado. Se isso acontecer, você pode pedir uma repetição da cura.

Em muitos casos, os olhos precisam ser treinados para alterar sua acuidade visual. Você pode precisar mudá-lo gradualmente, com mais de uma sessão de cura. A melhoria gradual é muito mais fácil para o sistema da pessoa e para as emoções associadas.

Às vezes, o olho se recusa a ser corrigido completamente. Isso significa que existe emoção demais para a mente lidar.

Se você tiver feito uma cura nos olhos e há pouca ou nenhuma melhora, pode ser que uma boa limpeza de fígado ajude (*veja Fígado*). O fígado afeta diretamente os olhos e uma limpeza de fígado é essencial em alguns casos. Você pode ter de fazer uma limpeza de fígado adicional para dar sequência.

Diabetes ou gravidez podem causar problemas de visão, por isso não se esqueça de procurar explicações físicas.

Você pode curar de forma intuitiva o rompimento de um vaso sanguíneo no olho. Estes são provocados por falta de vitaminas e minerais.

Para os olhos cronicamente secos, limpe intuitivamente os canais lacrimais e glândulas.

Trabalho de crenças

Dê sequência com o trabalho de crenças toda vez que fizer curas nos olhos.

Encontrando programas e crenças associadas aos olhos, você deve descobrir se há algo que o cliente não quer ver. Ele tem de querer ver a verdade. Se há algo que não quer ver, sua visão não vai melhorar. Muitas vezes temos uma tendência a deixar de lado o que não queremos ver em nós mesmos, em vez de aprender com essas coisas, integrando-as.

Além disso, entre para procurar quaisquer memórias de nível histórico do porquê de não conseguirem ver. Explore programas que estejam associados ao momento de vida em que a visão deles começou a falhar.

Em algumas pessoas, é necessário utilizar o trabalho de genes.

Busque também os programas sobre o ego da pessoa. Há um provérbio indígena norte-americano que diz: "Se seu ego não é seu amigo, você está em apuros". O ego de uma pessoa é importante para ela e você não deve tentar fazer o comando para que ele vá embora.

Seu ego é o que você é. Aonde seu próprio ego está levando você? Pergunte a si mesmo se seu ego está equilibrado. O *egoísmo* é o que você quer evitar.

Além disso, procure quaisquer problemas de ciúme e as comparações que a pessoa está fazendo entre si e os outros.

Faça o teste energético para bloqueios no terceiro olho em tempos passados, presentes e futuros. O que está bloqueando a pessoa para ver e alcançar seu sonho? Certifique-se de que ela não tem medo do futuro e que está "vivendo neste momento, focado no futuro".

Em miopia, verifique se há programas relacionados a não querer ver o presente como ele é.

Faça os *downloads*:

"Está tudo bem se eu ver."

"Eu posso ver a verdade."

"Eu estou autorizado a ver claramente."

"Eu sei qual é a sensação de viver meu dia a dia sem me autossabotar."

"Eu sei qual o conceito do Criador do verdadeiro potencial de minha alma."

"Eu tenho o conceito do Criador de qual é a sensação de testemunhar a verdade mais elevada."

"Eu tenho o conceito do Criador de como me ver através dos olhos do Criador."

"Eu tenho o conceito do Criador de como ver os outros através dos olhos do Criador."

"Eu sei qual é a sensação de viver minha vida sem desânimo."

"Eu sei qual é a sensação de viver minha vida sem decepção."

"Eu sei qual é o conceito do Criador de esperança."

"Eu sei qual é a sensação de viver minha vida sem me sentir perdido."

"Eu tenho a definição do Criador de qual é a sensação de ver meus sonhos virarem realidade."

"Eu sei qual é a sensação de viver minha vida sem competir com meus colegas ThetaHealers."

"Eu tenho o conceito do Criador de como alcançar meu potencial mais elevado."

"Eu tenho o conceito do Criador de qual é a sensação de ter meus limites respeitados pelos outros."

"Eu tenho o conceito do Criador do que é discernimento."

"Eu tenho o conceito do Criador do que é a verdadeira comunicação."

"Eu tenho o conceito do Criador de qual é a sensação de ter ética."

"Eu tenho o conceito do Criador de qual é a sensação de ter integridade."

"Eu tenho o conceito do Criador de qual é a sensação de ser honesto comigo mesmo e com os outros."

"Eu tenho o conceito do Criador de como viver sem ter de trocar meu bom senso por poder."

"Eu tenho o conceito do Criador de qual é a sensação de ter a capacidade de ver toda a verdade da maneira melhor e mais elevada."

"Eu tenho o conceito do Criador de qual é a sensação de ter clareza."

"Eu entendo qual é a sensação de testemunhar a verdade mais elevada."

"Eu tenho o conceito do Criador de qual é a sensação da verdade."

"Eu sei como viver sem pensar que o único momento em que não tenho demandas dos outros é quando estou sem meus óculos."

Suplementos e outras recomendações nutricionais

- Procure por falta de vitaminas quando estiver trabalhando com problemas de visão. Sugira uma limpeza de fígado, pois um fígado congestionado pode afetar os olhos.
- Ácido alfalipoico ajuda com alguns problemas oculares.
- Usar betacaroteno por uma semana ajudará a cegueira noturna.
- A vitamina A limpará a alergia nos olhos.
- O zinco ajuda os olhos a focarem.

Astigmatismo

O astigmatismo é uma curva desigual de uma ou mais superfícies de refração do olho, geralmente da córnea. Esta impede que os raios de luz de planos específicos entrem em foco na retina, produzindo, assim, uma visão turva. Peça ao Criador que reajuste a curvatura do olho para que ele seja corrigido para a visão 20/20.

Os olhos geralmente precisam de treinamento e mudarão aos poucos. Então mude suas lentes de contato e óculos ao longo do percurso e acompanhe com uma limpeza de fígado. O trabalho de crenças deve sempre ser feito.

Catarata

Trabalho de crenças

A catarata está ligada a programas associados a ver a verdade e ser protegido da realidade.

O Corpo Canta

Remédios intuitivos

Para remover uma catarata, você precisa ir para o olho e imaginar a catarata sendo gentilmente retirada dele. Peça ao Criador para lhe mostrar o que deve ser feito.

Suplementos e outras recomendações nutricionais

Lave os olhos com confrei para dissolver as cataratas: adicione duas pitadas de confrei para cada litro de água, deixe agir por três a quatro minutos, deixe esfriar e coloque a quantidade de um conta-gotas no olho, uma vez por dia antes de dormir até que a catarata se vá.

Glaucoma

O glaucoma causa cegueira em virtude do aumento da pressão dentro do olho, o que causa problemas no disco ótico. Este é causado pelo bloqueio do fluxo sanguíneo para o nervo ótico. O resultado é a degeneração das fibras nervosas. Os que estão em maior risco são as pessoas com mais de 60 anos, as pessoas com diabetes ou pressão arterial elevada, fumantes, usuários de esteroides e aqueles com miopatia grave ou com algum histórico de glaucoma na família.

Tipos

- A forma mais comum de glaucoma é chamada *glaucoma de ângulo aberto*. Essa forma não apresenta sintomas até que esteja bastante avançada, e apenas metade das pessoas com esse transtorno estão cientes de que o têm. O glaucoma de ângulo aberto não tem nenhum bloqueio visível na estrutura do olho e aparenta estar normal. O sintoma mais pronunciado é a perda gradual ou o escurecimento da visão periférica e um decréscimo na visão noturna. Isso deixa a pessoa com visão de túnel, dores de cabeça de baixo grau e com necessidade de mudanças frequentes na prescrição dos óculos.
- Uma forma muito menos comum, porém mais grave de glaucoma é o *glaucoma de ângulo fechado*. Ela nunca manifesta quaisquer sintomas até que esteja muito avançada. A essa altura, a visão pode estar ir-

reversivelmente prejudicada. Ataques desse tipo de glaucoma ocorrem quando os canais através dos quais os fluidos oculares são drenados de repente ficam comprimidos ou obstruídos. Os primeiros sinais de alerta de que um problema está em desenvolvimento incluem visão turva, dor ou desconforto ocular, principalmente pela manhã, a incapacidade de as pupilas se ajustarem ao escuro e ver halos ao redor das luzes. Alguns sintomas podem ser acompanhados de náuseas e vômitos. Um dano visual permanente pode ocorrer em menos de três a cinco dias, o que faz com que o tratamento nas primeiras 24 a 48 horas seja imperativo.

• O *glaucoma normotensivo* se manifesta mesmo que a pressão dos fluidos dentro do olho esteja normal. Nesse caso, o nervo ótico é danificado e a visão é prejudicada de maneira parecida com o glaucoma de ângulo aberto, mas sem o aumento da pressão dos fluidos. Isso fez com que os pesquisadores mudassem seu foco para o nervo ótico em si. Acredita-se que outros mecanismos de pressão possam provocar alterações no olho que possam danificar o nervo ótico.

Causas

Os cientistas acreditam que o glaucoma pode estar intimamente ligado ao estresse, a problemas nutricionais ou doenças como diabetes e pressão arterial alta. Outro fator pode ser o glutamato, um aminoácido que pode, de alguma maneira, estar em quantidades excessivas no corpo. Problemas com colágeno, a proteína mais abundante do corpo humano, têm sido associados ao glaucoma. O colágeno atua no aumento da resistência e da elasticidade dos tecidos do corpo, especialmente os do olho. Colágeno e anormalidades nos tecidos na parte de trás do olho contribuem para o entupimento dos tecidos através dos quais os fluidos normalmente são drenados.

Para aqueles com risco de glaucoma, um teste de visão anual é necessário.

Trabalho de crenças

A maioria das pessoas com glaucoma com quem trabalhei tem a diabetes como doença associada, e por isso muitos dos sistemas de crenças têm sido os mesmos:

- permitir que outras pessoas lhe tratem de forma inadequada;
- ser cego para o que está acontecendo ao seu redor;
- sentir-se inadequado;
- sentir-se incapaz de realizar sua missão de vida;
- medo de como os outros o percebem;
- medo de ver a verdade de uma situação;
- ter de lidar com as pessoas em sua vida.

Pergunte à pessoa o que estava acontecendo em sua vida quando os primeiros sintomas apareceram. Faça-a pensar quais eram seus sentimentos naquela época e quem em sua vida fazia com que ela não quisesse ver alguma coisa.

Cura

Vá para o olho e testemunhe o aumento do fluxo sanguíneo a partir da abertura dos capilares e, em seguida, testemunhe o Criador reparando qualquer dano. Essa é a forma mais bem-sucedida para trabalhar com glaucoma.

Sugestões

Pessoas com glaucoma devem evitar estresse visual prolongado, como ler, ver televisão e usar um computador por longos períodos. Faça pausas de foco a cada 20 minutos e evite álcool, café e fumo.

Suplementos

- DHEA;
- complexo B;
- vitamina C;
- evite tomar altas doses de niacina.

OSTEOFITOSE

Um extenso número de pessoas vem a mim com osteofitose, que é causada por excesso de cálcio. O problema pode ser que a paratireoide não está decompondo cálcio. Por isso, depósitos de cálcio são formados como uma maneira de o corpo se proteger.

Também podem ser causados por gota, lúpus, inflamação muscular, problemas nervosos, obesidade e lesões.

Remédios intuitivos

Geralmente, o que tenho para sugerir a uma pessoa com osteofitose é que ela use uma mistura muito boa de cálcio e magnésio e, então, testemunho uma cura simples. Normalmente não é necessário mais do que uma cura rápida para aliviar uma osteofitose. Vá para o espaço da pessoa e testemunhe o depósito de cálcio sendo dissolvido e absorvido pelo corpo para ser usado para outra finalidade.

Trabalho de crenças

Verifique se há ódio nos relacionamentos.

Suplementos

- cálcio-magnésio;
- vitamina B;
- vitamina C.

Esporão de calcâneo

O calcâneo é o maior osso do pé. Ele absorve a maior parte do choque e da pressão da caminhada e corrida. Um esporão de calcâneo é um crescimento anormal do calcâneo. Os depósitos de cálcio se formam quando a fáscia plantar se afasta da área do calcanhar, provocando uma saliência óssea. A fáscia plantar é uma ampla faixa de tecido fibroso situada ao longo da superfície inferior do pé, indo do calcanhar aos dedos do pé.

O alongamento da fáscia plantar em geral é resultado de pés chatos, mas as pessoas com arcos anormalmente elevados também podem desenvolver esporões de calcâneo. As mulheres têm uma incidência significativamente maior de esporões de calcâneo por causa dos tipos de calçado que usam.

O esporão de calcâneo pode causar dor extrema na parte de trás do pé, especialmente enquanto em pé ou andando. Ele é comum em pessoas que têm artrite, neurite e tendinite.

Remédios

A chave para o tratamento adequado do esporão de calcâneo e tendinite é determinar a causa do alongamento excessivo da fáscia plantar. Quando a causa são os pés chatos, uma órtese (palmilha) que empurre a parte de trás do pé e suporte o arco longitudinal é um dispositivo eficaz para reduzir a pronação excessiva e cria as condições para a cura.

Outros tratamentos comuns incluem exercícios de alongamento, perda de peso, o uso de sapatos com amortecedor no calcanhar para absorver o choque e elevar o calcanhar com o uso de uma órtese. A órtese proporciona conforto e acolchoamento extra para o calcanhar e reduz a quantidade de choque e de forças diretas vividas durante as atividades cotidianas.

Cure como a osteofitose.

OSTEOMALACIA/RAQUITISMO

Osteomalacia é o amolecimento dos ossos. Esses ossos mais macios têm uma quantidade normal de colágeno, o que lhes dá sua estrutura, mas são carentes de cálcio. Em crianças, a condição é chamada de raquitismo.

A osteomalacia é mais provável de ocorrer em mulheres grávidas e mães em período de amamentação, cujas necessidades nutricionais estão acima do normal, ou em pessoas com problemas de má absorção. Se mantida não diagnosticada, pode causar insuficiência renal.

Sintomas

Os primeiros sintomas incluem:

- cãibras e dormência nas extremidades;
- nervosismo;
- espasmos musculares dolorosos.

Malformações ósseas podem se desenvolver em virtude do amolecimento dos ossos. Isso pode causar:

- caixa torácica estreita;
- osso do peito saliente;
- dobras nas extremidades das costelas;
- pernas curvadas;
- andar tardio;
- irritabilidade;
- joelhos afundados;
- sudorese profusa;
- inquietude;
- escoliose.

Causas

Existem inúmeras causas de osteomalacia, incluindo:

- câncer;
- distúrbios hereditários ou adquiridos do metabolismo de vitamina D;
- acidose e insuficiência renal;
- doença hepática;
- má absorção de vitamina D pelo intestino;
- insuficiência de exposição ao sol, que produz a vitamina D no corpo;
- insuficiência de vitamina D na dieta;
- depleção de fosfato associada à insuficiência de fosfatos na dieta;
- efeitos colaterais de medicações usadas para tratar crises.

O uso de protetor solar muito forte, a exposição limitada do corpo à luz solar, dias curtos de luz solar e poluição atmosférica são fatores que reduzem a formação de vitamina D no corpo.

Fatores de risco para a osteomalacia estão relacionados às causas. Nos idosos, há um risco aumentado entre aqueles que tendem a permanecer dentro de casa e aqueles que evitam leite por causa de intolerância à lactose.

Remédios intuitivos

Vá para o espaço da pessoa e comande que o corpo retorne à saúde e aceite nutrientes vitais.

Suplementos

Nutrientes essenciais são:

- boro, cálcio, fósforo, sílica e vitamina D3 usados juntos para que possam ser metabolizados juntos;
- uma boa combinação multivitamínica e mineral, além de vitamina B12 extra.

Uma dieta rica em cálcio é essencial.

OSTEOPOROSE

A osteoporose é uma condição caracterizada pela perda da densidade óssea normal, resultando em ossos frágeis e anormalmente porosos e um aumento do risco de fratura óssea. Está sempre associada à falta de cálcio; no entanto, a incapacidade do organismo de digerir cálcio faz com que o próprio cálcio contribua para a osteoporose.

Insights intuitivos

A osteoporose se parece com manchas escuras nos ossos.

Vá através do corpo e pergunte ao Criador se a pessoa tem cálcio em excesso no sangue. Se ela tiver, a paratireoide não está funcionando corretamente. Essa glândula é responsável por dizer ao corpo que absorva cálcio nos músculos ou ossos.

Certifique-se sempre de que os rins estão funcionando corretamente.

Remédios intuitivos

Comande uma cura da forma mais elevada e melhor. O Criador irá mostrar-lhe.

Trabalho de crenças

Se os ossos não respondem ativamente ao processo de cura, existem crenças bloqueando a cura. Estas estarão ligadas à aceitação de amor, a lidar com fardos do mundo e também à incapacidade de receber apoio ou a dar apoio demais aos outros.

Se houver problemas com as paratireoides, bem como com a tireoide, haverá crenças sobre ter de se defender e não ser capaz de falar e dizer como você se sente verdadeiramente. Entre e programe a pessoa para compreender o que ela realmente sente, o que ela deve dizer e como expressar isso da maneira mais elevada e melhor.

Suplementos e outras recomendações nutricionais

- boro;
- cálcio-magnésio quelado;
- MSM para flexibilidade;
- vitamina C.

OUVIDOS

Veja Deficiência Auditiva.

PANCREATITE

A pancreatite é uma inflamação aguda do pâncreas. Esta é uma grande glândula atrás do estômago, perto do duodeno, a parte superior do intestino delgado. Ele libera os hormônios insulina e glucagon na corrente sanguínea para ajudar o corpo a usar a glicose que extrai de alimentos para energia. Ele também secreta enzimas digestivas no intestino através de um tubo chamado ducto pancreático. Essas enzimas digerem gorduras, proteínas e carboidratos dos alimentos. Em condições normais, não se tornam ativas até atingirem o intestino delgado. Se elas se tornassem ativas dentro do pâncreas mesmo, causariam danos a ele.

Tipos

- A *pancreatite aguda* ocorre subitamente, dura um curto período de tempo e geralmente se soluciona por conta própria.
- A *pancreatite crônica* não se soluciona por conta própria e resulta na lenta destruição do pâncreas.

Qualquer uma das formas pode causar sérios problemas. Em casos graves, pode ocorrer sangramento, infecção e danos no tecido. Pseudocistos, que são acumulações de fragmentos de fluidos e tecidos, também podem se desenvolver. Além disso, enzimas e toxinas podem entrar na corrente sanguínea, lesionando o coração, os pulmões, os rins ou outros órgãos. A pancreatite aguda ocorre mais frequentemente em homens do que em mulheres.

O tratamento convencional depende da gravidade do ataque. Se não houver complicações renais ou pulmonares, a pancreatite aguda geralmente melhora por conta própria. O tratamento é adaptado para oferecer suporte às funções corporais vitais e prevenir complicações. Uma estadia no hospital será necessária para que os fluidos possam ser substituídos por via intravenosa.

Sintomas

A pancreatite aguda geralmente começa com uma dor no abdômen superior que pode durar alguns dias. A dor pode ser severa e constante e pode chegar até as costas e outras áreas. Pode ser súbita, intensa ou começar como uma dor leve que piora quando alimentos são ingeridos.

Outros sintomas podem incluir:

- abdômen inchado e macio;
- febre;
- náuseas;
- pulsação rápida;
- vômitos.

Casos graves podem causar desidratação e pressão baixa. O coração, os pulmões ou os rins também podem falhar. Se o pâncreas começar a sangrar, choque e às vezes até a morte virão em seguida.

Causas

A pancreatite aguda é geralmente causada por cálculos biliares ou álcool em excesso. No entanto, se estas forem descartadas, outras possíveis causas devem ser cuidadosamente examinadas para que se possa começar o tratamento adequado. Hepatite A pode causar pancreatite, como também certas formas de medicação, incluindo algumas para convulsões e artrite. Certos tipos de câncer e quimioterapia também podem desencadear esse transtorno.

Insights intuitivos

A maioria das pessoas em quem eu trabalhei esse transtorno se recuperou.

Faça o comando para que o pâncreas retorne à saúde. Testemunhe conforme a luz entra nele vinda do Criador, preenchendo-o com energia e amor.

Trabalho de crenças

A pancreatite cria medo da derrota. As questões girarão em torno de:

O Corpo Canta

"Estou derrotado."

"Eu nunca serei saudável."

"Nunca posso vencer."

Suplementos

- ácido alfalipoico;
- cardo de leite;
- crómio;
- extrato de folha de oliveira;
- extrato de semente de uva;
- multivitamínico;
- noni;
- raiz de bardana;
- raiz de dente de leão;
- trevo-vermelho;
- vitamina C.

PARALISIA

A paralisia é a perda parcial ou total de funcionamento, envolvendo especialmente a perda de movimento ou de sensação em uma parte do corpo, por causa da perda do funcionamento nervoso. Uma área paralisada não tem mais uma corrente elétrica passando por ela.

Remédios intuitivos

Comande que novas sinapses sejam feitas e conectadas. Peça ao Criador que lhe mostre conforme isso se dá.

Se a paralisia é resultado da medula espinhal ter sido rompida, você não precisa saber exatamente o que fazer. Simplesmente peça ao Criador que a reconecte. Se ela estiver parcialmente rompida, há uma boa chance de se reconectar.

Se ela estiver totalmente rompida e alguém já tiver dito à pessoa que ela não andará outra vez, peça ao Criador para levá-lo até antes desse momento e mude o que a pessoa ouviu.

Antes de qualquer cirurgia, sempre peça ao cirurgião que não diga nada. Uma pessoa sentirá até mesmo pensamentos de pessoas durante a cirurgia. Se já tiver havido cirurgia, peça ao Criador para levá-lo à cirurgia e mude qualquer coisa negativa que a pessoa tenha ouvido ou captado durante a cirurgia. Ensine o corpo a estar melhor do que estava antes da cirurgia, ou antes de qualquer acidente que tenha resultado na cirurgia.

Trabalho de crenças

Faça o teste energético para medo de ser saudável. Verifique se a pessoa sabe qual é a sensação do Criador e se eles têm medo de recomeçar uma vida normal.

PARALISIA CEREBRAL

A paralisia cerebral é causada pela falta de oxigenação do cérebro no nascimento. Quando falta oxigênio no cérebro, partes dele queimam e morrem.

Remédios intuitivos

A paralisia cerebral responde bem à cura. Peça que o tecido morto seja removido e que o cérebro seja "reiniciado". As células têm um código fetal e você pode entrar e reconstruir o que precisa ser feito usando este código. Pergunte ao Criador o que fazer e testemunhe isso sendo feito.

Trabalho de crenças

Crianças com paralisia cerebral respondem rapidamente às curas, mas os sistemas de crenças dos pais podem entrar na frente. O pai muitas vezes está tão machucado com a situação que leva um tempo para que ele a aceite. A mãe muitas vezes quer corrigi-la imediatamente.

Primeiro trabalhe com a mãe, caso o pai esteja prendendo o bebê ao seu defeito, uma vez que ela pode se tornar codependente da situação. Em seguida, trabalhe com o pai para trazer a ele a consciência de que a criança pode ser curada.

Basta apenas a crença de um dos pais mudar para ser possível que a criança se cure. Se possível, mostre aos pais como fazer as curas por eles mesmos.

A criança em si raramente precisa do trabalho de escavação (*digging*), ela só precisa de *downloads* e curas. Os pais são os que mais necessitam de profundo trabalho de escavação.

Faça esses *downloads* para a criança:

"Eu posso crescer e ser normal."

"Normal é bom."

"Eu sou especial."

"Estou cercado de amor."

"Eu trago energia positiva para todos ao meu redor."

"Eu sou querido."

"Eu sou importante."

"É fácil para as pessoas me amarem."

"É fácil para mim me amar."

"Sou paciente comigo mesmo."

"Eu me torno mais forte a cada dia."

"É seguro ser forte."

"A vida é cheia de oportunidades."

"Eu acredito que meu corpo pode e vai se curar."

"Eu sei qual é a sensação de saber que sou especial."

Quando estiver fazendo trabalho de escavação com os pais, verifique se há as seguintes crenças:

"Minha vida nunca será normal."

"Ninguém nunca vai me amar com uma criança como esta."

"É impossível para mim compartilhar o amor de meu filho com alguém."

"A condição de meu filho é culpa minha."

Substitua por:

"Eu sei qual é a sensação de ainda ter uma vida."

"Eu sei como permitir que outras pessoas me amem."

PARALISIA DE BELL

A paralisia de Bell é um vírus da herpes que faz com que a área afetada fique dormente em virtude de danos neurológicos. Às vezes, há danos enormes para o rosto.

Trabalho de crenças

A primeira coisa a fazer é usar o trabalho de crenças para remover e substituir todas as questões relacionadas à dignidade. Como acontece com todos os vírus da herpes, o trabalho de crenças é a chave.

Pergunte à pessoa que tipo de emoção ela estava passando quando adquiriu o vírus e utilize o trabalho de escavação (*digging*) para encontrar a crença-raiz.

Mude as crenças que o vírus e o hospedeiro têm em comum.

Peça a Deus que reconstrua as terminações nervosas do rosto. Porém, antes de fazer isso, você tem de se certificar de que a pessoa tem a crença de que isso é possível, pois o médico deve ter dito a ela que é impossível.

Veja também <u>Herpes</u>.

PARASITAS

Muitas coisas em nosso ambiente nos expõem a parasitas. Uma das maneiras mais comuns de contraí-los é pegando vermes de animais de estimação (especialmente animais de estimação que ficam em ambientes fechados). Outras causas importantes de infestação são: comer carne, peixe e vegetais crus, andar descalço em climas quentes e falta de higiene na companhia de pessoas infectadas. O risco de infecção parasitária é aumentado em viagens para locais com falta de saneamento público.

A ampla gama de problemas de saúde gerada por parasitas é evidente, uma vez que a natureza e a extensão da infecção parasitária são compreendidas. Um equívoco geral sobre parasitas é o de que eles habitam apenas os intestinos dos hospedeiros. Na verdade, existem parasitas que vivem no sangue, no sistema linfático, nos órgãos vitais e/ou nos outros tecidos do corpo. Alguns parasitas podem afetar todo o corpo. Leveduras se proliferam, muitas vezes, primeiro nos intestinos e depois se espalham por todo o corpo, tornando-se sépticas. Outros parasitas atacam órgãos específicos. Por exemplo, os ancilóstomos entram no corpo através da pele, viajam através do sangue e, eventualmente, habitam os pulmões e o intestino delgado. Se não forem tratados, podem permanecer nesses órgãos durante anos, causando uma variedade de sintomas.

Tipos de parasitas

Mais de 650 mil tipos diferentes de parasitas estão associados ao corpo humano, incluindo:

Cestoda: é uma tênia que habita as carnes da vaca, do porco, dos cães e dos peixes. As pessoas entram em contato com esses vermes quando comem carne vermelha ou simplesmente por andarem descalças fora de casa. Uma vez no corpo, fixam-se nos lados do cólon e roubam nutrientes. As primeiras indicações são de que o hospedeiro fica muito magro e, em seguida, ganha peso. Ele terá fome o tempo todo. O corpo pensa que está morrendo de fome e retém a reserva de gordura.

A *heminath* é um platelminto ou uma lombriga.

Os *nematoides*, incluindo lombrigas e ancilóstomos, não são saudáveis para os seres humanos. Eles infectam o corpo com seus ovos. Os platelmintos colocarão seus ovos no sistema digestivo. Oxiúros, ancilóstomos e lombrigas entram no coração, no intestino, no fígado, nos pulmões, no sistema linfático e no pâncreas. Eles variam em tamanho de 1,98 milímetro a 35 milímetros. Crianças transmitem facilmente esse grupo de parasitas.

Platelmintos são uma classe de vermes, como os trematodas e parasitas achatados, que infectam o corpo humano. Tênias dessa classe vão realmente comer outras tênias no corpo humano. Os seres humanos servem como hospedeiros adequados para as tênias de carne bovina, suína, de raposa e de cães.

Protozoários podem ser parasitários e prejudiciais ao corpo humano. *Cryptosporidium, Endolimax nana, Trichomonas* e *Giardia lamblia* são organismos microscópicos que viajam através da corrente sanguínea e infectam todas as partes do corpo.

Trematoda: é um verme que está na bexiga, no sangue, no intestino, nos rins, no fígado e nos pulmões. Trematodas têm aproximadamente de dez milímetros a 25 milímetros de comprimento e se parecem com caracóis ou sanguessugas no fígado.

Existem alguns parasitas que são transmitidos durante as relações sexuais, chamados *Triginos vaevadinalis*, que são carregados nos fluidos do corpo.

Sintomas

A seguir estão alguns dos sintomas mais comuns de parasitas:

- apetite voraz;
- olhar murcho amarelado;
- coceira anal (especialmente à noite);
- manchas azuladas ou arroxeadas na parte branca dos olhos;
- avidez por doces, alimentos secos, arroz cru, sujeira (geralmente em crianças), carvão vegetal e/ ou alimentos queimados;
- emagrecimento;
- palidez no rosto;
- sono inquieto;
- fraqueza;
- ranger dos dentes durante o sono;
- tirar meleca;
- manchas brancas do tamanho de uma moeda no rosto.

Insights intuitivos

É necessário reconhecer que a pessoa infestada com parasitas é influenciada mais do que em nível físico. Parasitas são atraídos por processos de pensamento que bloqueiam nosso desenvolvimento em todos os níveis: físico, emocional, mental e espiritual. Uma vez dentro de nós, eles nos transmitem sentimentos para garantir sua própria sobrevivência.

Uma pessoa é mais suscetível a parasitas se seus sistemas de crenças permitirem que outras pessoas tirem proveito delas. Pessoas com parasitas podem não saber como dizer não e podem permitir que sejam sugadas. Sentimentos como "devo permitir que os outros se aproveitem de mim" e "devo permitir que as pessoas me suguem" são um ímã para parasitas. Pessoas com parasitas têm problemas de autoestima.

Se uma pessoa está intoxicada com metais pesados, ela deve ter abundância de parasitas.

Todos os legumes e carnes contêm alguns parasitas. Independentemente disso, quanto mais equilibrados seus sistemas de crenças forem, menos parasitas você pega. Lembre-se, alguns desses sistemas de crenças são genéticos, estão bem lá dentro de nós.

Quando fazemos um trabalho de crenças e de sentimentos, somos liberados dos programas que atraem os parasitas.

O próximo passo no processo é nos livrarmos dos parasitas de todos os tipos, como certas pessoas em nossas vidas. À medida que removemos, substituímos e adicionamos sentimentos do Criador com o trabalho de crenças, vamos ganhando força para expulsar os parasitas de dentro do corpo, e também os de fora do corpo. Parasitas não podem sobreviver dentro ou em torno de um corpo que não tem programas para atraí-los. Quanto menos crenças limitantes você tem, mais equilibrado é seu PH, criando um corpo saudável.

Remédios intuitivos

Algumas bactérias parasitárias ajudam-nos a digerir alimentos e é normal tê-las no corpo. Por essa razão, não comandamos intuitivamente que todos os parasitas deixem o corpo. E também evite matar parasitas usando ThetaHealing. Essas mortes criarão uma abundância de produtos residuais e parasitas mortos, o que fará com que a pessoa fique doente.

Certifique-se de usar o trabalho de crenças e de sentimentos para liberar crenças que atraiam parasitas para a pessoa. Isso, por si só, pode ser suficiente para remover os parasitas do sistema e não causará mortandade.

Você também pode sugerir uma limpeza de parasitas à base de plantas. Na verdade, o trabalho de crenças e a limpeza podem vir seguidos. Assim que uma limpeza de parasitas à base de plantas for feita, sentimentos e emoções emergirão para ser limpos.

Livrar-se de parasitas também ajuda você a deixar de ter "parasitas" emocionais (pessoas que o sugam) e "parasitas energéticos", como espíritos errantes, ganchos psíquicos, etc.

Limpezas de parasitas

Faça uma limpeza de parasitas à base de plantas na primavera (não no inverno, porque o corpo está em um período de descanso). Fazer muitas limpezas desse tipo é muito duro para o corpo, por isso é importante ter discernimento e zelar por sua própria saúde.

Caso verifique que uma limpeza à base de plantas é necessária, siga este processo: dez dias fazendo, cinco dias de pausa, dez dias fazendo, cinco dias de pausa, dez dias fazendo, cinco dias de pausa. Dessa forma, você pode destruir todos os ovos colocados pelos parasitas.

Limpezas de parasita sugeridas para tênias e trematodas:

- dente de alho;
- cobre iônico (um limpador de parasitas muito bom, mas você não pode usá-lo se tiver a doença de Wilson);
- suco de noni ou sementes;
- óleo de orégano (que pode ser duro para o estômago, então, coloque duas gotas em cápsulas);
- combinação de noz e absinto (esta não deve ser usada por diabéticos).

Ervas e minerais para limpeza de parasitas:

- cáscara sagrada;
- pimenta caiena;

- camomila;
- carvão (mata *Giardia* e outros parasitas);
- raiz de equinácea;
- alho;
- gengibre;
- noni ou cobre ionizado para animais de estimação (dez dias em uso, cinco em pausa);
- folha de oliveira (mata levedura também);
- platina (é indicado para matar todos os tipos de parasitas e leveduras).

A prata coloidal mata todos os tipos de parasitas e leveduras, mas tomá-la o tempo todo não é uma boa ideia.

Tomilho mata os parasitas da água que bebemos, e também a *Salmonella* (em pequenas quantidades).

Para manter-se limpo de parasitas, faça um suco fresco com duas cenouras, um maço de aipo, meia beterraba, um pouco de alho e uma pitada de gengibre.

No processo de limpeza, uma crise de cura pode se manifestar e fazer emergir memórias de inumeráveis desafios do passado, como antigas infecções, toxinas, traumas de acidentes e assim por diante. Esteja ciente de que essas emoções e sintomas físicos podem ser sentidos como reais, mas são apenas fantasmas do passado.

Além disso, conforme os parasitas morrem em uma limpeza, eles podem transmitir sentimentos de "eu estou morrendo" para o hospedeiro, fazendo com que ele acredite que está morrendo.

É melhor equilibrar uma limpeza de parasitas com uma dieta alcalina para que o processo não seja tão intenso emocionalmente. Se o corpo tiver um equilíbrio alcalino de 7,2 a 7,4, os parasitas terão dificuldade de sobreviver.

Trabalho de crenças

Faça um trabalho de crenças antes de iniciar uma limpeza, pois isso fará com que o processo seja mais leve.

Downloads

"Eu sei como viver sem ser sugado."

"Eu sei como dizer não."

"Eu sei quando dizer não."

"Eu sei que estou conectado ao Criador em todos os momentos."

"Eu sei como é viver sem pessoas parasitárias em minha vida."

"Eu sei como dizer não para pessoas parasitárias com graça e leveza."

"Eu sei qual é a sensação de lidar com a grande variedade de pessoas da Terra sem drama."

"Eu sei a diferença entre os sentimentos de meus parasitas e meus próprios sentimentos."

"Eu sei quando estou cansado demais para fazer alguma coisa."

"Eu sei que posso viver minha vida sem ter de ser um mártir."

"Eu sei como viver sem doar todo o meu tempo e energia para agradar alguém."

"Eu sei que a quem tenho de agradar é o Criador de Tudo O Que É."

"Eu sei como colocar boa comida em meu corpo."

"Eu sei como fazer o comando para que meu corpo tenha um equilíbrio de PH."

"Eu sei como viver sem atrair pessoas parasitárias para mim."

Veja também Vermes.

PELE

A pele é um órgão iridescente e de todas as cores do arco-íris. Quando começamos a vida como um bebê *in vitro*, ela é translúcida. É o maior órgão do corpo e está anexada a todas as terminações nervosas do sistema nervoso central, por isso ela é um reflexo do que está acontecendo interna, física, mental e espiritualmente. Se o fígado estiver congestionado, por exemplo, há efeitos visíveis na pele. Quanto mais firme e mais brilhante for a pele, mais saudável o interior do corpo está.

A pele é nosso escudo, nosso revestimento de defesa do corpo mais externo. Ela não só respira oxigênio do ar, mas puxa a força de vida universal do Criador para dentro do corpo.

A pele é o primeiro contato com sensações externas ao corpo que são, em seguida, sentidas dentro do corpo. Ela mantém um fino campo de energia protetora ao redor de nós. É uma importante comunicadora de informação intuitiva. Podemos sentir a presença de pessoas, objetos e emoções através dela.

Insights intuitivos

Quando você trabalha com alguém, pergunte-lhe se está tudo bem se tocá-lo. A pele, como muitos outros órgãos, guarda memórias de abusos e traumas em suas células e tocar uma pessoa pode ser opressor para ela. Se você chegar e entrar em sua zona de conforto sem permissão, ela se sentirá violada. Portanto, sempre peça permissão antes de tocar fisicamente durante uma sessão.

Quando alguém tem problema em ser tocado nas pernas, pode ser um indicador de que foi abusado.

Todas as culturas têm crenças diferentes sobre toque.

Quando você toca alguém, suas células conversam com as células dele e seu DNA canta e fala com o DNA dele. O DNA ensina e aprende em segundos e, às vezes, é a melhor maneira de passar informações mediúnicas.

Remédios intuitivos

Quando a pele sofre um trauma, ela fica chocada pelo fato de estar ferida, uma vez que pensa ser impermeável a lesões. Diga a ela que tudo bem se curar após um trauma e tranquilize-a de que ela está fazendo um bom trabalho. Libere o trauma e o estresse.

Quando testemunhar uma cura na pele, mantenha a área afetada coberta. Por exemplo, o câncer de mama pode se tornar uma ferida aberta, escorrendo. Os olhos veem a ferida e podem conectá-la ao medo.

Se você cobrir a ferida, sua mente não aceita que ela esteja lá, então é mais fácil de curar. Isso vale para todos os casos de feridas e cortes: se você cobrir a ferida e fizer uma cura, a pele poderá crescer de volta inteiramente. Pergunte ao Criador de Tudo O Que É quanto tempo ela precisa ficar coberta para que se cure. Pode variar de pessoa para pessoa. Pode demorar apenas 20 segundos. Lembre-se, você pode verificar as crenças da pessoa para ver se levará muito tempo para que ela se cure.

Trabalho de crenças

Em problemas de pele, pode haver programas relativos a:

- mudança;
- zonas de conforto;
- discernimento no toque;
- sentir-se bonito deixa você fraco/forte;
- como o mundo percebe você;
- irritação;
- amar e aceitar seu corpo;
- receber amor em retorno;
- refletir sua beleza;
- mostrar afeição;
- entender a linguagem corporal das outras pessoas.

Faça os *downloads*:

"Eu sei qual é a sensação de viver sem acreditar que é fraqueza mostrar sentimentos."

"Eu respeito e compreendo os limites das pessoas."

"Eu amo meu corpo."

"Eu sei como viver sem odiar meu corpo."

"É o.k. receber carinho."

"Tenho discernimento correto sobre o toque de alguém."

PERDA DE MEMÓRIA

Em nossa vida ocupada, esquecemos as coisas uma vez ou outra. À medida que envelhecemos, isso pode acontecer com mais frequência.

Algumas pessoas mais velhas têm pouca ou nenhuma alteração na memória, mas, em outros, o esquecimento pode começar a interferir em suas vidas de forma perceptível.

A memória de curto prazo é a que mais frequentemente fica prejudicada com o envelhecimento. As memórias de longo prazo tendem a permanecer vivas, mesmo no caso da doença de Alzheimer. Na maioria dos casos, alterações na memória desenvolvem-se gradualmente ao longo do tempo.

Causas

Problemas de memória podem se dar em virtude de muitas condições. Estas incluem a doença de Alzheimer, depressão, doença de Parkinson, derrames e doenças da tireoide. Medicamentos, tanto prescritos quanto à base de plantas, também podem causar problemas de memória. Vícios em álcool e drogas também podem causar perda de memória.

Insights intuitivos

Descobri que muitas pessoas com problemas de memória têm elevado nível de levedura em seu sistema. Os problemas de memória decorrem de um subproduto tóxico da levedura chamado acetaldeído, que pode entrar na corrente sanguínea, no cérebro, nas articulações e nos pulmões. Aldeído, um subproduto do álcool, também pode causar perda de memória.

Falta de vitaminas, como magnésio, também pode causar problemas de memória. Perdas de memória de curto prazo podem ser causadas por deficiência de betacaroteno.

Além disso, o funcionamento do cérebro depende de neurotransmissores, as substâncias químicas que agem como interruptores no cérebro. Se não há nutrientes suficientes para produzir essas substâncias químicas, o cérebro entrará em curto-circuito, causando problemas nas mensagens que são enviadas. Deficiências de vitaminas podem causar essa condição.

Trabalho de crenças

Muitas pessoas escutam desde a época em que eram crianças que são burras e não se lembram das coisas. Esses programas podem ser carregados até a idade adulta, circulando no cérebro e fazendo com que a pessoa acredite que ela não consegue se lembrar bem.

Muitas pessoas podem se beneficiar dos seguintes *downloads*:

"Eu sei qual é a sensação de me lembrar de tudo o que vejo, ouço e leio."

"Eu sei como ter acesso à memória de tudo o que já experimentei."

"Eu sei qual é a sensação de gostar de mim mesmo."

"Eu sei qual é a sensação de me lembrar facilmente."

"Minha mente absorve informações como uma esponja."

"Tenho a infinita capacidade de lembrar."

"Eu sei como me lembrar vividamente."

"Consigo me lembrar de informações para testes facilmente."

Suplementos

* complexo de aminoácidos;
* DHEA (para quem não consegue decompor o DHEA, use 7 Keto DHEA);
* magnésio;
* molibdênio, 300 mcg, chegando a até 500 mcg por alguns meses, para eliminar o acetaldeído e aldeído do sistema;
* vitamina A;
* vitamina B.

Veja também Cândida.

PICADAS DE INSETOS

Quando minha neta Jenaleighia tinha 3 anos de idade, gostava de esmagar insetos, então lhe expliquei que estavam vivos. De repente, ela decidiu que amava formigas. Ela se sentou bem no meio de um formigueiro vermelho, então veio gritando e chorando, com mordidas por todo o corpo.

Sua mãe, Bobbi, correu para casa e a trouxe para mim. Imediatamente me reverti ao meu antigo treinamento naturopata. Eu disse: "Rápido, coloque-a na banheira com algumas ervas!".

Mas, quando Bobbi começou a preparar a banheira de água, Jenaleighia se rebelou contra isso e disse: "Não, eu quero que minha avó conserte isso. Ela pode consertar qualquer coisa".

Sem pressão!

Então, coloquei as mãos sobre essa garotinha que tinha tanta fé em mim e comandei que as mordidas sumissem e que ela ficasse sem dor agora. Isso parou a dor e o inchaço das mordidas e imediatamente ela ficou melhor.

Não é incrível como sua fé foi recompensada? Minha primeira reação foi de medo; a reação dela foi: "Eu quero minha avó para consertar isso".

A maioria das picadas de insetos é um incômodo, causando apenas um pouco de coceira e vermelhidão. No entanto, outras podem ser graves, como picadas de carrapato, que podem espalhar a doença de Lymes. Picadas de mosquito podem transmitir malária e febre amarela. Picadas de aranha (embora as aranhas não sejam tecnicamente insetos) podem ser prejudiciais também. As picadas das aranhas viúva-negra e reclusa marrom são extremamente perigosas.

Remédios intuitivos

Quando você vir uma picada de inseto em uma pessoa, faça uma cura imediata nela. Diga ao corpo da pessoa: "Não, isso não aconteceu. Não, hoje não". Em muitos casos, isso interrompe a reação imediatamente.

É melhor que seja feito um acompanhamento com o médico dela.

Suplementos

Alimentos que são ricos em vitaminas B1, como melaço cinta preta, levedura de cerveja, arroz integral, pimenta caiena ou peixes podem ajudar a prevenir picadas de insetos, por causa do odor e dos compostos que exalam da pele.

PLEURISIA

A pleurisia ocorre quando a membrana dupla (pleura) que reveste a cavidade torácica e envolve cada um dos pulmões fica inflamada e é arrancada dos pulmões pela tosse da pessoa. Também chamada de pleurite, a pleurisia normalmente provoca dor aguda, quase sempre durante o ato de respirar.

Remédios intuitivos

Sempre trabalhe em curar o problema da tosse antes de trabalhar na pleurisia em si.

A pleurisia pode ser retificada pelo comando de que a inflamação vá embora e pelo testemunho do revestimento dos pulmões se reinstalando.

Suplementos

Sugiro a erva pleurisia raiz.

PNEUMONIA

A pneumonia é um sintoma, não uma doença. É uma inflamação dos pulmões causada por infecção de bactérias, vírus, fungos ou outros organismos.

A pneumonia é preocupante particularmente no caso de adultos mais velhos, pessoas com doenças crônicas ou com sistema imunológico comprometido e nos muito jovens. Uma pneumonia contraída enquanto convalesce em um hospital pode ser particularmente perigosa.

Sintomas

Uma pneumonia muitas vezes mimetiza um resfriado ou uma gripe e começa com uma tosse e uma febre. Os sintomas incluem:

- dor no peito;
- calafrios;
- tosse;
- febre;
- falta de ar.

Eles podem, no entanto, variar muito, dependendo do tipo de organismo causando a infecção.

Causas

Bactérias

Muitos tipos de bactérias podem causar uma pneumonia. Sinais e sintomas incluem febre alta, dor no peito, calafrios, agitação, falta de ar, sudorese e uma tosse que produz catarro esverdeado ou amarelo espesso. A pneumonia bacteriana fica muitas vezes restrita a apenas uma área (lobo) do pulmão, sendo chamada de pneumonia lobar.

Antibióticos são usados para tratar a pneumonia bacteriana, mas agora existem linhagens resistentes aos antibióticos que são um problema crescente. Não se esqueça de seguir o curso completo do tratamento com antibióticos. Deixar de fazer isso pode fazer com que a bactéria se torne resistente ao antibiótico.

Vírus

Vírus causam metade de todas as pneumonias. Os sintomas iniciam-se com uma tosse seca, fadiga, febre, dor de cabeça e dor muscular.

Micoplasma

Esse minúsculo organismo causa sintomas semelhantes aos de outras infecções bacterianas e virais. Esse tipo de pneumonia é muitas vezes chamado de pneumonia caminhante.

Fungos

Certos tipos de fungos causam pneumonia, embora esse tipo seja menos comum.

Pneumocystis carinii

A pneumonia causada por *P. carinii* afeta as pessoas com AIDS ou aquelas com o sistema imunológico comprometido.

Insights intuitivos

Uma das razões pelas quais as bactérias são capazes de entrar no sistema é por causa de emoções desequilibradas. Se você está com raiva ou com medo o tempo todo, seu sistema imunológico tem de trabalhar mais. Se esses sentimentos continuarem, eles têm uma tendência a esgotar o sistema imunológico. É dessa maneira que as emoções esgotam o corpo. Medo e raiva podem ser benéficos como reflexos de sobrevivência – para isso que eles foram projetados. Eles não foram projetados para o uso contínuo, para o uso excessivo compulsivo. Você pode ficar doente se nunca expressar sua raiva e guardá-la dentro de si. A habilidade de expressar sua raiva de uma forma positiva é benéfica.

Remédios intuitivos

É fácil de se livrar intuitivamente das bactérias. Faça o comando: *"Criador, cure isso e mostre-me"*. Testemunhe a cura como feita.

Em uma cura, suba e peça ao Criador que se livre da infecção. Compreenda que, após a cura, o corpo ainda tem um processo natural para passar e precisa se recuperar da doença. Os benefícios da cura só ficarão totalmente aparentes mais tarde. Curas têm um efeito sutil no corpo. Não duvide da cura.

Trabalho de crenças

Questões de culpa mantêm as bactérias no corpo, portanto, verifique-as. Faça os *downloads*:

"Eu sei qual é a sensação de viver sem culpa."

"Eu sei como viver sem guardar culpa."

"Eu sei como viver sem me sentir culpado por causa de quem sou."

"Sei como viver sem me sentir culpado por causa da aparência de meu corpo."

"Sei como viver sem me sentir culpado por tudo o que meus pais me ensinaram."

"Eu sei o que é um amigo."

"Eu sei como ter amigos."

"Eu sei como ser amigo."

Outras recomendações nutricionais e suplementos

- pimenta caiena;
- ácidos graxos essenciais;
- gengibre;
- hidraste, mas não se você for diabético;
- proflavanol;
- pycnogenol;
- extrato de timo cru;
- vitamina A;
- vitamina C, 4.000 – 8.000 mg por dia (só use 1.000 mg de cada vez – espace as doses ao longo do dia);
- vitamina B;
- vitamina E;
- 80 a 100 mg de zinco por dia;
- purificadores de ar são úteis;
- beba bastantes líquidos para enxaguar o sistema e use "bebidas verdes", que contenham clorofila. A marca Green Magic é uma boa opção;
- umidificadores no quarto ajudam;
- para prevenir e ajudar na pneumonia, você pode usar equinácea.

PÓLIO

Tipos

Poliomielite é uma doença viral que em cerca de 95% dos casos, na verdade, não produz sintoma algum (chamada poliomielite assintomática). Nos casos em que há sintomas (chamada poliomielite sintomática), a doença aparece em três formas:

- uma forma leve chamada poliomielite abortiva;
- uma forma mais grave associada à meningite asséptica chamada poliomielite não paralítica;
- uma forma grave, debilitante, chamada poliomielite paralítica (essa ocorre em 0,1% a 2% dos casos).

Pessoas com poliomielite abortiva ou não paralítica normalmente têm completa recuperação. No entanto, a poliomielite paralítica, como seu nome sugere, causa paralisia muscular e pode até resultar em morte. Na poliomielite paralítica, o vírus sai do tubo digestivo e entra na corrente sanguínea, atacando os nervos (na poliomielite abortiva ou assintomática, o vírus geralmente não ultrapassa o trato intestinal). O vírus pode afetar os nervos que dirigem os músculos dos membros e os músculos necessários para a respiração, causando dificuldade respiratória e paralisia dos braços e pernas.

Remédios intuitivos

Uma vez que seu corpo aprende como lutar contra a poliomielite, você pode ter poliomielite e sobreviver.

Conforme você envelhece, uma síndrome pós-poliomielite pode se manifestar no corpo. Essa é devastadora e realmente atrofia as pessoas. Uma maneira de impedir que isso aconteça é pedir ao Criador para mudar o marcador sorológico de poliomielite no corpo. Lembre-se de *mudar* e não *remover* o marcador sorológico, porque você ainda precisa dos anticorpos.

Eu sei de pessoas que sobreviveram à poliomielite e nunca desenvolveram síndrome pós-poliomielite. Elas não têm o marcador. Elas limparam seu corpo completamente.

Também conheço pessoas que receberam a "pílula de açúcar" (que foi a primeira vacina para pólio) que têm síndrome pós-pólio. Quando o antídoto para pólio saiu pela primeira vez, fizeram um monte de cubos de açúcar. O primeiro lote tinha mais vírus nele e, então, algumas pessoas que os tomaram estão agora passando por síndrome pós-pólio. Isso tem sido mal diagnosticado como uma forma estranha de distrofia muscular.

Para a poliomielite, use a cura básica.

PÓLIPOS

Na medicina convencional, um pólipo é um crescimento projetando-se da parede de uma cavidade revestida com uma membrana mucosa. Os locais mais comuns de pólipos no corpo humano são o nariz, a bexiga urinária e o trato gastrointestinal, especialmente o reto e o cólon. Mulheres com diabetes têm maior chance de desenvolver pólipos.

Geralmente, os pólipos são crescimentos simples, benignos, mas uma pequena percentagem pode ser precursora de cânceres ou pode realmente conter cânceres. Por esse motivo, é aconselhável, quando possível, ter todos os pólipos removidos e examinados microscopicamente.

Tipos

Pólipos podem ter uma base ampla, casos em que são chamados de sésseis, ou podem ser pólipos pedunculados, ou seja, com pedículos longos e estreitos.

A superfície de um pólipo pode ser lisa, irregular ou ter muitos lóbulos.

Sintomas

Os sintomas dos pólipos dependem de sua localização e tamanho. Pode não haver sintomas, ou pode haver sintomas resultantes da pressão ou da obstrução mecânica de todo ou parte de um canal, assim como do nariz ou do intestino.

Os pólipos podem sangrar ocasionalmente.

Causas

As causas de pólipos são alergias, câncer, parasitas e fumo.

Insights intuitivos

Pólipos intestinais respondem muito bem a curas, enquanto pólipos nasais respondem bem à terapia de vitamina C.

Suplementos e outras recomendações nutricionais
- suco de aloe vera;
- cálcio-magnésio;
- pimenta caiena;

- alho;
- chá verde;
- semente de mostarda;
- vitamina A para proteger as membranas;
- vitamina E, mas comece devagar com 400 UI e aumente para 600 UI;
- dieta rica em fibras pode ajudar;
- álcool e cafeína irritarão os pólipos;
- altas doses de vitamina C (5.000 a 10.000 mg/dia) podem reduzir ou eliminar os pólipos;
- aumente a ingestão de água;
- alimentos vivos, frutas frescas e legumes são benéficos.

PRESSÃO ALTA/HIPERTENSÃO

Veja Doença Cardiovascular.

PRESSÃO ARTERIAL ALTA

Veja Doença Cardiovascular.

PROBLEMAS NO JOELHO

Problemas no joelho geram uma quantidade significativa de trabalho para os curadores. Pergunte ao Criador onde você precisa ir no joelho para colocá-lo de volta onde deveria estar e testemunhe-o sendo colocado de volta no lugar. Elimine todos os excessos de depósitos, se necessário.

Sempre esclareça qual joelho precisa ser trabalhado, uma vez que você pode se confundir quanto a qual lado do corpo está observando. Problemas no joelho esquerdo podem ter algo a ver com o lado feminino da pessoa. Problemas no joelho direito refletem sua falta de vontade de ir para a frente.

Você descobrirá que há uma correlação direta entre os joelhos e os rins. Curas de doenças dos rins curarão distúrbios dos joelhos.

Veja também Doença Renal.

PROBLEMAS RELACIONADOS À GRAVIDEZ

A maioria dos desconfortos que ocorrem durante a gravidez é resultado de deficiências nutricionais e de profundas alterações anatômicas. Estes incluem hemorroidas, azia, insônia, cãibras nas pernas, edema (inchaço das mãos e pés) e sopro, além de:

Anemia

A anemia ocorre porque há redução na proporção de hemácias, além de uma diminuição da proporção de hemoglobina durante a gravidez. O resultado pode ser anemia. É mais propensa a se desenvolver no segundo trimestre de gravidez. É improvável que afete o bebê em desenvolvimento. É o feto que esgota os recursos de ferro da mãe.

Asma

Muitas mulheres que têm asma reduzem seu uso de medicação para asma quando ficam grávidas. Como resultado, seus sintomas de asma pioram. Verificou-se, no entanto, que os ataques frequentes de asma são mais perigosos para o feto em desenvolvimento do que a medicação que a mãe toma para a asma. Mulheres com asma que estejam grávidas devem discutir sua medicação com seu médico e evitar qualquer coisa que possa desencadear um ataque de asma. Purificadores de ar em casa são uma boa maneira de aliviar o ar de vírus, bactérias e fungos.

Dor nas costas

Dor nas costas é comum durante a gravidez por causa das alterações anatômicas e tensões no corpo. Recomendações:

• Certifique-se de que seu colchão é firme o suficiente para apoiá-la e durma com um travesseiro apoiando suas costas.
• Não use sapatos de salto alto.
• Inclua dois ou três minutos de exercícios suaves de alongamento por dia.

- Aprenda como se levantar corretamente.
- A natação é uma boa maneira de aliviar a tensão nas costas e em outras partes do corpo.

Desconforto na bexiga

Durante a gravidez, o útero em expansão pressiona a bexiga. Isso pode resultar no fato de a bexiga não se esvaziar completamente. Eis por que infecções da bexiga são muito comuns neste momento. Para evitar isso:

- Evite alimentos açucarados.
- Não faça irrigações vaginais.
- Coma iogurte natural todos os dias.
- Aumente a ingestão de líquidos.
- Use roupas íntimas de algodão.

Resfriados

Tosses e resfriados são mais comuns durante a gravidez. Uma vez que uma mulher grávida tem um resfriado, há pouco que ela possa fazer, além de deixá-lo seguir seu curso. Ela nunca deve usar medicamentos para resfriado e tosse.

Depressão

Por causa das mudanças dos níveis de hormônio, não é incomum sofrer pelo menos um ataque de depressão durante as 40 semanas de gravidez. Mudanças de humor são comuns, e não é incomum estar mais emocional e volátil durante a gravidez.

Os efeitos dos antidepressivos sobre o feto são bem conhecidos. Uma mulher deve conversar com seu médico sobre tomar antidepressivos durante a gravidez.

Tente os seguintes:

- Acupuntura pode ser útil no tratamento da depressão.
- Não se isole se você começar a se sentir deprimida; tenha alguém para conversar sobre seus sentimentos.
- Exercícios podem ajudar a diminuir a depressão.

Gravidez ectópica

Uma gravidez ectópica é também chamada de uma gravidez tubular. Ocorre quando um óvulo fertilizado fica implantado nas trompas de Falópio em vez de no útero. Isso pode acontecer se a trompa de Falópio estiver bloqueada por causa de endometriose, inflamação e tecido cicatricial. Se você vir uma gravidez ectópica em uma leitura, deve fazer uma cura imediatamente e mandar a mulher para o médico.

Diabetes gestacional

A diabetes gestacional ocorre apenas durante a gravidez. Afeta 3% a 5% das mulheres. Esta ocorre porque a insulina não funciona tão eficazmente durante a gravidez por causa de hormônios secretados pela placenta. Pode levar a mulher a desenvolver diabetes mais tarde na vida.

Sintomas da diabetes gestacional podem incluir sede excessiva, micção frequente e aumento da fadiga. Pode não haver sintoma algum.

Essa desordem responde muito bem à cura, pois é causada por um desequilíbrio no corpo e não por emoções. Pode haver uma cura instantânea.

Aborto espontâneo

Aborto espontâneo é o termo técnico para um abortamento. É definido como a perda de uma gravidez antes de 20 semanas. A razão mais provável é uma anomalia cromossômica no feto que torna pouco provável que ele sobreviva. Outras razões incluem a incompetência cervical, diabetes, gravidez ectópica, distúrbios glandulares, infecção e hipertensão induzida pela gravidez. Geralmente, os abortos não são causados por exercício, quedas ou atividade sexual.

Em muitos casos, previ um aborto antes de ele acontecer. É possível fazer uma cura que irá detê-lo. No entanto, isso pode depender da escolha do bebê. Pode ser que o bebê não queira ficar.

Suplementos

Os tipos de suplementos que uma mulher grávida pode usar são limitados:

- Alfafa é uma boa fonte de vitaminas e minerais, especialmente de vitamina K.
- Cohosh azul, falso unicórnio e vinha squaw (Mitchella repens) são benéficos nas últimas quatro semanas de gravidez, mas não devem ser usados no início.
- Urtiga, dente-de-leão, gengibre e raiz de bardana ajudam a enriquecer o leite da mãe.
- Chá de folha de framboesa vermelha ajuda o útero a contrair mais eficazmente. Também ajuda a enriquecer o leite da mãe.
- Urtiga é também uma boa fonte de vitaminas e minerais.

Ervas a evitar

Evite as seguintes ervas na gravidez:

- aloe vera;
- angélica;
- arnica;
- arruda;
- bérberis;
- casca de choupo;
- celidônia;
- cohosh preto;
- cúrcuma;
- dong quai;
- ephedra;
- ginseng;
- hidraste (Goldenseal);
- lobelia;
- matricária;
- mirra;
- poejo;
- sabal (saw palmetto);
- sálvia;
- sanguinária;
- unha-de-gato;
- uva do Oregon.

Use qualquer erva com precaução, especialmente nas primeiras 12 semanas.

Outras substâncias a evitar

- Evite o adoçante aspartame, pois contém níveis elevados de fenila-lanina d.
- Evite tomar qualquer tipo de cartilagem de tubarão.
- Não utilize óleo de rícino para começar um parto. O óleo de rícino é uma substância volátil!
- Não utilize óleo mineral. Ele bloqueia a absorção de vitaminas.
  As seguintes substâncias podem causar defeitos de nascença:

- certos inibidores da ECA;
- certos medicamentos para acne;
- certos antibióticos, por exemplo, ampicilina e tetraciclina;
- certos medicamentos para afinar o sangue;
- certos medicamentos contra câncer;
- certas preparações de hormônio;
- certos medicamentos de tratamento da tireoide;
- ingestão crônica de álcool;
- cocaína;

- Dilantin (usado para controlar as crises de epilepsia) aumenta quatro vezes o risco de gerar um bebê com defeitos cardíacos;
- A ingestão excessiva de vitamina E tem sido associada à fenda palatina (lábio leporino), a defeitos cardíacos e outros defeitos congênitos.

Preocupações

Deficiências de ácido fólico, manganês e zinco e desequilíbrios de aminoácido têm sido associados a deformidades fetais e à deficiência mental. Todas as mulheres que estejam pensando em engravidar devem tomar um suplemento diário de ácido fólico e complexo B.

Ambos os parceiros devem abdicar de álcool, tabaco e drogas ilícitas pelo menos de três a seis meses antes de decidirem conceber. Maconha, heroína, morfina e tabaco reduzem os níveis de hormônios sexuais masculinos e aumentam o risco de defeitos de nascença.

Os homens devem tomar quantidades adequadas de selênio, zinco, vitamina C e vitamina E.

Para uma gravidez e parto saudáveis, é necessário consultar um profissional de saúde qualificado.

PROSTATITE

Prostatite é a inflamação ou infecção da próstata. Pode causar uma variedade de sintomas, incluindo necessidade frequente e urgente de urinar e dor ou queimação ao urinar, muitas vezes acompanhada por dor na virilha, na região lombar ou pélvica. Pode ser difícil de diagnosticar, em parte porque seus sinais e sintomas muitas vezes se assemelham aos de outras condições, como infecções na bexiga, câncer de bexiga ou alargamento da próstata por causa de um crescimento benigno ou canceroso.

Tipos

Prostatite é classificada pelo Instituto Nacional de Saúde (NIH) dos Estados Unidos em quatro tipos:

Tipo 1 é prostatite bacteriana aguda.

Tipo 2 é prostatite bacteriana crônica.

Tipo 3 inclui as condições anteriormente conhecidas como prostatite não bacteriana, prostatodínia e síndrome de dor pélvica crônica.

Tipo 4 é prostatite inflamatória assintomática.

Anestésicos e várias semanas de tratamento com antibióticos são normalmente necessários para as prostatites Tipo 1 e 2, que são infecções bacterianas.

O tratamento para a prostatite Tipo 3 (não bacteriana) é menos evidente e basicamente envolve o alívio dos sintomas.

A prostatite Tipo 4 é normalmente descoberta durante um exame por qualquer outro motivo e muitas vezes não requer tratamento.

Sintomas

Os sintomas variam, dependendo do tipo de prostatite.

Tipo 1: **Prostatite bacteriana aguda**

Os sintomas dessa forma de prostatite geralmente aparecem de repente e podem incluir:

- febre e calafrios;
- sintomas como os de gripe;
- dor na próstata, região lombar ou na virilha;
- ejaculação dolorosa;
- problemas urinários, incluindo maior urgência e frequência uriná-ria, dificuldade ou dor ao urinar, incapacidade de esvaziar a bexiga e urina tingida de sangue.

Tipo 2: **Prostatite bacteriana crônica**

Os sintomas desse tipo de prostatite se desenvolvem mais lenta-mente e em geral não são tão graves como os da prostatite aguda. Além disso, têm uma tendência a aumentar e diminuir em severidade. Eles incluem:

- necessidade frequente e urgente de urinar;
- febre leve;
- dificuldade em começar a urinar ou diminuição do fluxo de urina;
- urinação excessiva durante a noite;
- ocasional sangue no sêmen ou na urina;
- dor na região lombar e área genital;
- dor na região pélvica;
- dor ou sensação de ardor ao urinar;
- ejaculação dolorosa;
- infecções recorrentes na bexiga.

Tipo 3: **Prostatite não bacteriana crônica**

Os sintomas da prostatite não bacteriana são semelhantes aos da prostatite bacteriana crônica, apesar de que pode não haver febre. A única maneira de determinar se os sintomas da prostatite são causados por infecção bacteriana ou se são não bacterianos é através de testes de laboratório para descobrir se as bactérias estão presentes no fluido da urina ou da próstata.

Trabalho de crenças

A maioria das questões está ligada a relacionamentos, então faça os *downloads*:

"Eu sei como me expressar em relacionamentos."

"Eu sei como me sentir bem comigo mesmo."

"Eu sei quando lutar por quem eu sou."

"Eu posso mudar minha vida."

"Eu me amo."

"Eu sei qual é a sensação de ser completamente amado."

"Eu sei qual é a sensação de mudar minha vida."

"Eu sei como me expressar em relacionamentos."

"Eu sei como me sentir bem comigo mesmo."

"Eu sei quando lutar por quem eu sou."

Suplementos

- equinácea;
- glutationa;
- extrato de folha de oliveira;
- ômegas 3, 6 e 9;
- exercício regular;
- deficiência de zinco quelado está ligada ao aumento da próstata, então suplementos de zinco devem ser uma opção;
- cavalinha é adstringente e pode ser usada em pequenas quantidades para o alargamento da próstata;

- sabal (saw palmetto) tem sido usada para tratar o alargamento da próstata e inflamação, ejaculação dolorosa, micção difícil e enurese. Ela reduz o alargamento da próstata, reduzindo a quantidade de estímulo hormonal da próstata;
- ginseng siberiano é um tônico para os órgãos reprodutores masculinos;
- urtiga é bom para a próstata.

PSICOSE MANÍACO-DEPRESSIVA

Veja <u>Transtorno Bipolar</u>.

PSORÍASE

A psoríase é uma condição inflamatória da pele. Geralmente causa algum desconforto. A pele frequentemente coça e pode rachar e sangrar. Em casos graves, a coceira e o desconforto podem impedir a pessoa de dormir e a dor pode dificultar a vida cotidiana.

Psoríase é uma doença crônica, porque não há atualmente nenhuma cura médica. As pessoas muitas vezes sofrem crises e remissões ao longo da vida. Controlar os sinais e sintomas pode demandar uma terapia convencional de vida inteira.

A psoríase ocorre igualmente em homens e mulheres. Estudos recentes mostram que pode haver uma ligação étnica. A psoríase é mais comum na Escandinávia e no norte da Europa. Ela parece ser muito menos comum entre asiáticos e é rara em americanos nativos.

Também há um componente genético com psoríase. Aproximadamente um terço das pessoas que a desenvolvem tem pelo menos um membro da família com a condição.

A pesquisa mostra que a psoríase aparece geralmente entre 15 e 35 anos de idade, mas é possível desenvolvê-la em qualquer idade. Depois dos 40 anos, um período de pico de aparecimento se dá entre os 50 e 60 anos de idade. Cerca de uma em cada dez pessoas desenvolve psoríase durante a infância e ela pode começar nessa fase. Quanto mais cedo aparece, mais provável é que seja generalizada e recorrente.

Tipos

Existem cinco tipos de psoríase, cada uma com seus próprios sintomas:

• *Psoríase eritrodérmica* é caracterizada por vermelhidão generalizada, coceira intensa e dor.

• *Psoríase gutata* é caracterizada por pequenas manchas vermelhas na pele.

• *Psoríase inversa* é caracterizada por lesões vermelhas lisas que se formam em dobras da pele.

• *Psoríase em placas* é o tipo mais comum de psoríase. Cerca de 80% das pessoas que desenvolvem psoríase têm esse tipo, que aparece como manchas avermelhadas elevadas na pele, cobertas de escamas branco-prateadas. Essas manchas, ou placas, frequentemente se formam nos cotovelos, nos joelhos, na região lombar e no couro cabeludo. Elas podem ocorrer em qualquer parte do corpo.

• *Psoríase pustulosa* é caracterizada por pústulas brancas cercadas de pele vermelha.

Artrite psoriática

Entre 10% e 30% das pessoas que desenvolvem psoríase adquirem uma forma relacionada de artrite chamada artrite psoriática, que provoca inflamação das articulações.

Esta geralmente aparece pela primeira vez entre os 30 e 50 anos de idade, muitas vezes meses ou anos depois de as lesões na pele ocorrerem pela primeira vez. No entanto, nem todo mundo que desenvolve artrite psoriática tem psoríase. Cerca de 30% das pessoas que têm artrite psoriática nunca desenvolvem a doença de pele.

Causas

Os cientistas ainda não conhecem plenamente o que causa a psoríase, mas as pesquisas avançaram de modo significativo para permitir nossa compreensão da mesma. Uma importante virada começou com a descoberta de que os receptores de transplante de rim que tinham psoríase viram que tinham se curado quando estavam tomando ciclosporina. Ciclosporina é um potente medicamento imunossupressor e isso indica que o sistema imunológico está envolvido. A condição pode ser causada por sinais errôneos no sistema imunológico do corpo.

Acredita-se que a psoríase se desenvolve quando o sistema imunológico diz ao corpo para ter uma reação excessiva e acelerar o crescimento de células da pele. Normalmente, as células da pele maturam e são trocadas da superfície da pele a cada 28 a 30 dias. Quando a psoríase se desenvolve, as células da pele maturam em três a seis dias e se movem para a superfície da pele. Em vez de ser trocadas, elas se empilham, causando lesões visíveis.

Pesquisadores identificaram genes que podem causar psoríase ou outras condições imune-mediadas, como artrite reumatoide ou diabetes Tipo 1. O risco de desenvolver psoríase ou outra condição imune--mediada, especialmente a diabetes ou a doença de Crohn, aumenta quando um parente próximo de sangue tem psoríase.

A pele é o maior órgão do corpo e elimina um número incrível de toxinas através da transpiração. É por isso que é imperativo que o fígado fique limpo.

Pesquisas indicam que um gatilho é necessário para a psoríase se desenvolver. Abuso de álcool e drogas, lesões de pele, infecção de estreptococo, estresse e queimaduras solares são alguns dos potenciais gatilhos conhecidos. Certas formas de medicação podem desencadear a psoríase, incluindo lítio, betabloqueadores e drogas contra a malária.

Tratamento convencional

O tratamento depende da gravidade e do tipo de psoríase. Algumas psoríases são tão leves que a pessoa desconhece a condição, enquanto algumas pessoas desenvolvem psoríases tão graves que as lesões cobrem a maior parte do corpo e a hospitalização é necessária. Estes são os extremos. A maioria dos casos cai em algum ponto no meio.

• Uma medicação sistêmica é um medicamento de prescrição que afeta todo o organismo e é geralmente reservada para pacientes com psoríase moderada a severa.

- Fototerapia (UVB, PUVA e lasers) envolve a exposição da pele a comprimentos de onda de luz ultravioleta sob supervisão médica.
- Tratamentos tópicos – agentes aplicados sobre a pele – são geralmente a primeira linha de defesa no tratamento da psoríase.

Muitas pessoas escolhem tratar sua psoríase de maneiras não tradicionais, incluindo suplementos alimentares, terapias de corpo e mente e luz solar.

Remédios intuitivos

Quando trabalho na psoríase, faço as alterações em nível genético, porque acredito que a psoríase é causada por um miasma (*veja o Prólogo*).

Então, volte no tempo para eliminá-la e traga a cura para o presente.

Trabalho de crenças

Todos os sistemas de crenças associados com a pele têm a ver com beleza. Faça o teste energético para:

"As pessoas não gostam de mim porque sou diferente."

"Tenho de me esconder."

Faça os *downloads*:

"Eu sei qual é a sensação de ser bonito."

Suplementos

Se o fígado estiver limpo, a pele também estará limpa. Eu trabalho com psoríase como se fosse um fungo e sugiro que a pessoa use ácido alfalipoico em doses de 600 miligramas, acrescendo até 900 a 1.500 miligramas por dia por cerca de três ou quatro meses, juntamente com os ômegas 3, 6 e 9, e isso parece limpar o corpo rapidamente.

Complexo B, vitamina C e vitamina E podem também curar a psoríase.

Outras ervas úteis e suplementos:
- complexos de aminoácidos;
- purificadores de sangue como equinácea e trevo-vermelho;
- pomada de alcatrão e de noz preta aplicada topicamente;
- limpezas de fígado e enema de café;
- ácido fólico;
- limpezas de fungo durante três meses e pomada de vitamina D;
- lecitina;
- cardo de leite para limpar o fígado;
- noni;
- salsaparrilha;
- selênio;
- suco da baga de sibu;
- vitamina B6.

QUEDA DE CABELO

Vou lhe contar um segredo: a maioria das quedas de cabelo, tanto em homens quanto mulheres, é causada por parasitas. A medicina convencional sustenta que a calvície masculina é genética. Mas eu recebi homens que estavam quase completamente carecas e sugeri uma limpeza de fígado e de parasitas e, em muitos casos, seus cabelos cresceram de volta.

As outras enfermidades que causam a calvície são doenças da tireoide e a doença de Graves.

A queda repentina de cabelo pode ser causada por estresse ou por uma reação a um acontecimento traumático que tenha ocorrido três meses antes.

Suplementos e outras recomendações nutricionais

Se a tireoide está apenas um pouco desequilibrada, eu sugeriria o uso de musgo irlandês por uma semana. Isso tem funcionado com muitos clientes; no entanto, o sistema de crenças da pessoa pode ser tal que ela tenha de ir ao médico a fim de que seja prescrita uma medicação para tireoide antes que haja uma melhora. Então, em muitos casos, a medicação da tireoide impedirá que ela perca cabelos.

Suplementos úteis:

- ácido alfalipoico;
- aminoácidos;
- complexo mineral;
- limpeza de fígado (*veja Fígado*);
- noni.

Para o cabelo que não volta a crescer espesso após a quimioterapia, use ômega 3.

QUEIMADURAS

Certo dia, acidentalmente derramei chá quente por cima de meu braço passível de provocar uma queimadura de terceiro grau. Não olhei para ela e a cobri. Eu disse: "Não, isso não aconteceu". Quando descobri o braço, a queimadura tinha desaparecido completamente.

Em outra ocasião, um de meus alunos veio para a aula com uma queimadura e me pediu para curá-lo. Foi uma queimadura de terceiro grau e fiz uma cura nela. Mas ela não curou instantaneamente e eu podia ver que ele ficou desapontado. No entanto, em três dias ele tinha se curado completamente. O médico em que ele foi disse que nunca havia visto nada se curar tão rápido.

Remédios intuitivos

Assim que a queimadura acontece, não olhe para ela. Mantenha-a coberta e cure-a antes de olhar para ela, assim a mente consciente não entra na frente. Faça o comando: "A dor está interrompida agora". É a dor nas terminações nervosas que faz a queimadura piorar. As bainhas de mielina estão enlouquecendo por causa da queimadura e os neurônios estão gritando mensagens para o cérebro, o que torna a situação pior. Se você puder dissolver a dor na pele, impedirá que a queimadura continue adentrando e queimando mais profundamente. Ela irá parar na mesma hora e não causará danos à pele.

Às vezes, o choque de ver uma queimadura profunda irá assustá-lo a ponto de sentir um pânico absoluto, então não se esqueça de colocar a mão sobre ela ou jogar uma toalha sobre o local (tenha certeza de que ela está limpa e seca, especialmente se for uma queimadura profunda) e diga: "Não, isso não aconteceu".

Queimaduras se curam tremendamente rápido em crianças pequenas. Assim que a criança sofrer uma queimadura, faça o comando para que toda a dor desapareça.

Suplementos e outras recomendações nutricionais

• Diz-se que o mel cura queimaduras porque as bactérias não se desenvolvem nele. Diz-se que mel puro não pasteurizado é o melhor.

- Cromoterapia: as cores a ser usadas são azul e magenta.
- Coloque somente queimaduras de primeiro grau em água fria.
- Queimaduras de terceiro grau: testemunhe o Criador curar a queimadura e acompanhe com assistência médica. Após o tratamento, aplique uma combinação de mel puro não pasteurizado, confrei e vitamina E e a pele voltará a crescer.

RAQUITISMO

Veja <u>Osteomalacia</u>.

SALMONELA

Salmonela não é intoxicação alimentar, mas uma bactéria viva. Pode ser encontrada em qualquer lugar onde animais vivem. Ela consegue sobreviver ao clima quente e frio, até mesmo à chuva e seca. Durante o abate e processamento, ela pode contaminar carcaças de animais.

Nos últimos anos, as frutas frescas e vegetais, por exemplo, tomates e melões, têm originado surtos de salmonelose. As investigações sobre esses incidentes não identificaram a fonte de contaminação. Esta pode ter ocorrido nos campos onde o produto foi cultivado, durante o processamento após a colheita ou durante a manipulação no sistema de distribuição.

A transmissão de pessoa a pessoa ocorre quando as fezes de um portador, não lavadas de suas mãos, contaminam alimentos durante a preparação ou por meio do contato direto com outra pessoa. A doença vem geralmente de fezes de animais encontradas em carne crua, ovos, peixe, frutos do mar e, mais comumente, aves.

Sintomas

A *Salmonella* pode te fazer tão mal que você pode ter sangramento intestinal. Os sintomas incluem:

- calafrios;
- desidratação;
- diarreia;
- febre;
- dor de cabeça;
- dores musculares;
- náuseas;
- vômitos.

Insights intuitivos

As primeiras curas que fiz para parar a *Salmonella* foram um pouco duras. Eu subia e fazia o comando: "Criador, cure isso e me mostre o que tem de ser feito. Livre-se disso agora mesmo". Isso fazia com que a pessoa vomitasse durante 30 ou 40 minutos, e aí então ela se sentia melhor. Ao longo do tempo, essas curas se tornaram instantâneas.

Se uma pessoa tem salmonela e não está aberta para curas, use esse pequeno atalho: dê-lhes tomilho. A *Salmonella* morre no primeiro traço de tomilho. Então, você pode levar listerine quando viajar, porque nele tem tomilho. Você pode não conseguir levar certas ervas quando viaja para outros países, por causa das restrições alfandegárias, mas, se você puder, viaje com tomilho.

Remédios intuitivos

Use a cura: "Criador, transforme isso e mostre-me".

Se a cura não for instantânea, dê à pessoa uma colher de sopa de listerine e, em seguida, outra uma hora depois e outra em cerca de duas horas.

SÍNDROME DE CUSHING

Veja <u>Distúrbios das Glândulas Suprarrenais</u>.

SÍNDROME DA FADIGA CRÔNICA

A coisa interessante sobre a síndrome da fadiga crônica (SFC) é que, antes de a doença ter sido "aceita" pela indústria médica convencional, milhares de pessoas iam ao médico com ela e ou se dizia que eram hipocondríacas ou mal diagnosticadas. A indústria médica alternativa aceitou a SFC como uma doença viável muito antes do que a medicina convencional.

A SFC pode afetar pessoas de todas as idades, etnias e classes socioeconômicas. Mais mulheres do que homens são diagnosticadas com ela. Pode ser difícil de diagnosticar, porque não há nenhum teste de laboratório para ela e muitos de seus sintomas são também sinais de outras doenças ou tratamentos médicos.

Sintomas

Uma pessoa com SFC geralmente se sente completamente desgastada. Esse cansaço extremo faz com que seja difícil realizar tarefas diárias, como tomar banho, vestir-se ou comer. Dormir ou descansar não faz a fadiga ir embora. Pessoas que contraem a SFC, de repente, se sentem bem em um dia e, em seguida, se sentem extremamente cansadas no próximo. Muitas pessoas dizem que começou após uma infecção, um resfriado ou um algum problema no estômago. Ela também pode seguir um ataque de mononucleose infecciosa (mono), a "doença do beijo" que esgota sua energia, ou um momento de grande estresse, como uma morte na família ou cirurgia de grande porte.

Pode haver dor muscular, dificuldade em se concentrar ou insônia. O cansaço extremo pode ir e vir.

Supostamente, a SFC não apresenta risco de vida, mas já vi pessoas com tanta dor que minha afirmação seria de que ela pode ser fatal.

Insights intuitivos

Acredito que a SFC é provavelmente causada pela contração de um vírus, como o vírus Epstein-Barr. Uma elevada percentagem da população dos Estados Unidos carrega esse vírus.

A intoxicação por metais pesados também pode ser uma causa da SFC.

Remédios intuitivos

Quando uma pessoa chega para você e diz que tem SFC, vá para seu espaço e veja se ela tem o vírus Epstein-Barr. Você deve procurá-lo na corrente sanguínea. Ele pertence a uma das variedades dos vírus da herpes e pode ser superado pela utilização do trabalho de crenças para transformá-lo em uma forma inofensiva para o organismo. *Veja Vírus Epstein-Barr*.

Do ponto de vista nutricional, a SFC pode ser superada com nutrientes adequados e uma dieta saudável.

Suplementos

- acidofilus;
- cálcio;
- crômio;
- CoQ10;
- lecitina;
- magnésio;
- vitamina C;
- vitamina E.

SÍNDROME DA GUERRA DO GOLFO

Acredito que pessoas que serviram na Guerra do Golfo (no Kuwait) foram injetadas com antraz e expostas à radiação e a todos os tipos de toxinas, o que resultou na síndrome da Guerra do Golfo. Companheiros também podem ser expostos a esta através do sêmen.

Insights intuitivos

Essa síndrome aparece como uma energia acinzentada no corpo.

Remédios intuitivos

Testemunhe as toxinas sendo removidas do corpo e enviadas à luz do Criador. Use o trabalho de crenças para encontrar as emoções e crenças do período da exposição.

Suplementos e outras recomendações nutricionais

- O escalda-pés Aqua Chi é recomendado.
- Faça limpeza de fígado (*veja Fígado*).
- Sente-se em uma sauna, uma hora por dia, para aliviar o corpo das toxinas.
- Tome ácido alfalipoico (1.200 – 1.600 mg), selênio e zinco.

SÍNDROME DE DOWN

A Síndrome de Down (SD) é uma condição em que um material genético adicional provoca atrasos na forma como a criança se desenvolve e muitas vezes leva ao retardo mental. Ela afeta um em cada 800 bebês nascidos. Ela pode ser detectada antes de que a criança nasça.

Causas

Normalmente, no momento da concepção, o bebê herda informação genética de seus pais sob a forma de 46 cromossomos: 23 do pai e 23 da mãe. Na maioria dos casos de síndrome de Down, no entanto, a criança recebe um cromossomo extra. É esse material genético extra que cria os atrasos físicos e cognitivos associados à SD.

Na síndrome de Down, 95% de todos os casos são causados por um óvulo que tem uma duplicata do 21º cromossomo. Assim, o óvulo fertilizado resultante tem três cromossomos XXI, completando um total de 47 cromossomos em vez de 46. O nome científico para isso é trissomia 21. Uma pesquisa recente mostrou que, nesses casos, cerca de 90% das células anormais são os óvulos. A causa do erro da não disjunção não é conhecida, mas existe definitivamente uma conexão com a idade materna dos óvulos. A pesquisa está atualmente destinada a tentar determinar a causa e a época da não disjunção.

Sintomas

Os sintomas da síndrome de Down podem variar amplamente. Enquanto algumas crianças com SD precisam de muita atenção médica, outras levam uma vida muito saudável e independente. Os problemas de saúde que podem vir com a SD podem ser tratados e há muitos recursos dentro de comunidades para ajudar crianças e suas famílias que estejam vivendo com a doença.

Remédios intuitivos

Pergunte ao Criador o que precisa ser feito.

Em alguns casos, a criança terá um sistema imunológico comprometido.

Em casos raros, a criança escolheu essa existência e o praticante é instruído pelo Eu Superior da criança a não trabalhar a questão.

Testemunhe o Criador realinhando e equilibrando o cérebro, e use o trabalho de genes.

SÍNDROME DE REYE

A síndrome de Reye (SR) é principalmente uma doença infantil, embora possa ocorrer em qualquer idade. Ela afeta todos os órgãos do corpo, mas é mais prejudicial para o cérebro e o fígado, resultando em aumento agudo de pressão dentro do cérebro. Frequentemente, há substanciais acúmulos de gordura no fígado e em outros órgãos também.

Sintomas

A SR é definida como uma doença de duas fases, porque geralmente ocorre em conjunto com uma infecção viral, como gripe ou catapora. A doença comumente ocorre durante a recuperação de uma infecção viral, embora ela possa também se desenvolver de três a cinco dias após o início da infecção viral. Ela é muitas vezes diagnosticada erroneamente como diabetes, overdose de drogas, encefalite, meningite, intoxicação, doença psiquiátrica ou síndrome da morte súbita infantil.

Os sintomas da SR incluem:

- convulsões;
- delírio;
- desorientação ou confusão;
- apatia;
- perda de consciência;
- vômito persistente ou recorrente;
- mudanças de personalidade, como irritabilidade ou combatividade.

Se esses sintomas estiverem presentes durante ou logo após uma infecção viral, cuidados médicos devem ser procurados imediatamente.

Os sintomas da SR em crianças não seguem um padrão típico. Por exemplo, nem sempre ocorrem vômitos.

Causas

A causa da SR permanece um mistério. No entanto, estudos têm mostrado que usar aspirina ou medicamentos que contêm salicilato para tratar infecções virais aumenta o risco de desenvolvê-la. Um médico deve ser consultado antes de ser dada à criança qualquer aspirina ou medicamento antináusea durante uma infecção viral, os quais podem mascarar os sintomas da SR.

Tratamento convencional

Não há nenhuma cura médica conhecida para a SR. Uma administração bem-sucedida depende de um diagnóstico cedo e está principalmente focada em proteger o cérebro de danos irreversíveis, por meio da redução do inchaço do cérebro, revertendo o prejuízo metabólico, prevenindo complicações nos pulmões e antecipando ataques cardíacos.

A recuperação da SR está diretamente relacionada à gravidade do inchaço do cérebro. Algumas pessoas se recuperam completamente, enquanto outras podem ficar com variados graus de danos cerebrais. Os casos em que a doença progride rapidamente, e em que o paciente tem lapsos de coma, têm um prognóstico pior do que aqueles com um curso menos grave.

As estatísticas indicam que, quando a SR é diagnosticada e tratada em seus estágios iniciais, as chances de recuperação são excelentes. Quando o diagnóstico e tratamento são tardios, as chances são severamente reduzidas. A morte é comum, muitas vezes em poucos dias.

Remédios intuitivos

A SR reage bem a uma simples cura. Suba e diga ao Criador: *"Mude isso e mostre-me"*.

Geralmente não existem sistemas de crença para se trabalhar, porque as crianças não têm tantos.

Suplementos

É muito importante ter cuidado ao dar suplementos a uma criança. Certifique-se de que a criança está caminhando para a recuperação antes de considerar qualquer suplementação. Discuta qualquer suplemento com um profissional de saúde antes de usá-lo.

SÍNDROME DE SCHMIDT

Veja <u>Distúrbios das Glândulas Suprarrenais</u>.

SÍNDROME DO INTESTINO IRRITÁVEL

A síndrome do intestino irritável (SII) é um distúrbio caracterizado mais frequentemente por dor abdominal, inchaço, constipação, cólicas e diarreia. Ela gera muito desconforto e angústia, mas não danifica permanentemente os intestinos e não conduz a uma doença grave, como câncer, embora possam se desenvolver a colite, em que o cólon realmente começa a se deteriorar, e a diverticulose, em que o intestino desenvolve sacos ou bolsas infeccionadas.

A maioria das pessoas pode controlar seus sintomas por meio de dieta, do gerenciamento do estresse e de medicamentos prescritos. No entanto, para algumas pessoas a SII pode ser incapacitante. Elas podem ficar incapazes de trabalhar, de participar de eventos sociais ou até mesmo de fazer viagens de distâncias curtas.

A SII é um dos mais comuns transtornos diagnosticados por médicos. Ocorre mais frequentemente em mulheres do que em homens e começa antes dos 35 anos de idade em cerca de 50% das pessoas.

Sintomas

Dor abdominal, inchaço e desconforto são os principais sintomas da SII. No entanto, os sintomas podem variar. Algumas pessoas têm prisão de ventre. Muitas vezes, essas pessoas relatam tensões e cólicas quando tentam fazer movimentos intestinais, mas não conseguem eliminar quaisquer fezes. Se conseguem fazer movimentos intestinais, pode ser que tenham muco, que é um líquido que umedece e protege passagens no sistema digestivo.

Algumas pessoas com SII ficam com diarreia com frequentes fezes soltas e aguadas. Outras alternam entre constipação e diarreia. Às vezes, as pessoas acham que os sintomas desaparecem por alguns meses e depois voltam, enquanto outras relatam um constante agravamento dos sintomas ao longo do tempo.

Causas

Os pesquisadores têm ainda de descobrir as causas específicas da SII. Uma teoria é que pessoas que sofrem disso têm um cólon que é particularmente sensível e reativo a certos alimentos e a estresse. O sistema imunológico pode também estar envolvido.

Observando as pessoas ao longo dos anos, descobri que seus problemas de cólon se dão em virtude de uma falta de magnésio e acidófilo.

Eu tive síndrome do intestino irritável durante a primeira parte de minha vida. Minha mãe e minhas irmãs também tinham. Acho que é possível que seja uma desordem genética que, em alguns casos, dá às pessoas uma predisposição a essa doença.

A mobilidade normal pode não estar presente no cólon de uma pessoa que tem SII. Ela pode ser espasmódica ou mesmo parar de trabalhar temporariamente.

Na SII, o revestimento do estômago, chamado epitélio, pode ser afetado por desordens nos sistemas nervoso e imunológico. O epitélio regula o fluxo de fluidos dentro e fora do cólon. Na SII, o conteúdo dentro do cólon move-se rápido demais e o cólon perde sua capacidade de absorver líquidos. O resultado é líquido demais nas fezes. Em outras pessoas, o movimento interior do cólon é lento demais, o que faz com que fluidos em excesso sejam absorvidos. Como resultado, a pessoa desenvolve constipação e não recebe nutrição suficiente. Ela está sendo levemente envenenada por causa da constipação.

Ainda em outros casos, o cólon de uma pessoa pode responder fortemente a estímulos de certos alimentos ou a estresse, que não incomodariam a maioria das pessoas. Isso significa que a pessoa tem alergias alimentares.

Pesquisas recentes têm relatado que a serotonina está ligada ao funcionamento normal gastrointestinal (GI). A serotonina é um neurotransmissor que entrega mensagens de uma parte de seu corpo a outra. Cerca de 95% da serotonina em seu corpo está localizada no trato GI e os outros 5% estão no cérebro. Células que revestem o interior do intestino funcionam como transportadores e carregam a serotonina para fora do trato gastrointestinal. As pessoas com SII diminuíram a atividade dos receptores intestinais, permitindo que níveis anormais de serotonina fiquem no trato GI. Como resultado, elas enfrentam problemas com o movimento intestinal, motilidade e sensação, tendo receptores de dor mais sensíveis em seu trato gastrointestinal.

Pesquisadores relataram que a SII pode ser causada por uma infecção bacteriana no trato gastrointestinal. Estudos mostram que pessoas que tiveram gastroenterite às vezes desenvolvem SII, também chamada de SII pós-infecciosa.

Pesquisadores também encontraram uma doença celíaca muito suave em algumas pessoas com sintomas semelhantes aos da SII. Pessoas com doença celíaca não conseguem digerir glúten, uma substância encontrada no trigo, no centeio e na cevada.

O uso excessivo de antibióticos, antiácidos ou laxantes também pode ser um fator.

Remédios intuitivos

Por causa da dor associada, da diarreia, das náuseas e às vezes, das graves dores de cabeça, uma pessoa com SII pode ficar com medo de comer. Por causa disso, pode resultar em desnutrição porque os nutrientes, muitas vezes, não são absorvidos corretamente. As pessoas com SII exigem quase 30% a mais de proteína do que o normal, assim como maior ingestão de minerais e de elementos de rastreamento, que se esgotam rapidamente por causa da diarreia.

O diagnóstico da SII genuína requer a exclusão de distúrbios que podem causar sintomas semelhantes, como doença celíaca, câncer de cólon, doença de Crohn, depressão, diverticulite, endometriose, impactação fecal, intoxicação alimentar, diarreia infecciosa, intolerância à lactose e colite ulcerativa. O praticante deve se certificar de que escaneou o corpo para a possibilidade dessas outras desordens. É muito importante que a pessoa dê continuidade com seu profissional de saúde para certificar-se de que não tem qualquer uma dessas desordens.

Trabalho de crenças

Os sistemas de crenças associados a SII têm a ver com questões maternas e paternas. Isso significa que a maioria deles está ligada à infância, com a possibilidade de abuso sexual.

Faça os *downloads*:

"Eu sei como viver sem sentir que a Terra é demais para mim."

"Eu sei como viver sem sentir que o mundo está desabando sobre mim."

"Eu sei como viver sem assumir as questões dos outros."

"Eu sei como viver sem sentir o estresse dos outros."

"Estou seguro."

"É seguro estar vivo."

"Posso lidar com qualquer situação em qualquer momento."

"Eu sei qual é a sensação de me sentir seguro em qualquer situação."

"É fácil para mim me adaptar."

"É fácil para mim me ajustar."

"Eu sou assertivo."

"Eu posso viver sem me sentir oprimido."

"Eu posso viver sem me sentir atacado."

"Eu posso viver sem ter medo."

"Eu posso viver sem medo de fazer algo errado."

"Eu sei como viver sem levar a vida tão a sério que me deixa doente."

"Eu sei como viver tomando decisões rápidas e decisivas."

"A cada dia, a Terra e sua energia se tornam mais fáceis para mim."

"A cada dia, em todos os sentidos, sinto-me mais feliz e mais leve."

"Eu sei que minhas decisões importam."

"Eu sei como tomar uma decisão."

"Eu sei como tomar uma decisão que é certa para minha família e para mim."

"Eu sei como viver minha vida sem me submeter aos pensamentos e sentimentos dos outros."

"Eu sei qual é a sensação de viver minha vida sem ter medo de ferir os sentimentos de todos ao meu redor."

"Eu sei como usar minhas palavras com sabedoria."

"Eu sei como deixar meu corpo lidar com o estresse, com facilidade e sem esforço."

"Eu sei qual a sensação de estar sem dor."

"Eu sei qual a sensação de viver sem que a diarreia estrague tudo."

"Eu sei quais alimentos me fazem me sentir bem."

"Eu sei como encontrar os alimentos que me fazem me sentir saudável."

Suplementos e outras soluções nutricionais

- acidofilus;
- ácido alfalipoico;
- suco de aloe vera;
- suco de goji;
- suco de noni;
- bebidas de proteína;
- uma das primeiras coisas que sugiro para uma pessoa que tem síndrome do intestino irritável é que pare o uso de produtos de trigo e glúten, bem como produtos lácteos;
- evite bebidas gasosas, frituras, sucos de toranja, alimentos picantes e álcool e tabaco;
- reduza o uso de carne vermelha. Use bebidas de proteína em vez de carne vermelha;
- ter mais fibras na dieta pode ajudar;
- limpeza de fígado – "Liver Clean & Build" da marca Lidtke é bom.

SÍNDROME DO TÚNEL CARPAL

A síndrome do túnel do carpo está associada à falta de vitamina B6.

Cura intuitiva

Depois de dar vitamina B6 à pessoa, vá ao Sétimo Plano e testemunhe os tendões voltarem lentamente para onde deveriam estar. Comande que os nervos voltem a crescer da maneira que eram, antes da síndrome.

Comandando alívio, você deve ter melhorado drasticamente a síndrome do túnel do carpo, isso se você não tiver a aliviado completamente. Lembre-se de que o comando que é feito é sempre: *"Criador, mude isso. Grato, está feito, está feito, está feito"*.

Downloads:

"Eu sei quando descansar."

"Minha determinação será recompensada."

"Eu posso amar a mim mesmo."

Suplementos e outras recomendações nutricionais

- vitamina B6 por duas semanas, e em seguida, complexo B;
- zinco, 100 mg a 150 por um mês com estômago cheio, e depois, reduzindo para 50 mg.

SISTEMA DIGESTIVO

Enzimas da boca

As enzimas da boca são o início do sistema digestivo. Elas ajudam a digerir o amido, e também destroem bactérias poderosas assim que entram no corpo. Essas enzimas são engolidas com a comida e viajam para o esôfago para ajudar na digestão.

O estômago

O estômago está localizado no lado esquerdo do corpo. Ele pensa que está sempre ocupado e que é extremamente importante. Se as pessoas não sabem qual é a sensação de ser amadas e aceitas, o estômago é afetado e a comida não é digerida corretamente. Se você ficar com raiva porque comeu algo que, talvez, realmente não deveria ter comido, existe a possibilidade de a comida não ser digerida corretamente por causa de sua emoção. Isso é para mostrar o quão sensível é o estômago e como a pessoa intuitiva pode permitir que suas emoções afetem sua saúde.

O trato intestinal

A comida é transportada por vilosidades do intestino e também através de pequenas aberturas que permitem que os alimentos e nutrientes passem por elas. Os minerais têm de ser ionizados para ser suficientemente pequenos a fim de poderem ser absorvidos dessa maneira. Minerais coloidais podem ser absorvidos pelas plantas, mas são demasiado grandes para ser absorvidos pelo sistema digestivo humano.

Graças a uma dieta inadequada e talvez a outros fatores, algumas pessoas possuem movimentos intestinais lentos. Supostamente, você deveria evacuar cerca de meia hora depois de comer. Você terá movimentos intestinais regulares se comer os alimentos certos e que sejam alcalinos o suficiente para ser processados de modo correto. Quanto mais trabalhos de crenças e sentimentos você fizer, mais equilibrado se torna seu pH. Somente o trabalho de crenças pode ajudar um intestino preguiçoso.

Aparelho digestivo e abuso

É no sistema digestivo que as emoções de abuso são frequentemente armazenadas. "Abuso" é qualificado como "experimentar abuso físico, emocional, verbal, espiritual e sexual quando criança."

O que a mente de uma pessoa registra como abuso pode não ser abuso para outra. O abuso pode ser o tratamento dado a uma criança em que os médicos estejam realizando testes. Pode ser um enema dado a uma criança. Ou quando um adulto diz à criança: "Você é feia", ou quando as crianças se provocam mutuamente com palavras depreciativas. O corpo pode coletar todas essas memórias e criar padrões dentro dos órgãos. Se uma pessoa testemunha outra pessoa sendo abusada, o corpo também pode armazenar isso como abuso. Quando passamos através do trato intestinal, podemos identificar e liberar essas emoções e programas antigos.

Abuso repetitivo ou "ritual de abuso" é qualquer tipo de abuso que aconteça continuamente, de novo e de novo, como um ritual. Não precisa ser um ritual satânico de abuso.

O lado inferior direito do abdômen retém abuso sexual, enquanto o lado inferior esquerdo do corpo retém abuso emocional.

O plexo solar retém vergonha.

O fígado retém raiva.

A área do baço retém medo e culpa.

Com a permissão do cliente, o praticante pode tocar suavemente essas áreas para trazer à tona essas questões ou pedir que o cliente coloque a mão em seu próprio abdômen enquanto estiver fazendo o trabalho de abuso.

Vá até o Criador e comande que o trauma deixe o corpo da melhor e mais elevada maneira e, em seguida, comece a usar o trabalho de crenças para encontrar as crenças-raiz.

Quando você estiver trabalhando com abuso, faça os seguintes *downloads*:

"Eu entendo qual é o conceito de amor do Criador."

"Eu entendo qual é a sensação de me sentir amado."

"Eu entendo qual é a sensação de ser valorizado pelo Criador."

"Eu entendo qual é o conceito de se amar e se valorizar do Criador."

"Eu entendo qual é a sensação de realmente amar alguém."

"Eu entendo o que é ser amado pelo Criador de Tudo O Que É ."

"Eu entendo qual é o conceito de aceitação do Criador."

"Eu entendo qual é o conceito do que é estar seguro, protegido e ser completamente amado do Criador."

"Eu sei como viver sem permitir que os outros abusem de mim."

"Eu sei como viver sem abusar de mim ou dos outros."

Além disso, para o sistema digestivo, faça os *downloads*:

"Eu sei qual é a sensação de viver sem medo."

"Eu sei como viver sem medo."

"Eu sei como viver sem ressentimento."

"Eu sei qual é a sensação de estar seguro de acordo com o conceito do Criador."

"Eu sei qual é a sensação de estar protegido de acordo com o conceito do Criador."

"Eu sei qual é a sensação de estar em segurança de acordo com a definição do Criador."

SISTEMA ENDÓCRINO

O sistema endócrino possui três componentes principais:

- *Glândulas*: aglomerados de células especializados ou órgãos.
- *Hormônios*: são os mensageiros químicos secretados pelas glândulas em resposta à estimulação. Eles transferem informações e instruções de um conjunto de células para o outro.
- *Receptores*: são os portões ou portas para o hormônio desencadear respostas celulares.

As glândulas e os hormônios do sistema endócrino influenciam quase todas as células, órgãos e funções do corpo. O sistema endócrino também regula nossas emoções, que podem contribuir para nossa saúde em geral. Se alegria e amor são experimentados, o corpo se curará muito mais rápido do que se a raiva ou o ódio forem predominantes.

Remédios intuitivos

Faça o comando: *"Criador, equilibre os hormônios e substâncias químicas neste corpo da melhor e mais elevada maneira e mostre-me. Grato. Está feito. Está feito. Está feito"*. Testemunhe o processo como feito.

Trabalho de sentimentos

Certos sentimentos podem ser ensinados ao sistema endócrino, a fim de equilibrar as emoções e dar à pessoa a escolha consciente de mudar. Faça os *downloads*:

"Eu sei como viver sem raiva."

"Eu sei como viver sem depressão."

"Eu sei como viver sem medo."

"Eu sei como viver sem arrependimentos."

"Eu entendo como relaxar."

"Eu entendo qual é a sensação de descansar."

"Eu entendo como me divertir."

"Eu sei como tomar decisões facilmente."

SISTEMA ESQUELÉTICO

O sistema esquelético tem muitas finalidades:

• A espinha dorsal fornece a estrutura que nos permite nos manter eretos.

• A caixa torácica protege os órgãos delicados do corpo.

• O crânio protege os tecidos macios do cérebro.

• As vértebras da coluna envolvem a medula espinhal para encapsular o complexo feixe de fibras nervosas que envia mensagens para todo o corpo.

Sem o sistema esquelético, nós rastejaríamos por aí, incapazes de ficar de pé ou de andar, seríamos apenas um saco de tecido no chão, molengos como uma ameba.

Nós nascemos com 300 ossos. Uma vez que nos tornamos adultos, alguns destes se fundem, resultando em um total de 206. Eles se movem junto à sincrônica biologia dos músculos para dar vida ao sistema esquelético. Em uma incrível sinfonia, mensagens conscientes e inconscientes são enviadas para permitir que as várias partes do corpo se movam.

As articulações são conexões flexíveis entre os ossos. O corpo tem diferentes tipos de articulações que giram em direções variadas para inúmeros fins.

Os ossos não são simplesmente uma estrutura inerte de substâncias duras, eles estão vivos. Como acontece com as outras células do corpo, as células ósseas trabalham em estreita colaboração com o sangue e o sistema circulatório. É por isso que um osso se reconstitui mesmo quando se quebra. Por exemplo, quando você quebra seu dedo do pé, formam-se coágulos sanguíneos para fechar o espaço entre os segmentos quebrados. Em seguida, seu corpo mobiliza células ósseas para recriar a estrutura de entrelaçamento que corrigirá a ruptura.

Alguns ossos são ocos, mas, no centro de muitos ossos, a medula óssea produz novas hemácias e glóbulos brancos. As hemácias certificam-se de que oxigênio seja distribuído para todas as partes do corpo e os glóbulos brancos permitem que combatamos os germes e doenças.

Insights intuitivos

Os ossos são a coisa mais fácil de ver quando você começa a fazer escaneamentos do corpo. A força da vida brilha dentro, fora e em torno deles, fazendo com que eles transbordem de vida. Eles são de muitas cores, não só brancos. Eles adoram lhe mostrar sua magnificência. Quando você penetra seu interior, eles parecem uma luz líquida, cintilante, incandescente.

Uma vez que os ossos nos mantêm em pé, eles acham que são a parte mais importante do corpo (assim como todos os sistemas), e é verdade que tudo tem base neles: os ligamentos, os músculos e o sistema nervoso. Os ossos são o centro de tudo o que somos. Eles estão conectados diretamente ao chacra coronário e, por causa disso, são o diapasão espiritual, daí o ditado "eu sinto em meus ossos".

Remédios intuitivos

O sistema esquelético é extremamente fácil de curar e fica feliz em cooperar. Os ossos escutam o que lhes é dito em uma cura e são obedientes.

É possível curar um osso quebrado instantaneamente. Apenas vá até o Criador e comande que seja feito, dizendo: "Criador de Tudo O Que É, mude isso e mostre-me. Grato. Está feito. Está feito. Está feito". Testemunhe a cura.

Quando se faz uma cura no osso, lembre-se de trazer energia extra, caso contrário o corpo roubará cálcio dos outros ossos, especialmente dos quadris.

Trabalho de crenças

Lesões ósseas podem estar amarradas a crenças subconscientes.

Você deve ter muito tato com o cliente quando existem problemas emocionais nos ossos, porque geralmente se trata de questões de confiança e de ter apoio na vida.

Faça os *downloads*:

"Eu sei qual é a sensação de ser amado pelo Criador."

"Eu sei como viver sem ter de sofrer."

"Eu sei como viver sem lutar para estar perto do Criador."

"Eu sei como viver sem me sentir abandonado pelo Criador."

"Eu sei como viver sem me sentir rejeitado pelo Criador."

"Eu sei como viver sem sentir que minha vida foi roubada de mim."

"Eu sei que como viver sem sentir que tenho de fazer tudo sozinho."

"Eu sei como viver sem carregar o peso do mundo em meus ombros."

"Eu sei como viver sem me sentir sobrecarregado."

"Eu sei qual é a sensação de dar."

"Eu sei qual é a sensação de equilíbrio."

"Eu sei qual é a sensação de estar equilibrado física, mental, emocional e espiritualmente."

"Eu sei como viver sem ser um mártir."

"Eu sei qual é o dinheiro no conceito do Criador."

"Eu sei qual é a sensação de estar perto do Criador a todo momento."

"Eu sei como viver sem o medo de seguir em frente." (Para os ossos da perna.)

"Eu sei qual é a sensação do amor do Criador."

Suplementos

Quando um curador se conecta com o Criador de Tudo O Que É com o chacra coronário, magnésio e cálcio são gastos e precisam ser substituídos com bons suplementos.

SISTEMA EXCRETOR

O sistema excretor é o sistema que livra o corpo de seus resíduos. A palavra excreção significa "remoção dos resíduos do corpo". Sem o sistema excretor, estaríamos todos mortos, porque ele limpa o sangue e envia os resíduos deste para a urina. Ele também regula a composição química dos fluidos corporais através da remoção dos resíduos metabólicos e a retenção de quantidades adequadas de água, sais e nutrientes. Os componentes desse sistema nos vertebrados (mamíferos) são os rins, o fígado, os pulmões e a pele.

A bexiga

A bexiga é o lugar onde o ácido úrico é armazenado para que ele possa sair do corpo. Ela abriga ressentimentos e raivas antigas.

Os rins

O trabalho dos rins é manter a hidratação por todo o corpo, além de remover o excesso de ácido úrico. Eles detêm raiva, ressentimentos e rancores. Se as pessoas não estiverem se curando, entre "pela porta dos fundos", pelos rins, e faça o trabalho de ressentimento.

Veja também <u>Doença Renal</u>.

SISTEMA LINFÁTICO

O sistema linfático é usado para levar resíduos para longe das células, liberar gordura e combater infecções e parasitas. É o sistema de limpeza e de defesa do corpo, trabalhando de mãos dadas com o fígado e o sistema circulatório.

Câncer, hemorroidas, leucemia e varizes são doenças dos sistemas circulatórios e linfáticos. Todas e quaisquer doenças do sistema imunológico são mantidas no sistema linfático.

As amígdalas, o baço e o timo formam parte do sistema linfático. O baço carrega uma reserva extra de hemácias e destrói as hemácias que ainda têm núcleos nelas (células nocivas).

Movimentos corporais vigorosos bombeiam o sistema linfático. Se você não se move o suficiente, os linfonodos ficam ingurgitados e você pode ter mais infecções. O exercício regular impede que isso aconteça. Levantadores de peso ficam muito mais saudáveis do que os outros, porque seus músculos expelem as toxinas.

Se você sobrecarregar seu corpo com estresse, o sistema linfático se atolará, o que também significa que você está mais propenso a infecções.

O sistema linfático tem a capacidade de fazer uma distribuição muito rápida para todas as parte do corpo, então o câncer linfático pode se espalhar por todo o corpo. O sistema linfático trata um câncer como um vírus e incha para encapsulá-lo, mas ele atravessa o encapsulamento e se espalha.

Remédios intuitivos

Não use sutiãs com arame que sejam muito apertados, uma vez que eles cortam a circulação para o sistema linfático. Evite desodorantes, pois eles são tóxicos para o sistema. Se você beber um pouco de clorofila diariamente, não precisará de desodorantes. O odor do corpo é um bom indicador de quão tóxico seu corpo está. Quando você faz limpezas, exala um odor ruim (exceto na limpeza de azeite de oliva). Cânceres causam diferentes tipos de odores a ser exalados do corpo. As pessoas com sobrepeso têm mais odores porque estão lutando contra um acúmulo de toxinas.

Se você tiver câncer no sistema linfático, ele se espalha por todo lado. Se for esse o caso, não faça massagens ou drenagem linfática, uma vez que iria espalhá-lo ainda mais. Uma cura seria uma coisa melhor para se fazer.

Trabalho de crenças

Muitos dos sistemas de crença mantidos no sistema linfático têm muito em comum com as crenças dos parasitas, vírus e bactérias.

O sistema linfático pode conter programas positivos, como a capacidade de estabelecer limites e saber quando lutar, mas ele também pode conter as emoções do arrependimento e do confronto, bem como a sensação de impotência. As pessoas podem se perder em arrependimentos. Ensine-se o conceito do Criador de perdão.

Ajude seu sistema imunológico, fazendo o *download* dos conceitos do Criador de:

"Eu sei como cuidar de mim."

"Eu sei como inspirar o sopro da vida."

"Eu compreendo como lidar com confrontos."

"Eu sei como interagir com os outros."

"Eu sei como lutar por meu direito de ser."

"Eu sei como dizer não."

"Eu sei como viver sem permitir que as pessoas se aproveitem de mim."

"Eu sei como fazer com que as pessoas honrem meus limites."

Confronto

Algumas pessoas pensam que estão sob ataque o tempo todo. Isso pode criar doenças imunológicas no sistema linfático. Quando seu cérebro está equilibrado e tem serotonina suficiente, no entanto, confrontos são facilmente manejados.

Se você tem mercúrio demais, isso o torna combativo e possivelmente suicida.

Faça o *download* do conceito do Criador de:

"Eu sei como sentir a alegria da vida."

"Eu sei como aproveitar a vida."

"Eu sei como aprender facilmente e sem esforço."

"Eu sei qual é a sensação de me afirmar."

"Eu sei como viver sem permitir que confrontos me deixem com medo."

"Eu sei como enfrentar alguém da maneira mais elevada e melhor."

"Eu sei como estar consciente dos sentimentos dos outros."

"Eu sei como ser respeitoso e assertivo ao mesmo tempo."

Suplementos e outras recomendações nutricionais

Limpadores de linfa

- vinagre de maçã (1 colher de sopa diluída na água ou um vinagrete);
- meio limão na água;
- a limpeza de limão de Stanley Burrow;
- luz amarela;

Você pode remover os metais pesados no sistema linfático com minerais:

- cálcio-magnésio remove chumbo e cádmio;
- selênio remove mercúrio;
- zinco remove chumbo (mas baixa os níveis de cobre, se usado em grandes quantidades).

SISTEMA NERVOSO

O sistema nervoso é nossa ligação elétrica com o mundo exterior. Juntamente com o cérebro, ele atua como transmissor, receptor e intérprete da energia externa.

O sistema nervoso está ligado ao corpo inteiro. Quando você trabalha com ele, ativa os neurônios que são os mensageiros elétricos do corpo.

O melhor curador é aquele que pode sair de seu próprio mundo e entrar no paradigma do outro para se relacionar com ele do próprio ponto de vista dele. Isso é feito por se ter um sistema nervoso equilibrado.

Viajando através do cérebro e do corpo, os neurônios coletam formas-pensamento instantaneamente. Esse é o computador mais rápido que o homem conhece.

Tipos

O sistema nervoso autônomo

As fibras nervosas autonômicas formam um sistema subsidiário que regula a íris do olho e a ação do músculo liso na bexiga, os vasos sanguíneos, o cólon, as glândulas, o coração, os pulmões, o estômago e outros órgãos viscerais não sujeitos ao controle intencional.

Embora os impulsos do sistema nervoso autônomo se originem no sistema nervoso central, ele executa as funções mais básicas humanas mais ou menos automaticamente, sem a intervenção consciente dos centros superiores do cérebro. Como ele é vinculado a esses centros, no entanto, ele é influenciado pelas emoções. A raiva, por exemplo, pode aumentar o batimento cardíaco.

O sistema nervoso simpático e parassimpático

As fibras nervosas autonômicas saem do sistema nervoso central, como parte de outros nervos periféricos, mas se ramificam deles para formar dois outros subsistemas: os sistemas nervosos simpático e parassimpático, os quais geralmente agem um em oposição ao outro. Por exemplo, os nervos simpáticos fazem as artérias contraírem, enquanto os nervos parassimpáticos fazem-nas dilatarem.

Os impulsos simpáticos são conduzidos aos órgãos por dois ou mais neurônios. O corpo celular do primeiro fica dentro do sistema nervoso central e o do segundo fica em um gânglio externo. Dezoito pares de tais gânglios se interconectam por fibras nervosas para formar uma corrente dupla logo afora da coluna vertebral e que corre paralela a ela. Os impulsos parassimpáticos também são transmitidos por pelo menos dois neurônios. O corpo celular do segundo está geralmente perto ou dentro do órgão-alvo.

O sistema nervoso e reflexos

Em geral, a função nervosa é dependente de ambas as fibras sensoriais e motoras, com estimulação sensorial evocando a resposta motora. Até mesmo o sistema autonômico é ativado por impulsos sensoriais de receptores no órgão ou músculo. No caso de áreas especialmente sensíveis ou de estímulos fortes, no entanto, não é sempre necessário que um impulso sensitivo alcance o cérebro para desencadear a resposta motora. Um neurônio sensitivo pode se vincular diretamente a um neurônio motor em uma sinapse na medula espinhal, formando um arco reflexo que funciona de modo automático. Assim, bater no tendão abaixo da rótula faz com que a perna involuntariamente sacuda porque o impulso provocado pela batida, depois de viajar até a medula espinhal, viaja diretamente de volta para o músculo da perna. Tal resposta é chamada de ato reflexo. Comumente, o arco reflexo inclui um ou mais neurônios conectores que exercem um efeito de modulação, gerando diferentes graus de resposta, dependendo se a estimulação é forte, fraca ou prolongada. Arcos reflexos estão muitas vezes ligados a outros arcos por fibras nervosas na medula espinhal. Consequentemente, várias respostas musculares podem ser desencadeadas ao mesmo tempo, como quando uma pessoa treme e se sacode ao toque de um inseto. Ligações entre os arcos reflexos e os centros superiores permitem que o cérebro identifique um estímulo sensorial, como dor, ou notar uma resposta reflexa, como a retirada e inibir essa resposta (como quando o braço é segurado firme diante da picada de uma agulha hipodérmica).

Padrões de reflexo são herdados em vez de aprendidos, tendo evoluído como mecanismos de sobrevivência involuntários. Mas ações voluntárias iniciadas no cérebro podem se tornar reflexos através da associação contínua de um estímulo específico a um determinado resultado. Em tais casos, uma alteração das rotas de impulso ocorre, o que permite respostas sem mediação dos centros nervosos superiores. Tais respostas são chamadas de reflexos condicionados, cujo exemplo mais famoso é uma das experiências realizadas por Ivan Pavlov com cães. Depois que os cães aprenderam a associar a concessão de alimentos ao som de um sino, eles salivavam ao som do sino, mesmo se os alimentos não fossem oferecidos.

A formação de hábitos e muito da aprendizagem depende de reflexos condicionados. Para ilustrar, o cérebro de um datilógrafo estudante deve coordenar os impulsos sensitivos de ambos os olhos e os músculos a fim de direcionar os dedos para teclas específicas. Após a repetição suficiente, os dedos automaticamente encontram e digitam as teclas apropriadas, mesmo se os olhos estiverem fechados. O aluno aprendeu a digitar; ou seja, digitar se tornou um reflexo condicionado.

Downloads

"Eu sei quando estou recebendo comunicação verdadeira dos outros."

"Eu sei como viver sem permitir que formas-pensamento negativas interfiram em meu progresso."

"Eu sei a diferença entre a perspectiva de verdade do Criador e aquela de outra pessoa."

"Eu compreendo como ver os outros pela perspectiva do Criador."

"Eu tenho o conceito do Criador de como interagir com os outros."

"Estou conectado com o Criador de Tudo O Que É."

"O Criador de Tudo O Que É está conectado a mim."

"Eu tenho o conceito do Criador de como reconhecer a verdade mais elevada."

"Eu tenho o conceito do Criador de como discernir a verdade mais elevada."

"Eu tenho o conceito do Criador a partir do Sétimo Plano de qual é a sensação de ser importante."

Suplementos

- ácido alfalipoico e limpezas de fígado (para evitar crises de cura na pele);
- óleos ômega (3, 6 e 9);
- selênio;
- vitamina E.

SISTEMA REPRODUTOR

A principal função do sistema reprodutor é assegurar a sobrevivência da espécie. Um indivíduo pode viver uma vida feliz sem produzir descendência, mas, para a espécie continuar, pelo menos alguns indivíduos devem se reproduzir.

O sistema reprodutor tem quatro funções dentro do paradigma da reprodução:

1. A produção de óvulos e de células de esperma.
2. O transporte e a continuidade dessas células.
3. A nutrição e o desenvolvimento da prole.
4. A produção de hormônios.

Essas funções estão divididas entre os órgãos reprodutores primários e secundários:

- *Os principais órgãos reprodutores*, ou gônadas, consistem dos ovários e testículos. Esses órgãos são responsáveis pela produção do óvulo e espermatozoides e hormônios.
- Todos os outros órgãos, ductos e glândulas no sistema reprodutor são considerados *órgãos reprodutores secundários*.

Trabalho de crenças

A abundância flui melhor quando os primeiro e segundo chacras são abertos e os programas negativos são liberados dessas áreas. Programas mantidos nessa área do corpo podem originar-se de raivas antigas armazenadas ou de abuso sexual. Abuso sexual é registrado em qualquer momento que qualquer coisa seja dita a uma criança que a diminua e à sua estima.

Quando você limpar esses chacras, você terá mais abundância e os músculos do assoalho pélvico se tornarão mais firmes nas mulheres. Também pode haver questões originárias do parto e de estar nesta Terra. Essas crenças serão diferentes dependendo do contexto cultural da pessoa.

As questões também podem ser de intimidade. Algumas pessoas pensam que, se você não faz sexo o tempo todo, você não é amado e não é íntimo.

Verifique se uma pessoa divorciada se sente livre de qualquer compromisso com um companheiro anterior.

Faça os *downloads*:

"Eu sei qual é o conceito e perspectiva do Criador da sensação de ser íntimo."

"Eu sei qual é o conceito e perspectiva do Criador da sensação de ser acarinhado."

"Eu sei qual é o conceito e perspectiva do Criador da sensação de ser completamente escutado."

"Eu sei qual é o conceito e perspectiva do Criador da sensação de escutar meu companheiro completamente."

"Eu tenho o conceito do Criador de intimidade."

"Eu sei qual é a sensação de viver minha vida diária sem me vitimizar."

"Eu tenho o conceito do Criador de qual é a sensação de receber e aceitar o amor de um companheiro."

"É o.k. me sentir sexual, sensual e sexy e ainda ter bom discernimento."

"Eu tenho o conceito do Criador de qual é a sensação de desfrutar de sexo com meu companheiro."

"Posso receber e aceitar o amor sexual."

"É o.k. ser sexy."

" É o.k. fazer sexo e ser espiritual."

"Eu sei qual é a sensação de viver sem estar casada com Deus."

"Eu sei qual é a sensação de viver sem meu casamento anterior."

"Eu conheço e compreendo completamente meu parceiro."

"Eu sei qual é a sensação de viver sem que seja meu dever fazer sexo."

"Eu sei qual é a sensação de viver sem ter de ser um sacrifício."

"Tudo bem desfrutar de sexo."

"Eu sei qual é a sensação de viver sem perceber sexo como sujo."

"Eu sei como viver sem medo de sexo no escuro ou em qualquer outro ambiente."

"Tudo bem mostrar emoção sexual."

"Tudo bem ser sensual."

"Eu sei qual é a sensação de viver sem ter vergonha de sexo."

"Eu respeito meu corpo."

"Tudo bem estar em meu corpo."

"Tudo bem ser um menino ou uma menina."

"Eu sei como estar presente em um relacionamento."

"Eu sei qual é a sensação de viver sem fazer sexo o tempo todo."

"Eu sei qual é a sensação de viver sem sexo ser meu dever."

"Tudo bem mostrar emoções durante o sexo."

"Eu sei como viver sem culpa."

SISTEMA RESPIRATÓRIO

Quando você está fazendo uma varredura no corpo, ouça as músicas que os órgãos cantam uns para os outros, semelhantes aos tons de uma harpa. Observe os pulmões rindo com a alegria da existência. Os pulmões se enchem de alegria sempre que reúnem a pura força de vida do ar e convertem oxigênio em energia.

Existem três moléculas que carregamos em todas as nossas encarnações: uma célula mestra no cérebro, uma no coração e outra na base da espinha. Quando respiramos, ativamos e conectamos todas as três.

Qualquer doença associada aos pulmões tem a ver com tristeza, dor e medo. Medo muitas vezes gera tristeza. Quando alguém chega até você com problemas no sistema respiratório, converse com ele para descobrir como você pode ajudá-lo a liberar um pouco da tristeza.

Remédios intuitivos

Uma coisa que afeta fisicamente os pulmões, provavelmente mais que tudo, é falta de água. Isso pode causar grandes problemas na área do pulmão e contribuir para a pessoa ser asmática. Certifique-se de sugerir que a pessoa com problemas pulmonares tome água o suficiente para se hidratar. Infelizmente, uma parte da água que bebemos não nos hidrata, uma vez que sua estrutura molecular é alterada enquanto viaja através de nossa tubulação. Isso é causado pela água girar na direção errada conforme atravessa a tubulação.

Para compensar esse efeito, segure um copo de água em suas mãos antes de beber e veja as moléculas se moverem em uma direção diferente. Isso permitirá que você absorva a água com menos dificuldade.

Trabalho de crenças

Você pode não ser capaz de mudar completamente a tristeza de uma pessoa, mas pode retirar o programa de que eles têm de ter dor e de que amor dói. Mudar essas coisas em seus pulmões mudará a vida deles imediatamente.

Faça os *downloads*:

"Eu sei qual é a sensação de viver sem ser uma vítima."

"Eu tenho o conceito do Criador do que é chorar."

"Eu sei qual é a sensação de viver sem arrependimentos."

"Eu sei o conceito do Criador de qual é a sensação de perdão."

"Eu sei como viver em alegria."

Reconheça também que você tem compaixão pelas pessoas com quem trabalha sem assumir e armazenar a dor e a tristeza deles. Faça o teste energético em si mesmo para "Tudo bem chorar se eu quiser" e "Eu sei qual é a sensação de compaixão".

Veja também Asma.

SISTEMA SEXUAL

Veja Sistema Reprodutor.

SINUSITE

A sinusite pode ser associada a estar irritado com uma pessoa muito próxima.

Muitas vezes também está associada aos dentes. Suba e pergunte ao Criador se a pessoa está com algum dente infeccionado.

Histamina em excesso pode causar sinusite, assim como o acetaldeído em excesso no sistema.

Downloads

"A cada dia, em todos os sentidos, eu me sinto mais e mais forte."

"Eu sei qual é a sensação de viver sem ficar exausto."

"Eu sei como encontrar novas forças."

"Eu sei qual é a sensação de saber que minhas suprarrenais têm a força de que elas precisam."

"Tudo no meu corpo funciona em harmonia."

"Meus hormônios estão equilibrados."

"É fácil para mim respirar."

"Eu sei como viver sem permitir que os outros me irritem."

"Eu sei como viver minha vida do dia a dia sem permitir que os outros se aproveitem de mim."

"Eu sei como reagir e interagir com as pessoas de um jeito bom."

"Eu sei qual é a sensação de dizer não em situações antes que o drama comece."

"Eu sei qual é a sensação de ser feliz."

"Eu sei qual é a sensação de permitir que meu corpo relaxe."

"A cada dia meus sinos ficam mais desobstruídos."

Suplementos e outras soluções nutricionais

• Se a sinusite for causada por acetaldeído em excesso, você precisa suplementar com molibdênio para remover o acetaldeído e mudar as alergias da pessoa.

• Se for causada por histamina, bons exercícios de musculação ajudarão a criar cortisona e bloquear a histamina. CoQ10 e vitamina C ajudarão.

SURDEZ

Veja Deficiência Auditiva.

TIREOIDE DE HASHIMOTO

Veja Hipotireoidismo.

TRANSPLANTES

A medicina convencional usa válvulas de porco e humanas para reparar o coração e pode transplantar toda uma variedade de outras partes do corpo. Seu corpo tem a opção de aceitá-los ou rejeitá-los. Ele sabe que são substâncias estranhas (o que em si é uma prova da inteligência das células no corpo).

Cada célula de seu corpo tem memória especial de tudo o que você já fez e cada uma tem seu próprio tom. Um transplante não coincide com essas vibrações e memórias. Isso significa que, num transplante, há lembranças do proprietário original. Às vezes o corpo não está disposto a aceitar essas memórias, pensamentos e energias e atacará o transplante. Se isso acontecer, você pode comandar equilíbrio no corpo.

A fim de equilibrar o corpo para a aceitação do transplante, suba e comande ao corpo da pessoa que encontre a aceitação da energia do transplante. Peça ao Criador para lhe mostrar o que tem de ser feito e testemunhe isso mudando.

Downloads

"A cada dia, meu corpo se ajusta com facilidade e sem esforço aos novos órgãos transplantados nele."

"Eu sei qual é a sensação de aceitar meu transplante."

"Eu sei como aceitar todos os novos presentes que o Criador me deu."

"Eu sei qual é a sensação de viver sem ter de lutar por tudo que recebo."

"Eu sei qual é a sensação de saber quando e como lutar."

"Eu sei que é possível viver em harmonia."

"A cada dia, em todos os sentidos, eu estou mais em harmonia."

"A cada dia, em todos os sentidos, minha mente está em harmonia."

"A cada dia, em todos os sentidos, meu sistema imunológico está em harmonia."

"É fácil para mim ser feliz."

"O criador me mostra como ser feliz."

"Meu corpo é forte e saudável."

TRANSTORNO BIPOLAR/MANÍACO-DEPRESSIVO

O transtorno bipolar refere-se a mudanças de humor que vão de excessivamente "acelerado" (maníaco) para excessivamente "desacelerado" (depressivo). Isso se refere ao humor de uma pessoa se alternar entre "polos" de mania e depressão. Outro nome para a doença é transtorno maníaco-depressivo. Na fase maníaca, a pessoa tem uma abundância de serotonina e de outros hormônios. Na fase de depressão, ela tem uma baixa de serotonina e dos hormônios necessários.

Os sintomas de transtorno bipolar são graves. Eles podem prejudicar os relacionamentos, gerar problemas no desempenho no trabalho e na escola e até mesmo suicídio. Mas há uma boa notícia: o transtorno bipolar pode ser tratado e pessoas com essa doença tendem a ser muito criativas e podem levar uma vida plena e produtiva.

O transtorno bipolar tipicamente se desenvolve no final da adolescência ou no início da idade adulta. No entanto, algumas pessoas têm seus primeiros sintomas durante a infância e alguns a desenvolvem mais tarde na vida. Muitas vezes não é reconhecida como uma doença e as pessoas podem sofrer durante anos antes de ser diagnosticadas e tratadas adequadamente.

Sintomas de mania

- período de duração de um determinado comportamento diferente do habitual;

- humor excessivamente "acelerado", excessivamente eufórico;
- abuso de drogas, principalmente cocaína, álcool e medicamentos para dormir;
- negação de que alguma coisa esteja errada;
- distração, incapacidade de se concentrar;
- irritabilidade extrema;
- aumento da energia, atividade e inquietação;
- aumento do desejo sexual;
- pouca necessidade de sono;
- pouco discernimento;
- comportamento provocador, intrusivo ou agressivo;
- pensamentos e fala muito rápida, pulando de uma ideia para outra;
- gastos excessivos;
- crenças irrealistas sobre suas habilidades e poderes.

Sintomas de depressão

- sentimento duradouro de ansiedade, tristeza e vazio;
- mudança de apetite e/ou perda ou ganho de peso involuntário;
- dor crônica ou outros sintomas corporais persistentes que não foram causados por doenças físicas ou lesão;
- redução de energia, sensação de cansaço, de ser "desacelerado";
- dificuldade de concentração, de se lembrar das coisas e de tomar decisões;
- sentimentos de culpa, inutilidade ou desamparo;
- sentimentos de desesperança ou pessimismo;
- perda de interesse ou prazer nas atividades de que gostava, incluindo sexo;
- inquietação ou irritabilidade;
- dormir demais ou não conseguir dormir;
- pensamentos de morte e suicídio ou tentativa de suicídio.

A pessoa com transtorno bipolar geralmente acha que a culpa é de todo mundo, menos dela. Ela acha que todo mundo existe para prejudicá-la. Seu cérebro atira erroneamente impulsos elétricos. A mãe quer afastar a criança porque é difícil lidar com os impulsos elétricos.

O Corpo Canta

Algumas pessoas se tornam muito violentas e isso pode progredir até abusarem das pessoas que amam.

O transtorno maníaco-depressivo pode ser agravado por um crescimento excessivo de levedura no trato intestinal. Alergias alimentares também podem piorar os sintomas.

O uso do lítio de medicação pode causar visão turva, diarreia, micção frequente, tremores nas mãos, disfunção renal, espasmos musculares e inchaço da tireoide.

Remédios intuitivos

Ao trabalhar com uma pessoa com transtorno bipolar, você deve perguntar se ela quer mudar isso e fazer o máximo de trabalho de crenças possível em uma única sessão. Pessoas com transtorno bipolar não têm ideia do que fazer quando sentem emoções. Elas estão acostumadas a estar muito deprimidas e podem não querer que você as cure. Elas muitas vezes querem que você as adormeça, em vez de ajudá-las a sentir as emoções que as oprimem.

Se elas quiserem que você as ajude, peça aos impulsos cerebrais que se equilibrem, limpe o fígado e, em seguida, peça aos hormônios que se equilibrem. Ensine ao corpo o que fazer. Alta noradrenalina e baixos níveis de serotonina podem ser alterados enviando uma abundância de amor. Testemunhe isso feito. Diga: *"Criador, mostre-me"*.

Para o processo de normalização das químicas do cérebro, veja <u>Depressão</u>.

Algumas crianças não são realmente maníacas; elas são apenas alérgicas a corantes vermelhos.

Trabalho de crenças

As pessoas que têm transtorno bipolar são manipuladoras excelentes. É difícil fazer o trabalho de crenças, porque elas vão fazê-lo girar em círculos com o processo de escavação (*digging*). Elas realmente têm de querer mudar antes que você possa chegar a algum lugar com elas.

Muitas pessoas são diagnosticadas com transtorno bipolar e acreditam que nada pode ajudá-las. Nesse caso é que o trabalho de crenças pode ajudá-las a ter esperança. Ensine ao cliente como ir a Theta e se conectar com o Criador. Isso vai ajudá-lo a equilibrar os hemisférios do cérebro.

"Eu não sou bom o suficiente."

"Nada pode me ajudar."

Faça os *downloads*:

"Eu sei qual é a sensação de ter esperança e energia."

"Eu sei como ficar em um estado de espírito equilibrado."

"Eu sei qual é a sensação de viver sem estar irritado com os outros."

"Eu sei qual é a sensação de ter bom senso."

"Eu sei como tomar boas decisões."

"Eu vejo possibilidades em todas as coisas."

"Eu vivo sem me sentir vazio."

"Eu vivo sem me sentir triste."

"Eu sei qual é a sensação de viver sem ser excessivamente agressivo."

"Eu sei como viver sem tomar um monte de remédios."

"Eu sei qual é a sensação de tomar medicações de maneira persistente e com leveza."

"Eu sei qual é a sensação de ter bom senso com o dinheiro que gasto."

"Eu sei qual é a sensação de viver sem transferir meus problemas para os outros."

"Eu tenho controle sobre meu humor."

"Eu tenho controle sobre meus sentimentos."

"Eu tenho controle sobre minha vida."

"Eu me sinto totalmente conectado ao Criador."

"Eu sei como descansar e me beneficiar do sono."

"Eu sei como comer alimentos que são bons para mim."

"Eu sei qual é a sensação de viver sem pensamentos de morte ou suicídio."

"Eu sei qual é a sensação de ser apreciado."

"Eu sei que posso me conectar ao Criador a qualquer momento."

"Eu sei como viver sem ter uma energia explosiva."

"Eu sei qual é a sensação de saber que estou seguro."

"Eu sei como apreciar todos aqueles que estão em minha vida."

"A cada dia que passa, penso com mais clareza."

"Eu tenho boas ideias."

"Eu sei como ouvir os outros."

"Eu sei qual é a sensação de estar conectado à unidade de Tudo O Que É."

"Eu sei qual é a sensação de saber que sempre há esperança."

Suplementos e outras recomendações nutricionais

- Dieta equilibrada é importante, com frutas e legumes.
- Complexos de aminoácidos ajudam a equilibrar o sistema, especialmente tirosina e taurina.
- Comer peixe e tomar ômega 3.
- As doses elevadas de vitamina B e injeções de vitamina B12 parecem ajudar.
- A vitamina C é benéfica.
- O zinco é útil.
- Evite triptófano, pois pode causar episódios maníacos, e fique longe do glúten (trigo).

TROMBOSE

A trombose é causada por insuficiência de circulação nas pernas e também pode ser causada por inatividade (quando viajando de avião, por exemplo), resultando na formação de coágulos sanguíneos. É importante fazer exercícios e alongar o corpo para fazer circular o sistema linfático.

Remédios intuitivos

Sempre consulte um médico!

Uma solução em curto prazo é a seguinte: aqueça um pacote de óleo de arnica e depois mergulhe um pano nele. Aplique-o e reaplique-o na área afetada até ter alívio.

TUBERCULOSE

A tuberculose (TB) é uma infecção com risco de vida que afeta principalmente os pulmões. Ela tem atormentado os seres humanos por milênios. Sinais dela foram encontrados em múmias egípcias e em ossos com mais de 5 mil anos. Doc Holliday, um dos mais famosos pistoleiros do Velho Oeste, morreu disso. Hoje, apesar dos avanços no tratamento, a TB é uma pandemia mundial, impulsionada pela propagação do HIV-AIDS, pela pobreza, pela falta de serviços de saúde e pelo surgimento de linhagens da bactéria que torna a doença resistente aos medicamentos. É uma doença comum; cerca de um terço da população humana está infectada com ela e quase 2 milhões de pessoas morrem por ano de tuberculose em todo o mundo.

A *Mycobacterium tuberculosis*, a bactéria que causa a tuberculose, dissemina-se em gotículas microscópicas que são liberadas no ar quando alguém com a forma ativa da doença tosse, fala, ri, canta ou espirra.

Embora a tuberculose seja contagiosa, não é especialmente fácil de pegar. Em geral, você precisa de contato em longo prazo com uma pessoa infectada para se infectar. Mesmo assim, os sintomas podem não se manifestar até muitos anos mais tarde. Você está muito mais propenso a contrair a tuberculose de um membro da família ou de um colega de trabalho próximo do que de um estranho em um ônibus ou em um restaurante. Uma tuberculose ativa não resistente em uma pessoa que tenha sido tratada por pelo menos duas semanas, geralmente deixa de ser contagiosa.

Deixada sem tratamento, a tuberculose pode ser fatal. No entanto, com os devidos cuidados, a maioria dos casos pode ser tratada, mesmo aqueles resistentes aos antibióticos comumente utilizados contra a doença.

Embora seu corpo possa hospedar a bactéria TB, seu sistema imunológico pode muitas vezes impedir que você adoeça. Por essa razão, os médicos fazem uma distinção entre:

• *Infecção de TB*: essa condição, chamada às vezes de TB latente, não gera sintomas e não é contagiosa.
• *TB ativa*: Essa condição o deixa doente e pode se disseminar para os outros. No entanto, a infecção pode ser assintomática durante anos, mesmo que esteja ativa e causando danos.

O sistema imunológico começa a atacar as bactérias TB de duas a oito semanas após ser infectado. Às vezes as bactérias morrem e a infecção se cura completamente. Em outros casos, as bactérias permanecem no corpo em um estado inativo sem causar sintomas de tuberculose. Em outros casos, ainda, as pessoas desenvolvem TB ativa.

Sintomas

A TB afeta principalmente os pulmões (tuberculose pulmonar) e, de início, a tosse, muitas vezes, é a única indicação de infecção. Os sintomas da TB pulmonar ativa incluem:

• calafrios;
• dor com a respiração ou tosse (pleurisia);
• fadiga;
• febre leve;
• ondas de calor;
• perda de apetite;
• perda de peso não intencional.
• tosse que dura de três ou mais semanas e pode produzir escarro sangrento ou descolorido;

A tuberculose também atinge quase qualquer parte do corpo, incluindo a medula óssea, os ossos, o sistema nervoso central, as articulações, o sistema linfático, os músculos e o trato urinário. Ela pode se espalhar por todo o corpo, atacando simultaneamente vários sistemas dos órgãos.

Infecção inativa

Cerca de duas a oito semanas após os pulmões serem infectados pela *M. tuberculosis*, o sistema imunológico entra em ação. Macrófagos, glóbulos brancos especializados, que ingerem organismos nocivos, começam a cercar as bactérias da tuberculose nos pulmões. Se os macrófagos são bem-sucedidos, as bactérias podem permanecer dentro dessas paredes por anos em um estado dormente. Nesse caso, a pessoa terá um resultado positivo no teste da tuberculina, mas não terá nenhum sintoma e não será contagiosa.

TB ativa

No entanto, uma série de fatores pode enfraquecer o sistema imunológico, incluindo envelhecimento, quimioterapia, doenças como HIV-AIDS, drogas ou abuso de álcool, desnutrição e o uso prolongado de medicamentos prescritos como corticoides, e cerca de uma em cada dez pessoas que têm TB dormente passa a desenvolver TB ativa em algum momento de sua vida. O risco é maior no primeiro ano após a infecção, mas a doença pode não reemergir por décadas.

Conforme as defesas imunes falham, as bactérias TB começam realmente a explorar os macrófagos para sua própria sobrevivência, fazendo com que os glóbulos brancos se formem em grupos firmemente embalados chamados granulomas. As bactérias se multiplicam dentro dos granulomas, que eventualmente podem se expandir em nódulos não cancerosos semelhantes a tumores. Os centros desses nódulos têm a consistência de um queijo macio, quebradiço. Ao longo do tempo, os centros podem se liquefazer e romper as paredes granulomatosas em torno deles, derramando bactérias nas vias aéreas dos pulmões, fazendo com que se formem (TB ativa) grandes espaços de ar (cavidades). Repletos de oxigênio, os espaços de ar se tornam um terreno ideal para a reprodução das bactérias, que se multiplicam em números enormes. Elas podem, então, se disseminar das cavidades para o resto dos pulmões, bem como para outras partes do corpo.

Sem tratamento, muitas das pessoas com tuberculose ativa morrem. Aquelas que sobrevivem, desenvolvem sintomas debilitantes crônicos, como dor no peito e tosse com expectoração de sangue, ou seu sistema imunológico se recupera e a doença entra em remissão.

A disseminação da TB

Hoje, novas infecções e mortes por causa da doença estão aumentando. Os mais atingidos são a África Subsaariana e o Sudeste Asiático. A principal causa é a propagação do HIV. A TB e o HIV têm uma relação mortal – um impulsiona o progresso do outro.

A infecção pelo HIV suprime o sistema imunológico, tornando-se difícil para o corpo controlar as bactérias TB. Como resultado, as pessoas com HIV são muitas vezes mais propensas a progredir da doença inativa para a ativa do que pessoas que não são HIV-positivas. A TB é uma das principais causas de morte entre as pessoas vivendo com AIDS – não só porque elas são mais suscetíveis a TB, mas também porque a TB pode aumentar a taxa com que o vírus da AIDS se replica. Uma das primeiras indicações de infecção de HIV é o aparecimento súbito de TB.

Outros fatores que contribuem para a disseminação da tuberculose incluem:

- aumento de linhagens de TB resistentes às medicações;
- condições de vida em multidão (a TB se espalha mais facilmente em espaços abarrotados, cheios de gente, mal ventilados);
- aumento da imigração;
- aumento da pobreza e da falta de acesso a cuidados médicos.

Remédios intuitivos

Tenho trabalhado com tuberculose e existem algumas coisas importantes a saber. Não tenho medo da tuberculose, mas tomo precauções. Se você suspeita de que alguém tenha tuberculose, certifique-se de que consulte seu profissional de saúde, para que possa fazer uso de todas as opções disponíveis a ele. O profissional de saúde também fica alerta quando alguém da área tem tuberculose.

A cura básica funciona bem com TB. Testemunhe as lesões nos pulmões se curarem. As bactérias são fáceis de se livrar através da intuição. Faça o comando: *"Criador, cure isso e mostre-me"*. Testemunhe a cura como é feita.

A maioria das pessoas que vieram até mim com tuberculose se recuperaram com sucesso e estão bem.

Algumas recomendações para uma pessoa com TB:

- Evite estresse.
- Evite o uso de cortisona, pois ele compromete o sistema imunológico.
- Evite fumar.
- A tuberculose tem uma incrível capacidade reprodutiva. A purificação e filtração do ar são boas sugestões.

Trabalho de crenças

Quando você trabalha com tuberculose, lembre-se de que é uma bactéria, então a pessoa terá problemas relativos a culpa e questões dos pulmões, que são associados à tristeza.

Suplementos

Se a pessoa está tomando antibióticos para TB, você deve ter cuidado com os suplementos que sugere para ela, para que não entrem em conflito com os efeitos dos antibióticos.

Suplementos úteis:

- complexo B;
- complexo de aminoácidos;
- extrato de timo cru;
- multivitaminas e minerais;
- óleo de linhaça;
- suco de abacaxi fresco;
- vitamina C.

ÚLCERAS ESTOMACAIS

Muito antes de a medicina convencional ter descoberto uma causa para úlcera, eu sabia que não eram causadas por estresse. Por muito tempo, quando eu entrava nos estômagos das pessoas, via que existiam bactérias lá dentro, mas demorei um tempo até chegar a uma cura sugerida. Uma vez que os médicos descobriram que úlceras eram causadas pelas bactérias *Helicobacter pylori*, eles tiveram de mudar as prescrições de medicamentos para úlceras para antibióticos.

Sintomas

O principal sintoma de uma úlcera é uma sensação de ardor ou de corrosão na região do estômago que dura entre 30 minutos e três horas. Essa dor é muitas vezes interpretada como azia, indigestão ou fome. Essa geralmente ocorre no abdômen superior, mas pode ocorrer abaixo do esterno. Em alguns indivíduos ocorre imediatamente depois de comer; em outros, horas depois de comer. A dor frequentemente acorda a pessoa durante a noite. Semanas de dor podem ser seguidas de semanas de trégua. A dor pode ser aliviada por beber leite, comer, descansar ou tomar antiácidos.

Perda de apetite e de peso são outros sintomas de úlceras. Pessoas com úlceras duodenais podem ter, no entanto, ganho de peso porque comem mais para aliviar o desconforto.

Anemia, sangue nas fezes e vômitos recorrentes são outros sintomas.

Causas

Considera-se que a infecção por *Helicobacter pylori* desempenha um papel importante na causa de ambas as úlceras gástricas e duodenais. A *Helicobacter pylori* pode ser transmitida de pessoa para pessoa através de alimentos e água contaminados.

Lesões no revestimento da mucosa gástrica e o enfraquecimento da defesas das mucosas são também responsáveis por úlceras gástricas.

Excesso de secreção de ácido clorídrico, predisposição genética e estresse psicológico são fatores importantes na formação e no agravamento das úlceras duodenais.

Outra das principais causas de úlceras é o uso crônico de medicamentos anti-inflamatórios como aspirina.

Fumar cigarro é também uma importante causa da formação de úlceras e do insucesso no tratamento de úlcera.

Remédios intuitivos

Ao subir ao Criador e dizer: *"Mostre-me o que precisa ser feito"*, você pode ver a úlcera ser completamente removida do estômago.

Uma vez que as bactérias se substituem a cada meia hora, você pode ter de fazer a cura mais de uma vez só para ter certeza.

Suplementos

- Probióticos e suco de aloe vera são bons.
- Diz-se que gengibre livra das úlceras, mas você tem de tomá-lo de maneira consistente. A maioria das pessoas não é consistente com suas ervas.
- Orégano pode ser usado, mas você pode não ter vontade de comê-lo porque ele pode irritar um pouco o estômago.
- Há também um monte de bons antibióticos que matam as bactérias.

Veja também Úlceras Pépticas.

ÚLCERAS PÉPTICAS

Uma úlcera péptica é uma pústula no revestimento dos tecidos do estômago ou do intestino curto que foi corroída por ácidos do estômago, deixando uma ferida interna aberta. Pode ser resultado de uma infecção de *Helicobacter pylori* ou de medicamentos que enfraquecem o revestimento do estômago ou duodeno. Aspirina, drogas anti-inflamatórias não esteroides (AINEs) e corticoides podem irritar o revestimento do estômago e causar úlceras. No entanto, a maioria das pessoas que tomam AINEs ou corticosteroides não desenvolve úlceras pépticas.

O desconforto causado por úlceras pépticas tende a ir e vir. Um diagnóstico convencional baseia-se nos sintomas e nos resultados de um exame chamado endoscopia. Antiácidos e outros medicamentos são dados para reduzir o ácido no estômago e antibióticos são dados para eliminar a bactéria *Helicobacter pylori*.

Complicações de úlceras pépticas são sangramento ou rompimento acompanhado de tonturas, desmaio e baixa pressão arterial.

Tipos

Úlceras duodenais ocorrem nos primeiros centímetros do duodeno.

Úlceras gástricas, que são menos comuns, ocorrem ao longo da curva superior do estômago.

Úlceras marginais podem se desenvolver após uma cirurgia de estômago, no ponto em que o estômago remanescente foi reconectado ao intestino.

Úlceras de estresse podem ocorrer como resultado do estresse de uma doença severa, de queimaduras na pele ou trauma.

Causas

Úlceras se desenvolvem quando os mecanismos normais de defesa e reparação do revestimento do estômago ou duodeno estão enfraquecidos, tornando o revestimento mais propenso a ser danificado pelo ácido do estômago.

Pessoas que fumam estão mais propensas a desenvolver uma úlcera péptica e a demorar mais tempo para sarar suas úlceras.

Embora o estresse psicológico possa aumentar a produção de ácido, nenhuma ligação foi encontrada entre estresse psicológico e úlceras pépticas.

Insights intuitivos

Vista intuitivamente, a úlcera péptica não deve ser confundida com câncer de estômago. O câncer cresce e se expande, enquanto a *H. pylori* cria uma ferida no revestimento do estômago.

Às vezes, a *H. pylori* "monta um estabelecimento" quando a pessoa está fisicamente fraca e seu sistema imunológico está comprometido. Eis porque é importante para todos nós criarmos tempo para descansar.

Trabalho de crenças

Uma vez que bactérias geralmente causam úlceras pépticas, você precisa trabalhar em questões de culpa, inclusive em sentir-se culpado por não ter tempo para si mesmo.

Uma vez que a desordem está no estômago, você também precisa trabalhar em questões de digestão. Estas giram em torno de alimentar--se, da ingestão de alimentos e de amar a si mesmo.

Faça os *downloads*:

"Eu me amo."

"Eu entendo qual é a sensação de dizer não e com essa intenção."

Suplementos e outras recomendações nutricionais

- acidofilus;
- suco de aloe vera, 130g a 140g por dia;
- aminoácidos;
- bromelina;
- chá de *catnip* (erva do gato);
- unha-de-gato para o fígado;
- ácidos graxos essenciais;
- suco de noni;
- pectina;
- complexo vitamínico;
- zinco;
- dieta de vegetais de folhas verdes é benéfica para ajudar com a bactéria *pylori*;

O Corpo Canta   499

- fique longe de álcool e café;
- sempre que possível, evite sal e açúcar;
- leite de vaca neutraliza o ácido do estômago, então é melhor não usá-lo.

Veja também Úlceras Estomacais.

URTICÁRIA

Quando há uma reação alérgica a uma substância, histamina e outras substâncias químicas são liberadas na corrente sanguínea, causando coceiras, inchaço e outros sintomas. Urticária é uma reação comum, especialmente em pessoas com outras alergias como a febre do feno (rinite alérgica).

A gravidade de um surto de urticária pode ser diferente de pessoa para pessoa. Algumas pessoas podem ter um surto de urticária mesmo se tiverem um mínimo contato com um alérgeno.

Quando o inchaço ou vergões ocorrem em volta da face (especialmente nos lábios e olhos), é chamado angioedema. O inchaço do angioedema também pode ocorrer nas mãos, nos pés e na garganta. Isso não é necessariamente considerado urticária.

Causas

Muitas substâncias podem desencadear urticária:

- raiva animal (especialmente a dos gatos);
- picadas de insetos;
- medicamentos;
- pólen;
- frutos do mar, peixes, nozes, ovos, leite e outros alimentos;
- Urticária também se desenvolver a partir de:
- estresse emocional;
- transpiração excessiva;
- exposição extrema a frio ou sol;
- infecções de mononucleose, doenças autoimunes e leucemia;
- coceira;

- inchaço da superfície da pele em vergões vermelhos ou cor-de-pele (chamado de borbulhas) com bordas claramente definidas.

Vírus também podem causar urticária. O da Hepatite B e o vírus Epstein-Barr são as duas causas mais comuns.

Algumas infecções bacterianas também podem causar surtos de urticária, tanto como as infecções por levedura.

Antibióticos como a penicilina e compostos relacionados são a causa mais comum de urticária induzida por drogas.

A seguir estão algumas das substâncias que são as causas mais comuns de surtos:

- alergias alimentares;
- allopurinol;
- animais;
- antimônio;
- antipirina;
- aspirina;
- barbitúricos;
- BHA ou BHT (conservantes);
- bismuto;
- câncer (leucemia);
- colônias e perfumes;
- corantes de alimentos;
- Cortiotropin;
- eucalipto;
- exercício;
- fluoreto;
- hipertireoidismo;
- infecções, especialmente infecções estreptocócicas;
- insulina;
- maquiagem;
- mentol;
- mercúrio;
- morfina;
- ópio;

- ouro;
- penicilina;
- picadas de insetos;
- sabonete;
- sacarina;
- salicilatos;
- sulfatos;
- Thorazine;
- xampu.

Remédios intuitivos

Vá dentro do espaço da pessoa e testemunhe o Criador trazendo o corpo de volta ao equilíbrio para que ele não reaja severamente aos alérgenos. Isso geralmente eleva os níveis de cortisona da pessoa e pode ter um efeito imediato sobre as urticárias.

Trabalho de crenças

Você precisa descobrir a que a pessoa é alérgica. Isso pode estar associado à levedura. A levedura é geralmente elevada em pessoas que têm surtos de urticária. A levedura é um fungo e os fungos geralmente estão associados a problemas de ressentimento. Então, trabalhe com esses. Faça os *downloads*:

"Eu sei como viver minha vida do dia a dia sem culpar a mim e aos outros."

"Eu sei como viver minha vida sem ser pressionado."

"Eu sei como dizer não."

"Eu sei como usar bem minhas palavras."

"Eu sei como viver minha vida sem culpar os outros por coisas que são de minha responsabilidade."

" Eu sei como viver minha vida do dia a dia cuidando bem de meu corpo."

" Eu sei como viver minha vida sem me expor a pessoas irritantes."

"Eu sei como viver minha vida sem me expor a substâncias tóxicas."

"Eu sei qual é a sensação de viver sem ser ressentido com as pessoas que me irritam."

"Eu sei qual é a sensação de viver sem estar irritado comigo mesma."

"Eu sei qual é a sensação de viver sem ser vulnerável e facilmente explorado."

"Eu sei qual é a sensação de viver minha vida sem ter de lutar o tempo todo."

"Eu sei como permitir que meu corpo se ajuste às influências do mundo exterior."

Suplementos

- ácido afa lipóico;
- complexo B;
- quercetina;
- vitamina B12;
- vitamina C, 5.000 mg;
- vitamina D;
- vitamina E.

Ervas

Com qualquer uso de ervas, é melhor tomar cuidado e ver se a pessoa não é alérgica a elas.

Urtiga é a primeira erva que sugiro, porque é benéfica contra reações alérgicas.

Tente também:

- aloe vera;
- unha-de-gato;
- noni, aplicado diretamente sobre a pele;
- trevo-vermelho;

- evite todo álcool e alimentos processados, especialmente alimentos ricos em gorduras saturadas;
- use produtos de pele que sejam hipoalergênicos.

VERMES

Veja Prólogo.

VERRUGAS

Já comprei de crianças suas verrugas. Eu pago 25 centavos por elas e elas desaparecem. Isso parece funcionar porque se você comprou a verruga elas devem ir embora.

As verrugas são causadas por vírus e você também pode entrar e ver o vírus no corpo, você pode pedir ao Criador que cuide dele.

VÍRUS

Um vírus é um agente infeccioso, pequeno em tamanho e de composição simples, que só consegue se multiplicar nas células vivas de animais, plantas ou bactérias. O nome vem de uma palavra latina que significa simplesmente "líquido" ou "veneno".

Um vírus tem ou RNA ou DNA, mas não ambos. Ele usa seu hospedeiro para se reproduzir. Por essa razão, é muito difícil destruir um vírus. Uma coisa que o corpo criará para combater um vírus é *interferon*, que é uma proteína antiviral. É criada na célula e é concebida para interferir no processo de multiplicação. O corpo humano produz três tipos diferentes de interferon: alfa, beta e gama, de acordo com os tipos de células que estão infectadas.

Os vírus podem causar muitas doenças graves, incluindo várias formas de câncer, mas por outro lado podem permanecer em um hospedeiro por longos períodos de tempo antes de realmente produzirem uma doença. Algumas pessoas podem nunca apresentar os sintomas. Um exemplo seria o vírus da herpes. Embora muitas pessoas carreguem esse vírus, apenas cerca de 15% irá apresentar os sintomas.

Todo vírus tem a capacidade de transformar-se rapidamente em algo diferente para sobreviver.

Insights intuitivos

Acredito que questões de mérito mantenham os vírus no corpo e que alguns deles estão associados a problemas de medo. Muitas pessoas são imunes a doenças virais sexuais e outras, por exemplo, quando se sentem bem consigo mesmas e se recusam a aceitar a doença. Isso pode não ter nada a ver com a forma como elas se sentem quanto ao sexo, mas, sim, com a forma como elas se sentem sobre si mesmas no momento.

Nós atraímos doenças para nós, da mesma forma que atraímos pessoas, através de sistemas de crenças paralelos. Quando temos o mesmo sistema de crenças que um vírus, bactéria, levedura ou fungo, eles serão atraídos para nós e ficarão conosco. Dê uma boa olhada em si mesmo. Você atrai o equivalente humano de energias parasitas?

Os vírus são atraídos por uma pessoa específica porque eles compartilham dos mesmos programas. Eles possuem quatro níveis de sistemas de crenças, tantos quanto os humanos. Eles são atraídos pelos atributos negativos de uma pessoa, porque a negatividade deixa uma pessoa fraca em todos os níveis, físico, mental e espiritual. Em alguns casos, eles são mantidos e escondidos em diferentes níveis de crenças. Quando você estiver em uma sessão de trabalho de crenças com um cliente, ali pode haver um sinal de que ele tem um vírus.

Um vírus passa através da parede celular e usa nosso DNA ou RNA para se replicar, de modo que possa chegar ao núcleo da célula. Eu fiz uma descoberta aqui: acredito que há uma espécie de organismo microplasmático que ataca as mitocôndrias e causa doenças. Ele está presente em todos aqueles que têm distrofia muscular. As mitocôndrias têm seu próprio DNA e isso deve ser trabalhado também.

Lembre-se de que um vírus é um invasor estranho em cada célula. Herpes e hepatite parecem pequenos robôs quando vistos de forma intuitiva, por isso, é bom lembrar que você não está vendo alienígenas, mas vírus, um tipo diferente de invasor.

Quanto mais velho é um vírus, mais inteligente ele é. Vírus mais jovens, como a AIDS, não são muito desenvolvidos, uma vez que matam seus hospedeiros.

Através da simbiose entre o hospedeiro e o vírus, este aprenderá a enviar formas-pensamento para o hospedeiro em uma tentativa de controlá-lo e de prolongar sua própria vida, por exemplo persuadindo a pessoa a parar de tomar a medicação que a está matando. Mais uma vez, pergunte ao Criador o que está realmente acontecendo na situação.

Remédios intuitivos

Certa vez, usei um tom ou vibração do Sexto Plano para destruir um vírus. Mas aprendi que, para nos proteger deles, temos de mudar as crenças que os estão atraindo para nós, transformando-as com o trabalho de crenças. Como os vírus são atraídos para nós porque temos os mesmos programas negativos, se você trabalhar em suas crenças, as crenças do vírus irão mudar também. Alterar o sistema de crenças de um vírus significa que ele não tem de nos atacar para sobreviver; portanto, transmuta-se em uma forma de vida que é inofensiva para nós. Nós não queremos fazer dos vírus nossos inimigos e fazer o comando para que todos eles vão embora, uma vez que podem estar ali para nosso benefício. Ao contrário, devemos testemunhar sua mudança para uma forma que seja inofensiva.

Se uma pessoa chega até você com um vírus, verifique se ela acredita que a doença é um castigo ou que ela deveria estar doente. Pergunte ao Criador de Tudo O Que É em quais sentimentos trabalhar para fazer com que o vírus se transforme em uma forma inofensiva para o hospedeiro.

Downloads

"Eu sei qual é a sensação de viver sendo digno do amor do Criador."

"Eu sei que sou digno do amor do Criador."

"Eu sei que sou digno de ter um companheiro de alma compatível."

"Eu sei que é possível ser digno do amor de um companheiro de alma compatível."

"Eu sei qual é a sensação de ver a verdade."

"Eu sei o que é o poder do Criador."

"Eu sei me sentir totalmente conectado ao Criador."
"Eu sei qual é a sensação de viver sem pânico."
"Eu sei qual é a sensação de confiar em mim mesmo."
"Eu sei como viver sem pânico."
"Eu sei que com o Criador tudo é possível."
"Eu sei que sou digno e mereço uma vida boa."
"Eu sei a diferença entre meus sentimentos e os de outra pessoa."
"Eu sei a diferença entre meus pensamentos e os de outra pessoa."

VÍRUS EPSTEIN-BARR

Este é um vírus da herpes. É um tipo de herpes que pode fazer o baço inchar. Uma elevada percentagem da população carrega-o e ele é mais suscetível de se manifestar quando aquele que o carrega está com o sistema imunológico enfraquecido.

Sintomas

Os sintomas incluem:

- congestão nasal;
- dor de garganta;
- dores de cabeça;
- dores musculares;
- fadiga;
- perda de memória;
- problemas de pressão arterial.

Trabalho de crenças

As crenças normalmente envolvem vitimização. Faça o teste energético para:

"Eu não posso me ajudar."
"As pessoas pegam no meu pé."

Substitua por:

"Eu sei como viver sem ser miserável."

"Eu sei como desfrutar de minha vida diária com alegria."

Suplementos e outras recomendações nutricionais

• Sugira uma limpeza de fungos, tais como cominho, orégano ou murta.

• Multiminerais e multivitamínicos são incríveis, especialmente o complexo B.

Veja também Síndrome da Fadiga Crônica, Fibromialgia, Herpes e Vírus (Prólogo).

VITAMINAS E MINERAIS

Há uma abundância de informações disponíveis sobre vitaminas e minerais. Você pode encontrar centenas de livros cheios de informação sobre o assunto. Este breve resumo destina-se a lhe dar alguma ideia dos problemas que podem ser causados pela falta de certas vitaminas e minerais.

Quando você olha para o corpo de uma pessoa e vê deficiências, ela pode geralmente corrigir isso usando as vitaminas e minerais adequados. Você deve treinar-se para pedir ao corpo e ao Criador quais vitaminas ou minerais específicos são necessários. Eventualmente, você será capaz de reconhecer essas deficiências de relance.

Sabemos que a falta de vitaminas e minerais pode criar doenças no corpo. No entanto, com um equilíbrio adequado desses suplementos vitais, o corpo cria saúde. As células têm uma forma incrível de absorver e distribuir vitaminas e minerais para as numerosas necessidades do corpo. Há, no entanto, muitas maneiras em que essa absorção é bloqueada.

O que as pessoas negligenciam na absorção de vitaminas e minerais é o componente emocional e mental. Dependendo das nossas crenças, podemos não obter toda a nutrição das vitaminas e minerais por causa de bloqueios energéticos mantidos ali por emoções e programas. Se treinarmos as células a aceitarem raiva e frustração e a rejeitarem amor e alegria, podemos estar também treinando-as para rejeitar as substâncias que nos darão a capacidade de criar as sensações de amor e alegria.

Faça os *downloads*:

"Eu compreendo como aceitar as vitaminas e minerais no meu corpo da forma mais elevada e melhor."

"Eu sei qual é a sensação de absorver das vitaminas e minerais a essência da vida."

"Eu sei que as vitaminas e minerais são um presente do Criador de Tudo O Que É para deixar o meu corpo forte."

Lembre-se também de que os pensamentos são coisas reais. Eles têm essência. Eles podem criar qualquer coisa nos planos da existência. Suas crenças podem criar a mesma energia que uma vitamina. Quanto mais você limpa sua mente, mais consegue acessar o Sétimo Plano facilmente para trazer o corpo ao equilíbrio. A doença não é sua inimiga, é um sinal de desequilíbrio. Você tem que ter muitas crenças negativas para criar uma doença. Uma vez removi o ódio que um garotinho tinha de seu pai, e seu câncer de cólon foi embora, simplesmente assim. Faça os *downloads* em seus clientes de tudo que está no livro *ThetaHealing Avançado*, se possível; então, eles poderão liberar tudo aquilo que não lhes serve de maneira rapida e facil.

VITAMINAS

Para dosagens das vitaminas consulte o livro *The Real Vitamin and Mineral Book,* de Shari Lieberman (Avery, 2007).

VITAMINA A

A vitamina A é necessária para a reprodução e a manutenção de DNA e tecidos. É benéfica para o tratamento da acne, psoríase e transtornos de pele e para uso com úlceras crônicas. Ajuda o sistema imunológico e é utilizada no tratamento de câncer. É usada para a absorção de betacaroteno e é benéfica para os pulmões.

Deficiências de vitamina A aparecem nas glândulas, nas membranas mucosas e na pele e sob a forma de gastrite.

É seguro o uso da vitamina A por pessoas que têm bronquite frequente, herpes labial, gripe, infecções respiratórias e dores de garganta.

VITAMINAS E MINERAIS

A maioria dos produtos de peixe é rica em vitamina A. Pode ser também encontrada em carne, frango, ovos e fígado.

VITAMINAS B

As vitaminas B devem sempre ser tomadas na forma do complexo B. Tomando-as desta maneira, seu corpo pode decompô-las muito mais facilmente. A vitamina B é usada para produzir energia para o corpo.

Vitamina B1

A vitamina B1 é também chamada de tiamina. Ela tem a ver com o metabolismo de carboidratos no corpo. É eficaz em ajudar em condições como ansiedade, quando você estiver em uma dieta, e é usada para estresses físico e emocional.

Um tipo clássico de deficiência de vitamina B1 é beribéri. Também foi determinado que pessoas que são esquizofrênicas têm deficiência dessa vitamina.

Vitamina B2

A vitamina B2 é chamada de riboflavina. É usada como um metabolismo proteico para enzimas e para o reparo de tecidos durante estresse. É necessária para o transporte de oxigênio às células. Promove olhos saudáveis e é encontrada no pigmento da retina.

Problemas médicos primordiais como queimaduras, febre, lesões, cirurgias e tuberculose criam maior demanda de vitamina B2. Pessoas com anemia têm escassez dela.

Algumas das doenças tratadas com vitamina B2 são ansiedade, síndrome do túnel do carpo, depressão e estresse. Também é usada para a prevenção da catarata.

Vitamina B3

A vitamina B3, conhecida como niacina, é uma das poucas coisas que remove radiação. Em vários estudos, parece que é eficaz contra mais de um tipo de substância cancerígena. Então está associada à prevenção de muitos tipos de câncer.

A deficiência de niacina é um fator importante no desenvolvimento de ansiedade, problemas de circulação, depressão e colesterol alto.

Comidas que são excelentes fontes de niacina são brócolis, cenoura, queijo, ovos, peixe, leite, batata, milho-doce, tomate e trigo integral. No entanto, muitas vezes se apresenta nos alimentos em uma forma que não é absorvível. Pode ser perdida quando os legumes são cozidos por muito tempo. Cozinhar legumes no vapor ajuda a evitar isso.

Vitamina B6

A vitamina B6 é conhecida como piridoxina. É uma das vitaminas mais essenciais, amplamente utilizada no corpo. É uma coenzima que é usada em mais de 60 reações enzimáticas envolvidas no metabolismo de aminoácidos, os ácidos graxos essenciais. Por isso, é necessária para o crescimento adequado e a manutenção das funções do corpo.

Deficiências de piridoxina trazem à tona uma surpreendente variedade de sintomas, geralmente afetando o sistema nervoso ou a pele. Problemas típicos são confusão, depressão, tonturas, insônia, irritabilidade, nervosismo, sensação de alfinetadas nos pés e nas mãos e até mesmo uma desaceleração nas funções do cérebro. A síndrome do túnel do carpo é geralmente causada pela falta de B6.

Alimentos que contêm piridoxina são cenouras, galinha, ovos, peixe, carne, ervilha e espinafre.

Muitas pessoas com esclerose muscular têm se dado muito bem com o tratamento com B6. A TPM (Tensão Pré-menstrual) é muitas vezes eliminada com B6. Ajuda em casos de asma e pedras nos rins e também pode ser usada como um diurético.

Vitamina B12

Vitamina B12 é cobalamina. Deficiências dela aparecem como anemia e fadiga. A maioria dos alcoólicos tem falta dela.

A B12 pode ser dada a mulheres grávidas que estão tendo problemas com enjoo matinal.

Suas principais fontes alimentícias são carne, rim, cordeiro e vitela. Outras boas fontes são queijo, marisco, caranguejo, arenque, sarda, ostra, salmão e sardinha. Não existem efeitos tóxicos conhecidos por se tomar muito dessa vitamina.

VITAMINA D

É importante ter quantidades suficientes de vitamina D para que você possa metabolizar o cálcio e o fósforo em seu corpo.

Sintomas de deficiência de vitamina D em crianças são deformidades ósseas irreversíveis, crescimento atrofiado, cárie dentária e fraqueza. Raquitismo é causado por deficiência de vitamina D. Em adultos, a carência de vitamina D pode causar dificuldades no trabalho. Hipoglicemia é associada ao cálcio no sangue, assim como a osteoporose. Esses males podem estar diretamente relacionados à deficiência de vitamina D porque esta é essencial na absorção de cálcio.

Uma fonte de vitamina D é a luz do sol. Pode também ser encontrada em muitos suplementos, assim como o cálcio.

Mil unidades por dia de vitamina D parece ser seguro. No entanto, não é aconselhável o consumo excessivo de vitamina D. Muita vitamina D pode prejudicar seu estômago e causar outros sintomas como diarreia, dor de cabeça, fadiga, perda de apetite, inquietação ou algo pior.

VITAMINA E

A vitamina E é composta de quatro substâncias chamadas alfa, beta, delta e gama. Outro nome para ela é tocoferol.

Esta vitamina em particular é um auxílio ao antienvelhecimento – a exigência diária pode ajudar a retardar o processo de envelhecimento. É fenomenal quando se trabalha com câncer e é um componente vital na prevenção do câncer. Ela também tem poderes incríveis para elevar a regeneração muscular. Ajuda as células do sangue, coração, fígado e pulmões. É maravilhosa para auxiliar sua vida sexual. É um suplemento muito importante para o sangue, ajudando as plaquetas a ficarem juntas. É um auxílio na cura de feridas e vital para minimizar uma cicatriz. É maravilhosa para a prevenção de doenças cardiovasculares, circulação central, ondas de calor da menopausa, síndrome pré-menstrual e para a prevenção de sangramentos excessivos.

VITAMINA K

A vitamina K é assimilada de alimentos, e as bactérias nos intestinos criam-na naturalmente. Tem um papel importante em ajudar o sangue a coagular quando temos feridas abertas. No entanto, as hemácias morrem mais rapidamente do que o habitual se elas tiverem muita vitamina K.

Boas fontes de vitamina K são repolho verde, carne magra, fígado, espinafre e tomates. Outras fontes são gemas de ovos, morangos e trigo integral.

ÁCIDO FÓLICO

O ácido fólico está intimamente relacionado à vitamina B12 no corpo. Está envolvido no metabolismo de aminoácidos. Muitos aspectos do sistema imunológico são afetados pela deficiência de ácido fólico.

Anemia, ansiedade e depressão podem ser tratadas com ácido fólico. Tome-o com molibdênio para tratar *Cândida*.

O ácido fólico não tem nenhum efeito tóxico conhecido; no entanto, as mulheres que usam contraceptivos estão em risco se tomarem suplementos de ácido fólico.

ÁCIDO PANTOTÊNICO

O ácido pantotênico converte-se em uma coenzima que é usada durante o metabolismo das gorduras. É utilizado para ansiedade, depressão, artrite e inflamação das articulações. Não existem efeitos de tóxicos conhecidos. Tem ajudado aqueles com artrite reumatoide e problemas de sinusite.

É importante notar que se você está consumindo café da manhã com elevado teor de fibras e imediatamente toma suas vitaminas, a fibra é digerida primeiro e as vitaminas, muitas vezes, são descartadas. Então, se fibra faz parte da sua dieta diária, tome suas vitaminas pelo menos duas horas depois de comê-la.

MINERAIS

Eu acredito que a deficiência mineral é uma causa subjacente de muitas doenças modernas. Por causa do esgotamento dos nossos solos,

VITAMINAS E MINERAIS

os minerais não estão mais tão disponíveis para nós quanto estavam antigamente.

Uma sugestão para a absorção adequada de suplementos minerais é tomar minerais quelados. É mais fácil para os minerais quelados entrar na corrente sanguínea e ser absorvidos através das paredes das células do que é para os minerais não quelados. Encontrar um mineral quelado é extremamente importante.

BORO

O boro é um mineral essencial. Ajuda na absorção de cálcio, magnésio e zinco e eleva a densidade óssea.

CÁLCIO

O cálcio é necessário para ajudar a curar e manter os ossos fortes. Constrói os ossos ao mesmo tempo em que dá vitalidade e resistência ao corpo. Ajuda a manter a estabilidade mental e conserva os músculos em forma. Ele deve ser usado com vitamina D e magnésio para ter uma absorção adequada.

Poucas pessoas que eu vi possuem realmente cálcio suficiente em seus corpos. Pessoas que têm habilidades curativas e intuitivas aparentam ser particularmente carentes dele. Parece que quantidades de cálcio são consumidas ao se fazerem conexões de natureza eletromagnética; por isso, digo a qualquer pessoa que vai fazer trabalhos de cura que se certifique de tomar muito cálcio.

Se você não tiver cálcio suficiente, você pode desenvolver osteoporose. Pressão arterial elevada também pode ser associada à falta de cálcio.

Algumas formas de cálcio, tais como o cálcio de concha de ostra, não podem ser absorvidas pelo organismo e se tornam uma toxina no sistema. Algumas disfunções renais estão associadas à falta da forma correta de cálcio.

Um fato interessante é que podemos realmente absorver somente de 20% a 40% do cálcio da nossa comida. Nós descobrimos que produtos lácteos não contêm tanto cálcio quanto antes, porque agora o leite é pasteurizado e homogeneizado. O leite integral é muito mais benéfico do que o leite desnatado. Cenouras também são uma boa fonte de cálcio.

Dicas para aumentar a absorção de cálcio:

- Evite inibidores de cálcio em excesso: acelga, cranberries e espinafre.
- Suplementos de cálcio devem ser usados junto a alimentos ricos em minerais, como alfafa/algas kelp ou com uma fórmula mineral.
- Alimentos ricos em clorofila são essenciais para obter vitamina D suficiente.
- Laticínios: os tipos fermentados, tais como leite, queijo cottage, kefir e iogurte, são digeridos mais facilmente.
- Coma alimentos ricos em minerais, cálcio, magnésio e clorofila: folhas verdes, leguminosas e algas.
- Exercite-se regularmente, mas moderadamente, para deter a perda de cálcio e a elevação da massa óssea.
- Obtenha vitamina D suficiente da luz do sol: idealmente, 20% do corpo devem ser expostos diariamente por 30 minutos ou uma iluminação de espectro total deve ser empregada.
- Deixe de molho grãos e legumes antes de cozinhar, para neutralizar o teor de ácido fítico.

CRÓMIO

É interessante notar que o cromo tem sido usado em uma variedade de estudos para o tratamento da diabetes. Ele também tem sido utilizado para tratar colesterol alto, especialmente em casos de diabetes associada, e pode ser utilizado para tratar hipoglicemia.

COENZIMA Q10

CoQ10 fornece energia para a ação de bombeamento do coração. Sem um suprimento suficiente dela, o coração simplesmente falha. A energia da célula também é derivada em parte de CoQ10.

Pessoas que têm esclerose múltipla são geralmente deficientes em CoQ10. A CoQ10 beneficiará todos aqueles que sofrem dessa doença.

Pessoas que foram expostas à radiação também precisam tomar CoQ10.

COBRE

O cobre é um "mineral traço" interessante. O cobre orgânico vai remover outros cobres que estejam no sistema como toxinas. Certas doenças são causadas pela toxicidade do cobre. Você pode identificar a toxicidade pela incapacidade de tirar "aquele gosto metálico" da boca. Cobre em excesso pode causar náuseas, dores de cabeça e dor abdominal.

Tenha cuidado ao tomar cobre. Você nunca deve tomar demais, caso tenha doença de Wilson.

IODO

A função da tireoide é auxiliada pelo uso de iodo. Boas fontes são peixes, crustáceos e a maioria dos frutos do mar. Vegetais mais suaves são muito baixos em iodo. Uma das maiores fontes de iodo é o sal iodado.

O iodo tem um efeito tóxico se você usar mais de mil microgramas por dia. Se você ingerir muito iodo, um bócio iodado pode se formar no corpo.

FERRO

O ferro é necessário para as hemácias no corpo. Aproximadamente 75% da hemoglobina em nossas hemácias são responsáveis por transportar o oxigênio através de nossos pulmões. Deficiências significativas em ferro podem causar inconsistências nesse processo vital. Dificuldades com anemia só ocorrem após o estoque de ferro do corpo estar esgotado. A deficiência de ferro também é associada a alguns tipos de asma.

Existem vários alimentos que são boas fontes de ferro, incluindo ovos, frutas, verduras e leite. O ferro também é encontrado em uma grande variedade de plantas.

O ferro inorgânico é extremamente difícil de absorver, o que infelizmente é o caso da maioria do ferro que é vendido em lojas de alimentos naturais e outras. Quando você for comprar um suplemento de ferro, certifique-se de que é ferro quelado para que seu corpo possa absorvê-lo.

MAGNÉSIO

O magnésio é necessário para relaxar os nervos. É usado como um estimulante motor para o cérebro e alivia o "lapso cerebral". Ele também mantém os intestinos funcionando e é benéfico como laxante.

Magnésio baixo está associado a angina, problemas cardíacos e pressão arterial alta.

POTÁSSIO

O potássio é vital para manter o equilíbrio dos fluidos nas células. É também vital para o coração. Existe em equilíbrio com o sódio no corpo.

A deficiência de potássio geralmente provoca terríveis cólicas, espasmos musculares, náuseas, taquicardia, vômitos, fraqueza e por vezes insuficiência cardíaca.

O potássio está prontamente disponível em frutas e outros alimentos frescos, por exemplo, banana, bitartarato de potássio, laranja, batata, tomate e melancia.

Mais de 18 gramas de potássio por dia pode causar insuficiência renal. Seguir o senso comum é o melhor conselho no uso de suplementos.

SELÊNIO

O selênio é vital para a absorção de vitamina E. É surpreendente no tratamento de câncer. Ele remove os efeitos de toxicidade de metais pesados que são cancerígenos, tais como o mercúrio. É usado para artrite, câncer, coração e acumulações de mercúrio. Em doses elevadas é tóxico.

ZINCO

Sem as quantidades adequadas de zinco, pode haver diminuição no seu senso de olfato e paladar. É um mineral fenomenal usado para remover as toxinas dos metais pesados do corpo. Deve ser tomado em forma quelada.

A falta de zinco no organismo pode levá-lo a ter uma visão noturna fraca. Seu sistema imunológico não funciona a plena capacidade e você descobrirá ser um forte candidato para ter alguns distúrbios.

DEFICIÊNCIAS MINERAIS

Com o advento da agricultura moderna, a maneira como as culturas são cultivadas mudou dramaticamente. Ao mesmo tempo o solo foi reabastecido com adubo natural (estrume), criando o húmus, um solo rico em minerais para as plantas crescerem. Hoje, a maioria dos agricultores usa somente três minerais básicos para a maioria das culturas de solo: nitrogênio, potássio e fósforo. Sem um complemento completo de minerais para desenhar a partir do solo, uma planta não os transfere para nós. Isto significa que cada fatia de pão, cada tomate e cada espiga de milho tem um pouco menos de microelemento nele. Cada ano, a terra torna-se mais deficiente nos minerais essenciais de que precisamos para manter a saúde e prevenir a doença.

Aqui estão alguns dos possíveis efeitos colaterais da falta de minerais dietéticos:

Acne: enxofre, zinco

Anemia: ferro, cobalto, cobre, selênio

Artrite: boro, cálcio, cobre, magnésio, potássio

Asma: manganês, potássio, zinco

Bócio (tireoide baixa): cobre, iodo

Cabelos grisalhos: cobre

Câncer: germânio, selênio

Cândida: cromo, selênio, zinco

Cólicas: cálcio, sódio

Constipação: ferro, magnésio, potássio

Defeitos de nascença: cobalto, cobre, magnésio, manganês, selênio, zinco

Depressão: cálcio, cromo, cobre, ferro, sódio, zinco

Diabetes: cromo, vanádio, zinco

Disfunção hepática: cromo, cobalto, selênio, zinco

Disfunção sexual: manganês, selênio, zinco

Doença cardiovascular: cálcio, cobre, magnésio, manganês, potássio, selênio

Eczema: zinco

Edema: potássio

Fraqueza do sistema imunológico: cromo, selênio, zinco

Fraqueza muscular/distrofia muscular (também fibrose cística): manganês, potássio, selênio

Gengivite (sangramento e retração gengival) e peritonite: boro, cálcio, magnésio, potássio

Hiperatividade: cromo, lítio, magnésio, zinco

Hipoglicemia (baixa taxa de açúcar no sangue): cromo, vanádio, zinco

Hipotermia: magnésio

Impotência: cálcio, cromo, manganês, selênio, zinco

Nervosismo: magnésio

Osteoporose: boro, cálcio, magnésio

Perda de cabelo: cobre, zinco

Perda de memória: manganês

PMS: cromo, selênio, zinco

Problemas digestivos: cloro, cromo, zinco

Rugas e flacidez (envelhecimento facial): cobre

Síndrome da fadiga crônica: cromo, selênio, vanádio, zinco

Unhas quebradiças: ferro, zinco

Nota: Isto não é um gráfico de diagnóstico e não deve ser usado no lugar de um profissional de saúde para determinar um programa de recuperação.

FÓRMULA RICA EM MINERAIS

Aqui está uma fórmula rica em minerais para aumentar sua ingestão de minerais vitais. É uma boa ideia levar isto para uma temporada de cada ano (no inverno é ideal):

1 parte de cavalinha

1 parte de palha de aveia

1 parte de kombu ou alga marinha

½ parte de lobelia

Cozinhe 28g da fórmula em uma caneca de água por 25 minutos. Beba meia xícara de duas a três vezes por dia.

Ao final de três semanas, pare, usando a fórmula por mais uma semana.

AMINOÁCIDOS

Também podem surgir problemas quando seu corpo está carente de certos aminoácidos. Alguns aminoácidos, na verdade, ajudam a estimular o que é chamado de hormônio do crescimento no corpo.

A seguir, está uma lista dos aminoácidos que o corpo usa:

ácido aspártico

ácido glutâmico

alanina

arginina

cisteína

face

fenilalanina

glicina

glutamina

histidin

isoleucina

leucina

lisina

metionina

praliné

serina

tirosina

treonina

triptofano

valina

Suplementação de aminoácidos complexos deve ter o equilíbrio adequado desses ácidos aminados.

ERVAS

Nesta seção, vou abranger as ervas que você não deve usar em determinadas situações e como elas interagem com drogas farmacêuticas e contradizem umas às outras. Muitas empresas de ervas no mundo estão criando fórmulas que poderiam produzir reações nas pessoas. Nem todo mundo pode usar com segurança algumas combinações de ervas, e nem todo mundo que faz esses produtos sabe o que está fazendo.

O corpo funciona melhor com uma ou duas ervas de cada vez. Se você adicionar mais do que isso, a chance de uma reação alérgica é aumentada em 72%. Há também a preocupação adicional de que uma das ervas possa causar reação adversa caso medicamentos prescritos estejam sendo usados.

As ervas seguintes são algumas que, muitas vezes, são mal utilizadas:

• *Erva-de-são-joão*: A erva-desão-joão não deve ser tomada junto a antidepressivos ou se você for diabético.

• *Gingko biloba*: O gingko expande os vasos capilares para ajudar o fluxo sanguíneo e não deve ser usado com remédios para pressão arterial alta. Também não é bom que se interrompa repentinamente o uso do gingko, porque os vasos capilares irão se restringir, causando um acidente vascular cerebral.

• *Guaraná*: O guaraná é uma das formas mais perfeitas de cafeína no planeta. Ele não deve ser usado junto pressão arterial alta nem com remédios para o coração.

• *Hidraste (Goldenseal)*: O hidraste não deve ser usado se você estiver em período de amamentação ou for diabético.

- *Raiz de alcaçuz*: A raiz de alcaçuz não deve ser usada com a cortisona de prescrição. Se a pessoa tem a doença de Addison ou síndrome de Cushing, deve ser muito cuidadosa quando usar a raiz de alcaçuz.

Vamos dar um passo adiante nessa discussão. Por exemplo, você pode entrar em uma loja de ervas, comprar um produto chamado ginseng e esperar que ele vá ajudá-lo da forma que deveria. No entanto, o que você não sabe é que de cem produtos diferentes chamados ginseng que foram testados, apenas dez tinham realmente a erva neles. É por isso que tantas autoridades pretendem regulamentar medicamentos fitoterápicos.

No ThetaHealing, nunca diagnosticamos ou prescrevemos. Apenas sugerimos que certos suplementos podem ser algo a ser considerado. Eu tive pessoas que me procuraram como clientes que estão abusando de vitaminas e suplementos, e estes estão lhes fazendo mais mal do que bem. Sugiro que os clientes reconsiderem o uso deles.

Tomar certas ervas, vitaminas e minerais como suplementos, no entanto, dá à pessoa controle psicológico sobre sua própria doença. Mostra ao subconsciente que eles realmente querem se recuperar. Descobri que recomendar maneiras com que as pessoas possam ajudar a si mesmas pode motivá-las tanto quanto qualquer cura que eu já tenha feito.

Curadores usando o Segundo Plano de Existência compreendem como usar ervas e vitaminas para alcançar a saúde. A cura a partir do Segundo Plano requer o uso persistente e leva tempo para fazer efeito. Curadores trabalhando com este plano precisam de um conhecimento extenso sobre plantas e suas reações a medicamentos. Sem esse conhecimento, há riscos para o cliente. Tal como acontece com os minerais, há uma combinação orgânica de plantas para cada doença.

Lembre-se, a menos que você seja qualificado para exercer medicina, você não pode aconselhar alguém a usar qualquer medicamento ou qualquer tipo de produto herbal. Não é aconselhável que se diga a uma pessoa que modifique ou interrompa sua medicação. Lembre-se de que os curadores Theta apenas oram pelas pessoas. É o Criador que é o curador!

Abençoando ervas e alimentos

Ao comprar ervas, vitaminas ou até mesmo alimentos, pergunte ao Criador de Tudo O Que É se o que você está comprando é para seu bem maior. Você pode descobrir isso conectando-se ao Criador, enquanto segura o produto e simplesmente pergunta se é para seu bem maior e, em caso afirmativo, se a potência está correta. Testes de energia e pêndulos, muitas vezes, não são úteis aqui, porque a mente inconsciente tem uma tendência a interferir na resposta. Pergunte sempre ao Criador.

Uma vez que a substância passou no teste, ela deve ser abençoada antes do uso para garantir a potência máxima, a eficácia e a qualidade. Uma vez que tudo tem uma consciência, e nós absorvemos essa essência quando os consumimos, precisamos abençoar todos os alimentos e ervas que comemos! Se essas substâncias não tiverem sido tratadas com o respeito que merecem, os benefícios serão reduzidos. Alimentos geneticamente modificados, especialmente milho e soja, têm uma consciência que talvez não seja para o nosso bem. Se há alguma dúvida sobre a essência do alimento, volte e abençoe-o desde a origem dele.

LISTA DE ERVAS E SUPLEMENTOS

Acidophilus: Auxilia a digestão de produtos lácteos, reduz o colesterol, mantém o equilíbrio de bactérias normal nos intestinos.

Alho em pó: Antibiótico, antifúngico, antioxidante e diminui a pressão arterial.

Angélica chinesa: Intensificadora da imunidade.

Babosa (Aloe vera): Rica em vitamina C, útil para artrite, prisão de ventre, distúrbios do estômago e úlceras.

Black cohosh: Contém estrogênios naturais (o estrogênio sintético tem sido conhecido por causar câncer). Bom para as ondas de calor durante a menopausa, regula o fluxo menstrual, atua como um tônico para os tecidos mucosos e serosos, bom para dor de parto, cólicas menstruais e os sintomas da menopausa; abaixa a pressão e os níveis de colesterol, reduz o muco. Esta erva não deve ser usada por pessoas que têm câncer de mama ou outros tipos de câncer relacionados a estrogênio.

Boldo: Antiviral, beneficia os vasos capilares, auxilia no funcionamento do olho e a circulação nas veias varicosas. Há muitas pessoas que são alérgicas a esta erva.

Camomila: Analgésico suave que pode ser dado a crianças e é também boa para relaxar.

Camu: Um antidepressivo muito potente, antienxaqueca e antiviral.

Cardo de leite: Para limpeza do fígado. Não deve ser feita na primavera, porque o fígado se purga durante a primavera.

Casca de carvalho branco: Bom como um agente antibacteriano e para os pólipos nasais.

Casca de salgueiro branco: A aspirina da natureza – desempenha todas as funções da aspirina.

Cáscara sagrada: Limpa as válvulas, age como um laxante para constipações e parasitas.

Chá verde: Antioxidante útil na prevenção do câncer, reduz o colesterol e a coagulação, regula a taxa de açúcar no sangue e é bom para perda de peso.

Chlorella: Excelente fonte de carboidratos, clorofila, proteína, vitamina C e vitamina E. Usada para casos de asma, sangramento nas gengivas, queimaduras e infecções. Uma das melhores maneiras de remover mercúrio do corpo (comece com pequenas doses e incremente lentamente).

CoQ10: Estimulante útil para antienvelhecimento, energias celulares e para o coração.

Damiana: Regulador hormonal excelente. Aumenta a fertilidade tanto em homens quanto em mulheres. Não use se você tiver tido câncer relacionado a estrogênio!

Equinacea: Estimulante imunológico que enxágua o sistema linfático, elevando os macrófagos no sangue, promove a ativação das células T e estimula os glóbulos brancos. Anti-inflamatório para resfriados, gripe e infecções gerais.

Erva de gato (Catnip): O Alka-Seltzer da própria natureza, tem efeito sedativo leve sobre o sistema nervoso, ajuda a evitar aborto, atua como analgésico, é bom para os nervos e eliminar vermes.

Espirulina: É uma fonte concentrada de aminoácidos, ferro e proteínas e uma fonte de clorofila. Remove doenças e toxinas e fortalece o sistema imunológico.

Extrato de folha de oliveira: Usado para tratar parasitas e infecções por fungos e para reforçar o sistema imunológico.

Extrato de semente de uva: O extrato de semente de uva tem sido bem estudado no tratamento de desordens microvasculares. Ela tem sido usada para fragilidade capilar, degeneração muscular e varizes. É um antioxidante que ajuda o tratamento de câncer, a remoção de toxinas e o funcionamento visual.

Feno-grego: Anti-inflamatório que ajuda os pulmões e o sistema linfático.

Folhas de hortelã: Boas para calafrios, diarreia, dores de cabeça e náuseas.

Framboesa vermelha: Use cinco semanas antes do parto de um bebê para tonificar o útero e outros órgãos e facilitar o parto.

Ginkgo biloba: Bom para o funcionamento do cérebro, para doença de Alzheimer e doença de Parkinson; também remove toxinas.

Ginseng siberiano: Fortalece as glândulas suprarrenais-de-reprodução e o sistema imunológico, estimula o apetite. Útil para casos de bronquite, problemas circulatórios, diabetes, infertilidade e estresse. Não deve ser dada para crianças pequenas por causa da elevada quantidade de hormônios.

Guaraná: Uma forma pura de cafeína frequentemente usada com a ma hung chinesa. Essa não é uma boa combinação e não deve ser usada; então, cuidado ao comprar.

Hidraste (Goldenseal): Antibacteriano e anti-inflamatório útil para fortalecer o sistema imunológico. Não use se houver diabetes ou hipoglicemia. Não dê a crianças pequenas.

Kava kava: Útil para tratar depressão, insônia, estresse e infecções urinárias.

Ma Huang chinesa (comumente referida como Efedra): Usada para casos de asma, resfriados, problemas respiratórios e doenças cardíacas. Quando administrada com guaraná, torna-se um forte estimulante que pode ser perigoso. Nunca deve ser tomada junto a medicamentos para o coração.

Maca peruana: Para mulheres: útil para energia extra, ossos saudáveis, sintomas da menopausa, TPM, sintomas da pós-menopausa, "blue waffle" e secura vaginal. Não use com cânceres relacionados a estrogênio. Para homens: útil para reforço energético, fertilidade, libido, potência sexual e resistência.

Malvaísco: Ajuda no tratamento de infecções na bexiga, problemas renais e a pele.

Matricária: Boa para casos de artrite, febre, dores de cabeça e tensão muscular; age como analgésico, eleva as plaquetas de sangue e é anti-inflamatório.

Musgo irlandês: Eliminará tecidos mortos no corpo. É uma excelente fonte de iodo que é compatível com o corpo.

Myrica: Ajuda nas cólicas menstruais, tonifica os órgãos femininos, fortalece o útero durante a gravidez. Estimula o movimento intestinal, desacelera a respiração e pode ser usada para constrições brônquicas.

Noz preta: Limpa parasitas e infecções fúngicas. Não deve ser usado por diabéticos.

Óleo de linhaça: Excelente fonte de fibra, magnésio, proteína, potássio, vitamina B e vitamina C. Usado como um redutor de dor e para artrite, inflamações e para o fígado.

Olmo: Bom para os pulmões, membranas mucosas, garganta e trato urinário. Um bom constituidor de nutrientes que ajuda o sistema digestivo.

Orégano: Usado em limpeza de vermes e outros parasitas.

Pimenta caiena: Usada para artrite, hemorragia, úlceras e má circulação.

Pó de açafrão: Auxilia o cólon, purifica o sangue e neutraliza o ácido úrico.

Pólen de abelha: Boa fonte de vitamina C, aminoácidos, ácidos graxos, cálcio, magnésio, potássio, muito útil para alergias, câncer (tenha em mente que, se você estiver aconselhando pacientes com câncer ou está dando um suplemento de proteína a alguém, pólen de abelha contém quantidades elevadas de proteína), distúrbios de cólon, depressão e fadiga.

Raiz de alcaçuz: Boa para as glândulas suprarrenais, reações alérgicas, asma, para limpeza de cólon, depressão, febre, problemas de estômago e ajuda os intestinos. Não deve ser usada por aqueles que estão usando cortisona ou que têm câncer de mama.

Raiz de bardana: Purificador do sangue e da vesícula biliar, bom para os sintomas de gota.

Raiz de dente-de-leão: Age como diurético, purifica a corrente sanguínea e o fígado, ajuda as manchas senis, os rins, pâncreas, baço e estômago. Você só deve usar esta erva por curtos períodos de tempo, porque ela vai afetar as taxas de açúcar no sangue e pode ter efeitos adversos sobre o fígado.

Raiz de doca amarela: Erva limpadora e purificadora que melhora o funcionamento do cólon e do fígado.

Raiz de gengibre: Antioxidante que limpa o cólon e reduz espasmos.

Raiz de mandioca: Usada em limpeza de fígado e também é boa para artrite, purificação do sangue e osteoporose. Ajuda o organismo a produzir a própria cortisona.

Raiz de valeriana: Age como um sedativo. Limpa o muco dos resfriados. Fornece os minerais traço necessários para o funcionamento dos nervos e do sangue e para os fluidos corporais. Útil para a pressão sanguínea, fadiga, síndrome do intestino irritável e para a circulação.

Salsa: Estimulante útil para o funcionamento da bexiga, dos rins, pulmões, eliminar parasitas e para a tireoide.

Saw palmetto: Essa erva tem um bom efeito em todas as doenças do sistema reprodutor. Tem sido conhecida pelo aumento dos seios das mulheres subdesenvolvidas. Beneficia todo o tecido glandular e livra o corpo do excesso de muco na cabeça, nos pulmões e nos seios nasais. Bom para o alargamento da próstata, para alguns tipos de câncer da próstata; útil como um estimulante de apetite, antisséptico urinário e diurético.

Sementes de abóbora: Usados em limpeza de vermes e outros parasitas.

Suco de cenoura: Boa fonte global de vitaminas e para o combate ao câncer.

Suco de maçã: A pectina contida no suco de maçã remove toxinas e metais, abaixa o colesterol e é benéfica para doenças cardíacas e cálculos biliares.

Trevo vermelho: Antibiótico e purificador do sangue, bom para limpezas pulmonares, HIV, doenças do fígado, desordens nas válvulas e para o fortalecimento de um sistema imunológico enfraquecido.

Unha-de-gato: Antioxidante, limpa o trato intestinal, boa para casos de câncer e problemas intestinais.

Urtiga: Boa para casos de alergias. Os russos pesquisaram o uso da raiz no câncer da próstata, com alguns resultados positivos.

Visco: Usado para auxiliar o funcionamento da glândula linfa. Também tem alguns usos no tratamento de câncer, mas deve ser administrado por um herbalista registrado por causa da natureza inerentemente forte da erva.

ERVAS NERVINAS

Camomila: Um relaxante útil no tratamento de vícios de drogas.

Cohosh azul: Um relaxante.

Erva de gato (Catnip): Um relaxante.

Flor da paixão: Um sedativo usado para o tratamento de alcoolismo, ressacas e dores de cabeça.

Lúpulo: Acalma os nervos e desordens nervosas.

Melatonina: Boa para distúrbios do relógio-interno, SAD e distúrbios de sono.

Raiz de valeriana: Um nervino e relaxante.

Solidéu: Um sonífero também útil para neurite e contração muscular.

Tintura de lobelia: Usada para hiperatividade, insônia, enxaqueca, nervos, dor e palpitações do coração.

Tomilho: Útil para o tratamento de alcoolismo, ressacas e dores de cabeça.

LEITURA RECOMENDADA

Anatomy and Physiology Made Incredibly Easy, Springhouse Publishing Company, 2004.

Steven Bratman, *Physicians' Desk Reference for Nutritional Supplements*, PDR, PO Box 10689, Des Moines, IA 50336.

Alma E. Guinness (ed.), *ABCs of the Human Body*, Reader's Digest, 1987.

Richard Harness, Pham., FASCP, *Drug-Herb-Vitamin Interactions Bible*, Prima,
2000.

CURSOS DE THETAHEALING

ThetaHealing® é uma modalidade de cura energética, fundada por Vianna Stibal, norte americana baseada em Bigfork, Montana, com instrutores certificados ao redor do mundo. Os cursos e os livros de ThetaHealing® são concebidos como guias de autoajuda terapêuticos para desenvolver a capacidade de usar a mente para curar. No ThetaHealing® existem os seguintes livros, manuais e cursos:

Cursos ministrados por Vianna e instrutores certificados em ThetaHealing®:

Curso DNA Básico
Curso DNA Avançado
Curso Anatomia Intuitiva
Curso Crianças Arco-Íris
Curso Manifestação e Abundância
Curso Doenças e Desordens
Curso Relações Mundiais
Curso Animal
Curso Planta
Curso Jogo da Vida
Curso Ritmo e Peso Perfeito
Curso Alma Gêmea
Curso Laços Familiares
Curso DNA3
Curso Planos da Existência

Cursos de certificação ministrados exclusivamente por Vianna no THInK (ThetaHealing Institute of Knowledge – Instituto ThetaHealing de Conhecimento):

Curso DNA Básico para Instrutor
Curso DNA Avançado para Instrutor
Curso Anatomia Intuitiva para Instrutor
Curso Crianças Arco-Íris para Instrutor
Curso Manifestação e Abundância para Instrutor
Curso Doenças e Desordens para Instrutor
Curso Relações Mundiais para Instrutor
Curso Animal para Instrutor
Curso Planta para Instrutor
Curso Jogo da Vida para Instrutor
Curso Ritmo e Peso Perfeito para Instrutor
Curso Alma Gêmea para Instrutor
Curso Laços Familiares para Instrutor
Curso DNA3 para Instrutor
Curso Planos da Existência para Instrutor

LIVROS

Títulos disponíveis atualmente:

ThetaHealing (Madras Editora, 2014)
ThetaHealing Avançado (Madras Editora, 2015)

Manuais de cursos:

Manual DNA Básico para Praticantes

Manual DNA Básico para Instrutor

Manual DNA Avançado

Manual DNA Avançado para Instrutor

Manual Anatomia Intuitiva

Manual Anatomia Intuitiva para Instrutor

Manual Crianças Arco-íris para Crianças Pequenas

Manual Crianças Arco-íris para Jovens Adultos

Manual Crianças Arco-íris para Instrutor

Manual Manifestação e Abundância

Manual Animal

Manual Animal para Instrutores

Manual Planta

Manual Planta para Instrutores

Manual Jogo da Vida

Manual Jogo da Vida para Instrutores

Manual Ritmo e Peso Perfeito

Manual Ritmo e Peso Perfeito para Instrutores

Manual Alma Gêmea

Manual Alma Gêmea para instrutores

Manual Laços Familiares

Manual Laços Familiares para Instrutores

Manual DNA3

Manual DNA3 para Instrutores

Manual Planos da Existência

Manual Planos da Existência para Instrutores

Para mais informações sobre horários de cursos de ThetaHealing®, ligue (1) 208 524-0808 no Instituto ThetaHealing de Conhecimento(THInK), Bigfork, Montana, EUA; e-mail: vianna@ thetahealing.com; site: www.thetahealing.com

No Brasil: Instituto ThetaHealing Brasil, fundado por Giti Bond e Gustavo Barros

Site: www.thetahealing.com.br – 40003 3065 (número nacional); e-mail: info@thetahealing.com.br

SOBRE A AUTORA

Vianna Stibal é uma jovem avó, artista e escritora. Seu carisma natural e compaixão por aqueles que precisam de ajuda também propiciaram que se tornasse conhecida como uma curadora, intuitiva e professora.

Depois de ser ensinada a como se conectar com o Criador para cocriar e facilitar o processo único chamado ThetaHealing, Vianna sabia que deveria partilhar esse dom com tantas pessoas quanto possível. Foi esse amor e apreço pelo Criador e pela humanidade que lhe permitiu desenvolver a capacidade de ver claramente o corpo humano e testemunhar muitos casos de cura instantânea.

Seu conhecimento enciclopédico dos sistemas do corpo e profunda compreensão do psiquismo humano, baseado em sua própria experiência, em conjunto com o *insight* dado a ela pelo Criador, faz de Vianna uma perfeita praticante dessa técnica incrível. Ela tem trabalhado com sucesso com desafios médicos, como hepatite C, vírus Epstein-Barr, Aids, herpes, tumores, vários tipos de cânceres e muitas outras condições, doenças e defeitos genéticos.

Vianna sabe que a técnica ThetaHealing pode ser ensinada, mas, além disso, sabe que precisa ser ensinada. Ela realiza seminários em todo o mundo para ensinar pessoas de todas as raças, crenças e religiões. Ela formou professores e profissionais que estão trabalhando em 14 países, mas seu trabalho não vai parar por aí! Vianna está empenhada em difundir esse paradigma de cura por todo o mundo.

Site: www.thetahealing.com

SOBRE OS TRADUTORES

Giti Bond e Gustavo Barros, tradutores deste livro, são os pioneiros do ThetaHealing no Brasil e instrutores certificados como "Master and Science" (Mestrado e Ciência) no ThetaHealing pelo THInK – ThetaHealing Institute of Knowlodge no Estados Unidos.

Em 2010, na missão de trazer a formação completa para o país, ambos fundaram o Instituto Portal Healing Brasil, nas cidades do Rio de Janeiro e São Paulo, onde ministram todos os cursos de ThetaHealing para praticantes.

Além disso, ministram cursos em diversos estados do Brasil e do mundo.

Giti Bond e Gustavo Barros são os coordenadores de Vianna Stibal no Brasil na formação de instrutores.

Travessa Carlos de Sá, 10
Catete – Rio de Janeiro/RJ – Brasil
Tels.: 4003-3065 (Número Nacional)
(21) 3071-5533 / (21) 3071-4055 – RJ
Secretaria: (21) 9 8569-6087
Info: (21) 98494-9456
Produção: (21) 9 7997-2646

Rua Benito Juarez, 70
Vila Mariana – São Paulo/SP
Tel.: 4003-3065 (Número Nacional)
Site: www.portalhealing.com.br
E-mail: info@portalhealing.com.br

Todas as atividades ThetaHealing® e Ensinamentos são agora realizados sob o patrocínio do Instituto:

THInK – ThetaHealing Institute of Knowledge®
29048 Broken Leg Road
Bigfork, MT USA 59911
Phone: 208.524.0808 or 406.257.2109
E-mail: vianna@thetahealing.com
Site: www.thetahealing.com

Leitura Recomendada

THETAHEALING®
Uma das mais Poderosas Técnicas de Cura Energética do Mundo

Vianna Stibal

Em 1995, Vianna Stibal, mãe de três filhos, foi diagnosticada com um câncer que estava destruindo rapidamente seu fêmur direito. Tudo o que ela tentou usar – tanto medicina convencional quanto alternativa – falhou, até que empregou uma técnica simples que ela usava em seu trabalho de leitura intuitiva. Maravilhada por ter se curado instantaneamente, Vianna começou a usar essa abordagem em suas sessões com clientes e viu várias pessoas serem curadas miraculosamente.

Ainda mais interessante, no decorrer de seu trabalho com milhares de clientes, Vianna descobriu que esse método poderia ser ensinado a outras pessoas. Agora, você também pode aprender como colocar seu cérebro no estado Theta (de 4 a 7 ciclos por segundos) e se conectar com a energia criadora que se move por todas as coisas.

www.madras.com.br

Leitura Recomendada

ThetaHealing® Avançado
Utilizando o Poder de Tudo o que é

Vianna Stibal

Em seu primeiro livro, Vianna Stibal, a criadora do *ThetaHealing®*, apresentou esta técnica incrível para o mundo. Baseado em milhares de sessões com os clientes que experimentaram curas notáveis com Vianna, esse acompanhamento abrangente é uma exploração em profundidade do trabalho e dos processos centrais para *ThetaHealing®*.
Enquanto você lê, aprenderá sobre os sentimentos, as crenças e o trabalho de crenças, bem como receberá informações sobre os Sete Planos da Existência, que lhe permitem conectar-se ao mais alto nível de amor e energia de Tudo o que É.
Esta é a cura energética avançada que lhe possibilitará melhorar a sua vida, física, mental e emocionalmente.

www.madras.com.br

Leitura Recomendada

THETAHEALING® DIGGING
Cavando para Encontrar Crenças

Vianna Stibal

Novo manual ThetaHealing® para os fãs dos ensinamentos ThetaHealing®, da autora *best-seller* Vianna Stibal, explorando passo a passo como descobrir quais são as crenças básicas e religar o seu pensamento subconsciente para uma cura profunda e transformadora. Nesse livro complementar para *ThetaHealing®*, *ThetaHealing® Avançado*, *ThetaHealing® Doenças e Desordens®* e *Sete Planos da Existência*, Vianna Stibal compartilha um processo profundo a respeito de Digging, parte integrante da modalidade ThetaHealing®.

www.madras.com.br

MADRAS® CADASTRO/MALA DIRETA

Envie este cadastro preenchido e passará a receber informações dos nossos lançamentos, nas áreas que determinar.

Nome_____

RG_____ CPF_____

Endereço Residencial _____

Bairro _____Cidade_____ Estado_____

CEP _____Fone_____

E-mail _____

Sexo ❑ Fem. ❑ Masc.   Nascimento_____

Profissão _____ Escolaridade (Nível/Curso) _____

Você compra livros:

❑ livrarias   ❑ feiras   ❑ telefone   ❑ Sedex livro (reembolso postal mais rápido)

❑ outros:_____

Quais os tipos de literatura que você lê:

❑ Jurídicos   ❑ Pedagogia   ❑ Business   ❑ Romances/espíritas

❑ Esoterismo   ❑ Psicologia   ❑ Saúde   ❑ Espíritas/doutrinas

❑ Bruxaria   ❑ Autoajuda   ❑ Maçonaria   ❑ Outros:

Qual a sua opinião a respeito desta obra?_____

_____

Indique amigos que gostariam de receber MALA DIRETA:

Nome_____

Endereço Residencial _____

Bairro _____Cidade_____ CEP _____

Nome do livro adquirido: THETAHEALING – DOENÇAS E DESORDENS

Para receber catálogos, lista de preços e outras informações, escreva para:

MADRAS EDITORA LTDA.
Rua Paulo Gonçalves, 88 – Santana – 02403-020 – São Paulo/SP
Caixa Postal 12183 – CEP 02013-970 – SP
Tel.: (11) 2281-5555 – Fax.:(11) 2959-3090
www.madras.com.br

Para mais informações sobre a Madras Editora, sua história no mercado editorial
e seu catálogo de títulos publicados:

Entre e cadastre-se no site:

 *www.madras.com.br*

Para mensagens, parcerias, sugestões e dúvidas, mande-nos um e-mail:

 *marketing@madras.com.br*

SAIBA MAIS

Saiba mais sobre nossos lançamentos, autores e eventos seguindo-nos no facebook e twitter:

@madrased

/madraseditora